W9-CEY-228

Luis Landero hat mit seinem ersten Buch spanischen und internationalen Ruhm gewonnen. Der Roman handelt von Phantasie und ist voller Phantasie: überquellend die Lust des Fabulierens, des Spiels mit üppiger Sprache und kecken Bildern in farbiger Folge; hoch der literarische Anspruch, mitreißend die Unterhaltsamkeit. Diese Fülle aber ist beherrscht von meisterlichem Kompositionsvermögen: kein Satz und keine Szene, die nicht aufs Ganze bezogen wären, weitergeführt und gedeutet würden oder in Rückblenden ihren Sinn zu erkennen gäben.
Die Jugend des Gregorio Olías war ärmlich und traumumfangen; schon Großvater, Vater und Onkel haben sich aus ihrer dürftigen Existenz in unablässigem »Eifern« hinausgeträumt. Als Mitvierziger ergreift er die Flucht, vielmehr wird er von der Flucht ergriffen aus dem Milieu eines inferioren Handelsangestellten und dem dumpfen kleinbürgerlichen Haushalt mit leidenschaftsloser braver Frau und nörgelnder Schwiegermutter: die Flucht in unschuldig-schuldigen Schwindel, zu dem ihn die Weltfremdheit, Weltferne seines nie gesehenen gleichaltrigen Telefonpartners Gil Gil Gil, Handelsvertreters in tiefer Provinz, verleitet. Olías schlüpft in die naiv erfundene Gestalt des politisch verfolgten Dichters Augusto Faroni, er dichtet, ohne wirklich zum Dichter werden zu können, verwechselt Leben mit Kitsch. Gil aber kann ohne den Glauben an Faroni nicht leben, die Verwicklungen werden immer gräßlicher und grotesker, Gregorios Listen immer heilloser, es gibt kein Zurück mehr, die Wirklichkeit zerbricht, die Flucht wird real. Am entlegensten, trostlosesten Ort des Landes treffen sich endlich Olías und Gil und spielen, vereint in Faronis trügerischem Bann, die Rückkehr zur Natur: Zwei Sancho Pansas, erklärte der Autor, die ihren Don Quijote brauchen.

Luis Landero wurde 1948 in Albuquerque (Badajoz) als Sohn armer Landleute geboren, die 1960 nach Madrid zogen. Auf Drängen seines Vaters studierte er Philologie. Sein Studium finanzierte er mit den verschiedensten Arbeiten. Längere Zeit zog er als Gitarrist durch die Lande. Es folgte akademische Lehrtätigkeit. Heute unterrichtet Landero spanische Sprache und Literatur an einer Hochschule in Madrid. Seinen ersten Roman ›Späte Spiele‹, erschienen 1989, ließ er viele Jahre reifen. 1993 folgte Landeros zweiter Roman, ›Glücksritter‹, großes literarisches Ereignis, gestaltenreiches Meisterwerk, das von verwobenen Schicksalen und Eros in einer spanischen Kleinstadt erzählt. Er erscheint, von Willi Zurbrüggen übersetzt, Herbst 1995 bei S. Fischer.

LUIS LANDERO

SPÄTE SPIELE

ROMAN

Aus dem Spanischen von
Willi Zurbrüggen

FISCHER TASCHENBUCH VERLAG

Veröffentlicht im Fischer Taschenbuch Verlag GmbH,
Frankfurt am Main, Februar 1995

Lizenzausgabe mit freundlicher Genehmigung
des S. Fischer Verlags GmbH, Frankfurt am Main

Titel der Originalausgabe ›Juegos de la edad tardía‹
Tusquet Editores, Barcelona 1989

Druck und Bindung: Clausen & Bosse, Leck
Printed in Germany
ISBN 3-596-12438-7

Gedruckt auf chlor- und säurefreiem Papier

für Cipriano und Antonia
für Coté
für Luis und Alejandro

Eine gegen mich gerichtete Einbildungskraft
kann so kraftvoll gegen mich gerichtet sein,
daß ich durch die Einbildung eines anderen sterbe.
Paracelsus

Lucien befand sich in der Lage jenes Fischers
aus ich weiß nicht welcher arabischen Sage,
der sich auf hoher See ertränken will
und in ein Unterwasserreich sinkt,
wo man ihn zum König macht.
Balzac

Ein jedes Ding strebt, soviel an ihm liegt,
in seinem Sein zu beharren.
Spinoza

ERSTER TEIL

KAPITEL I

Am Morgen des 4. Oktober stand Gregorio Olías früher auf als gewöhnlich. Er hatte eine unruhige Nacht verbracht, und gegen Morgen glaubte er zu träumen, ein Bote mit einer Fackel stecke seinen Kopf durch die Tür und verkünde ihm, endlich sei der Tag des Unglücks gekommen. »Steh' auf, Pinguin, man hört schon die Trommeln!« sagte er. Er blinzelte ins halbdunkle Zimmer und schloß sofort wieder die Augen, niedergeschlagen von der Täuschung, das Wachsein zu träumen. »Bah, noch ist es zu spät zu fliehen«, antwortete er im Halbschlaf und glaubte sich einen Moment lang in Sicherheit, obwohl er sogleich ahnte, daß in der Weiterführung des Absurden letztlich nur das Gesetz der Logik auf ihn wartete, um ihn wieder der Realität zuzuführen. So nahm er dann seinen Mut zusammen und sagte sich, »ich bin verloren«, um gleich darauf hinzuzufügen, »verloren im amazonischen Urwald mit einem Schuhkarton und einem Kombimesser«, und begriff, daß er schon wieder dabei war, sich hinter einem hastig errichteten Schutzwall vor den Tücken der Welt zu verschanzen. Doch die Wörter hatten ihre magischen Eigenschaften offenbar verloren. Um sicherzugehen, sagte er mit lauter Stimme: »Pfenambun«, und lauschte mit hellwachen Sinnen auf die Wirkung dieser großartigen Aussage. Nichts geschah. Nicht einmal die ältesten Dinge mit ihren überlieferten, ehrwürdigen Namen protestierten gegen den Eindringling. Eine Uhr schlug acht, und die Zeit drohte ihren linearen Lauf wieder aufzunehmen.

Dem Echo des letzten Glockenschlages nachsinnend, stellte Gregorio sich vor, wie eine ursprünglich stürmische Bewegung allmählich versiegte. Er sah Wellen sich an einem Leuchtturm brechen, sah die letzten Kupfermünzen eines verschleuderten Vermögens, hörte den ersterbenden Seufzer einer leidenschaftlichen Seele, und er weigerte sich nicht nur, diese Erscheinungen als Vorboten der Gegenwart anzuerkennen, sondern wich in die Zeit zurück, bis er Achilles mit der Schildkröte traf; und als er schon verkünden wollte, die Welt sei nichts als eine einzige große Täuschung, da trieb ihn panischer Schrecken in die Wirklichkeit zurück.

Doch was war das für ein wilder Lärm da draußen? Er horchte so aufmerksam, daß er schon bald das Stapfen von Schneeschuhen im Schnee vernahm und das Geheul der Wölfe in einem Föhrenwald, und für einen Augenblick überschwemmte ihn die düstere Euphorie seines Lieblingshelden, Luck Turner, der Hauptfigur des Romans *Wildes Herz*, der unter dem Namen seines Autors in den Karteien der wichtigsten öffentlichen Bibliotheken der Stadt zu finden war. Wenn nach langer Zeit einmal die Erinnerung an jene Jahre verflogen und eine unschuldige Generation im Land herangewachsen war, dann würde vielleicht jemand auf einen durch die Jahrhunderte driftenden Namen stoßen, der weder mit einem Verbrechen, noch mit einem steinernen Wappen, noch mit Wörtern, ja, nicht einmal mit einer Anekdote in Verbindung gebracht wurde, sondern schlichtes und magisches Teilchen in der Schwebe war, so absurd und exakt, daß es höchstens als Chiffre für den Zustand und das Geschick einer Epoche herhalten könnte.

Aber nein: wahrscheinlich – dachte er voller Verdruß ob seiner Hellsichtigkeit – würde ein einziger Federstrich in der Stadtverwaltung schon reichen, und das ganze Lügengerüst, das Dreistigkeit und Scham und nächtelanges Grübeln über ihn aufgerichtet hatten, bräche zusammen. Und schon wollte er wieder zum Amazonas entfliehen, als erneut der Bote ins Zimmer trat und an seinem Nachttisch stehenblieb. Er spürte seinen Atem am Ohr und hörte ihn mit näselnder Stimme seinen Namen sagen:

»Gregorio, Gregorio, los jetzt, sonst kommst du zu spät, es ist schon acht, man hört schon die Trommeln!«

Da fiel ihm ein, daß an jenem Tag, dem 4. Oktober, der General durch die Stadt fuhr. Die beiden Frauen im Flur waren offenbar ausgehbereit, doch wie immer hielt sie eine Angelegenheit in letzter Minute in der Dunkelheit fest. »Das beste Sonntagskleid soll man anziehen, ein bißchen Parfüm dazu, jawohl, und die besten Schuhe, ob man blind ist oder nicht, wen kümmert's, und dann hier stehen und warten wie eine Vogelscheuche«, zeterte eine von ihnen, im Dunstschweif ihrer eigenen Mäkelei zerfließend.

Als er schließlich ihre Absätze auf der Treppe klappern hörte, öffnete er die Augen und erspähte durch einen Spalt in der Jalousie das Licht des herbstlichen Tages. Da sah er sein Leben in allen Einzelheiten vor sich, so wie die vergangene Nacht es ihm hinterlassen hatte, und obwohl er seine Vergangenheit nach einem Sinn absuchte, der ihn der Gegenwart enthöbe und ihn in dieser entscheidenden Stunde rechtfertige, stellte er sogleich wieder fest, daß sein Leben aus lauter Fragmenten bestand, die nicht zueinander paßten, und daß jeder Versuch, sie in eine Ordnung zu bringen, einem einsamen Glücksspiel glich, in dem man alles verliert oder alles gewinnt, aber zum Schluß wieder neu mischt und von vorn beginnt, ein ums andere Mal. ›Als wolle man mit Feder oder Degen ein X durchkreuzen‹, sagte er sich, und im selben Augenblick brach die Gegenwart mit Musikinstrumentengetöse über ihn herein.

Eine Zeit von sechsundvierzig Jahren kroch ihm wie eine Spinne über die Haut. Während er tastend sein allmorgendliches Ebenbild herrichtete und dem Rumoren seiner Eingeweide lauschte, rief er sich noch einmal die Mißverständnisse und Gewohnheiten in Erinnerung, die ihn bis an diesen Punkt geführt hatten: sein Eintritt in die Firma, schon sommerlich gekleidet, der Weg, der ihn in der Abenddämmerung wieder seinem Heim zuführte, die Gespräche mit Gil, zweimal wöchentlich, über neun Jahre hin, die erste Lüge, fröhlich und noch keine richtige, und die letzte, gerade gestern, am 3. Oktober, als er den Hörer für immer aufgelegt, die Spirituslampe ausgeblasen und unerwartet leichtfüßig den Sandweg überquert hatte. Dabei war ihm eine vage Feindseligkeit unter seinen Schritten aufgefallen, die auch heute noch anhielt.

Wie zur Bestätigung schlug ein Eisenteil an seinen Knöchel. An diesem Morgen hatte sich alles gegen ihn verschworen. Als er den Gasherd anzündete, verklemmte sich das brennende Streichholz unter seinem Fingernagel, und kaum war der Fluch von seinen Lippen, als ein Windstoß die Hintertür des Hauses aufdrückte und einen tanzenden Wirbel loser Zeitungsblätter in den Hausflur schob. Im selben Moment hörte er die Trommeln. Auf der Straße waren die Menschen in Sachen Bürgerpflicht unterwegs, ihr Geschrei drang herauf, vermischte sich mit dem Brodeln des Kaffeewassers und ging darin unter. Er betrachtete in dem Kessel sein Gesicht mit den vielen Namen und probierte einen Ausdruck zaghafter Gleichgültigkeit, lutschte schließlich an seinem verbrannten Finger und starrte gedankenverloren in die Gasflamme. »Letzten Endes gewinnt immer Achilles«, dachte er, während er dem Zeitzeichen eines fernen Radios lauschte. Er nahm diese Ankündigung als Hinweis auf den endgültigen Sieg der Gegenwart, und um ihrer Bedrohung zu entfliehen, suchte er noch einmal an die Vergangenheit zu denken. Es gelang ihm jedoch nur der Rückblick auf den Traum, den er in der Nacht gehabt hatte. Er hatte geträumt, er sei Kaufmann und müsse eine Ladung Feldhühner transportieren. Aus Furcht, sein Lastwagen könne einen Unfall haben, die Vögel davonfliegen und die Ware somit verlorengehen, verfiel er auf die List, jedem Huhn einen Beutel Tee als Ballast ans Bein zu binden. Gedacht, getan, und tatsächlich kam es zu einem Unfall, aber die Vögel konnten dank seiner Schlauheit nicht davonfliegen, er fing sie alle wieder ein und konnte sie am Bestimmungsort gewinnbringend verkaufen.

Die Enthüllung des Wachtraums ließ ihn erkennen, daß er unter Heraufbeschwörung früherer Alpträume dabei war, die Konfrontation mit der Wirklichkeit vor sich her zu schieben. »Ich bin verloren«, sagte er tonlos, als stelle er eine Tatsache fest, die ihn nicht im geringsten berührte. Angespornt von der Furcht vor Feigheit, ging er daraufhin zur Tür und warf einen Blick in das dämmrige Wohnzimmer. Auf der Drehorgel lag seine Schwindlerkleidung, und in einem Sessel lagen ein Schuhkarton und sechs identische Bücher, abgelegt wie ein Blatt Verliererkarten. Auf einem Stuhl am Fenster, der die Abwesenheit seiner Herrin behütete, gewahrte er die Garnschachtel und die Stricknadeln. Die alltäglichsten Dinge schienen ihm von einem Hauch feindseliger Neuheit umgeben. Sogar das Schellenhalsband des Hundes, das er vage vom Ende des Flurs her hörte, beabsichtigte dem Ton nach, einen Gedanken zu formulieren.

Erst als er erkannte, daß ihm selbst die harmlosesten Verrichtungen nicht mehr fließend von der Hand gingen, sondern ihm eine handwerkliche Aufmerksamkeit abverlangten, wurde ihm klar, daß er in Panik geriet. Aber selbst das schien ihm unwirklich. Er riß die Serviette von der Brust, faltete sie in exakte Dreiecke, betupfte sich damit die Lippen und legte sie in die Schublade zurück. Er sah auf die Uhr: halb neun. Er überlegte, ob er sich sofort entscheiden oder bis zum Abend warten sollte. Noch zweifelnd, wusch er sich, zog seinen Sonntagsanzug an und parfümierte sich mit Kölnisch Wasser; mit der Hand auf der Klinke der Badezimmertür, so, als stehe er auf dem Trittbrett eines abfahrenden Zuges, verewigte er sich einen Augenblick lang mit der Miene eines Selbstauslöserporträts, um zu sehen, wer von beiden, er oder der im Spiegel, zuerst aufgeben würde. Dann trat er auf den Flur, wiederholte den Gesichtsausdruck auf der Schwelle zur letzten Tür, und bevor er sie schloß, mahnte er sich: »Also, du heißt Gregorio Olías und weißt nicht, wo Faroni ist. Du weißt von nichts und bist in Eile. Kein Wort mehr und keines weniger.«

Draußen war alles ruhig, alles in Ordnung. Es war ein altes Haus, das vielleicht in früherer Zeit einmal einen gewissen Glanz ausgestrahlt hatte, wenn auch nicht genug, um sein Ansehen bis zum Verfall hin aufrechtzuerhalten. Alles war alt, schmutzig, knarrend und düster, war es schon damals gewesen, vor langer Zeit, als Gregorio dort sein letztes Studienjahr verbrachte, als sich im ersten Stock noch eine Abendschule befand, wo er abends ankam und, eine Zigarette in der hohlen Hand rauchend, lässig die Treppenstufen hinaufdribbelte, wie er es in den Gangsterfilmen gesehen hatte, die im Kino seines Viertels liefen. Davor war das Haus wohl ein Wohnhaus aus der Zeit und im Stil der Jahrhundertwende, das ursprünglich hohe und mittlere Beamte beherbergt hatte, Kaufleute, Anwälte und Privatiers, vornehme Damen, die täglich zur Messe gingen, deren Lippen man die erhobene Kaffeetasse ansah, und ihren Händen gleichsam das Tüchlein, mit dem sie in den Mundwinkeln die letzte moralische Mißbilligung besiegelten. Danach sah es ein melancholisches Kommen und Gehen von Rentnern mit Baskenmützen und Schals, einen Facharzt für Geschlechtskrankheiten wohl auch, der sich über Nacht in den oberen Stockwerken niedergelassen hatte, eine hochgeschnürte Witwe, die im zweiten eine Pension eröffnet hatte oder einen Laden mit schmachtender Weißwäsche im Erdgeschoß, bis eines Tages die Pension wegen Hochzeit geschlossen, die Rentner alle gestorben und der Laden dahin war und aus der Asche letzter Leidenschaften jener in ständiger Auflösung begriffenen Welt die Abendschule erstand, vor dessen Tür, an der jetzt das Schild B. A. COMERCIAL SYSTEM prangte, Gregorio fünfundzwanzig Jahre später stehenblieb.

»Hier habe ich Angelina kennengelernt«, sagte er sich, auf das Treppengeländer gestützt, und diesmal von der Anmut seiner schillernden Erinnerungen wirklich entzückt. »Es muß ein Herbsttag so wie heute gewesen sein.« Er schloß die Augen und hob eine Hand, die weltmännische Sicherheit imitierend, mit der er sie damals immer begrüßt hatte, wenn sie abends mit kaum wahrnehmbaren Schritten die Treppe herunterkam, denn mit ihrer Mutter teilte sie die Zurückgezogenheit einer gnadenlosen Trauer und bewahrte von den langen Tagen der Totenklage ihre Übung in Trägheit und Dämmerdunkel und die Gewohnheit undurchdringlicher Hoffnungen. Sie trat ein, drückte sich ein paar Schritte an der Wand entlang und kam in ihrer eigenen Flaute zum Stillstand: mit abwesendem Blick, herabhängenden Schultern, die Hände im Schoß gefaltet und einem Gesichtsausdruck passend zu ihren adretten flachen Schuhen, die Strickjacke sittsam geschlossen.

Sie hieß Angelina und wollte Maschinenschreiben lernen, das war alles, was sie am ersten Tag herausbrachte. Gregorio sagte, er heiße Gregorio (obwohl ihn auch welche Gregor nannten), wohne in einer Pension und arbeite als Gehilfe in einem Versicherungsbüro, und er zeigte ihr einen Kugelschreiber mit dem Schriftzug der Firma. Am zweiten Tag erzählte er ihr, er schreibe Gedichte von hoffnungsloser Liebe und kenne traurige Lieder, die er zur Gitarre singe. Am vierten Tag schenkte er ihr den Kugelschreiber und sagte, er wolle Ingenieur werden und Hängebrücken im amazonischen Urwald bauen. Daraufhin flüsterte sie wie betäubt – denn der Schmerz dämpfte noch immer die Vertraulichkeiten –, ihr Vater sei Hauptmann bei der Kavallerie gewesen und sie hätten noch eine Drehorgel mit Marschmusik im Haus, Symbol jener glücklichen Zeiten, als ihre Eltern sie zur Militärreitbahn mitnahmen, wo es Biskuits und heiße Schokolade gab.

Sie war rundlich und sanftmütig, roch nach Kokosseife, und ihre Stimme brach am Ende der Sätze ab, als zeihe ihr Schamgefühl sie einer Unschicklichkeit. Insgesamt überwanden sie jedoch das Zögern der ersten Tage, und eine Woche später hatten ihre zufälligen Begegnungen den Charakter von Verabredungen angenommen. Im düsteren Hintergrund des Schulkorridors hockten sie auf einer Bank, steckten die Köpfe zusammen und flüsterten miteinander, ohne das Kommen und Gehen übernächtigter Abendschüler auf den Fluren wahrzunehmen.

Ihre Gespräche wurden von langen Pausen verlegener Stille verstümmelt. Wenn sie schwiegen, verharrte Angelina regungslos, hielt die Knie zusammen und den Blick zu Boden gerichtet, doch Gregorio, der einen weichen Flanellanzug trug und schon viele Agentenfilme gesehen und seine Leidenschaft aufs wirkliche Leben übertragen hatte, suchte die Rückenlehne, rauchte mit hochgeschlagenem Kragen und hielt sich für einen welterfahrenen, gutaussehenden Burschen. Dabei war auch er klein und unscheinbar, und nur die einem windigen Abendschüler eigene Blässe und der endlose Traum, den er durchlitt, verliehen ihm das leicht spekulative Aussehen eines an der Welt zweifelnden Seminaristen. Vielleicht bewog ihn diese gute Meinung von sich selbst, im Verein mit dem Gefühl von schamroter

Nacktheit, das das Schweigen bei ihm hervorrief, von seiner Vergangenheit zu erzählen. Kaum hatte er jedoch zu reden begonnen – erinnerte sich Gregorio fünfundzwanzig Jahre später –, nahmen seine Worte jene Orakelhaftigkeit an, die ihn in höchste Höhen heben und letzten Endes seinen Sturz herbeiführen sollte. Er ließ ein paar unverfängliche Wahrheiten verlauten, doch die meisten verschwieg er, andere schmückte er aus, und wieder andere erfand er mit einem Einfallsreichtum, den er längst vergessen geglaubt hatte, nun aber als so überraschend flüssig und stimmig empfand, daß er nicht einen Augenblick auf den Gedanken kam, er begehe offenen Verrat an den Vorbildern der Wirklichkeit.

Es stimmte, daß seine Eltern gestorben waren und daß er mit neun oder zehn Jahren aus dem Süden gekommen war, zu dem einzigen ihm verbliebenen Verwandten, seinem Onkel Felix Olías, den er mit leichter Erfindungsgabe in den Rang eines Künstlers und Lebemanns erhob, der eine monumentale exotische Bibliothek besessen hatte und ein Experte auf allen kulinarischen, geographischen und pädagogischen Gebieten gewesen war. Das hätte er ihr erzählt, doch vielleicht erinnerte er sich just in diesem Augenblick, so klar wie der 4. Oktober selbst, – und hier setzte er sich auf die Treppe, um objektiv in seiner Vergangenheit zu forschen und in ihr den Ursprung seines düsteren Geschicks aufzuspüren – an jenen lange zurückliegenden Tag, an dem er in einem kohlenschwarzen Nachtzug in der Stadt angekommen war, und an das verwaschene Grau des frühen Morgens, als er ihn zum ersten Mal sah. In einen alten Fischgrätmantel gehüllt, stand er mit vor Kälte tränenden Augen und lehmverschmierten Schuhen auf dem Bahnsteig, seinen mageren Körper zitternd dem Phrasengewirr der Einsamkeit preisgegeben.

Er sah aus wie ein braver Gemüseesser und war von einer linkischen Innigkeit, die stets im Begriff schien, etwas sagen zu wollen. Als er es sagte, sprach er von Stockfisch und von Kohlenglut und von einer außergewöhnlichen Geschichte, doch alles Weitere ging im Schnaufen der Dampflokomotive und dem Lärm der Menge unter. Es war Winter, und es regnete. Gregorio erinnerte sich an den keuchenden Atem seines Onkels und an die Temperatur seiner Haut, als er ihn wortlos bei der Hand nahm und sie sich auf den Weg durch ein Gewirr lehmverschmutzter Straßen machten. Durch den Frühnebel tönten die Hornsignale der Müllwerker, und an den Straßenecken schimmerten, in der morgendlichen Helle bereits verblaßt, noch vereinzelte Laternen. Sie kamen an Plätzen vorbei, die Gregorio Jahre später vergebens wiederzufinden suchte, die er aber wie riesige Lagerschuppen in Erinnerung hatte, durch die der Regen tropfte. Und seltsam: es gab kaum Menschen; die wenigen Fußgänger, die unterwegs waren, gingen einzeln und schnellen Schritts, und trotzdem verstärkte sich der Eindruck von Menschenmenge und Lärm unentwegt. Bedrängt vom zunehmend bedrohlicher werdenden Tempo der Stadt, liefen sie durch gepflasterte Gäßchen, wie um dem Regen durch Hast zu entkommen. Sie schienen den symbolischen Weg des Lebens zurückzulegen; doch schließlich traten sie in einen Torweg, gingen eine dunkle Stiege hinauf und gelangten auf eine Galerie aus hölzernen Bohlen und mit schlafenden Blumenkästen auf dem Geländer, die um einen Innenhof führte, in dem nur das Wispern des anbrechenden Tages zu hören war.

Derselbe Zufall, der sie hierher geführt zu haben schien, ließ sie vor einer Tür anhalten, an der der Onkel mit unschlüssiger Hartnäckigkeit herumhantierte. Bevor sie eintraten, schaute er über seine bemäntelte Schulter: »Nur Mut, mein Junge, in Augenblicken wie diesem werden die Helden des Morgen gestählt«, sagte er und gab den Worten Gelegenheit, sich um einen Sinn zu gruppieren und kurz um Fülle oder Verflüchtigung zu ringen. Dann putzte er sich die Schuhe ab und stieß die Tür zum neuen Zeitalter auf. Da traten sie nun ein, an den Händen gefaßt, unerschrockene Wanderer im Anbruch des neuen Tages.

Die Wohnung bestand aus zwei Zimmern, voneinander getrennt durch einen Vorhang mit fliegenden Vögeln. In der Mitte des ersten stand auf dem frisch gewischten Backsteinboden ein Kohlenbecken, in dem die Asche noch wärmte, und darum herum, durch den trüben Glanz des frühen Morgens wie in weite Ferne gerückt, ein Schrank, ein Tisch und zwei Stühle. Der Raum war von jener komplizierten Schlichtheit, die der Entbehrung ein Schnippchen zu schlagen sucht, indem sie ihr mit einem auf unbegreifliche Weise schmückenden Objekt begegnet. An der Wand hing ein Kalender mit dem Bild eines Leuchtturms am Meer, und auf demselben Nagel steckte ein dickes Knäuel Segelgarn.

Viele Jahre später erinnerte sich Gregorio daran, daß sein Onkel, nachdem er die Glut wieder angefacht hatte, sich zu ihm umwandte und ihn mit derselben behutsamen Konzentration ansah, mit der man sich seine Träume in Erinnerung rufen muß, damit sie nicht zerfließen, und er selbst noch den geschwächten Blick dessen hatte, der die Dinge am Fenster seines Eisenbahnabteils vorüberziehen sieht, so daß beide sich lange Zeit wie Fremde anschauten, die sich auf einer Waldlichtung begegnen und nicht einmal zu blinzeln wagen. Das Ganze dauerte aber nur einen Augenblick, denn gleich darauf riß das gebieterische Schmettern eines Signalhorns sie aus ihrer Versunkenheit. Sich den Kopf kratzend, trat der Onkel auf ihn zu, legte ihm seinen Arm um die Schultern und führte ihn ans andere Ende des Zimmers.

»Siehst du, mein Sohn«, sagte er zu ihm, »dies ist unsere Wohnung. Hier«, und dabei pochte er auf den Tisch, um seine Festigkeit vorzuführen, »werden wir essen, du deine Schulaufgaben machen und ich die Abrechnungen fürs Geschäft. Ich habe nämlich ein Geschäft, mußt du wissen. Du wirst schon noch sehen. Und dies ist ein Radio, siehst du? Hör' nur, wie schön es klingt. Dieser Schrank mit der geschnitzten Verzierung, die ein Tierpalaver darstellen soll, ist ein sehr guter Schrank und hat, wie alle Dinge in dieser Wohnung, eine lange Geschichte. Und dort werden wir unser Essen zubereiten.« Er deutete in eine Ecke mit einem Wandschrank, einem Spirituskocher und einem steinernen Abwaschbecken. »Magst du Stockfisch? Ich kann ihn nämlich auf sechs verschiedene Arten zubereiten: mit Weißkohl, mit Reis, mit Nudeln, mit Erbsen, mit Kartoffeln und mit Tomaten, damit schmeckt er am allerbesten«, zählte er gönnerhaft auf. »Ich mache auch Schweinefüße mit Zwiebeln, danach kannst du dir die Finger lecken, und außerdem, an besonderen Tagen wie heute, Ziegenfleisch mit feinen Kartöffelchen dazu. Na, was hältst du davon? Und hier«, er schlug den Vorhang zur Seite, »werden wir schlafen.«

Er verstummte, als seien sie an einem Aussichtspunkt angelangt. Es war ein kleiner, fensterloser Verschlag mit nackten, gekalkten Wänden, in dem sie länger verharrten, als sie gebraucht hätten, um ein Bett auf eisernem Gestell und ein Nachtschränkchen, in dem ein Nachttopf aus Porzellan eingelassen war, zu sehen, aber nicht lange genug, um die Worte zu finden, die sie von einem Schweigen entbunden hätten, das für kurze Zeit endgültig wurde. Sie gingen noch einen Schritt weiter. In einer Ecke tauchte eine zerrupfte Gitarre auf und in einer anderen eine Truhe mit kupfernen Beschlägen. Sie schauten und schauten, und als es nichts mehr zu sehen gab, spürte Gregorio die Atmung seines Onkels und erkannte in ihr denselben verbrauchten Hauch, der die ganze Stube einschläferte, und er wurde so traurig, daß er innerlich zu weinen begann, ohne eine Träne zu vergießen, ohne sein Gesicht zu verziehen und ohne in den Schultern zu erbeben, weil er dachte, daß die Kälte dieses frühen Morgens und jener Geruch von schlafenden Hühnern ihn nie mehr verlassen würde. Sein Onkel setzte sich auf das Bett und wippte ein paarmal, um seine Federkraft vorzuführen. Danach saß er still und starrte zwischen seine Füße, als gäben sie ihm ein Rätsel auf, das ihn zur Schwermütigkeit verurteile.

Draußen ertönten wieder die Hornsignale. In seinem langen schweren Mantel, der ihn erbärmlich beleibt aussehen ließ, durchquerte der Onkel das Zimmer, zündete den Spirituskocher an, drehte sich lächelnd um und blieb in einer ausgemusterten Habachtstellung stehen.

Der Nebel hob sich allmählich, und als sie sich zum Frühstück niederließen, hüllte ein Sonnenstrahl sie in ein Licht von verzehrender Durchschaubarkeit. Sie aßen schweigend, ohne sich anzusehen. Der Onkel planschte mit einem Stück Brot in seinem Milchnapf herum, und Gregorio aß trübsinnig vergessend, ohne großen Appetit. Die Geräusche stellten den Morgen zunehmend auf den Kopf, und draußen ließ sich langsam eine große, emsige Stadt erahnen.

Der Onkel ergriff erst wieder das Wort, als sie ihr Frühstück beendet hatten. Seine Sorgen hatten sich zu einem großen Teil verflüchtigt, er schnippte sich die Krumen von der Brust und klatschte zufrieden in die Hände.

»Dann wollen wir mal sehen«, sagte er und schüttelte den Zeigefinger, »weißt du, wer Bischof Acuña war?«

»Nein.«

»Weißt du, was das Wort ›Abuna‹ bedeutet?«

»Nein.«

»Weißt du denn, wo Acapulco liegt? Nein? Nun, du wirst sehen, wie schnell du das alles lernst. Und hat dein Vater oder dein Großvater dir jemals erklärt, was das Eifern ist?«

»Ich weiß nicht genau.«

»Nun, um so besser, denn das ist ein ganz schlimmes Wort. Und weißt du, daß ich einmal dem Teufel persönlich begegnet bin?«

»Nein.«

»Nun, auch das werde ich dir erzählen.«

Er sah auf die Uhr.

»Jetzt müssen wir uns aber beeilen. Wenn wir im Geschäft sind, will ich dir sagen, welche Pläne ich mir für unser gemeinsames Leben ausgedacht habe, und ich werde dir eine Geschichte erzählen, die ich bisher noch keinem Menschen erzählt habe.«

Sie traten auf die Galerie hinaus, gingen durch verwinkelte Gassen und gelangten an eine Kreuzung, auf der funkensprühende Straßenbahnen fuhren. Dort, unter einer Akazie, stand das Geschäft. Der Onkel zeigte es ihm mit der Hand.

»Siehst du, dort? Es erscheint dir vielleicht unbedeutend, aber es mit einem vollständigen, zeitgemäßen Sortiment auf dem laufenden zu halten, das erfordert Hingabe und Erfahrung. Aber keine Angst, dein Onkel ist ein großer Geschäftsmann. Der Jammer ist nur, daß das Leben mir keine Gelegenheit gegeben hat, es zu beweisen.«

Es handelte sich um einen grüngestrichenen Kiosk aus ungehobelten und mit Blechbändern zusammengehaltenen Brettern, vollgestopft mit Naschwerk für Kinder, losen Zigaretten sowie Liebes-, Kriminal- und Wildwestromanen.

Durch eine Klappe in der Rückwand zwängten sie sich hinein und machten es sich drinnen hinter den trüben Fensterchen bequem; der Onkel auf einem Schemel, mit einem Kohleöfchen aus Drahtgeflecht zwischen den Füßen, und Gregorio auf einem Stoß Bilderheftchen, von dem aus er nur die wogende Krone der Akazie sehen konnte.

Von seinem Versteck aus hörte er Kindergeschrei und die kreischenden Räder der Straßenbahnen. Die Geräusche schläferten ihn ein, und er träumte von einem Torweg und einer Frau, die lieblich nähend im Gegenlicht eines sonnenüberfluteten Innenhofs saß. Er sah einen Sonnenstrahl von himmlischer Helle, in dem Wespen zu einem Jasmin hinuntertaumelten, und in der verborgensten Tiefe des Tages vernahm er ein heiter plätscherndes Wasser. Als er schließlich erwachte, ließ ihn das leise Rauschen des Regens erschrocken auffahren, und er hatte das Gefühl, ins Leere zu stürzen und keine Luft zum Atmen zu finden. Mit einem Kloß in der Kehle, der ein tonloser Schrei war, und wie auf der Flucht aus seiner eigenen Haut, kam er in dem Halbdunkel zitternd auf die Beine. Sein Onkel, der ein großes Buch auf dem Schoß liegen hatte und mit dem Finger las, hielt inne und sah ihn mit unbeholfenem Lächeln an.

»Jetzt, da du dich ausgeruht hast«, sagte er und schloß das Buch, über das er seine Hände faltete, kräftige Hände wie Schaufeln, jedoch von einer steifen Schwerfälligkeit, die jede Bewegung ins Stocken brachten, »sprechen wir über uns. Zuerst einmal will ich dir die versprochene Geschichte erzählen.«

Und wieder schrumpfte Gregorio in seiner Ecke zusammen, eingehüllt in dem Geruch von schlafenden Hühnern und der morgendlichen Kälte, die nicht nachließ.

»Früher, mein Junge, war ich Portier. Jetzt bekomme ich eine kleine Rente und verdiene mir mit diesem kleinen Geschäft noch etwas dazu. Bis vor einigen Jahren war ich mit meinem Schicksal ganz zufrieden und hatte ein gutes Gewissen, obwohl es mich, das stimmt, immer ein wenig bekümmert hat, nicht etwas Besseres geworden zu sein. Nichts Großes wie Arzt oder Richter, aber doch ein guter Handwerker, Mechaniker oder Tischler oder sonst ein Meisterberuf, in dem ich es zu einer gewissen Vollkommenheit hätte bringen können. Ein Jammer, weil, kaum daß ich in Rente gegangen war, mir dasselbe passierte wie deinem Großvater, daß ich nämlich hervorragende und bis dahin unbekannte Eignungen in mir entdeckte, die mich befähigten, die schwierigsten Berufe auszuüben und die ausgefallensten Tätigkeiten zu bewältigen. Wenn ich einen Mechaniker bei der Arbeit sah, sagte ich mir: ›Was für ein großer Mechaniker ist an dir verlorengegangen!‹ und wenn es ein Maurer war: ›Was für ein großer Maurer!‹, und ich stand stundenlang vor den Werkstätten, sah den Handwerkern zu und beklagte mein Unglück. Ich gelangte sogar zu der Überzeugung, daß ich ein ausgezeichneter Verkehrspolizist geworden wäre. Der Gedanke nahm mich so gefangen, daß ich bei jeder Gelegenheit den Laden schloß und zu den Straßenkreuzungen ging, wo ich die Polizisten beobachtete und sie jedesmal bei Fehlern ertappte. ›Das könnte ich besser‹, sagte ich mir und stellte mir vor, wie ich in Uniform auf der Kreuzung stand, mit eleganten, doch energischen Bewegungen den Verkehr regelte und auf der Pfeife trillerte wie eine Nachtigall. Das erfüllte mich mit Stolz, machte mich zugleich aber unzufrieden und vergiftete mein Denken. Ich fing an, mich zu fragen, warum ich es mit einem solchen Talent nicht zu mehr als nur zum Portier gebracht hatte. So gingen die letzten Jahre dahin, und ich hatte mich schon so gut wie in mein Schicksal ergeben, da passierte eines Tages das, wovon ich dir erzählen wollte.

Ich saß hier und aß zu Abend (Stockfisch mit Tomaten, ich erinnere mich noch genau), da kam ein Mann mittleren Alters an den Kiosk. Er trug einen schwarzen Umhang und Handschuhe, die er sich bedächtig von den Händen zog. Er war kräftig und von hoher Gestalt. Auf der Stirn hatte er eine Narbe von der Form eines Tausendfüßlers, und seine Hände zitterten ein wenig. Nun, so ganz genau erinnere ich mich nicht mehr an sein Aussehen, aber sein Gesicht könnte ich dir noch in allen Einzelheiten beschreiben. Er hatte etwas Vornehmes, aber auch etwas Verruchtes, dachte ich, kaum daß ich einen Blick auf ihn geworfen hatte (dieser Mann ist ein Verführer, sagte ich mir), und er sah mich wohlwollend, aber auch ein bißchen abschätzig an. Jedenfalls legte er hier, mitten auf diese Auslagen, ein dickes, in Zeitungspapier gewickeltes Paket. Ich dachte, er will Romane tauschen. Es gibt Erwachsene, die schämen sich, Romane zu lesen, und bringen sie heimlich, wenn es dunkel geworden ist, und blicken sich scheu nach allen Seiten um. Du, mein Junge, solltest dieses Laster meiden und niemals Romane lesen, denn der Name sagt es ja schon: Roman, das kommt von Romantik und deutet auf einen schwärmerischen Geist hin, oder schlicht gesagt, auf Flausen im Kopf. Hörst du überhaupt zu?«

»Ja, Onkel«, antwortete Gregorio von unten.

»Also paß' auf. Er legte das Paket hier ab und sprach kein Wort. Im Gegenteil, er drehte sich um und schaute weg, als gäbe es eine alte Abmachung zwischen uns. ›Umtauschen?‹ fragte ich und hatte noch meinen Bissen im Mund. ›Umtauschen‹, antwortete er, mit einer sehr klaren Aussprache, fast wie gesungen. Ich öffnete das Paket, und zum Vorschein kamen drei dicke Bücher in bestem Rindledereinband. Da ich immer noch meinen Bissen im Mund hatte, kaute ich erst einmal weiter. Ich wußte nicht, was ich sagen sollte, hatte aber insgesamt ein ziemlich ungutes Gefühl. ›Was geben Sie mir dafür?‹ fragte der Mann. Und stell' dir vor, Gregorito, mir fiel darauf eine ganz gewitzte Antwort ein, ich weiß gar nicht, wie. Ich schob die Bücher ein Stück von mir fort und sagte zu ihm: ›Tut mir leid, aber ich habe zur Zeit nicht vor, mein Geschäft zu erweitern.‹ ›Machen Sie mir trotzdem ein Angebot‹, sagte er. Und dann passierte etwas, das nur schwer zu erklären ist, etwas ganz Außergewöhnliches, das man nur verstehen kann, wenn man es selbst erlebt hat. Wir waren beide plötzlich wie inspiriert und fingen an, uns in Wortspielen zu unterhalten und uns geistreiche Antworten auszudenken. Wir wurden immer zügelloser und führten uns auf wie wahre Künstler. Mir war so was noch nie passiert, obwohl auf der Liste meiner Fähigkeiten die des Redners nicht an unterster Stelle steht und ich sicher bin, eine vortreffliche Rede über jedes denkbare Thema halten zu können, wenn sich mir die Gelegenheit dazu bietet. Dasselbe ist deinem Großvater passiert, der immer Notar werden wollte. Oder weißt du etwa nicht, daß dein Großvater Notar und dein Vater Oberst war, wenn auch nur im Geiste, und daß sie dies das Eifern nannten? Weißt du das?«

»Nicht mehr so genau.«

»Nun, um so besser, denn das ist ein verfluchtes Wort. Aber wo war ich stehengeblieben. Der Mann wollte also, daß ich ihm ein

Angebot machte, und ich bot ihm den Mond an (ich weiß noch, daß es ein abnehmender Mond war); er antwortete, er habe keinen Korb dabei, um ihn zu transportieren. Ich bot ihm das Fell des Bären, den ich am Sankt-Nimmerleins-Tag erlegen wollte, dazu hundert Tauben auf dem Dach und alle sauren Trauben, an die er heranreichen konnte. Ich bot ihm noch weitere unmögliche Dinge an, die er aber abwägte und mit Witz zurückwies. Als meine Einfälle nachließen, hielt ich ihm, Gott vergebe mir, eine Handvoll Bonbons und einen Bund Knallfrösche hin. Er lachte laut und sagte: ›Bieten Sie mir auch Ihre Polizistenuniform.‹ Wie konnte dieser Mann meine geheimsten Gedanken kennen, wenn er nicht der Teufel war, wie ich glaube? In der Situation damals war ich aber nur darauf bedacht, meine Ehre zu retten. Ich bot ihm sogar die Pfanne mit dem Stockfisch an. Er lachte aber immer noch und verlangte weitere Sachen: meine Maurerkelle, meinen Mechanikerschlüssel, meinen Tischlerhobel, meine Hausmeisterschlüssel. Ich häufte (denn ich war wie von Sinnen und achtete gar nicht auf die boshafte Zurschaustellung seiner Macht) eine Kinderuhr, eine Wasserpistole, eine Affenmaske und alles, was es hier sonst noch gab, vor ihm auf. Und als ich aufs Geratewohl einen Stoß Romanhefte griff und vor ihm hinlegte, wurde er ernst, legte eine Hand auf den Packen, als wolle er einen Schwur ablegen, und sagte: ›Abgemacht, diese drei Bücher für diesen Stoß Hefte.‹ Mich erschreckte seine Stimme, die auf einmal rauh geworden war wie die eines Falschspielers. Ich nahm aber an, weil ich, so wie die Dinge mittlerweile standen, nicht kneifen wollte und auch, damit er mich nicht für einen großmäuligen Windbeutel hielt. Er nahm den Stoß Hefte, schlug den schwarzen Umhang über die Schulter, daß man dachte, gleich tut sich die Erde auf und verschlingt ihn, zog in aller Ruhe seine Handschuhe wieder an, verneigte sich wie ein Bühnenkünstler und ward danach nie mehr gesehen. Nun, was meinst du? Muß das nicht der Teufel gewesen sein?«

»Ich weiß nicht«, antwortete Gregorio, der diese Geschichte erst viele Jahre später begreifen sollte.

»Sieh mal her, mein Junge, dies ist eines der drei Bücher, und dort liegen die anderen beiden, die ich hüte wie einen Schatz; mit ihrer Hilfe wird aus dir ein brauchbarer Mensch werden. Hätte ich früher gewußt, daß es solche Bücher gibt, wäre ich heute ein großer Mann, vielleicht Richter oder Arzt oder vielleicht sogar Kardinal in Rom, aber nicht wie dein Vater oder Großvater, sondern tatsächlich, mit Brief und Siegel und allem, was dazugehört.«

Das erste war ein Wörterbuch: ›Hierin findest du alle Wörter, die es gibt, es fehlt nicht eines.‹ Das zweite war ein Atlas: ›Und hierin alle Orte und Ereignisse dieser Welt.‹ Das dritte war eine Enzyklopädie: ›Dies ist das großartigste von den dreien, denn es enthält in alphabetischer Reihenfolge das ganze Wissen der Menschheit, von ihren Anfängen bis heute. Hast du gewußt, daß es ein solches Buch gibt? Nun, ich auch nicht, bis vor drei Jahren. Seitdem lese ich darin. Ich bin schon bei dem Wort ‚Aetius', das war ein römischer Feldherr, der im Jahr 432 den Grafen Bonifatius getötet hat und im Jahr 451 den Hunnenkönig Attila auf den Katalaunischen Feldern besiegte. Kaiser Valentinian III. ließ ihn aber ermorden, weil er ihm zu mächtig wurde. Ich komme nur langsam vorwärts, weil ich schon zu alt bin und ein schlechtes Gedächtnis habe; um mir eine Sache merken zu können, muß ich vorher eine andere vergessen. Und dann sind da auch noch der Atlas und das Wörterbuch. Ich lerne jeden Tag fünf neue Wörter auswendig und den Namen eines Flusses oder einer Stadt. Denke ich daran, was ich alles wissen könnte, wenn mir diese Bücher vor fünfzig Jahren in die Hände gefallen wären und ich damals so wißbegierig gewesen wäre wie heute, dann bin ich schier untröstlich, weil mir bewußt wird, daß ich mein Leben verpfuscht habe und daran nichts mehr zu ändern ist. Aber dir, Gregorito, stehen noch alle Möglichkeiten offen. Du scheinst mir wie vom Schicksal gesandt, um den Streich wiedergutzumachen, den es mir gespielt hat, indem es mir Brot zu beißen gab, als ich keine Zähne mehr hatte. So, nun weißt du Bescheid. Gleich morgen fangen wir mit dem Lernen an, denn wir wollen keine Zeit verlieren.‹

Er drehte sich umständlich zur Seite, legte seine Hand auf Gregorios Kopf und sagte mit vor Feierlichkeit erstickender Stimme:

»Junge, aus dir wird einmal ein großer Mann.«

KAPITEL II

Sie gingen jeden Morgen zeitig aus dem Haus, und sobald sie ihre Plätze im Kiosk eingenommen hatten, schlug der Onkel die Enzyklopädie auf und begann unter Zuhilfenahme seines Fingers die Wörter in klare, belehrende Silben zu zerlegen, und sie gingen nie zum nächsten Abschnitt über, bevor Gregorio nicht den vorherigen auswendig gelernt hatte. Danach arbeiteten sie im Wörterbuch, und zuletzt setzten sie sich nebeneinander und schauten in den Atlas. Sie hatten mit Peru angefangen und sich vorgenommen, kein anderes Land in Angriff zu nehmen, bevor sie sich nicht mit traumhafter Sicherheit in diesem bewegen und fehlerfrei selbst die kleinsten geographischen Ausformungen benennen konnten. Sie aßen im Kiosk und kehrten bei Anbruch der Dunkelheit nach Hause zurück.

Dort fand der letzte pädagogische Akt des Tages statt. Da er eine sehr schöne Schrift hatte, unterwies ihn sein Onkel in der Kunst des Schreibens. »Die keine andere ist als die des Denkens«, versicherte er, »denn die Philosophie ist ein Zweig der Kalligraphie und entsteht aus der Konzentration, die eine meisterliche Schönschrift erfordert.« Er nahm Papier und Bleistift zur Hand. »Zuerst stellen wir einen Merksatz oder eine Regel auf. Die Klarheit des Schriftzugs«, erläuterte er in dem gleichen blumigen, schnörkeligen Rhythmus, in dem er schrieb, »ist bereits die Vorwegnahme seiner Durchdringung seitens des Gehirns, seine begründete Erklärung gewissermaßen. Siehst du, mein Junge? Man bemächtigt sich eines Begriffs, indem man das Wesentliche daraus zum Vorschein bringt.« Und er erklärte ihm, daß die große Unwissenheit auf dieser Welt von der Verbreitung der Schreibmaschine herrühre. »Die hat Mister Remington erfunden, ein herzloser Amerikaner.« Seitdem war nicht nur die handschriftliche Kunst der Philosophie verlorengegangen, sondern auch die korrekte Denkhaltung, die darin bestand, mit leicht nach vorn geneigtem, sehnigem Oberkörper zu sitzen, einen Ellenbogen auf dem Knie, das Kinn in die Dreifingergabel gestützt oder die Hand als Schirm über die Augen gelegt, den anderen Unterarm fest auf dem Oberschenkel, die Hand locker herabbaumelnd und die Augen auf den Horizont fixiert. Ob im Kiosk oder zu Hause, immer wenn sie ihr Gedächtnis bemühten oder ein Problem wälzten, nahmen sie die klassische Haltung des Denkers ein, und stets gelang es ihnen, ihre Zweifel auszuräumen.

Abends im Bett brachte er ihm Akkorde und Griffe auf der Gitarre bei oder erzählte ihm aus dem Leben der Eroberer, mit Vorliebe von den Heldentaten des Alvaro Núñez Cabeza de Vaca, dessen Abenteuer ihn so in Stimmung brachten, daß er zum Schluß schrie und gestikulierte und manchmal vor Rührung weinte. »Ich wäre ein großer Entdecker gewesen«, sagte er, »aber das Schicksal hat mich in eine Zeit verschlagen, in der das einzige Abenteuer darin besteht, sich sein tägliches Brot zu erobern. Aber stelle dir deinen Onkel vor, wie er einen Fluß entdeckt: Rio Olías! Oder ein Binnenmeer: das Olíasmeer! Dann könnte ich über den Tod nur lachen. Darum, Gregorito, sieh zu, daß du etwas entdeckst, einen Virus oder ein Gesetz. Man wird dir ein Denkmal errichten. Du darfst dann aber nicht vergessen, dich an deinen Onkel zu erinnern, und zu sagen, daß ich dein Lehrer gewesen bin. Damit vergiltst du mir alles, was ich für dich getan habe.«

An manchen Abenden wurde Gregorio während des Erzählens vom Schlaf übermannt, und sein Onkel, der angefangen hatte, aus dem Leben beispielhafter Menschen zu erzählen, verlor sich in der Geschichte seiner eigenen Illusionen.

Am nächsten Tag wurde weitergelernt. Sie schritten jedoch so langsam voran, daß sie nach einem Jahr erst bei dem Wort »afokal« und den letzten Flüssen und Ausläufern Perus waren. Gregorio hatte zu der Zeit schon zu einer Identität gefunden, die endgültig genug war, um sich am Morgen des 4. Oktober präzise an sie zu erinnern: eine lange Marinejacke, die seinem Onkel gehört hatte, eine Ledermütze mit Ohrenklappen und ein brauner Schal, dreimal um den Hals geschlungen. »Schon damals glich meine Kleidung einer Maskerade«, sagte er sich und dachte an den Tag zurück, an dem sein Onkel ihm die Jacke geschenkt hatte. Sie besaß sechs Kupferknöpfe und im Futter ein Etikett in englischer Sprache und goldenen Buchstaben, aus denen man noch das Wort *Tarrasa* entziffern konnte, was dem alten Mann einen Seufzer entlockt hatte: »Ich wäre so ein guter Textilhändler geworden«, sagte er, »und auch ein erstklassiger Schneider, und mein Name würde viele Jahre lang in vielen Mänteln stehen. Ach, Gregorito, das Leben ist so wunderbar, aber ich mit meinem dummen Kopf habe es verpaßt, und glaube mir, ich bin darüber untröstlich«, und er tat, als müsse er weinen und zog ein Schippchen wie ein Kind.

Das war der Gedanke, der ihn quälte. Im Sommer stellten sie die Stühle auf die Galerie hinaus und saßen bis Mitternacht an der frischen Luft. Sein Onkel gab ihm dann gute Ratschläge fürs Leben. Er sagte ihm, daß Wissen keinen Platz einnimmt, daß was einer kann, ein anderer ebenfalls kann, daß Ausdauer die Mutter aller Tugenden ist und daß er nie zu Bett gehen solle, ohne etwas Neues gelernt zu haben. Und er erzählte ihm, wie sein Vater ihn beim Zubettgehen stets gefragt hatte: »Und was hast du heute gelernt?«, und wenn er nichts gelernt hatte, ihn auf die Straße schickte, sogar mitten im Winter, und nicht eher wieder ins Haus ließ, bis er ihm irgendwas nennen konnte, das er gelernt hatte. »Na, was berichtest du mir?« rief er dann von drinnen. Nie würde er jene Januarnacht vergessen, in der es in Strömen regnete und ihm nichts einfiel, was ihm die Tür geöffnet hätte. »Ich weiß, daß es draußen regnet!« rief er. »Das reicht nicht«, antwortete der Vater. »Es ist kalt!« ›Das reicht auch nicht.‹

»Es war finster, und ich hatte Angst. Plötzlich hörte ich ein Saitenspiel, sehr melodisch und ganz entzückend. Ich glaubte es in meiner Nähe, doch jedesmal, wenn ich dachte, ich hätte die Musik erreicht, war sie ein Stück weiter fort, und so folgte ich ihr eine ganze Weile, bis ich vor einem niedrigen Haus stand und durch die halboffene Tür einen alten Mann sitzen sah, der beim Licht eines Kerzenstummels Geige spielte. Ich lief nach Hause zurück und sagte zu meinem Vater: ›Ich weiß, daß unten im Dorf ein alter Mann Gitarre spielt!‹ (Damals kannte ich gerade eine Gitarre und wußte noch nicht, was eine Geige war.) Mein Vater befahl mir, zurückzugehen und mir genauer einzuprägen, was ich gesehen hatte. Ich ging den Weg also noch einmal, tat einen Schritt ins Haus und klopfte an die Tür. ›Was willst du?‹ fragte der Alte, ohne sich umzudrehen oder mit seinem Spiel aufzuhören. Der Docht war kürzer geworden, und der Schatten des musizierenden Mannes füllte die ganze Wand. Ich sagte: ›Ich möchte wissen, was das für eine Gitarre ist.‹ ›Diese Gitarre ist eine Geige‹, sagte er und spielte dabei weiter, immer dieselbe Melodie. Willst du hören, wie die Geschichte zu Ende geht, Gregorito?«

»Ja.«

»Nun, ich kam völlig durchnäßt nach Hause und gab meinem Vater von draußen die Antwort. ›Das reicht nicht!‹ rief mein Vater. ›Frage den Musiker, wie er heißt! Warum begnügst du dich mit so wenig? Weißt du nicht, daß Wissen keinen Platz einnimmt?‹ Ich ging den Weg also wieder zurück, es wurde immer dunkler und immer kälter, und alle Häuser, mit Ausnahme das des Alten, waren bereits verschlossen und ohne Licht. Als ich ankam, war die Kerze fast heruntergebrannt, man sah kaum noch etwas, und der Schatten des Musikers hatte jede Form verloren. ›Ich soll fragen, wie Sie heißen‹, sagte ich. Und ohne sein immergleiches Spiel zu unterbrechen, antwortete er: ›Ich heiße Manuel.‹ Ich rannte wieder nach Hause, um die Antwort zu überbringen. Es stürmte und schüttete wie aus Eimern, der Regen war eisig kalt und trieb fast die Wölfe in die Dörfer hinein. Aber mein Vater sagte: ›Und die Musik? Was ist das für eine Musik? Los, frage ihn, wie die Musik heißt. Lauf!‹ Und ich rannte los, aber ich war schon so erschöpft, daß ich nur langsam voran kam. Als ich das Haus erreichte, war das Licht erloschen, war keine Kerze mehr da und auch der alte Mann nicht mehr. Ich steckte den Kopf durch die Tür und rief: ›Was war das für eine Musik?‹ Doch niemand gab mir Antwort. Kein Ton war zu hören, nur das Rauschen des Regens, und ich ging weinend nach Hause. Mein Vater ließ mich dann herein und sagte: ›Jetzt hast du etwas gelernt, nämlich, daß du niemals den Namen dieser Musik erfahren wirst. Du wirst dich an die Melodie erinnern, aber du wirst nie wissen, zu welchem Lied sie gehört, und darum wirst du ein unglücklicher Mensch werden.‹ Ach, Gregorito, wie recht er hatte! Ich erinnere mich noch schwach an sie« – und er trällerte eine Melodie ohne Anmut und ohne Sinn –, »doch ich kann sie vorsingen wem ich will, niemand kennt sie, und ich werde sterben, ohne ihren Namen erfahren zu haben. Das ist mein allergrößter Kummer.«

Und Gregorio lernte jeden Tag etwas Neues, viele Wörter und die Namen von Feldherren und Flüssen.

Während jener ersten Jahre war sein Onkel ein gestrenger Lehrer und bei klarem Verstand. Er aß von allem und mit gutem Appetit, vertiefte sich ab und zu in seine Papiere (ein Karton voller vergilbter Dokumente; Briefe, Fotografien und Zeitungsausschnitte), spielte auf der Gitarre, ging täglich auf das Gemeinschaftsklo der Galeriebewohner, und an den Sonntagen besuchten sie ein Badehaus, das er stets wie verjüngt verließ, lebhaft und gesprächig. Sie fuhren mit der Straßenbahn heim, und im Vorbeifahren zeigte er mit dem Finger auf die Veränderungen, die die Stadt in den letzten fünfzig Jahren durchgemacht hatte.

Die Freude währte jedoch nicht lange. Gregorio erinnerte sich, daß eines Tages im Sommer, als sie die Geschichte der Abencerragen durchgingen, sein Onkel plötzlich die Enzyklopädie zuklappte und, von einer jähen Überzeugung wie verwandelt, in einem Ton grenzenloser Enttäuschung ausrief:

»Niemals werden wir Cabeza de Vaca erreichen, niemals werden wir Mexiko erreichen und auch Don Lope de Aguirre nicht. Wahrscheinlich werde ich nie zum Amazonas kommen. Ich werde sterben und verfaulen und selbst du, Gregorito, wirst mich vergessen. Gregorito, ich sterbe! Und was wird aus Felix Olías, wenn ihn schon jetzt kein Mensch mehr kennt? Mein Sohn, wir Olías sind verflucht. Und weil wir verflucht sind, ist mir auch der Teufel erschienen und hat mich in Versuchung geführt.«

Dann kniff er die Augen zusammen wie ein Seemann im Ausguck, richtete seinen Blick in die Unendlichkeit und schrie:

»Das Eiferrnnn!!«

Bestärkt von dem Verdacht, der Amazonas werde für ihn unerreichbar bleiben und das Vergessen sei ein zweiter Tod, weit furchtbarer und endgültiger als der erste, ließ er seine Gewohnheiten schleifen und lockerte die Unterrichtsdisziplin. Er kramte immer häufiger in dem Karton mit seinen Papieren und begann laute Selbstgespräche zu führen, und an den Abenden schritt er gedankenvoll durch die Wohnung, kratzte sich den Kopf und verwarf jeden seiner plötzlichen Einfälle, die ihn immer dann einen Augenblick innehalten ließen, wenn ihn die Erinnerung traf. Gregorio wußte nicht, daß er in der Truhe noch die Portiersuniform mit den goldenen Schulterklappen und Schnüren aufbewahrte, mit der er eines Morgens überraschend vor dem Bett posierte, strahlend, das Gesicht von einem Lächeln erleuchtet, in dem Stolz, Erwartung, Taumel und Einfalt sich zu einem verschwommenen Ausdruck des Irrsinns drängten. Monate später weigerte er sich, das Haus zu verlassen, mit Ausnahme der Gänge zum Klo, und als der Frühling kam, richtete er sich im Bett ein, in dem er fortan sein Leben inmitten von Papieren zubrachte, die er mit verschiedenen Stimmen und in wechselnden Stimmungen las und kommentierte, ohne je den Grund für seinen Kummer oder den Gegenstand seiner Freude zu finden.

»Gregorito, wirst du an mich denken, wenn ich tot bin?«

»Ja, Onkel.«

»Wenn du eine Entdeckung gemacht hast und ein großer Mann geworden bist, darfst du nicht vergessen, mich zu erwähnen, mein Sohn, dann mußt du sagen, daß ich dein Lehrer gewesen bin. Hörst du, du darfst mich nicht vergessen!«

Wenig später, erinnerte sich Gregorio am Morgen des 4. Oktober, weigerte er sich zu kochen und reduzierte seine Kost auf ein bißchen abgepacktes Dörrobst pro Tag. Er verbrachte Stunden damit, Erdnüsse zu schälen, Feigen zu lutschen und Kastanien zu knabbern, verloren in einem Meer von Schriftstücken, die er abends in den Karton zurücklegte, um anderntags sein unsinniges Tun wiederaufzunehmen.

Sein Geruch von eingesperrtem Tier, das Gestammel seiner schlaflosen Reden und das knirschende Pieken der Überbleibsel seiner Mahlzeiten im Bett erschwerten das Einschlafen, besonders wenn ihm mitten in der Nacht einfiel, das Licht anzuzünden und nach seinem Karton zu verlangen, in dem er zwischen seinen Papieren wühlte, bis jenes gefunden war, das ihn, aus welchen Gründen auch immer, um den Schlaf gebracht hatte. »Onkel, warum schläfst du denn nicht?« »Schlafen?« rief er mit staunenden, weit aufgerissenen Augen, das Kinn in einer Raubvogelgrimasse an den Kehlkopf gepreßt, »wie soll man schlafen?« Er schwenkte ein Bündel Papiere: »Schlafen die Worte etwa, ruht ihr Sinn?« Und dann redete er noch allerlei wirres Zeug, wie, die Würmer seien überlebende Wörter einer toten Sprache, oder im Reich der Stühle sei der Schemel blind.

In anderen Nächten hielt die Furcht vor Dieben, die seine Papiere stehlen könnten, ihn wach, und er weckte Gregorio mit den Worten: »Hast du nicht Geräusche von Gesindel gehört?«, und ließ ihn unter dem Bett nachsehen und sich vergewissern, ob der Riegel vor die Tür geschoben war, und noch immer unzufrieden mit der Überprüfung, hörte man ihn brummeln, seufzen und leise fluchen, schließlich in einen gebrechlichen Schlaf verfallen, aus dem er schon bald wieder auffuhr, um auf die Uhr zu schauen und mit der Zipfelmütze und dem Nachthemd eines alten Geizhalses aus dem Bett zu steigen und zum Fenster zu schlurfen, nachzuschauen, ob sich der Tag schon ankündigte, und dann murrend zum Nachtlager zurückzukehren und leise gurgelnd vor sich hin zu dösen. »Wir werden den Amazonas nie erreichen«, pflegte er mit der hohlen, gespenstischen, untrüglichen Stimme der Schlafenden zu sagen.

Er litt auch an Verstopfung. Als er seine Gesundheit mit der Regelmäßigkeit und Menge seiner Darmentleerungen in Zusammenhang brachte, verordnete er sich selbst Abführmittel und Adstringenzien. Da er Frühaufsteher war, begab er sich im Morgengrauen zum Abort und entledigte sich dort der Qual seiner Därme unter so endlos heiserem Gestöhn, daß er alle Bewohner weckte, deren Zimmer zur Galerie hin lagen. Sogar die Vögel im Hof begannen früher zu zwitschern, und schließlich erwachte, aufgrund dieses rüden Morgenappells, alles ein wenig früher.

Monate später – Gregorio wußte nicht mehr den genauen Zeitpunkt – verlor er auch das Interesse an seinen Papieren. Er glaubte sich an einen späten Vormittag im Frühling erinnern zu können, an dem unten auf der Straße ein Geschwirre war, Lärm von Stimmen und Autohupen, auf dem Gang ein wogendes Gerenne, und mit einemmal die Stille einer Flöte, die sich ausdehnte, bis keine Erinnerung sie mehr erreichte. Gleich darauf erhob sich das ferne Echo einer hellen Musik, die für Augenblicke in noch nachhängenden Gedanken zu versinken schien, doch dann plötzlich im tosenden Wirbel eines Spielmannszuges unter den Balkonen hervorquoll und die Luft mit Kindergeschrei, mit Fahnenglanz und wehendem Pulverdampf erfüllte. Wie von einer himmlischen Erscheinung angezogen, tappte er mit so unsicheren Schritten durchs Zimmer, daß Gregorio erst da bemerkte, wie hinfällig er geworden war. Er trat ans Fenster und schaute mit Tränen in den Augen nach unten und blieb dort stehen, bis die Musik in der Ferne verklang, die Balkontüren sich wieder schlossen und die Stille erneut allgegenwärtig wurde.

»Hast du das gehört?« fragte er oder fragte er sich. »Hast du das gehört? Es war eine Musik, die etwas angekündigt hat. Einen Moment lang dachte ich, es sei jene, deren Namen ich nie erfahren soll.«

Auf das Irrereden folgte Rührseligkeit. War ihm zuvor die Wirklichkeit verwehrt gewesen, reduziert auf das Herumkramen in seinen Papieren, oder einer Erinnerung anheimgegeben, die nicht vergessen wollte, und hatte er deswegen nächtelang wach gelegen und seine ausgefeiltesten Unsinnigkeiten daran abgearbeitet, so war es jetzt eine millimetrische Wahrnehmung der Welt und das Mitgefühl für die unscheinbarsten Dinge, die ihn nicht schlafen ließen. Er erinnerte sich noch genau, wie er als Kind einmal einen hilflosen Vogel mit einem Stein totgeschlagen hatte: ein Verbrechen, von dem keine Autorität der Welt ihn lossprechen konnte. Gar nicht zu reden von all den Insekten, die ihr Leben ließen, um mit dem Geschenk der Grausamkeit zu seiner Kindheit beizutragen. Er weinte um sie, schniefte erbärmlich und nickte bekümmert mit dem Kopf. Die Erleichterung einer späten Bußfertigkeit ließ ihn plötzlich munter werden: »Wie es wohl dem Vögelchen der Portiersfrau geht? Zwitschert es noch alleweil? Hüpft es in seinem Käfig umher? Geh', sieh nach, und sag mir, was es gerade macht. Und dieser Holzwurm, der am Balken nagt; hörst du ihn knabbern? Und die Fliegen. Wie viele Fliegen haben wir jetzt im Haus?« Mit denen, die sich auf sein Bett setzten, unterhielt er sich. »Ah, einen schönen guten Tag, kleine Fliege. Wie geht es dir heute? Huii, was für feine Füßchen du hast!« Und seine Liebe bemächtigte sich aller gegenständlichen Dinge: der gekalkten Wände, der Schnürsenkel in den Schuhen, der Schmutzflecken auf den Kleidern und der fliegenden Vögel auf dem Vorhang. Er sprach mit allen, und um alle weinte er, schniefte erbärmlich und nickte bekümmert mit dem Kopf. »Den Dingen ist das Eifern fremd, weil sie schlicht und rein sind«, pflegte er zu sagen. Gregorio ließ er, den striktesten Regeln der Barmherzigkeit gemäß, zu seinen Füßen schlafen, und manchmal kitzelte er ihn zum Spaß, dachte sich Streiche aus oder ahmte unbeholfen die Stimmen von Haustieren nach.

Als er in jener Zeit einmal zu später Morgenstunde die Stimme des Postboten im Innenhof vernahm, sagte er zu Gregorio: »Geh' und schau nach, ob uns jemand geschrieben hat.« »Aber wer soll uns denn schreiben?« »Das kann man nie wissen«, antwortete er, »Briefe sind wie Vögel, die manchmal kommen und gehen oder auch nicht.« Eines Tages jedoch sagte er: »Briefe sind wie«, und konnte sich nicht mehr an das Wort »Vögel« erinnern, und als er sagen wollte, er habe es vergessen, erinnerte er sich auch an das Wort »vergessen« nicht mehr, und gerade als er sagen wollte, er könne sich nicht mehr daran erinnern, vergaß er auch das Wort »Erinnerung«. Um die Gedächtnislücken zu stopfen, las ihm Gregorio abends aus dem Wörterbuch die tagsüber verlorenen Wörter vor, doch da er die Bedeutung dieser Wörter ebenfalls wieder vergaß, begaben sie sich auf eine endlose Suche nach neuen Bedeutungen, die ihrerseits wieder von anderen ersetzt werden mußten, so daß sie sich bald in einer unentwirrbaren Kreisbewegung drehten, die ihnen alle Kraft nahm.

Später, ohne daß man wußte, wie, kam ihm auch die Rührung abhanden, und er wurde immer schweigsamer, starrte mit offenen Augen ins Nichts, ließ hin und wieder einen fahren und blinzelte dabei in sehr artigem Erstaunen, längst und so gut wie unwiderruflich jenseits aller Zeit, Gewohnheit oder Neigung.

Da sein Onkel ihm nichts mehr beibringen konnte – fuhr Gregorio fort, in der Vergangenheit zu kramen –, schickte er ihn in eine Schule, die in der Nähe lag: ein einziger niedriger, trister Raum, aus dem unablässig Schülerstimmen schollen, die das Einmaleins und den Katechismus herunterleierten. Der Lehrer, erinnerte sich Gregorio, schaute stur aus dem Fenster, während er Sätze mit orthographischen Fallen diktierte oder Probleme mit Äpfeln und Birnen aufwarf. Sein an den Hut gewöhnter Kopf glänzte weiß in der obszönen Nacktheit einer eben ihrer Unterwäsche entstiegenen Matrone. Ein schmales, gestutztes Schnurrbärtchen krönte seinen Mund, der einer getrockneten Feige glich. Er hatte einen goldenen Eckzahn und trug einen breiten Binder mit verästeltem Muster.

Auf dem Heimweg bummelte Gregorio durch die Straßen, traute sich jedoch nie über die Grenzen seines Viertels hinaus. Zu Hause machte er sich, von den letzten hellen Momenten seines Onkels ermuntert, über die drei magischen Bücher her. Unter dem Ansturm immer neuer Wunder schweiften seine Gedanken jedoch bald ab, denn sehr schnell zeigte sich in ihm der Hang, in jedem neuen Wort nach einem Geheimnis zu suchen, was dazu führte, daß er Stunden damit zubrachte, dem rätselhaften Klang eines Wortes zu lauschen, es auf der Zunge zergehen zu lassen wie einen Bonbon, dem es noch einen Rest von Geschmack zu entlocken galt. Er suchte die feine Verbindung zwischen dem Namen und der Sache, stellte beide einander gegenüber und wartete darauf, daß sich zwischen ihnen eine Verschworenheit offenbare, die eine gemeinsame Herkunft erkennen ließe, und nichts bezauberte ihn mehr als jene absurde Übereinkunft, daß eine Blume dadurch, daß er sie ›Klatschmohn‹ nannte, ihre Unschuld einer unbenannten Kreatur verlor. »Warum heiße ich Gregorio? Wie ist so ein Unding möglich, daß man sagt ›Gregorio, komm her‹ oder ›Gregorio, geh dorthin‹?« Ein paarmal trat er zu seinem Onkel ans Bett und sagte langsam und deutlich: »On-kel Fe-lix«, in der Hoffnung, er könne sich einmal nicht angesprochen fühlen. Und da er glaubte, daß es Wörter gibt, die nach ihrem Tod auf der Suche nach ihrem verlorenen Status von Dingen als seufzende und wimmernde Gespenster herumspuken, sprach er ihn auch ein paarmal mit falschem Namen an: »Sar-cu-so«, doch sagte er es so nachdrücklich und dreist, daß sein Onkel den Namen schließlich auf sich bezog und ihn anschrie: »Was zum Teufel sagst du da und sagst du da?«, wobei er die Worte doppelt aussprach, um seine Bestürzung besser zum Ausdruck zu bringen.

»Felix Olías!« schrie er bis zur Heiserkeit. »Mein Name ist Felix Olías!«

Manchmal hörte er abends Radio. Kaum hatte er es beim ersten Mal eingeschaltet, da ertönte ein langes, zielloses Pfeifen, das ihm seinen Verdacht bestätigte, die Welt sei in der Tat fremd und unwirtlich. Es gab Sender, die Programme in fremden Sprachen ausstrahlten, die er schnell nachzuahmen lernte, als handle es sich um Vogelstimmen. Oder er malte Kreise und Säulen, ohne zu verstehen, welchen Erfordernissen des Wissens diese illustren Figuren gehorchten. Die parallelen Linien kamen ihm wie ein stumpfes geometrisches Drama vor, mit ihrem niemals Zusammenkommen, ihrem Getue um Treue und Abstandhalten, das die Endlosigkeit von Zeit und Raum herbeifabulierte. Und weitere Rätsel, wie das der Heiligen Dreifaltigkeit, bei der das Eine und die Drei sich verbinden, um sich für immer zu verneinen; oder das von Achilles und der Schildkröte, so unwiderlegbar, daß selbst die Wirklichkeit nicht ausreichte, um es in Abrede zu stellen (noch viele Jahre später erinnerte sich Gregorio daran, daß, als der Lehrer ihnen die Ohnmacht des Achilles erklärte, ein Junge in der Klasse loslachte und frech behauptete, das sei alles Lüge und Geschwätz der Alten, woraufhin der Lehrer sich auf ihn warf, ihn verfehlte und verfolgte und schließlich erwischte, und nachdem er ihm eine Tracht Prügel verabreicht hatte, sich die Krawatte zurechtrückte und mit der Darstellung der Aporie fortfuhr, als sei nichts gewesen), stürzten ihn in Abgründe unauflöslicher Überlegungen.

Heraus kam dabei schließlich, daß er nichts anderes begriff, als daß die Welt entsetzlich geheimnisvoll blieb, so sehr der Mensch ihr auch mit einem Netzwerk von Linien, Zahlen und Wörtern beizukommen suchte. Er schaute zum Himmel hinauf, und in seinen Augen lag der Scharfblick einsamer junger Menschen.

Vielleicht war es die Faszination der Worte, vielleicht aber auch ein frühreifer Einsamkeitsdrang, der ihn die Poesie entdecken ließ. Er erinnerte sich, daß sein Onkel vor einiger Zeit in der Truhe ein Büchlein gefunden und daraus mit der schallenden Stimme dessen, der einen Bannfluch schleudert, Verse rezitiert hatte. Damals hatte er ihm keine Beachtung geschenkt, doch jetzt suchte er das Büchlein, und als er es fand, schlug er es auf gut Glück auf und las mit lauter Stimme die Fabel vom Esel und der Flöte. In einem lichten Moment bat ihn sein Onkel, weitere Fabeln vorzulesen, und rief zum Schluß: »Ich wäre ein großer Märchenerzähler geworden, wenn ich nicht so ein Dummkopf gewesen wäre! Ich hätte die Fabel vom Kuckuck und dem Wasserwittchen geschrieben, die bis heute niemand kennt. Aber so werde ich nutzlos sterben. Wenn man mich zu Grabe trägt, mein Sohn, achte darauf, daß keine Nelke vom Kranz fällt und die Leute darauftreten. Und wenn du einmal ein Dichter wirst, mache mir ein Gedicht, Gregorito, und vergiß nicht hineinzuschreiben, daß ich dem Teufel begegnet bin und in jungen Jahren Seemann war.«

Gregorio las eher ungläubig als mit Andacht in dem Buch. Geradeso wie er sich Jahre später mit den Dingen verfeindete, verfeindete er sich jetzt mit den Wörtern, weil sie ihm den direkten Blick auf die Dinge verwehrten. Er konnte unmöglich in den Himmel hinaufschauen, ohne daß sich das Wort ›Himmel‹ dazwischenschob. Und nicht nur litten alle Dinge an der Behinderung durch einen Namen, sondern da er schon viele Seiten aus den drei magischen Büchern auswendig gelernt hatte, war sein Kopf voller Namen, die auf kein einziges ihm bekanntes Objekt paßten, die zu nichts nütze waren und dennoch da waren: hartnäckig, exakt, unüberwindlich. Die Welt war feindlich, weil sie voller Rätsel war. Er verstand das Leben nicht, und vielleicht war das der Grund dafür, daß er die Poesie vergaß und anfing, sich in unbestimmte Fluchtpläne zu versteigen.

Ihm schwebte ein lichter, lieblicher Ort vor, wo alles so einfach war, daß man zum Leben weder ein Gedächtnis brauchte noch Rätsel lösen mußte. Er suchte im Atlas. Er befand über die Musikalität von Namen, zeichnete unerforschte Routen auf, faßte verlorengeglaubte Orte in rote Kreise und dachte sich eine Losung aus, ›Nüsse im Frühling‹, die man mit lauter Stimme sagen mußte, wenn die Zeit zur Flucht reif war. Er stellte sich sein neues Leben rauh und einsam vor, er flink zwischen Felsen, sich mit nacktem Oberkörper in sprudelnden Quellen waschend, mit Fellen bekleidet, ein Büffelhorn um den Hals, Bogen auf dem Rücken, Pfeile im Köcher, Hut aus Binsengeflecht und Schuhe aus Baumrinde. Des Nachts verbarg er seine offenen Augen unter dem Bettlaken, und dort, wo er aus der Willenlosigkeit und Verbitterung des Tages epischen Atem schöpfte, ließ er sich auf einen Felsen mitten im Meer treiben, der eine trostlose Insel war, auf der er lebte und sich von Krebsen, einer roten Ziege, die dort herumkletterte, und von angeschwemmtem Schiffsproviant ernährte, den er im Sand einer Höhle verscharrte. In der Höhle brannte ein Talglicht, und draußen brüllte der Sturm, oder er sah sich zwischen den Felsen nach Muscheln suchen, Brennholz sammeln und am Feuer Kaffee trinken, eine Decke über den Schultern, während von draußen das sanfte Trommeln des Regens an sein Ohr drang.

So schlief er ein, doch wenn er erwachte, ging er zum Atlas und folgte mit verschlafenem Finger den Wegen der Errettung. In der abgelegensten Region des südlichen Pazifik, schon im Einzugsgebiet der Antarktis, zeichnete er ein Kreuz: dort befand sich seine Insel. Die Abschiedsinsel. Als eines Tages sein Blick darauf fiel, warf er sich bäuchlings aufs Bett und weinte mit bebenden Schultern und hörte gar nicht wieder auf. »Was hast du?« fragte ihn sein Onkel. »Was ist denn mit dir, hast du Angst?« »Ja«, antwortete Gregorio. »Und vor was?« Er streckte den Arm aus und tippte mit dem Finger auf irgendeine Stelle im Atlas, und das war Kuba. Sein Onkel faßte sich an den Kopf und rief:

»Aber weißt du nicht, daß ich als junger Mann in Kuba war und dort dieselbe Jacke getragen habe, die du jetzt trägst, und daß es eine Insel voller Sonne und Grün ist, mit Mulatten und Papageien und herrlichen Liedern wie diesem einen, das ich kenne?«

Und er griff zur Gitarre und sang mit brüchiger Stimme ein wirklich hübsches Lied, so wehmütig, so melodisch, daß Gregorio am liebsten wieder geweint hätte, diesmal vor Freude, sich in Liebe zu den Ahnen verzehrt hätte und in eine andere Zeit hineingeboren und Seemann gewesen wäre, und sich am liebsten in jenes Prachtstück von Lied verwandelt hätte, um den Menschen so in Erinnerung zu bleiben.

Die *Habanera* wurde zum Zeittakt seiner Jugend. Sie tröstete ihn, wenn er traurig war. Ihre Noten verbannten die Einsamkeit, den Geruch nach schlafenden Hühnern und die immerwährende Kälte des Morgens, denn jetzt war er unverwundbar, als sei er im Besitz eines Zauberwortes. Er brauchte es nur auszusprechen, um glücklich oder zumindest nicht ganz und gar unglücklich zu sein. Kaum saß er zu Hause oder in der Schule über seinen Aufgaben, und kaum daß ihm die ersten Wörter das nebelhafte Naturell der Welt vor Augen führten, schaute er aus dem Fenster, blickte den Wolken nach und trällerte ohne Unterlaß sein Lied. Es tröstete ihn nicht nur in Augenblicken des Kummers, sondern auch an den endlosen Sonntagnachmittagen (oder an dem einen einzigen endlosen Sonntagnachmittag), die ihn ins blühende Knabenalter führten.

In jenen Jahren, erinnerte er sich, wohnten in der Wohnung unter ihnen ein paar junge Burschen, die nach dem Essen in die Stadt zum Tanzen und auf Kirmessen in weit entfernte Stadtviertel gingen, im besten Sonntagsstaat laut und ausgelassen durch die Straßen ziehend, bis zum Schluß nur noch die Illusion ihrer Stimmen als pochende Erinnerung im Ohr zurückblieb. Das war das Signal, auf das hin sich der Nachmittag in Ausdehnungen erging, die nicht mehr zu durchwaten waren. Er lungerte dann im Zimmer herum oder ging hinunter und lief ein Stück. Gewöhnlich kehrte er schnell wieder heim, denn die Zeit ohne Ziel bedrückte ihn, und er stellte sich ans Fenster und sah die Straßenbahnen an der Lichtung einer Straßeneinmündung vorüberfahren, die ihm in weiter Ferne zu liegen schien. Schließlich setzte er sich auf einen Stuhl, hörte in der Ferne das aufgeregte Geschwirre des Sonntags und neben sich das Gebrummel seines Onkels, unterbrochen von Ächzen, Seufzern und katzenhaftem Geschnurre. Danach begann ein langer musikalischer Ton in den Tiefen seines Ohrs mit dem guten Gedächtnis zu summen: vielleicht war das die Form, die die Einsamkeit annahm und aus der sich imaginäres Gelächter herleitete, Bruchstücke von Liedern, Sätze ohne Sinn, ein dahinplätscherndes Gespräch, bei dem die Gesprächspartner sich offenbar in allem einig waren, ganz besonders in der langen Stille der Gesprächspausen, in deren Takt Gregorio dahindämmerte und keinen anderen Schrecken kannte als den, das Leben könne nichts anderes sein als eben dies: ein Nachmittag, der bis in alle Ewigkeit aus seiner eigenen Asche erstand.

Als er die Schatten sich nähern sah, ging er in den Jahren zurück, bis er die Zeit seiner Kindheit wiederfand. Es waren absurde oder verschwommene Episoden, da die Erinnerung noch nicht so deutlich wie die an einige Jahre später war, auf die sie wie ein Vergrößerungsglas wirkte. Und erst wenn dieser unerträgliche, fliehende Moment gekommen war, griff er zur Gitarre, um jenes Lied anzustimmen, das alles einebnete und eine Art Bresche in die Zeitlinie schlug, die zu einem abstrakten, legendären Zeitalter führte, das der Mensch noch nicht betreten und das sich noch nicht den Kenntnissen der Gewohnheit unterworfen hatte, in dem man sich aber vor allem nicht verlaufen konnte.

Am Rande seines schimärischen Daseins – aus dem er bisweilen in den lichten Geist hineinlugte, wie ein Mäuschen in die Speisekammer – begleitete ihn sein Onkel schwankend und schunkelnd, zwei-, drei-, vier-, neun-, zwanzigmal. Dann war die Stille der Nacht. Und aus ihrer Asche erstand der Sonntagnachmittag sogleich wieder neu.

KAPITEL III

Am Morgen jenes 4. Oktober, als er das Liedchen trällernd die Treppe hinunterging, mußte Gregorio daran denken, daß er in der Geschichte, die er Angelina vor fünfundzwanzig Jahren erzählt hatte, so gut wie alle Jugenderlebnisse verschwiegen oder verfälscht hatte; vor allem jene, die dem endlosen Sonntagnachmittag folgten, an dem er fünfzehn Jahre alt geworden war und die Verantwortung für den Kiosk übernehmen mußte. Die kärgliche Rente seines Onkels floß immer spärlicher, und die Rechnungen seiner verschlafenen Finger gingen nicht mehr auf: vielleicht weil er verrückt war, vielleicht weil Not und Elend es so wollten. So nahm Gregorio seinen Platz hinter den trüben Fensterchen unter dem Laubwerk der Akazie ein, und nachdem er die ersten Momente der Panik überwunden hatte, sagte er sich, daß dies ohne weiteres seine unerwartete Insel der Hoffnungslosigkeit sein konnte. Er vernachlässigte seine Schulaufgaben, las den ganzen Tag lang Kriminalromane und rauchte seine ersten Zigaretten, die schon bald in demselben frenetischen Rhythmus aufeinanderfolgten, in dem zu rauchen der Erzähler seine Helden zwang. Zu jener Zeit fand er auch seine ersten Freunde.

Abends traf sich vor dem Kiosk eine Gruppe von Jungen (wie jene, die er an Sonntagnachmittagen so oft von seinem Fenster aus gesehen hatte), die aus allen Richtungen des Viertels kamen und oft bis Mitternacht bei ihm herumlungerten. Sie kauften einzelne Zigaretten und unterhielten sich mit lauten Stimmen im selben Tonfall über Frauen wie über Motorräder. Sie hielten zusammen, doch Fremde nahmen sie gern auf den Arm, und sie waren der Schrecken aller Mädchen, die sich in ihr Revier wagten oder sich dorthin verliefen, während sie zu Alten und Kindern stets gefällig waren. Gregorio wurde von einigen Gregor genannt, und er war für diese vertrauliche Geste dankbar, obwohl ihn sein schüchterner und schwieriger Charakter für ihre Art von Weltläufigkeit ungeeignet machte. Er saß nur still in seinem Schlupfwinkel und lauschte atemlos. In ihren Scherzen und Wortgefechten klangen Erfahrungen an, die ihm für Jungen seines Alters schlicht als unzulässig erschienen. Mit seinen ärmlichen Alltagssachen und im Winter mit der unvermeidlichen Ohrenmütze, der Marinejacke und dem grippigen Schal hatte er kaum etwas anderes beizusteuern als stille Bewunderung, den Stolz, nicht ignoriert zu werden und die Kunst eines Schweigens, das seine Einfalt nicht gänzlich verriet. Um Freunde und Wohlwollen zu gewinnen, lachte er über jeden Scherz und spendierte ab und zu Zigaretten. »Mann, Gregor, du bist ein toller Typ«, sagten sie zu ihm, und immer war einer zur Stelle, der ihm in der Schale seiner Hände Feuer über den Ladentisch reichte.

Der das mit Gregor erfunden hatte, war ein Junge mit hellroten Haaren und einer Überschlagtolle, der ein grießiges Gesicht und Kaninchenzähnen hatte, aber mehr als alle andern redete und – obwohl er wie eine angenagte Mohrrübe aussah – die meisten Weibergeschichten zu erzählen hatte. Er hieß Elicio Renón. Er arbeitete in einem Blumengeschäft, und manchmal kam er in seinem grauen Kittel mit einem Grabkranz auf der Schulter vorbei. Er hatte es immer eilig und grüßte, ohne den Blick zu wenden, mit zwischen den Beileidsschleifen hochgerecktem Daumen. Nach Feierabend sah man ihn nie anders als im gestreiften Gangsteranzug, mit einer lackledernen Mappe unter dem Arm, in der seine Zukunft schon Gestalt angenommen hatte. Sie enthielt Prospekte und Annoncen mit fabelhaften Stellenangeboten und Methoden, wie man mit Ehrgeiz und Geschick zu Geld und Ruhm kommen konnte, wie man seine Mitmenschen mit Worten überzeugte, wie man Selbstsicherheit erlangte oder das Gedächtnis eines Elefanten, oder wie man mit Blicken eine Frau verführte. Er konnte sich jedoch nie dazu durchringen, seine Arbeit aufzugeben, weil er einerseits noch zu jung war und weil er andererseits einen Plan, kaum daß er ihn ausgearbeitet hatte, schon wieder zugunsten eines besseren verwarf. Schafhirte in Australien wurde er nicht, um als Schiffsjunge auf einem Walfänger anheuern zu können, doch dann wollte er Söldner in Afrika und Missionar in Asien werden, sah sich als Chinchillazüchter, Kammerjäger, Schmuggler, Polizist, Börsenspekulant und Kabarettgeiger. Er hatte sogar mit einem Fernlehrgang für Hypnose begonnen, um seinen Chef gefügig machen und sich den Blumenladen unter den Nagel reißen zu können, und darüber hinaus an den Wochenenden als Liebhaber zu triumphieren. Doch trotz seiner stilvoll wabernden Hände, seiner Grabesstimme und Augen wie feurige Kohlen, gelang es ihm nie, jemanden zu hypnotisieren, so daß er auch dieses Projekt aufgab, bis er schließlich seine Chance gekommen sah, als er hörte, daß es Tanzsäle und Animierschuppen gab, in denen harte Burschen eingestellt wurden, um Ordnung im Laden zu halten, und wo nicht nur die Bezahlung märchenhaft, sondern auch die Arbeit reizvoll war und einem Respekt verschaffte. Also lernte er per Fernkurs fernöstliche Kampftechniken und die Handhabung des Messers auf eigene Faust. Eines Morgens stellte er den Trauerkranz ab, spähte über Gregorios Ladentheke und sagte: »Komm' mal einen Moment heraus, Gregor, ich will dir was zeigen.« Er erwartete ihn in martialischer Pose, und kaum hatte sich Gregorio durch das Klapptürchen ins Freie gezwängt, fuchtelte er mit den Händen vor seinem Gesicht herum, stieß einen Schrei aus und nahm ihn in einen Klammergriff, daß er sich nicht mehr rühren konnte. Abends erklärte er dann, wie ein Messerstich in den Bauch zu führen war, wie man den Gegner mit einer Drehwendung entwaffnete oder mit einem Handkantenschlag das Genick brach.

»Außerdem«, sagte er zum Schluß, während er sich den Anzug glattstrich, »ist das ein Beruf, in dem wahnsinnig viel gefickt wird; viel mehr, als wenn man Hypnotiseur oder Missionar ist, und natürlich auch Seemann, wo es nur wenig zu ficken gibt, im Gegenteil, man wird noch nach Strich und Faden betrogen.«

Die andern lauschten mit eilfertigem Kopfnicken wie mittelalterliche Bischöfe einer metaphysischen Beweisführung der Existenz Gottes.

Er war der einzige, der Gregorio wirklich mochte. Er versuchte ihn für einen richtigen Männerberuf zu begeistern und schlug ihm sogar vor, als Partner in sein neues, diesmal wirklich endgültiges Projekt einzusteigen.

Als erstes würden sie ihre Namen ändern. Elicio wollte sich überlegen, welche für ihren neuen Beruf am geeignetsten wären. Eines Morgens dann lehnte er sich über die Theke, reckte den Daumen in die Höhe und zwinkerte Gregorio zu.

»Ich hab' es«, sagte er. »Gregor Hollis und Elik Reno, die Rächer der Nacht.«

Hier hielt Gregorio Olías am 4. Oktober auf den Treppenstufen inne und blickte verstohlen lächelnd zurück nach oben. Er hatte sich eine ganze Menge Beinamen zugelegt in seiner unseligen Schwindlerlaufbahn; einer Laufbahn, die ihm von Anfang an von den trivialsten Dingen des Lebens prophezeit worden war, denn jede Zerstreutheit wirkte auf ein unerbittliches Ende hin, und die kleinste Geste verewigte ihn in dem Selbstbildnis, dessen Ausdruck eine Existenz festlegt. So war er Ödipus, Narziß und Prometheus, war der Bote, der die Nachricht seines eigenen Endes überbrachte, und war vor allem der Mann von sechsundvierzig Jahren, der auf die Vergangenheit zurückblickend in jedem zufälligen Geschehen eine Bedrohung entdeckt und eine Vorbedeutung sieht, der still dort im Dunkeln hockt und denkt, daß es tatsächlich ein Omen, eine Strafe oder eine jener Zufälligkeiten sein muß, derer sich das Verhängnis bedient, um sich anzukündigen, denn kaum hatte Elicio ihm die Nachricht zugeflüstert, und kaum hatte er angefangen, seinen neuen Namen mit der Zunge abzutasten, mit seinem Klang zu spielen, ihn laut und leise, in den verschiedensten Tonlagen und mit wechselnden Absichten auszusprechen, als er etwas in der Luft spürte, das so hell war und so klar wie Pfefferminzgeschmack, das sich mit einem unbestimmten Aroma von Limonen füllte und eine immer deutlicher werdende musikalische Ankündigung hervorbrachte, die er hörte, schon lange bevor auf dem Ladentisch zwei Hände sichtbar wurden und eine Stimme jene unbeschreibliche Musik Wirklichkeit werden ließ.

»Eine Stange Lakritz und einen Liebesroman.«

Er hatte das Gefühl, samt Insel und allem untergehen zu müssen. Er wollte etwas sagen, doch er wußte nicht was, und hatte kaum den Mund geöffnet, da schluckte er seine Worte gurgelnd hinunter und vernahm nur noch das stille Geplansche seiner Eingeweide. Während er unter einem Getöse, als wolle er den ganzen Kiosk einreißen, nach den Liebesromanen wühlte, riskierte er einen kurzen Blick auf die Hände. Sie waren warm und zerbrechlich. Eine Hand hielt einen rassigen Hund an der Leine, und die andere spielte mit dem Kleingeld. Sie ordnete die Münzen und schüttelte sie gleich darauf in hochmütiger Langeweile wieder durcheinander, als habe sie nicht nur Mißachtung für die Geldstücke, sondern auch für ihre eigene Schönheit. Endlich brachte er einen Stoß Romanhefte nach oben, schluckte Speichel, sagte etwas wie *»bitterschön«* und blieb zappelnd in diesem Wort gefangen wie ein Stummfilmkomiker in einem Stacheldraht.

Ihm blieb nicht einmal Zeit, sich lächerlich vorzukommen, da er sich gleich von Seelenangst bedrängt fühlte oder, besser gesagt, von einem Schwindel, der ihn packen würde, sobald jene Erscheinung sich in Nichts auflösen und er allein zurückbleiben würde, allein mit seinen Gedanken daran, wie lächerlich er sich in der Tat verhalten hatte. Zu allem Unglück hatte er auch noch die *Habanera* vergessen. Er versuchte, sie zu pfeifen, und heraus kam ein Fispeln ohne Musik, ein ärmlicher Klagelaut, der nicht mehr lächerlich war, sondern nur noch nach Barmherzigkeit rief. Nun, die Gewohnheit, sich von jeder Schuld frei zu wissen, trieb ihn zu der Überzeugung, ein solch unverhältnismäßiges und absurdes Verhalten wie das seinige könne auf keinen Fall real sein, doch in just demselben Moment bekam er heftige Zahnschmerzen, und zwar nicht im Mund, sondern im Bauch, womit seine Argumentation augenblicklich widerlegt war.

Dann versuchte er sich vorzustellen, wie seine Helden aus den Kriminalromanen sich in einer solchen Situation verhalten würden. In der kühnen Überzeugung, ebenso wie die Gesundheit bedürfe auch die Gelassenheit hin und wieder eines energischen Willensakts, zündete er sich eine Zigarette an und sagte sich, daß er nicht so ein Typ war, der sich leicht beeindrucken ließ. Er lehnte sich zurück und ließ den Rauch der Zigarette sein Gesicht vernebeln. ›Gregor Hollis‹, sagte er selbstgefällig. Doch sein Optimismus hielt nur so lange, wie die Maske aus Zigarettenqualm brauchte, sich zu verziehen.

Die in der Übung des Zurückweisens und Aussuchens erfahrenen Hände hatten schon bald einen Roman ausgewählt. Gregorio hielt ihnen auch die Lakritzstange hin, wie man einem eingesperrten Raubtier eine Süßigkeit hinhält. Danach gingen hastig Münzen von Hand zu Hand, und dann war er wieder allein, hin- und hergerissen zwischen dem Gefühl der Lächerlichkeit und dem aromatischen Limonenduft.

Ganz schnell (es wurde nämlich höchste Zeit, jener unerklärlichen Verwirrung einen Sinn zu geben) hob er den Kopf über seinen Ladentisch, und da sah er sie.

Am Abend sollte er von den Jungen erfahren, daß sie Alicia hieß und neu im Viertel war, doch in diesem Augenblick sah er nur, wie sie in ihr wehendes Haar gehüllt um eine Straßenecke verschwand. Und er sah sie noch einmal auf dem Rückweg, nachdem er zwei Stunden lang durch das trübe Glas der Fensterchen gespäht hatte.

Sie sah aus, wie mit ein paar Strichen von den Modemachern in Paris gezeichnet. Der Form ihrer Hände entsprechend, war sie hochgewachsen, trug einen Schulmädchenumhang über den Schultern, der vorn mit einer silbernen Brosche verschlossen war, und ging mit ausgestrecktem Arm einen ungestümen Wolfshund zügelnd, dessen Namen er am Abend ebenfalls erfahren würde: Drake – und der sich, ach, so sehr von jenem Hündchen unterschied, das Jahre später seine ersten Schritte als Schwindler und Hochstapler umschnüffeln sollte!

Er hielt den Atem an, um sie vorbeigehen zu sehen. Dann setzte er sich auf sein Bänkchen, starrte in den Himmel (er würde es nie vergessen, es war der 20. März, und die Wolken standen hoch), starrte zur Akazie hinauf (der Wind schüttelte sie von innen, und es erinnerte ihn an einen zappelnden Fisch im Netz), starrte ins Nichts und sagte sich mit einer Ernsthaftigkeit, die ihn ängstigte, daß die Welt ein trostloser Ort sei und nichts, was dort geschah, für ihn von Bedeutung sein könne, denn von nun an (und hier hielt er inne, um sich der ganzen Schwere seiner Worte bewußt zu werden) lohne es sich nicht mehr zu leben.

Doch (erstes Wunder der Liebe) kaum hatte er der Welt für immer entsagt, als er sich jäh von einer unerwarteten Klarheit beseelt fühlte, die ihn die Entsagung noch einmal leidenschaftlichst zu überdenken zwang. Es war, als sei die Wirklichkeit mit Fußtritten aus dem Bewußtsein verjagt worden und losgelaufen, um sich für die Feier des Wiedersehens und der Versöhnung herauszuputzen, und kehre jetzt wie ein Gesandter an den Hof des Großwesirs zurück, beladen mit exotischen und zugleich alltäglichen Geschenken.

Da wußte Gregorio, daß er sich nicht nur in Alicia verliebt hatte, sondern auch ebenso unbedingt in all ihre Sachen: den Umhang, die Brosche, das Parfüm, den Hund und die Leine, in jede einzelne ihrer Haarspangen, in jede Falte ihres Kleides. Und als er die trostlosen Besitztümer seiner Liebe durchstreift hatte, konnte er nicht umhin, all jene Sachen mit seinen eigenen zu vergleichen – doch da hielt er inne und wagte nicht, sie aufzuzählen, so entsetzt war er von seiner Schäbigkeit.

Seit diesem Morgen, und noch den ganzen Frühling hindurch, lebte er in der schrecklichen Angst, sie könnte plötzlich vor seinem Kiosk auftauchen und ihn in seinem lichtlosen Loch überraschen, in dem er wie ein Maharadscha inmitten seiner ganzen Erbärmlichkeit hockte. So verbrachte er die Tage damit, das Hin und Her auf den Gehwegen zu beobachten, und am Abend ruhte er seine Augen in der Dämmerung aus.

Wenn sie sich näherte (er brauchte sie gar nicht zu sehen, denn ihre Nähe kündigte sich durch einen plötzlichen Zahnschmerz an, der ihm in den Magen fuhr, derweil ihm der Magen die Kehle zuschnürte, so daß ihm das Herz im Halse steckenblieb), zündete er sich schnell eine Zigarette an und versteckte sich hinter einem Buch. Er war nicht tapfer, aber er wollte auch kein Feigling sein, und so sah er zu, daß dieses Bollwerk aus Zigarettenqualm und gedrucktem Wort zwar nicht leicht, aber auch nicht unmöglich zu durchdringen war: es sollte Schutz und zugleich auch Zugang sein. Auf die gleiche Art wünschte er, sie möge vorbeigehen und, ebenso begierig, sie möge für Liebesroman und Lakritzstange stehenbleiben. Der Kiosk war nicht länger Refugium, sondern trügerisches Gefängnis, da er ihn einerseits dem aussetzte, dem er sich entziehen wollte, andererseits aber jenem entzog, dem er sich gern ausgesetzt hätte. Es war, als sei er da, ohne anwesend zu sein, und manchmal schloß er den Kiosk und floh vor Alicia gerade in jenen Park, in dem sie nachmittags ihren Hund auszuführen pflegte. Und wenn sie erschien (meist allein, aber auch mit anderen Mädchen, die ihr hinter vorgehaltener Hand ins Ohr flüsterten), schlich er stets wie ein Wolf in weitem Bogen um sie herum, um rechtzeitig wieder zum Kiosk zu gelangen und sich dort vor ihr und für sie zu verbergen. Und wenn sie auf ihrem Rückweg bei ihm anhielt, grummelte es in seinen Eingeweiden so laut, daß er kaum die Stimme der Geliebten vernahm, doch ging sie vorüber, sank ihm das Herz, und er hörte mit qualvoller Deutlichkeit jedes Wort, das sie gesprochen hätte, wenn sie bei ihm stehengeblieben wäre.

An manchen Abenden verweilte sie am Kiosk und plauderte mit den Jungen, die ihr ganz ungezwungen den Hof machten und sie mit ihren spaßigen Einfällen zum Lachen brachten (besonders Elicio). Gregorio rauchte, lauerte durch den Zigarettenqualm und gab sich den Anschein, den der Augenschein nur allzusehr bestätigte: daß sich nämlich das Ganze ohne ihn abspielen müsse. Allein die Liebe konnte jenes Wunder der Duplizität erklären, ebenso wie die Tatsache, daß alles Vortäuschen fatalerweise auch aufrichtig war.

Der reine Überlebenswille hatte ihn jedoch dahin geführt, die Verzweiflung als ein Dilemma von synonymen Begriffen zu sehen, das sich wie in einem Spiegelkabinett multipliziert und ihm gestattet, einem Gesicht endlos viele Masken vorzuhalten. Zwischen Verzweiflung und Hoffnungslosigkeit lag ein Wegstück, das nur die Weisheit berufen war, zu beschreiten.

Die Liebe machte ihn weise. Er erwarb ungeahnte Kenntnisse: er lernte zum Beispiel exakt den Moment vorherzusagen, an dem ein Vogel sich abends im Geäst der Akazie niederlassen würde; er wußte, daß in einem Spalt in einer bestimmten Mauer in einer bestimmten Straße eine Eidechse ihr Versteck hatte; daß an einer Stelle im Park, die nur er kannte, eine Blume mit acht Blütenblättern stand und im Stamm einer Zypresse Initialen eingeritzt waren, die kein Mensch jemals entziffern würde. Vor allem aber lernte er, sein Schicksal in den Dingen zu lesen. Neutrale Gegenstände gab es nicht mehr: alle waren sie Vertraute oder Feinde seiner Seelenangst, und die nicht von seiner Liebe kündeten, forderten seinen Tod. Es gab keinen Vogel, der nicht als gutes oder schlechtes Omen gegolten hätte, und keine Wolke, der nicht Unheil oder Gunst zuerkannt worden wäre. Liebe oder Tod, das war sein Lemma oder vielmehr sein Dilemma, aus dem er keinen Ausweg fand.

In jenen Tagen entwickelte er die Manie, die Augen zu schließen, die Nase kraus zu ziehen und im Geiste und mit dem Unterkiefer bis vier zu zählen; ein kleiner, furioser Tick, bei dem er hilflos in der Luft hing, wie ein Kaninchen, das man aus dem Zylinder zieht, der für ihn aber ein Zauber gegen die Nachstellungen der Wirklichkeit war. Las er in der Luft eine Voraussage der Hoffnung, so fiel kurz darauf ein Blatt vom Baum, und das bedeutete, daß sein Schicksal unwiderruflich besiegelt war. Manchmal enthielt ein Omen zwei gegensätzliche Prophezeiungen, und das bedeutete dann (da in der freien Natur das Chaos ja stets Vorläufer der Ordnung ist), daß das nächste Zeichen ausschlaggebend war. Er fand jedenfalls immer einen Weg, den Schiedsspruch der unanfechtbaren Orakel zu neutralisieren. Der Aberglaube schützte ihn vor den Feinden, die er selbst erschuf. Jener Frühling war, soviel stand fest, eine Zeit melancholischen Gefindes.

Nur Elicio bemerkte seine verschlungene Einsamkeit. Vergeblich fragte er ihn, vergeblich suchte er ihn mit dem Plan aufzumuntern, ein Motorrad zu kaufen, Gregor Hollis, mit dem wir im Sommer an die Küste fahren und da reihenweise die Frauen flachlegen; und vergeblich gestand er ein, daß auch er an den Unbilden der Gegenwart litt und sich in die Zukunft hineinwühlte wie ein Dackel ins Kaninchenloch, so seine Worte, wobei er mit den Händen durch die Luft kratzte wie ein grimmiger Drache.

Gregorio bleckte dankbar und traurig lächelnd die Zähne, wie ein Kranker, für den es keine Hoffnung mehr gibt. Daß jemand ihn tröstete, war für ihn ebenso ungeheuerlich, wie die Vorstellung, man könnte seine Qualen einfach ignorieren. Eingegraben im Schanzwerk seines Schweigens, fand er Zudringlichkeit und Zurückhaltung gleichermaßen unerträglich. Elicio beschränkte sich schließlich auf ein Schulterklopfen und zeigte ihm als einzige Linderung den hochgereckten Daumen des gemeinsamen Sieges.

Als er jedoch die abgründige Tiefe seines Verlangens erahnte und sich der Gewißheit stellen mußte, Alicias Liebe nur durch ein Wunder erringen zu können, klammerte er sich an den letzten Rettungsanker, der ihm noch geblieben war: er entstaubte seinen religiösen Eifer und bat Gott, jenes Wunder zu vollbringen, wofür er im Gegenzug feierlich gelobte, ihn danach nie wieder um etwas zu bitten, plus eine Wallfahrt nach Rom und täglich acht Ave Maria für den Rest seines Lebens.

Eines der wenigen Dinge, an die er sich aus seiner Kindheit auf dem Land erinnerte, war die Frömmigkeit. Er hatte sich bei einem Priester namens Pelayo Marín damit angesteckt, der eine silberne Stirn hatte, da er sich als Kind einer Schädeloperation hatte unterziehen müssen, aus der er in mystischem Glanz erwacht war. Dreimal erschien ihm daraufhin die Heilige Jungfrau und gab ihm Rezepte für Biskuits und Ingwergebäck, was für ihn nichts anderes war als ein Vorgeschmack auf all jene Genüsse, die die Gerechten im Paradies erwarteten, in dem man sich die Ewigkeit als einen verregneten Nachmittag vorzustellen hatte, der ganz allein der Nascherei von süßem Backwerk gewidmet war. So wurde er von den frömmsten Familien oft zu Kaffee und Kuchen eingeladen. »Pater Pelayo«, fragten sie ihn, »ist so die Ewigkeit?« »Besser noch«, berichtigte er, »denn dort werden wir das Wissen haben und uns über Theologie und Bienenzucht wissenschaftlich unterhalten können, derweil wir Honigkuchen und echtes Engelhaar essen. Und da wir alle allwissend sein werden, stellen wir uns Fragen aus der reinen Freude daran, uns in verschiedenen Stimmen sprechen zu hören. Ich kann mir direkt vorstellen, wie der Hl. Bartholomäus einen Vortrag über die Auswirkungen von Taubenmist auf das Gerben von Leder aus Salamanca hält, oder ich selbst über das Gesetz der Erdanziehung, das ich nie verstanden habe, und mir dabei Himmelsschaumgebäck, Glorienkugeln, Heiligenohren und andere himmlische Leckereien auf der Zunge zergehen.« Gregorio erinnerte sich, daß er, sobald er ihn irgendwo sah, zu ihm eilte, um ihm die Hand zu küssen. Das taten alle Kinder, weil seine Hände nach Feigenbrot rochen, da er sie sich offenbar jeden Morgen damit einrieb, um die Liebe Gottes unter den Menschen zu verbreiten und seine Existenz zu beweisen. Und obgleich er auch die Hände anderer Priester küßte, die es in den Gerüchen Orange, Schokolade, Erdbeer und Biskuit gab, waren keine wie die von Pater Pelayo Marín, deren Aroma die Geheimnisse des Glaubens leicht und willkommen machte. Im Laufe der Zeit jedoch, vor allem seit er den Kiosk übernommen hatte, verlor er seine kindliche Vorliebe für Süßigkeiten und entdeckte andere Gerüche (den Geruch der Kinos, des hellen amerikanischen Tabaks, den Geruch von Bier und natürlich Alicias abendlichen Limonengeruch), und da die wenigen Priester, die er an den Sonntagen in der Stadt kennengelernt hatte, gar nicht mehr rochen, nicht einmal mehr nach dem Mottenkugelgeruch ihrer Wäsche, (oder schlimmer noch: sie rochen nach Nudeln oder kalter Dusche) verlor er den Glauben und die geheime Hoffnung, einmal ein Heiliger zu werden. Noch viele Jahre später sagte sich Gregorio, wenn er einem heiligen Mann begegnet wäre, der nach Benzin gerochen hätte, wäre er vielleicht auch Priester geworden, und hätte Heiden bekehrt.

In jenen Monaten aber erneuerte er seinen Glauben, um Gott um die Gnade der Liebe zu bitten. ›Oh, Herr, wenn Alicia sich in mich verliebt, dann will ich Dich mehr lieben als alles andere auf dieser Welt.‹ So lautete sein Pakt. Er setzte sich also hin und wartete auf das Wunder, bis schließlich ein anderes geschah, denn je verzweifelter seine Lage wurde, desto verzweifelter, drängender und trügerischer wurde auch seine Hoffnung.

Der Sommer kam unter schlaflosen Nächten, Gebeten und Selbsttäuschungen. Eines Abends, Ende Juni, verweilte Alicia etwas länger am Kiosk, um sich von allen zu verabschieden. Sie fuhr in die Ferien und würde vor September nicht zurückkommen. Sogleich umringten sie alle, und man sprach vom Meer und von den Bergen, und sie warf ihr Haar zurück, erhob ihre Stimme und sprach von einem Drachen im Wind und einem Schiff und von anderen Dingen noch, die Gregorio nicht mehr verstand, da er plötzlich das Gefühl hatte (etwa wie ein Greis, der von seinem hilflosen Versuch träumt, die angerührte Ehre zu verteidigen), jemand tätschle ihm die Wangen, bis er mit Musik in den Ohren und Glühlämpchen in den Augen wie aus allen Wolken fiel.

Er verwünschte seine Unvorsichtigkeit, die ihn der erstbesten Katastrophe preisgab, und seine Feigheit, die ihn unablässig zu tollsten Kühnheiten trieb. Und obwohl seine Schläue – vermutlich aber eher der Wahrscheinlichkeitsinstinkt – ihn gefoppt hatte, als er ihn Zufälligkeiten vorhersagen und die Macht der Gewohnheit mißachten ließ, blieb ihm in diesem Augenblick die Gabe der Weissagung erhalten: er fühlte, daß er den Sommer nicht überleben würde.

Draußen vor dem Kiosk stieg die Stimmung. »Bis September«, verabschiedete Alicia sich von jedem. Der Hund bellte, und Elicio ahmte das Geräusch eines Motorrads nach, das durch alle Gänge geschaltet wird. Im Durcheinander des Abschieds streckte sie eine Hand über den Ladentisch, und mit einer Bewegung, als wische sie eine angehauchte Glasscheibe blank, sagte sie auch zu ihm, »bis September«. Die Hand roch nach Vanille, und für Gregorio war es, als sei sie es, die spräche und sich von ihm verabschiede; als sei sie sogar gekommen, um ganz bei ihm zu bleiben, wie ein höheres Töchterchen, das von zu Hause durchbrennt, um bei ihrem Geliebten zu wohnen. Und einen Moment lang stellte er sich vor, wie glücklich er mit dieser Hand irgendwo leben könnte, wo diese Liebe möglich wäre.

Alles war so absurd, daß er nicht den Mut aufbrachte, »bis zur Ewigkeit« zu antworten, und er hatte viel zu viele Worte angesammelt, um nur »lebewohl« zu sagen. Also zog er die Nase kraus, zählte bis vier und hörte das Bellen des Hundes in immer weiterer Ferne. In diesem Augenblick gingen auch die Jungen.

Gregorio hätte es gefallen, wenn die Stille eine reißende Bestie gewesen wäre, ein Löwe zum Beispiel, der sich auf ihn gestürzt, ihn brüllend zwischen seinen Pranken zerfetzt hätte, doch sie war lautlos wie eine Schlange, die von allen Seiten und in Form von Glockenschlägen und Schritten in der Dunkelheit auf ihn eindrang, von fernem Donner und sogar einem heiseren Röcheln, in dem er erst nach einer Weile die Begehrlichkeit seines eigenen Atems erkannte. Die Stille war wie ein brennendes Theater in einem Stummfilm. Man ahnte das Prasseln, aber man hörte nichts. So war es auch mit der Stille, die seine nicht ausgesprochene Antwort hinterlassen hatte. Vielleicht war er jetzt auf alle Zeit zu diesem Satz verurteilt (»bis zur Ewigkeit«), denn wenn er ihn aussprach, entstand er sogleich wieder neu, wie die Köpfe der Hydra.

So saß er da, die Augen noch immer geschlossen, und murmelte seinen unerschöpflichen Satz, als eine Stimme mit sehr deutlicher Aussprache, gesungen beinah, von oben sagte:

»Nur Mut, mein Junge, die Zypresse blüht trotz der Initialen in ihrer Rinde.«

Um auszuschließen, daß er geträumt hatte, hob Gregorio den Kopf und sah einen in einen Umhang gehüllten Mann mit langen Schritten davoneilen.

»Der Teufel!« rief er und überlegte, ob er in einem Moment der Unachtsamkeit vielleicht gestorben sei und sich jetzt in der Hölle befände, um dort seine irdischen Gewohnheiten im Alptraum der Ewigkeit fortzusetzen.

Nur um den Bruchteil einer Sekunde hatte er versäumt, sein Gesicht zu sehen, jedoch nicht die Narbe, die sich wie ein Tausendfüßler über seine Stirn zog.

KAPITEL IV

Jener Sommer entschied sein Leben. Da er es weder im Haus noch an sonst einem Ort aushielt und es jetzt nichts mehr gab, wo er hätte hingehen können, streunte er durch bisher unbekannte Straßen und Winkel seines Viertels. An den Straßenkreuzungen blieb er stehen, um einen Balkon mit Geranien anzustarren oder ein Wappen aus Stein. In Wirklichkeit sah er jedoch nur den Ameisenhaufen seiner wimmelnden Gedanken, die – stürmisch manchmal und dann wieder schleppend, je nachdem der Wille sich seiner Wehrlosigkeit ergab oder nicht – das Tempo seiner Schritte bestimmten, mit denen er wie ein trauriger Geist durch die Straßen schlich. Die Stadt war halb verwaist, und die Hitze machte es schwierig, alte Gewohnheiten beizubehalten.

Er glaubte tatsächlich, jenen drückenden Sommer nicht zu überleben. Nicht einmal den August würde er erleben, denn der Juli erschien ihm wie ein Labyrinth, aus dem er niemals hinausfinden würde. Die Tage reihten sich endlos aneinander, und auch die Nächte mit ihren hohen Winden, die durch die Stadt strichen wie düstere Kriegsbanner, und so, dachte Gregorio, während er ziellos weiterwanderte, mußte man sich die Kalendertage der Ewigkeit vorstellen: ein Gewirr glutheißer Straßen, das von Zeit zu Zeit (aber es war nicht Zeit, sondern Lehm oder Schweiß) mit der wehmütigen Überraschung einer Geranie, eines steinernen Wappens oder eines Platzes samt Brunnen aufwartete. Alicia, Alicia, Alicia: seine wimmelnden Gedanken sammelten sich zu einem Gebrüll wie in der trostlosen Einsamkeit eines Waldes. Und die Müdigkeit häufte finsteren Groll in ihm auf.

Alles wurde ihm feind: nicht nur sein Onkel (den er eines Nachts in einem Anfall von Haß getreten hatte, indem er einen Alptraum vortäuschte und ihn verrückter, gemeiner, stinkender kleiner Sarcuso nannte, und sein Onkel, der nicht recht wußte, wie ihm geschah, hatte irgendwas gemurmelt wie, Sandaletten in den Betten von Galoschen verdroschen), sondern auch die Dinge; schon der Gedanke an eine Berührung verbrannte ihm die Finger, Farben stachen ihm in die Augen, und jeder Gegenstand, der ihm in die Quere kam, wurde geschlagen, angespuckt, verflucht und zerkratzt. Aus purer Bosheit stieß er Stücke von Tassen ab, zerrieb Blätter zwischen den Fingern, kratzte über Sockel, knickte Zahnstocher, setzte mit seiner Zigarette die Vögel des Vorhangs in Brand, und einen Stein, den er auf der Straße fand, stieß er vom Nachmittag bis zum Abend mit den Füßen vor sich her. Besonders jedoch feindete er die Alten an, und zwar nicht nur, weil ihm alles auf die Nerven ging, was nicht Alicia war, sondern weil er, da die Geliebte der Inbegriff der Schönheit war, die Alten nicht nur als Inbegriff der Häßlichkeit ansah, sondern auch als Ausdruck seiner eigenen Erbärmlichkeit.

Die Alten wurden für Gregorio zur Wahnvorstellung. Wenn der Tag zu Ende ging, sah er sie an ihre Handstöcke geklammert wie an die Hand des Vaters und von einer zweiten Unbeholfenheit verhöhnt, dennoch behende, schräg über die Straßen laufen und auf geheimen Pfaden in die Parks einfallen. Da mußte man sie sich nur ansehen! Warum mußten sie mit ihren Stöcken unablässig gegen Bewässerungsrohre, Baumstämme, Hecken, Brunnen und Sträucher schlagen? Was suchten sie da so hartnäckig? Einen verborgenen Schatz vielleicht? Irgendein Fabeltier? Führten sie vielleicht auch einen lautlosen Krieg gegen die Dinge?

Es gab wirklich in Ehren ergraute Alte dort, aber auch solche, die nur auf das Alter gewartet hatten, um sich der Zimperlichkeiten der Jugend zu entledigen. Sie hatten sich einen kräftigen Handstock zugelegt, eine Schirmmütze, feste Winterschuhe und eine graue Jacke mit großen Taschen voll der merkwürdigsten Dinge, und sich ins Leben gestürzt wie jemand, der nichts zu verlieren hat. Es war ein Trauerspiel, mit ansehen zu müssen, wie alle Welt ihnen Platz machte und sie, in der Gewißheit, daß niemand es wagen würde, ihren Zorn heraufzubeschwören, sich immerzu lauthals über alles beschwerten. Oder sie zwangen allen möglichen Leuten ein Gespräch auf, erzählten absurde Anekdoten und zogen zum Beweis der Wahrhaftigkeit ihrer Worte die Gegenstände hervor, die sie in ihren Taschen mit sich herumtrugen, und zu denen stets eine Rolle Bindfaden gehörte, ein Feuerstein, ein Stückchen Blei, ein aufgewickeltes Stück Draht, ein Zahnstocher, Pfefferminzbonbons und vieles anderes mehr, und für jedes Ding erfanden sie eine Geschichte, und für jede Geschichte suchten sie einen Zuhörer, den sie nicht eher laufen ließen, als bis die Geschichte zu Ende erzählt war. Und damit die Übertragung möglichst ungestört vonstatten gehen konnte, suchten sie sich dafür am liebsten geduldige Straßenbahnführer, jene armen, fremder Inspiration schutzlos ausgelieferten Kreaturen, die nur dazu geschaffen schienen, den Alten als Spielzeug und Zeitvertreib zu dienen. Wie oft hatte Gregorio eine Straßenbahn mit ihrem blassen, hilflosen Fahrer vorbeifahren sehen, der von einem unbarmherzigen, vom Redefluß trunkenen Alten in die Enge getrieben war! Und hinterher immer über die Straße geholfen werden wollen, die Treppe hinauf geholfen werden wollen, die Dinge aufgehoben haben wollen, die sie heimlich (Despoten! Pharisäer!) aus ihren Taschen fallen ließen: helft einem armen Alten, seine wenigen Habseligkeiten aufzusammeln, die Reste seines Besitzes, die er vor habgierigen Kindern retten konnte. Was immer auf der Straße passierte, sie standen in der ersten Reihe und gafften, gaben ihre Meinung zum besten, waren überall dabei und behelligten alle Welt mit ihren Fragen (He, Junge, wie heißt diese Straße? Wie kommt man nach da oder dort? Könnten Sie mir sagen, wie spät es ist?), waren schmeichelnd und cholerisch, ganz nach Bedarf.

Auf sie konzentrierte Gregorio seinen allgemeinen Groll auf die Welt. Ihre Verrichtungen waren so winzig, daß man sie für unermüdlich halten mußte, während sie sich mit einer Tätigkeit von der vorherigen erholten. Selbst wenn es schon dunkelte und er sich auf den Heimweg machte, trieben einige von ihnen sich noch in steifer Beharrlichkeit in den Parks herum. So erging es Gregorio also mit den alten Leuten und mit den Dingen. Es sah tatsächlich so aus, als würde er bei all dieser greulichen Feindseligkeit den Sommer nicht überleben.

Eines Tages jedoch kehrte er, vom Umherirren im glühenden Julilabyrinth erschöpft, früher heim als gewöhnlich und setzte sich auf die Galerie, um die Abendluft zu genießen. Es dunkelte bereits. Andere Bewohner hatten ebenfalls ihre Stellungen bezogen, um den Tag ausklingen zu lassen. Männer in Unterhemden rauchten schweigend, eine Frau sang ein Kinderlied, und oben kreisten kreischende Vögel. Es war herrlich, dort zu sitzen und seine Trägheit zu fühlen, das Eigengewicht des Körpers zu spüren und die ruhende Kraft der untätigen Hände. Und jene Männer: wie Schiffskapitäne, die nur zu dem einen Zweck zusammengekommen waren, würdevoll zu schweigen. Von überallher vernahm man eine Art diffuses Grenzgeräusch, das am Ende des Tages die Arbeit von der Muße trennte. Es war, als habe die Zeit einen Durchgang zum Meer gefunden: dem Meer, das er noch nie gesehen hatte, die Wellen, die Vögel, der Wind und die Nacht. Hier hielt er inne: der Wind, die Nacht. Er spürte die Erinnerung schmerzhaft erstrahlen, bis sie von der szenischen, unwirklichen Leuchtkraft eines Aquariums war. Und obwohl dieses Phänomen sich hinzog wie ein heraufziehender neuer Tag, dauerte es doch nur einen Moment. Anscheinend gab ihm das Schicksal, als Ausgleich für seine Vernichtung, die Macht zu unerwarteter, hellsichtiger Erinnerung. Vielleicht war es aber auch die Liebe, die ihn mit einem neuen Wunder überraschte. Er schloß die Augen und dachte daran, wie er sich in weit zurückliegenden Kindertagen ebenso wie jetzt oft hingesetzt hatte, um der geheimen Mischung der Nacht auf die Spur zu kommen. Er stellte sich eine Ansammlung dunkler Teile vor: Brunnen, Laubengang, Baum, ein Eukalyptusbaum vielleicht, Steine und Wohnräume, die zur Abenddämmerung hin aus ihren Löchern kamen und sich wie ein Puzzle zusammenfanden, um die Nacht zu bilden und im Morgengrauen wieder in ihre Verstecke zurückkehrten. Es kam auch vor, daß ein Teil zu spät zum Treffen erschien, und dann war da etwas wie ein umherirrender heller Fleck. Manchmal hörte man auch das Geräusch dieser Einzelteile der Nacht, wenn sie nicht gleich ihren Platz fanden und aneinanderstießen, oder das Pfeifen des Windes, der die Rolle des Hirten übernommen hatte und dessen Ruf durch die Zimmer wehte, um die letzten faulen Schatten herbeizurufen, die sich in Krügen und Töpfen, im Kamin oder unter den Betten versteckten. Das größte Stück Schatten verbarg sich aber im Eukalyptusbaum, und man mußte nur einmal sehen, wie wütend der Wind eines Abends hineinfuhr und es schlug und schüttelte, um es aus seiner Festung zu vertreiben! Und wie das Stück sich wehrte und knurrte im Geäst, bis es schließlich hinaussprang und der Wind es besänftigte und dann weiterzog, um andere Schatten wachzurütteln! Danach stieg der Mond auf und besiegelte die Nacht mit seinem Licht. So still war es dann, daß jedes Zeitgefühl verlorenging und man vor lauter Jammer hätte weinen mögen, wenn man nicht nach einer Weile wieder den Verlauf der Stunden wahrgenommen hätte wie auch die irdische Beschaffenheit des Lebens.

Zehn Jahre hatte es gedauert, bis die Martern der Liebe ihm jenes vergessene Kindheitserlebnis enthüllten. Es war, als böte ihm die Erinnerung eine letzte Rückzugsmöglichkeit, und er erzitterte im Dunkeln bei dem Gedanken, er könnte sich auf der Suche nach seiner

Insel geirrt haben, die er am Ende der Ozeane wähnte und nicht auf der mindestens ebenso aufregenden Landkarte seiner eigenen Vergangenheit. Von einer wundersamen Leichtigkeit erfüllt, kniff er die Augen zusammen und ließ sich in die Zeit hineinfallen. Aufgrund ungenauer Berechnungen landete er im alten Ägypten, doch auf der Rückreise zur Gegenwart hielt er genau an jenem Nachmittag, an dem sein Großvater ihn mit zum Unkrautjäten nahm. Als es schon dunkel wurde und das Land voller Geräusche war, lehnte sich der Großvater auf den Hackenstiel, schaute in die Ferne und rief:

»Das Eiferrnnn!«

Gregorio kannte das Wort zwar nicht, aber er erschauerte unter dem klagenden Ton, mit dem sein Großvater es gerufen hatte; von sich geschleudert, als ersehne er nichts heftiger, als die Nacht und die Stille damit zu füllen. Einen Moment lang glaubte er, es handle sich um den Namen eines Vogels oder um die Beschwörung einer Erscheinung, und er starrte ebenfalls in die Ferne, sah aber nichts. Und wieder rief sein Großvater mit einem entsetzlichen Klirren in der Stimme, dem Klang des Wortes auf seinen tiefsten Grund gehend und es mit einem Wolfsgeheul in die Länge ziehend:

»Das Eiferrnnn!«

Er wirkte wie ein wahnsinnig gewordener Seemann, der Land entdeckt und ihm einen Namen gibt.

Dann gingen sie nach Hause.

»Was heißt Eifern, Großvater?« fragte Gregorio.

»Das Eifern ist der Wunsch, ein großer Mann zu werden und große Taten zu vollbringen, und der Ruhm und der Kummer, den das alles bereitet. Das ist das Eifern.«

»Und mein Vater, eifert er auch?«

»Ja, auch er.«

»Und ich?«

»Du wirst bald alt genug sein, um es zu tun.«

»Und Mutter?«

»Sie nicht. Frauen eifern nicht.«

»Und die Tiere? Die Hunde und die Schlangen?«

»Auch nicht, auch nicht«, erwiderte er ungeduldig.

Sie kamen nach Hause. Sie lebten auf dem Land, in der Abgeschiedenheit einer Hochebene mit unwirtlichen Hügeln, nicht weit von den Stollen einer verlassenen Zinnmine entfernt, und nur zwei- oder dreimal im Jahr gingen sie in den nächsten Ort hinunter, ein Dörfchen mit steilen Gassen und niedrigen, weißgekalkten Häusern.

Sein Vater saß jeden Abend draußen und rauchte schweigend. Er suchte zu diesem Zweck einen Stein auf, der weit entfernt am Wegesrand lag. Er rauchte, spuckte auf die Erde und scharrte mit den Füßen im Sand. Es war ein Trauerspiel, ihn da allein sitzen zu sehen, wie er zornig den Rauch einsog und sich in einem Sumpf übler Gedanken wälzte. Der Großvater saß in seiner Imkerjacke unter dem Eukalyptusbaum und kramte in einer Blechdose, in der sich unter anderen Dingen ein Docht und ein Feuerstein, ein Büchlein und ein Zigarettenetui befanden, bittere Mandeln gegen Arthritis, Körner gegen Bruchleiden und Terzianfieber, Nähgarn, Münzen mit dem Konterfei eines Königs, die dünnste Saite einer Laute, die aus Wolfsdarm gezwirbelt war, der Hauer eines Wildschweins, ein Liebesspiegel und ein Stück Eisen, das für alle Fälle aufbewahrt wurde. Vom Morgengrauen bedrängt, war er der erste, der abends zu Bett ging. Seine Mutter wirtschaftete in der Küche, und sein Vater, der eine Mundharmonika besaß, holte sie manchmal aus ihrem Totenkistchen hervor und spielte selbsterdachte Lieder aus einer anderen Zeit, wie er sagte.

»Damals war ich ungefähr fünf, und es war die glücklichste Zeit meines Lebens«, sagte sich Gregorio in seiner Julinacht. Er spürte sein Körpergewicht durch die Müdigkeit vervielfacht und schloß erneut die Augen.

Sein Großvater war ein wortkarger Mann; doch wenn er die Geschichte des Hauses zu erzählen hatte (wie er es sich zuerst vorgestellt und mit einem Stock in den Sand gezeichnet hatte, wie er das Baumaterial mit vier Eseln, die alle Felix hießen, heraufgeschafft hatte, und wie er es schließlich allein, ohne Hilfe und ohne Zeugen, mit der bloßen Kraft seiner Arme erbaut, wie er den Eukalyptus und den Wein gepflanzt und zur eigenen Erholung die große Steinbank errichtet hatte, wie er einen Brunnen gegraben hatte, dessen Wasser nach Eisen und Anis schmeckte, und wie er den Herbst über ausgeruht hatte, zufrieden mit seinem Werk, aber auch beunruhigt, weil es seinen Geist den Lockungen weiterer Arbeiten geöffnet hatte, ihm jedoch nichts mehr einfiel und er vor lauter Grübeln weder ruhen noch arbeiten konnte), wenn dieses Thema angeschnitten wurde, kamen ihm die Worte leicht und sicher von den Lippen, und kein Mensch hätte ihm widersprechen können. Nun vertraute er seine Geschichte aber nur Fremden an, und da es dort draußen weit und breit nur dieses eine Haus gab und da der Weg dorthin nirgendwo anders hinführte, kamen Fremde selten und immer nur irrtümlich vorbei. So hörte Gregorio die Geschichte erst im darauffolgenden Jahr, als die Eisenbahnlinie gebaut wurde und die Gleisarbeiter kamen, um das Wasser des Brunnens zu trinken und ihr Essen im Schatten des Eukalyptusbaums zu verzehren, der der beste Schatten weit und breit war. Sein Großvater unterhielt sie dann mit derben Späßen, philosophierte frei von der Leber und endete stets damit, daß er ihnen erzählte, mehr als Eisenbahnen bedürfe die Welt gerechterer Gesetze und guter Reden. Die Männer ließen die Worte respektvoll über sich ergehen. Es waren abgerissene, ungebildete Gesellen. Sie trugen Bastsandalen und Strohhüte, und in ihren Gürteln staken Dolche. Sie kamen in Rotten, streckten sich unter dem Eukalyptus aus und wandten den Blick nicht von ihrer Mahlzeit. Der Großvater stellte sich vor sie hin und hielt eine Lobrede auf Wasser und Schatten. Er wartete offensichtlich auf den richtigen Moment, um seine Geschichte loszuwerden. »Es war ein Sommerabend wie heute«, dachte Gregorio, und seine Erinnerung loderte hell.

Er hatte lange auf der Lauer gelegen und sich in Redebereitschaft gehalten, bis er an jenem Abend das lose Ende des Fadens erwischte und vom Ursprung des Menschen und der Dinge zu erzählen begann. Als Künder der Lehre ging er bis zur Schöpfung zurück: Und Gott schuf die Wasser und die Schlangen, und in Nachahmung der Sterne wurden die Fische geboren, in der Luft war ein Pfeifen, daß daraus die Vögel entstanden, und die Erde füllte sich mit wilden Tieren und Würmern, und aus dem Dickicht trat der vertriebene Mensch hervor, und seine strahlenden Augen kündeten von Erfahrung und freiem Willen. Er sprach mit der ermüdenden Monotonie eines Propheten. Das Land und der Himmel rühmten seine Worte. Die Arbeiter hatten es sich am Boden bequem gemacht und lauschten gleichgültig und ergeben den Worten des Großvaters. Auf dem fernen Stein saß der Vater und rauchte und scharrte mit den Füßen im Staub. Es war eine stille, klare Sommernacht, und ein Sternendrache steckte seinen Kopf durch das hohe Blätterdach.

»Das Haus war fertig, meine Herren. Aber noch bevor ich mit dem Bau begann, hatte ich mich schon daran ergötzt, es einmal fertig vor mir stehen zu sehen. Also setzte ich mich auf meine Steinbank, um dasselbe mit meinem nächsten Werk zu tun. Doch warum sich nicht vorher eine kleine Rede gönnen? Schon als Kind habe ich Reden geliebt, ich habe mir nur nie zugetraut und auch nicht das Publikum dazu gehabt, selbst welche zu halten. Manchmal fühlte ich mich inspiriert, und wenn ihr nicht wißt, was Inspiration ist, dann laßt euch sagen, daß es eine unruhige, ziellose Kraft ist, ein Wüten, das ganz schrecklich wird, wenn man denkt ›das Leben ist kurz‹, während man in sich den verfluchten Keimling der Unsterblichkeit spürt. Das Gift des Aberglaubens beschleicht einen dann: ›Solange ich inspiriert bin‹, ruft er, ›bin ich unsterblich!‹ Aber die Inspiration ist schwach und währt nur einen Flügelschlag, so daß ich zwar auch sterben muß, doch wenn ich sie rein erhalten kann, sie nicht erst hierher und dann dorthin bitte, ihr Drängen andererseits mit meinem Willen zähmen, mich mit einem unmöglichen Verlangen vertraut machen kann, dann werde ich in der Zwischenzeit unsterblich sein und kann jede Minute meines Lebens genießen. Wozu sich also beschränken? Ich hatte das Gefühl, Inspiration sei ein schlechtes Geschäft und ihr nachzulaufen sei dasselbe, wie für einen Fremden zu arbeiten, und ich arbeite lieber für mich selbst, so wie ich es brauche und wie es mir behagt. Also sagte ich mir, wie ich so auf meiner Steinbank saß: ›Das Leben ist kurz, und die Sanftmütigen werden das Erdreich besitzen. Lege einen Garten an, lasse Ziegen um dich sein, habe Kinder und sei ein guter Mensch. Deine Frau heiße Inkarnation und deine Söhne nenne Pedro, Alonso und Balthasar. Abend für Abend sollst du sie um dich scharen und ihnen die Geschichte deines Hauses verkünden, sollst ihnen berichten, wie du der Ruhmsucht widerstanden hast, der Wasserbaukunst und deiner Leidenschaft, die Hochebenen zu zivilisieren, und dich für sie aufgeopfert und um das Lichtlein eines Reisigfeuers das schieferflache Land bevölkert hast. Und sie werden dir bewundernd, respektvoll und furchtsam lauschen und werden sagen: *Unser Vater ist ein heiliger Mann, ein Pionier, ein Erneuerer der Sitten*, und dein Ruhm wird sich in den Dörfern verbreiten und bald schon wird man überall sagen hören: *Dort draußen bei den Zinnminen lebt ein gerechter Mensch, ein rechtschaffener Mann, ein Seneca*. Und sie werden kommen, deinen Rat zu erbitten, du wirst Händel schlichten und Recht sprechen, und tausendfach wirst du Gelegenheit haben, die Geschichte deines Hauses zu erzählen.‹ Gott erschuf also die Welt und ruhte aus. Warum konnte ein einfaches Geschöpf nicht das gleiche tun, nachdem es ein Haus und einen Brunnen gebaut hatte? Und so saß ich eine ganze Weile still, stellte mein Temperament auf die Probe und labte mich an der Lust der Jurisprudenz. ›Wie gut du redest, ohne studiert zu haben‹, sagte ich mir. ›Welch ein guter Gesetzgeber wäre aus dir geworden! Welch einen Tribun hat die Welt an dir verloren!‹ Allein meine Leidenschaft für die Rechtsprechung hielt mich dort auf meiner Bank, auf der ich mir die wunderbarsten Dinge vorstellte. Drei Tage saß ich dort und nickte grübelnd vor mich hin, ohne daß mir was anderes eingefallen wäre, als ein großer Jurist werden zu wollen, der Prozesse gewann und vor Gericht flammende Reden hielt. Alles andere wäre niedere Verrichtung und meines Ehrgeizes nicht würdig gewesen. ›Sei ehrgeizig, und man wird dir gewähren‹, sagte ich mir. Ich blickte auf die fernen Hügel und war auf der einen Seite traurig, weil die Weisheit mich dazu geführt hatte, das Unmögliche zu verlangen, und auf der anderen Seite war ich glücklich darüber, meine Inspiration nicht an unwichtige, vergängliche Dinge zu verschwenden, denn der Ehrgeiz ist das größte, was es gibt im Menschen, was ihn vom Tier unterscheidet, und je größer der Ehrgeiz, desto größer der Ruhm, und das war ein Verdienst, das kein Mensch mir nehmen und auf das ich mein Leben lang stolz sein konnte. ›Ich werde mir mein Leben lang wünschen, Notar zu sein‹, beschloß ich. ›Das sei mein Ruhm und meine Strafe.‹

Ihr seid Parias und versteht meine Sprache. Kann es etwas Größeres geben, als das, was es nicht gibt? Kann es etwas geben, das das Eifern übertrifft? Also erhob ich mich am dritten Tage von meiner Bank, ritt mit dem Esel los, heiratete, kaufte mir Ziegen und bekam einen Sohn. Seht ihn euch an, dort drüben, auf dem Stein. Er will Oberst werden. Von mir hat er gelernt, daß nur das Eifern uns lebendig und begehrlich hält. Er war beim Militär, wo er niemals mehr als Unteroffizier hätte werden können. Und ist es nicht besser, Oberst werden zu wollen, als Unteroffizier zu sein? Manch einer ist untröstlich, weil es nicht regnet oder weil ihn das Bein schmerzt, oder weil ihm der Fuchs eine Gans gestohlen hat. Die Armen sind untröstlich, weil sie arm sind, und die Reichen, weil sie nicht noch reicher sind. Ist es da nicht besser, am Unmöglichen zu verzweifeln? Wäre das nicht eine Abkürzung des Weges? Ist es nicht ein großer Gewinn, den kleinen Wünschen zu entsagen um Höheres anzustreben, das Höchste, das Edelste, dessen wir uns in der Stunde unseres Todes nicht zu schämen brauchen?

Von mir wird niemand sagen können: ›Er kannte weder Höhen noch Tiefen.‹ Nein, denn ich habe beides gekannt. Ich habe das eine mit dem anderen hingehalten, habe beide getäuscht und zusammen vor den Wagen des Eiferns gespannt. Nun, ist meine Rede nicht gelungen? Bin ich nicht ein geborener Redner? Darum sage ich euch, seid nicht bescheiden in euren Wünschen. Wißt ihr nicht, daß Gott barmherzig und gerecht ist? Hört auf mich: Wenn ihr Kinder habt, fördert ihren Ehrgeiz. Wollen sie Zimmerleute werden, sagt ihnen

Architekten, und wenn sie Architekten werden wollen, Wohnungsbauminister. Laßt niemals zu, daß das Streben sich erfüllt, haltet stets Raum zwischen den Träumen und euren Kindern, damit sie nicht im gleichen Elend enden wie ihr, Gleisarbeiter.«

Er schwieg. Und das Schweigen war noch stiller, weil die Zuhörerschaft auch aufgehört hatte, zuzuhören. Man hörte nur den Wind, der sich in den Zweigen verhaspelte. Gregorio saß wie verzaubert von der Rede im Dunkeln und rührte sich nicht, bis seine Mutter kam, ihn an der Hand ins Haus zog und ins Bett brachte. Obwohl er kaum etwas verstanden hatte, war ihm zum Weinen. Von seinem Bett aus hörte er das Lachen der davonziehenden Bahnarbeiter. Als ihre Stimmen in der Ferne verklangen, setzte sein Vater sich auf die Steinbank und spielte auf der Mundharmonika eines seiner traurigen Lieder aus einer anderen Zeit. »Diese Musik lockt den Tod herbei«, dachte Gregorio und schlief auf der Stelle ein.

So hatte er erfahren, daß sein Großvater Notar und sein Vater Oberst werden wollte. Tagsüber arbeiteten sie auf dem Land und hüteten das Vieh, und abends setzten sie sich nieder, um im Kontobuch ihrer Träume zu blättern, der eine auf der Bank, der andere auf dem Stein am Wegesrand. Manchmal riefen sie sich aus der Ferne zu (›Ehhh!‹ schrie der eine; ›Ehhh!‹ antwortete der andere, wobei sie aber so taten, als handle es sich um irgendwelche Geräusche, die nichts miteinander zu tun hatten), oder sie husteten einander zu, und wenn es hoch kam, wechselten sie ein paar Worte über das Wetter oder machten sich auf das Bellen der Füchse aufmerksam, dem sie dann lauschten und mit dem sie sich die triste Zeit des Wartens verkürzten.

Dann kam der Winter. Die kühle Abendluft trieb sie frühzeitig in die Küche, wo sie ein Feuer bis zur Decke entfachten und sich davorsetzten und die Hände ausstreckten, bis die Glut verglomm.

An einem solchen Abend (Gregorio blendete die Klarheit der Erinnerung) fragte ihn sein Großvater plötzlich, was er einmal werden wollte.

»Ich will Stier werden«, antwortete er, ohne zu zögern, weil die Inspiration es ihm so eingegeben hatte, wie der Großvater sogleich erkannte.

»Unsinn«, sagte der Vater. »Er wird Admiral. Man sieht es ihm doch an, daß er Seefahrer wird und einmal eine Prinzessin heiratet.«

»Laß' du den Jungen für sich sprechen!« schrie der Großvater. »Also los, was willst du werden?«

»Stier.«

»Das ist doch kein Beruf«, wandte der Vater ein.

»Wenn er Stier werden will, wird er Stier!« brüllte sein Großvater wieder los. »Willst du das wirklich werden?«

»Ja, Stier.«

»Stier!« rief sein Großvater entzückt.

Da mischte sich die Mutter ein:

»Aber mein Junge, willst du denn nicht Priester werden?«

»Niemals!« heulte der Großvater. »Wenn schon, dann Heiliger! Oder Papst!«

»Ich will Stier werden, ein heiliger Stier.«

»Also wirst du Stier!« sagte der Großvater. »Es ist ein Verbrechen, einem Kind den Ehrgeiz zu nehmen. Stier! Welch ein Eifern!«

Der Vater stand auf und schlug mit der Faust auf den Tisch, daß es krachte.

»Wenn hier noch einmal vom Stier gesprochen wird, oder von einem Heiligen oder vom heiligen Stier, dann hole ich die Axt und mache Kleinholz aus diesem Tisch und halte ein Streichholz an das Haus.«

Gleich darauf vernahm man draußen ein seltsames Geräusch. Die Hunde schlugen an.

»Sie haben den Fuchs gewittert«, setzte er hinzu.

Das Feuer flackerte. Man hörte das Gurgeln des Kochtopfs und das Elektromotörchen der Katze.

»Sage mir mal«, sagte der Vater und warf ein paar Scheite ins Feuer, »weißt du eigentlich, was hinter den Bergen ist? Weißt du das?«

»Nein.«

»Hinter den Bergen ist das Meer«, sagte er und berichtete von großen Schiffen, die darauf kreuzten und ihren ordengeschmückten Admiralen, die stolz am Bug standen. Er warf Holzscheite ins Feuer und zählte die Namen der Meere auf.

»Du hast das Meer nie gesehen«, warf seine Mutter ein.

»Ich habe es in Träumen gesehen!« schrie er. »Einmal habe ich geträumt, ich wäre Taucher und berührte den Grund des Ozeans.«

»Ist das Meer größer als unser Land?« fragte Gregorio.

»Es reicht, wenn du weißt, daß die ganze Erde eine Bodenerhebung des Wassers ist. Und um dir das Verhältnis zwischen beiden deutlich zu machen, laß' dir sagen, daß ein einfacher Matrose zur See mehr zählt als ein Oberst zu Lande.«

Er legte das letzte Holzscheit aufs Feuer.

»Und einmal habe ich geträumt, ich wäre in einem Freihafen erstochen worden.«

Der Großvater wollte etwas sagen, doch der Vater schrie:

»Du hältst den Mund!«

Dann räusperte er sich und fragte in gemäßigterem Ton:

»Also, mein Freund, willst du Admiral werden?«

Gregorio blickte ihn mit tränenerfüllten Augen an.

»Er ist doch noch viel zu klein«, sagte seine Mutter.

»Dann sag' mir, verdammt noch mal, was du werden willst?«

»Ich weiß nicht, ich weiß nicht«, stammelte Gregorio und brach in Tränen aus.

Seine Mutter brachte ihn zu Bett. Kurz darauf hörte er die Mundharmonika, und wieder dachte er, daß diese Musik den Tod anlockte. Im selben Moment schlief er ein.

Gregorio schlug in der heißen Julinacht die Augen auf. Jetzt begriff er, daß sein Onkel womöglich am Eifern irre geworden war, und er war voller Angst und voller Mitleid für ihn. Er fragte sich, ob diese in den legendären Regionen der Kindheit heimischen Erinnerungen sich im Lauf der Jahre nicht zu Alpträumen auswachsen würden. Doch obschon ihm nicht ganz geheuer zumute war, weil er sie so unwirklich und zugleich überdeutlich empfand, sagte er sich, als er in die Wohnung zurückging, das Leben lohne sich auf jeden Fall, selbst wenn es nichts anderes bereithielte, als jene Erinnerungen zu pflegen und sie Nacht für Nacht aufzupolieren, wie ein alter Geizhals seinen Golddukaten. Und in seinem Innern spürte er mit einemmal den Atemhauch seiner eigenen Identität, sah in einer blendenden Erscheinung seinen exakten Standort in der Zeit und glaubte sich nun stark genug, die Unbilden der Liebe zu bekämpfen und zu besiegen.

Zum erstenmal seit März schlief er in jener Nacht durch und erwachte am späten Vormittag in Frieden mit sich und der Welt. Wie jeden Tag stürzte er sich wieder in sein Labyrinth, doch als er die erste Kreuzung erreichte, bemerkte er in dem steinernen Wappen plötzlich einen Ritter, dessen Schwert die Richtung anzuzeigen schien, die die Wespen hinauf zur Geranie nehmen mußten, und auf der Geranie eine Wespe, die in den Julihimmel hinaufflog, der ihn an das stehende Wasser des Teiches an der dritten Kreuzung erinnerte, über der eine Wolke erzitterte wie die Nadel vor einem Magneten und die Richtung angab, in der Gregorio zum Park gelangen und zusehen konnte, wie die vom Wind in Schwingung versetzten Blätter im Himmel flatterten, als lägen sie auf dem magnetisierten Grund eines Teichs.

Wie vorher die *Habanera* und danach die Liebe, war es jetzt das jähe Aufreißen der Vergangenheit, das ihn der Welt zurückgab – und er sah sich sie wieder in dem fiebernden Frohlocken jener erkunden, die von den Grenzen der Verzweiflung heimgekehrt sind. Er entdeckte, daß alles eins war, daß die Dinge des Universums durch geheime Bande, die sich ihm erst jetzt langsam enthüllten, miteinander verbunden waren, und zwar so eng, daß, wenn die Wirklichkeit ein Teppich wäre, dachte Gregorio, und man am Faden der Geranie zöge, bis hinauf zu den Sternen alles ausfransen würde. Er las wieder in dem Versbüchlein und begriff, daß das Leben tatsächlich ein Fluß und die Liebe Feuer ist, daß es Musik gibt, die man nicht hört, süße Farben, Lippen aus Blütenblättern und Augen aus Smaragd. So neu erschienen ihm plötzlich alle Dinge, daß er sich nicht an ihre Namen gewöhnen konnte, wie schon Jahre zuvor, doch jetzt nicht, weil sie im Dunkeln lagen, sondern weil sie ihn blendeten. Er bat die Ältesten der Alten im Park, ihm ihre Lebensgeschichten zu erzählen und wie die Welt früher gewesen war, ob man die Dinge zu ihrer Zeit mit denselben Namen benannt hatte wie heute. Einige sagten ihm, die Dinge hätten früher sehr viel schönere Namen gehabt. Gregorio glaubte ihnen, da er die Sprache der Dichter entdeckt hatte und der Meinung war, jedes Ding verdiene durch ein Gedicht bezeichnet zu werden und nicht nur durch ein Wort, oder zumindest in verschiedenster Form zur gleichen Zeit, als authentisches Spiegelbild der universalen Übereinstimmung. Aber in jedem Wort lag auch Poesie, klar, zum Beispiel »Anmut«: dachte man da nicht an lautlos rollende Glasmurmeln, Anmut, ein Wort ohne Echo, das uns zweifeln läßt, ob wir es tatsächlich ausgesprochen haben oder ob es nur mit den Augen ausgesprochen wird, Anmut, ein Lidschlag nur, unverständlich und vertraut zugleich, Anmut? Und dieser dunkle Vokal am Ende des Wortes, der den Mund, wie in einem kurzen Sommertraum erstarrt, zum Kuß bereitet? Und so ein Wort wie ›Geburtstagskuchen‹! Da mußte man Anlauf nehmen, um das erste ›u‹ zu erreichen, es dann zügeln wie ein Cowboy auf dem Rodeo, um dann im gebremsten Trab zum anderen ›u‹ zu gelangen, denn das Wort bockte und drohte den Reiter abzuwerfen und damit seine eigene Bedeutung zu gefährden. Und dann ›Preiselbeere‹. Man brauchte es nur ein wenig zwischen den Fingern zu reiben, und schon stieg aus ihm ein Flaschengeist auf, der so allgewaltig war, daß kein Wunsch ihm widerstehen konnte. Man brauchte nur zu bitten, ohne Scheu, und man bekam Windrose, Seereise, Kreiseldrehung, Wegweiser, säuerlich, Licht und Meer, Erdenkreis, Lederblatt, Rotkehlchen, Gartenfrucht, Baumbestand, Rehe, Reisigholz, Wolkenfetzen, Hagelschlag, Rotes Meer und Mississippi; ein einziges Wort war genug, denn irgendeines enthält alle anderen, in jedem kann der Mensch seine grenzenlose Heimat erkennen. Welch ein Geschenk für einen beherzten Jungen! Wenn Gott, dachte er, als erstes einen Dichter oder einen Philosophen, Platon zum Beispiel, erschaffen hätte, dann wäre ihm viel Arbeit erspart geblieben. So bewegte er sich leichtfüßig durch sein Labyrinth und sah sich mit verzehrender Leidenschaft die Welt erkunden. Und ebenso, wie er entdeckte, daß die Wirklichkeit unerschöpflich war, entdeckte er auch, daß das Leben unerträglich kurz war, denn so wie der Zweifel ihn unendlich machte und die Ähnlichkeit ihn den Göttern gleichstellte, so brachten ihn die Stunden und die Monate dem Staub zurück, und das machte ihn wieder traurig und trübte den leichten Fluß seiner Gedanken.

Liebe oder Tod hießen die beiden Stützpfeiler seines Dilemmas, und er hätte nie zu sagen vermocht, in welchem Maße das Schicksal diese beiden Begriffe durcheinanderwarf, um ihn zu verunsichern und auf den Weg der Mittelmäßigkeit zu führen. Doch eines Nachmittags, Ende Juli, als er sich wieder einmal im Takt der Dinge treiben ließ, glaubte er plötzlich in einer Sackgasse zu stehen oder aber exakt im Mittelpunkt des Labyrinths seiner Einsamkeit. Mit einem Stöckchen zeichnete er Linien in den Sand. Mit einemmal hielt er das Stöckchen in der Schwebe und blickte zum Himmel hinauf. Nichts deutete darauf hin, daß dieser Akt über ein Leben entschied, und doch war es so. Der Teufel mit Umhang und Narbe sollte ihn viele Jahre später daran erinnern, wie er das Stöckchen zu Boden geworfen hatte und so eilig aus dem Park gestürmt war, daß er zwei alte Männer umrannte und einen weiteren anrempelte, der sich wie ein Brummkreisel um die eigene Achse drehte. »Hinter Ihrem Schatz her!« entschuldigte sich Gregorio im Rennen, und der dritte Alte hob, immer noch schwankend, seinen Stock, als verfluche er von einem Berg herab eine ganze Stadt. »Du verdammter Dreckskerl!« schrie er, doch Gregorio konnte ihn nicht mehr hören, da er bereits weit weg war und Straßenecke auf Straßenecke hinter sich ließ und kurz darauf vor einem Blatt Papier saß, auf das er soeben das Wort »Himmel« geschrieben hatte.

Er wollte »grau« oder »blau« hinzufügen, zögerte jedoch, radierte, korrigierte, hingehalten von einem Gefühl unbändigen Überflusses, eine Hand in die Wange gestützt, die andere kraftlos auf dem weißen Blatt Papier ausgestreckt wie ein *ex voto*, während die Dinge um ihn herum ihre Positionen einnahmen, einige andächtig, andere sorglos, bis ein Altarbild des Denkens hergestellt war, in dessen Mitte, wie der Herr der Heerscharen, der Schöpfer des blauen oder grauen Himmels saß, eifersüchtig beäugt von einer Lampe. Plötzlich fühlte er, wie die Wirklichkeit sich zu einem diamantenen Leuchtfaden verdünnte und exakt und geschmeidig durch ein Nadelöhr glitt. »Der blaue Himmel wird grau / wie meine Seele im Laub.« Das war sein erster Vers. Dann erhob er sich und schaute zum Himmel hinauf. Er war so überglücklich, daß er mit geschlossenen Augen tief durchatmen mußte, damit er in dem wie ein Regenguß herabrauschenden Glück nicht ertrank.

Von nun an schrieb er unermüdlich Gedichte. Es war das letzte und größte Wunder der Liebe. Denn daß er sich bisher so wenig um seine Vergangenheit gekümmert hatte, lag vielleicht an der mächtigen Trägheit der Gegenwart, die ihn mit dem Schwindel alltäglicher Zwänge umgarnte. Als die Liebe jedoch den geraden Kurs der Zeit zu einer Warteschleife bog, in der er sich wie in einem Karussell drehte, als von den Tagen Stunden übrigblieben und von den Stunden Minuten und von den Wochen ganze Tage, da brauchte er so sehr die Erinnerung, um dem Warten einen Sinn zu geben, daß er nur noch nach den Spuren der Geliebten suchte. Auf jener Parkbank pflegte sie abends zu sitzen, auf der Erde glitten die unsichtbaren Abdrücke ihrer Schritte dahin, in der Luft lag die Musik ihrer Stimme, das Wehen ihrer Haare und der Duft ihrer Haut, der Ladentisch des Kiosks schien noch die Anmut ihrer abwesenden Hände zu verströmen, und die Liebesromane, die sie gelesen hatte, unterschieden sich von den andern, da ihre Seiten noch das helle Licht ihrer Augen und die herablassende Kunstfertigkeit ihrer Finger bewahrten, und sogar die Geschichten, die sie erzählten, waren von ihrer unerschöpflichen Allgegenwart durchdrungen. So lernte er durch die Erinnerung an Alicia die Dinge zueinander in Beziehung setzen, die Welt geriet in Einklang, und alles wurde erfüllt vom Wesen der Liebe.

Ob das die Inspiration war, von der sein Großvater gesprochen hatte? Waren das die ersten Anzeichen für den Wahnsinn des Eiferns? Gregorio dachte nicht weiter darüber nach, wie er auch über alles andere nicht nachdachte, was nicht fiebernde Dichtkunst war. Aus Mängeln machte er heimliche Siege und aus der Einsamkeit ein Instrument der Rache. Das Leben war kurz, gewiß, aber dichten hieß auch ein bißchen unsterblich sein. Ein besseres Mittel gegen die Drohungen der Zukunft gab es nicht. Wenn der Hauch der Inspiration ihn unfähig machte, zu schreiben – denn die Freude darüber, Dichter zu sein, war oft stärker als das Dichten selbst –, fühlte er sich jedesmal zu Höchstem berufen. Sollte ihm einmal nichts mehr bleiben als vielleicht nur noch sein Marinemantel, dachte er, dann hätte er immer noch die ganze große weite Welt für sich, denn die Welt war sein Dichterhaus, seine Heimat, in der er niemals ein Fremder sein könnte. Im Gegenteil, er fühlte sich solidarisch mit den Indios der undurchdringlichsten Dschungel, mit den Chinesen, die den Reis säten, den Arabern der Wüste und den Cowboys des Wilden Westens. Er war frei und ohne Grenzen wie ein Vogel. »Wie ihr«, sagte er eines Morgens, als er einem Schwarm Zugvögel nachschaute, die vorüberflogen und einen reinen Himmel hinterließen, »ich bin wie ihr, und auch für mich heißt es bald Abschied nehmen.« Und er fragte sie, ob in Korfu schon die Rosen blühten (denn obschon er weder wußte, wo Korfu lag, noch, ob die Vögel seine Sprache verstanden, fühlte er sich berechtigt, die Dinge zu befragen und ihre Antworten zu verstehen), empfahl ihnen seine Angebetete und vertraute ihnen die glühendsten Geheimnisse seines Herzens an. All die Traurigkeit, die er über lange Zeit in sich angesammelt hatte, wurde ihm zum Anlaß unerschöpflicher Weisheit. Welches Geheimnis, von all denen, die ihn jahrelang bedrückt hatten, konnte sich mit jenem messen, die Welt mit einem neuen Geheimnis zu beglücken? Und da alles, was die Poesie berührte, geheimnisvoll wurde, stellten sich dem Dichter die alltäglichsten Dinge als Rätsel dar, die gelöst werden wollten. Niemals zuvor hatte er sich so glücklich, so lebendig, so federleicht gefühlt. ›Und trotzdem‹, dachte Gregorio am Morgen des 4. Oktober, ›war das vielleicht der Anfang meines Unglücks.‹

Seine Themen waren die Liebe und das Reisen. Er schrieb Gedichte auf die Straße, auf die Vögel, auf das Kielwasser der Schiffe, auf dampfende Lokomotiven, auf die Milchstraße, auf den Vagabunden und auf sich selbst, denn alles wäre eines, wenn die Stunde des Aufbruchs sich ankündigte und der Sinnspruch sich bewahrheitete, den er in einem Schulbuch gefunden und jetzt seinem Leben vorangestellt hatte: »Verlasse deine Heimat, deine Familie, das Haus deiner Eltern, für das Land, das ich dir zeigen werde.« Den altvertrauten Orten gab er neue Namen: ›Park der elf Blütenkelche‹, ›Kreuzung des Wappens und der Wespe‹ oder ›Der Baum des Traurigen Frühlings‹, das war die

Akazie. Da er sich auch nicht mehr mit den gewöhnlichen Namen der Dinge zufriedengab, nannte er den Sand den ›ewigen Regen der Toten‹ und den Mond ›die Silbermünze, die ein Gott verlor‹. Die meisten Gedichte schrieb er auf Alicia, der er geheime Namen von Blumen und Vögeln gab sowie das poetische Pseudonym Ondina. Ondina mit Hund und ohne Hund, am Nachmittag, am frühen Morgen, mit Umhang, ohne Umhang, wachend und schlafend, lieblich und grausam, sich im Nebel verflüchtigend, halb verdeckt hinter Zweigen, deutlich und bewegungslos vor dem Hintergrund des Meeres.

Vertrauensvoll erwartete er ihre Rückkehr, denn jetzt war er Dichter, und das machte nicht nur seine Erbärmlichkeit vergessen, sondern ließ ihn sogar auf Erwiderung hoffen. »Ich werde ihr meine Gedichte geben«, sagte er sich, »dann kann sie mich nicht mehr unbeachtet lassen und muß sich in mich verlieben.«

Kaum war jedoch Elicio zurück, der die Ferien nicht am Meer, sondern im Heimatdorf seiner Eltern auf dem Land verbracht hatte und noch immer auf sein Motorrad sparte, beschloß Gregorio, ihn als ersten seine Gedichte lesen zu lassen. Er gab sie ihm mit der Bemerkung, es handle sich um eine Rohfassung. Elicio überflog sie und befand sie für gut.

»Sind gut«, sagte er, »und Dichter sein macht was her, besonders verzweifelter Dichter. Das Problem ist nur, daß man als Dichter wenig zu ficken hat und immer arm bleibt. Von der Schule her weiß ich über das Leben der Schriftsteller Bescheid, und ich kann dir sagen, der einzige, der wirklich gefickt hat, war Lope de Vega. Alle andern haben bloß darüber geschrieben. Espronceda, zum Beispiel, der hat eine gewisse Teresa entführt und ist mit ihr nach Paris geflüchtet; aber glaubst du, daß er sie tatsächlich gefickt hat? Ich nicht, weil Dichter doch vom wirklichen Leben keine Ahnung haben und nicht wissen, daß Frauen noch was anderes brauchen als Verse. Die wahren Dichter der Liebe sind die Gangster und die harten Typen. Ist aber nett, Dichter zu sein und gegen das Leben zu rebellieren. Das ist so was, wie Mönch oder Landstreicher sein. Eine große Sache, aber es muß auch was einbringen.«

Er schlug ihm vor, Gedichte von lüsternen Gräfinnen, schamlosen Königstöchtern, gehörnten Herzögen und edlen Troubadouren zu schreiben und auch, sich ein Dichterpseudonym zuzulegen. Viele wurden verworfen, doch endlich fanden sie jenes, das Gregorio für immer begleiten sollte: Faroni.

»Der Dichter Faroni«, sagte Elicio, »das klingt schön, beinah wie eine Motorradmarke. Und mit Vornamen könntest du dich Augusto nennen. Augusto Faroni; wenn das nicht zu mächtig für dich ist.«

Der August ging zu Ende. Gregorio malte seine Gedichte in höfischer Kalligraphie, sengte die Papierränder an, um den Blättern das Aussehen eines an einem düsteren, denkwürdigen Ort aufgefundenen Manuskripts zu geben, zeichnete von Pfeilen durchbohrte Herzen in die Ecken und schrieb eine Widmung auf das Deckblatt: *Für Dich, meine Frau, meine Liebe ohne Hoffnung, von Deinem unbekannten Dichter, Augusto Faroni.* Doch damit noch nicht zufrieden, fügte er hinzu: *Weltendichter und Dichter des Nichts, der Liebe und aller Dinge – des Todes.* Und darunter noch, als eine Art letzter Aufschrei: *Faroni*, in schaurigen Horrorlettern.

Ende August kam Alicia zurück. Das Wiedersehen hatte in seinem Geiste längst stattgefunden, doch sein Dichterinstinkt verhalf ihm diesmal zu einer richtigen Vorhersage: an einem regnerischen Tag sah er sie mit wehendem Haar um die Straßenecke biegen. Sie trug Gummistiefelchen, einen schneeweißen Regenumhang und einen schwarzen Pullover, aus dem wie überschäumende Milch ein Spitzenkrägelchen quoll. So sah er sie in seinen nächtlichen Träumen. Und da er sich vorzustellen suchte, wie seine Gedichte auf Alicia wirkten, sah er im Geiste schließlich auch sich selbst, öffentlich mit Lorbeer bekränzt. Es gab einen Palast, wie in den Märchen, und eine große Volksmenge, und ein Bauer, der mit seinem Karren in die Stadt gekommen war, fragte, »was ist hier heute los?«, und ein braver Bürger antwortete ihm: »Na, hören Sie! Wissen Sie denn nicht, daß heute im Palast der große lyrische Dichter Faroni mit dem Lorbeerkranz gekrönt wird?« Und alles wäre so gewesen, wie der Bauer es mitansehen oder sich vorstellen konnte (es gab Wandteppiche mit goldenen Hirschen und silbernen Windhunden, glitzernde Lüster und schmetternde Trompeten, unter deren Klang der Dichter die Stufen zu einem König hinaufschritt, der einen Hermelinmantel trug und ihn stehend erwartete, um ihm den Lorbeerkranz aufs Haupt zu setzen, und dann brandete der Beifall auf, das Volk jubelte ihm entfesselt zu, und sogar der Bauer hätte in der ersten Reihe ein junges Mädchen mit ungläubig geöffnetem Mund erkannt, das sich demütig, und demütig auch ihr Hund in dem Meer von Windhunden, der ausgestreckten Hand näherte, die der gekrönte Dichter ihr von seinem Ehrensessel aus hinhielt), doch sein Wahrscheinlichkeitsempfinden – Bauer und Erzähler waren letzten Endes ein und dieselbe Person – ließ ihn das

Ereignis in den Park verlegen, mit den Würdenträgern der Stadt und einer Musikkapelle, und Alicia, die nur stumm und erstaunt in der ersten Reihe stand. Damals ahnte Gregorio noch nicht, daß diese ebenso wahren wie unwahren Phantasiebilder (schließlich existierten die Gedichte, der Dichter und die Geliebte, und nur der Lorbeer fehlte) erste Ankündigungen der tatsächlichen Sprache waren, die er später einmal sprechen sollte.

Frühere Situationen wiederholten sich, doch jetzt fühlte Gregorio sich durch das Wissen bestärkt, Dichter zu sein. Er begann sogar ein episches Gedicht über den Eroberer Alvar Núñez Cabeza de Vaca und verbrachte Stunden um Stunden im Kiosk, zu Hause oder im Park mit der Komposition von Stanzen. Die Übergabe der Gedichte zögerte er jedoch hinaus. Er schien auf eine ganz außergewöhnlich günstige Gelegenheit dafür zu warten und fragte sich manchmal selbst, ob dieses Warten nicht ein von der Angst vor Enttäuschung geschmiedetes Komplott sei. Daraufhin setzte er sich unverrückbare Ultimaten, die er erst in allerletzter Minute verlängerte. Der 20., der 25. und der 30. Oktober verstrichen, und noch immer konnte er sich nicht entschließen. Es begann zu regnen, und Alicia ging nur noch selten aus, oder sie nahm einen anderen Weg, da der Park ein einziger Sumpf geworden war.

Es regnete den ganzen November. Für Gregorio war das der Anlaß, als definitives Ultimatum das Ende des Regens festzulegen. Er schrieb eine neue Fassung seiner Gedichte und erweiterte die Widmung um pathetische Wendungen und Formulierungen, die ihm schon bald so beschämend wie unzureichend erschienen. Dann wieder kämpfte er tagelang gegen die Versuchung an, seine Gedichte zu zerreißen, hinter Alicia herzulaufen, sich ihr weinend zu Füßen zu werfen und sie anzuflehen, ihn wenigstens aus Mitleid zu lieben und ihn nie mehr zu verlassen. Doch die Würde oder die Angst hielten ihn davon ab, aber auch der Zorn darüber, sich in seinen Träumen derart erniedrigt und verherrlicht zu haben. Nur die Wirklichkeit würde ihn von den Sünden der Fiktion lossprechen können, sagte er sich. Schließlich ließ er den Regen – die Zeit – alle Widersprüchlichkeiten klären und beschied sich mit dem Gedanken, daß eine gescheiterte Liebe letztendlich eine Inspiration für ihn sei und das Schicksal sich der Widrigkeiten bediene, um den dichterischen Ruhm zu erhöhen. »Künstler«, so versicherte er sich immer wieder, »können niemals glücklich sein. Das ist der Preis, den sie für die Unsterblichkeit bezahlen.« Kurz darauf überschlugen sich die Ereignisse.

In den ersten Dezembertagen hörte es auf zu regnen. Die Tage wurden kälter, der Wind pfiff um die Ecken, und die Sonne blinzelte ab und zu recht unscharf durch den schmutzigen Himmel. Alicia ging wieder täglich in den Park. Am elften blieb sie am Kiosk stehen, um einen Liebesroman einzutauschen, und bat Gregorio, ihn ihr zurückzulegen, bis sie auf dem Heimweg wieder vorbeikäme. Da fragte Gregorio mit beängstigend dünnem Stimmchen: »Kann ich dich hinterher sprechen?« »O ja, natürlich!« rief Alicia, dem Zerren des Hundes folgend. Gregorio legte sein Manuskript zurecht, las noch einmal die Widmung durch und versuchte sich vorzustellen, wie sie auf Alicia wohl wirken mochte. Dann sagte er noch einmal die Worte auf, die er sich seit mehr als einem Monat zurechtgelegt hatte: »Ich habe da ein paar Gedichte geschrieben und gebe sie jetzt jedem, der vorbeikommt, damit er mir seine Meinung dazu sagt.« Er kauerte sich über dem Öfchen zusammen und schaltete sein Gehirn aus, um nicht den Verwirrungen des Wartens zu erliegen. Er flehte nur (und zog ein paarmal die Grimasse, mit der er Gefahren bannte), Alicia möge vor den Jungen zum Kiosk kommen, und entschied, daß alles gutginge, wenn er nur still und mit geschlossenen Augen hocken blieb und Ruhe bewahrte. Und um sich die Zeit zu verkürzen, sprach er in alle vier Himmelsrichtungen das Wort »Zitrone«.

Es dunkelte bereits, als er zu der Zeit, zu der Alicia gewöhnlich auf dem Rückweg vorbeikam, hastige Schritte vernahm. »Dies ist der Augenblick«, sagte er sich, ergriff sein Manuskript und den Liebesroman und räusperte sich. Doch kaum hatte er die Augen geöffnet, sah er auf der anderen Seite des Ladentisches ein Gesicht auftauchen, das überstürzt auf ihn einsprach. Nur mit Mühe erkannte er das Gesicht einer Nachbarin von der Galerie im ersten Stock und verstand, was sie sagte: »Schnell, Gregorio, komm nach Hause, deinem Onkel geht es schlecht, er liegt im Sterben, der Ärmste!«

Um Mitternacht gestand der Onkel, Vergünstigungen des Satans angenommen zu haben, und schien wieder bei klarem Verstand zu sein, doch gegen Morgen stammelte er die Namen von Orten in Peru und hielt die Hornsignale der Müllarbeiter für die Posaunen der himmlischen Heerscharen. In einem letzten Genuschel nannte er Gott Alvar Núñez, entsagte feierlich dem Eifern und verstarb mit seinem eigenen Namen auf den Lippen, Felix Olías. Ein Unbekannter, der in letzter Minute eingetroffen war und sich als ehemaliger Arbeitskollege des Verstorbenen ausgab, schloß ihm die Augen, drehte sich zu den anwesenden Nachbarn um und verkündete, daß gerade ein guter und gerechter Mensch gestorben sei. Als Gregorio ihn da auf dem Rücken liegen sah, so konzentriert und in seine neue Aufgabe als Toter vertieft, dachte er, daß sein Onkel nun doch noch eine Betätigung gefunden hatte, die seines Ehrgeizes würdig war.

Der nächste Tag war ein Sonntag, und der kurze Trauerzug setzte sich unter einem erneut Regen verkündenden Himmel in Bewegung. Sie gingen durch freudlose Gassen und über braches Gelände, und Gregorio erinnerte sich vor allen anderen Einzelheiten an einen Mann, der einen Ring Ölkringel in der Hand trug, überrascht stehenblieb und ihnen mit zusammengekniffenen Augen nachschaute, als blicke er auf einen Punkt in weiter Ferne oder versuche, eine verwaschene Inschrift zu lesen. Auf dem Rückweg nahm der Unbekannte Gregorio beiseite und sagte ihm, er werde Arbeit für ihn suchen und die Angelegenheiten des Onkels in Ordnung bringen. Er vertraute ihn einer Nachbarin an, die ihn bei sich aufnahm und ihm gleich seine Erbschaft aufs Zimmer trug: die Gitarre, die Bücher, den Karton mit den Papieren und ein paar Kleinigkeiten. Der Rest wurde, zusammen mit dem Kiosk, versteigert, und der Erlös (abzüglich der Beerdigungskosten) wurde Gregorio ausgehändigt, der sich von dem Geld einen Flanellanzug und Lackschuhe kaufte.

Eine Woche später begann er als Laufbursche in derselben Firma, in der sein Onkel vierzig Jahre lang Portier gewesen war. Am Abend dieses Tages ging er mit seinem neuen Anzug, nach Kölnisch Wasser duftend und mit dem Manuskript unter dem Arm in den Park, um dort wie zufällig Alicia zu begegnen. Als er eine Straße überquerte, hörte er sich mit anschwellender Lautstärke beim Namen gerufen: »Faroooniii!!« Als er sich verwirrt umschaute, vernahm er den Ruf aufs neue, diesmal leiser werdend, und sah Elicio, ihm einen Abschiedsgruß zuwinkend, mit Vollgas auf einem Motorrad vorbeibrausen, und hinter ihm eine flatternde blonde Mähne und noch eine Hand, die mit schwirrenden Fingern ebenfalls zum Abschied winkte, und das nicht nur für einen Moment, sondern in der Erinnerung über Jahre hin, so daß ihm an jenem 4. Oktober dieser letzte, flüchtige, endlose Abschiedsgruß noch immer lebendig vor Augen stand.

KAPITEL V

»Was, ihr seid immer noch da?« fragte der Schuldiener und fuhr mit dem Strahl seiner Lampe über ihre Gesichter, als poliere er sie mit Licht. Ohne jedoch eine Antwort abzuwarten, setzte er, von dringenderen Pflichten beansprucht, seinen Rundgang fort.

In jener Abendschule, vor deren Tür Gregorio am 4. Oktober innehielt und in der er vor fünfundzwanzig Jahren Schüler gewesen war, hatte stets eine große Schlafnot geherrscht. Die Unterrichtsräume befanden sich im Innern eines dunklen, labyrinthischen Stockwerks, das schlecht gelüftet war und von dessen hohen Decken schwache Lampen hingen, die das Halbdunkel kaum durchdrangen. Die meisten der Abendschüler (darunter über Fünfzigjährige) arbeiteten tagsüber in Büros und Werkstätten und wohnten so weit entfernt, daß ihnen keine Zeit blieb, nach Hause zu fahren, um sich umzuziehen, so daß sie in ihrer Arbeitskleidung zum Unterricht erschienen. Gegen neun Uhr abends trafen sie mit schlaftrunkenen Augen und dem sanftmütigen Gesichtsausdruck übermüdeter Menschen ein. Wie Schlafwandler strebten sie in ihre Klassen und saßen dort gähnend ihre Stunden ab, nickten abgrundtief mit den Köpfen und zuckten leicht zusammen. Manche schliefen mit dem Stift in der Hand über ihren Heften ein, und der Lehrer kam dann zu ihnen und weckte sie, indem er zaubernd mit einem Stöckchen ihren Kopf berührte. Manchmal kam es vor, daß auch der Lehrer einschlief; doch selbst im Schlaf fuhr er fort, seinen Unterrichtsstoff zu diktieren, ohne um einen Punkt von seinem Lehrplan abzuweichen. Zwischen den Unterrichtsstunden legten einige ein Schläfchen ein, und andere, die lebhafter oder fleißiger waren, gingen auf die Toilette, um sich das Gesicht mit kaltem Wasser zu waschen, oder sie verrichteten gymnastische Übungen auf dem Flur. Manche nutzten die vielen dunklen Winkel der Abendschule, um sich in irgendeiner Ecke (zusammengekauert auf dem Boden oder unter einer Bank) umstandslos schlafen zu legen, und manchmal gingen sie auch in die Abstellkammer, in der Kohlensäcke, Sägemehlkisten und Putzgerätschaften standen. In diesem Raum konnte man stets einige Schüler im schönsten Tiefschlaf vorfinden. Darum machte der Schuldiener jede Stunde seine Runde, leuchtete mit seiner Lampe in Ecken und Winkel, rüttelte die Schlafenden wach und vertrieb sie aus ihren Verstecken.

Gregorio erinnerte sich sogar an einen Schüler, der bei einer Philosophiearbeit eingeschlafen war. Der Lehrer saß mit übereinandergeschlagenen Beinen auf seinem Stuhl, schaute auf die Uhr, gähnte und ließ seine Sockenhalter schnalzen. Zum Schluß saßen noch zwei Schüler an ihren Pulten. Einer stand gleich darauf auf und ging händereibend hinaus, als hätte er ein gutes Geschäft gemacht; der andere blieb versunken über seinen Papieren sitzen. »Die Zeit, die Zeit!« drängte der Lehrer. Aber der Schüler rührte sich nicht. Der Lehrer trat zu ihm und berührte ihn mit dem Stöckchen. Der Schüler blieb regungslos. »He he!« schrie der Lehrer. Nichts. Beunruhigt rief er nach dem Schuldiener, der mit der Taschenlampe fuchtelnd aus der Finsternis der Flure herbeieilte. Sie leuchteten dem Jungen ins Gesicht und schüttelten ihn, nichts half. Von draußen drängten sich die Schüler in der Tür, einige pfiffen, andere gähnten. Schließlich rief man nach dem Direktor, der in einsam schwankendem Gefolge erschien, denn er war sehr dick und sehr feierlich. Er sah sich den Fall an, klatschte einmal in die Hände (was eher dazu angetan schien, Spatzen zu verscheuchen, als schlafende Schüler wachzukriegen), und der Junge kam auf der Stelle wieder zu sich, rieb sich seine Murmeltieraugen und blinzelte verschlafen in die Runde.

Die Geräusche, die aus der Schreibmaschinenklasse drangen, verstärkten das Schlafbedürfnis vermutlich noch. Dreißig Tische, sechzig Augen, dreihundert Finger, oben an der Decke die schwankende Lampe, die die ganze Szene in ein sakrales Zwielicht tauchte, und unten die helle, durchdringende Stimme eines Mannes, der unermüdlich Geschäftsbriefe diktierte. Die Geräusche von dort waren wie ein Spinnennetz, in dem sich die Gedanken verfingen und zappelnd hängenblieben. Wie oft hatte Gregorio sich vergebens bemüht, einem philosophischen Lehrsatz oder einer mathematischen Gleichung zu folgen! Vergebens, weil man in jeder Satzpause die trotz der Ferne hereindringende Litanei einschläfernder Geschäftsbriefdiktate vernahm: »in Beantwortung Ihres hochgeschätzten Schreibens vom...«, »sind wir nun gerne bereit, die Auslieferung entsprechend unserer Rechnung Nr...«, »und würden es sehr zu schätzen wissen, die Ware im Laufe der kommenden Woche...« Und dann waren da noch die, die zu spät kamen und einen unablässig fragten, was bisher durchgenommen worden war. Sie ließen nicht locker, da sie nach Mitternacht – dann schloß die Schule – all das, was sie verpaßt hatten, draußen vor der Tür unter einer Laterne stehend nachschreiben mußten.

Um das Durcheinander komplett zu machen, führte eine Tür von Gregorios Klassenzimmer zur Wohnung des Direktors und Besitzers der Abendschule. Da es der einzige Eingang war, mußten die Besucher durch den Klassenraum. Die Frau des Direktors kam im gesteppten Hausmantel herein, um sie zu empfangen, oder sie wurden im Klassenzimmer verabschiedet, dann schwieg der unterrichtende Lehrer, bis das Feld geräumt war. Manche Besucher, die in geschäftlichen Angelegenheiten kamen, mußten im Klassenzimmer Platz nehmen und warten. Die Schüler kicherten, machten sich über sie lustig und beschossen sie mit Papierkügelchen. Ganz besonders hatten sie den Freund der Tochter aufs Korn genommen, der mit düsterer Pünktlichkeit jeden Abend zur ersten Stunde erschien, stets schwarz gekleidet und einen Blumenstrauß an die Brust gedrückt. Nicht immer hatte er das Glück, empfangen zu werden. Im Gegenteil, oft genug schaute die Mutter heraus und verscheuchte ihn mit den Handrücken wedelnd, als schnippe sie Krümel von ihrem Hausmantel. »Heute nicht« hieß das. Der Galan schlug daraufhin grüßend die Hacken zusammen, verbeugte sich mit einem knappen Kopfnikken und verschwand ohne ein Wort des Aufbegehrens. Wenn der Lehrer den Faden seiner Ausführungen wieder aufnahm, hatten die meisten Schüler ihn unterdessen verloren, andere waren über ihren Pulten eingeschlafen, und wieder andere hatten die Unterbrechung genutzt und um Erlaubnis gebeten, zur Toilette zu gehen, von der sie nie mehr zurückkamen.

So standen die Dinge, als Gregorio es sich zur Gewohnheit gemacht hatte, mit Angelina in einem der Flure auf einer Bank zu sitzen, wo sie alle Stunde der Schuldiener überraschte. »Was, ihr seid immer noch da?« fragte er. Und sie entschuldigten sich mit der erstbesten Schülerausrede, die ihnen einfiel.

Auf dieser Bank hatte Angelina drei Abende hintereinander dem halb fiktiven, halb beherrscht anthologischen Bericht über Gregorios Kindheit und Jugend gelauscht, und Gregorio der nicht minder zurückhaltenden Schilderung von Angelinas Alltag. Als ihnen nichts mehr einfiel, begannen sie, sich die altbekannten Dinge in veränderter Reihenfolge zu erzählen, und kannten schon bald jede Einzelheit so gut, daß ihnen dieselbe Geschichte immer wieder neu vorkam. Wichtiger als die Wiederholung war ihnen jedoch die schlichte Gewißheit, sich auf ihre Gewohnheiten und ihre regelmäßigen Zusammenkünfte verlassen zu können, die den Charakter offizieller abendlicher Verabredungen angenommen hatten.

Auf die Exhumierung der Vergangenheit folgte das zitternde Erkunden der Zukunft. Wie sollte es weitergehen? Wieder steckten sie die Köpfe zusammen wie zwei stille Wasser, die ein und dieselbe Wurzel beträufelten. Angelina hatte keine klaren Vorstellungen, wohl aber Gregorio, der, fünf Jahre nachdem er begonnen hatte, Gedichte zu schreiben, zwei nachdem die drängende Gegenwart und die praktische Seite seiner träumerischen Veranlagung ihn bewogen hatten, den – passenden oder unpassenden – Augenblick für gekommen zu halten, mit der Lyrik zu brechen, obschon sie ihm immer noch das befriedigende Gefühl verlieh, zu jenen Auserwählten zu gehören, die der Jugend rätselhaften Traum in Verse geschmiedet hatten, und ein Jahr nachdem er sich ratlos gefragt hatte, in welche Richtung er die brodelnde Ungeduld seiner jungen Jahre lenken sollte, sich schließlich dazu durchgerungen hatte, wieder zur Schule zu gehen und Ingenieur zu werden, um in irgendeinem fernen, vorzugsweise unwirtlichen Land Straßen durch die Wildnis zu bauen und Brücken über reißende Flüsse zu spannen und ein Leben zu führen, welches sich nur unwesentlich von dem unterschied, das er sich in seinen Dichterträumen ausgemalt hatte.

Er wohnte damals noch immer in dem Zimmer, in das er nach dem Tod seines Onkels gezogen war. Dort schrieb er die letzten Verse seiner Jugend. Es waren kurze Gedichte, in denen es stets um einen Wanderer ging, der montags am Meer stand und sich verlaufen hatte. Das war die lyrische Version seines Alltagsdaseins. Fünf Jahre lang war er jeden Sonntag in seinem Viertel ins Kino gegangen und hatte sich Kriminalreißer angesehen, hatte sich einen imaginären Mantelkragen hochgeschlagen und war der Spur eines feindlichen Agenten gefolgt, hatte es hinter den Jalousien eines Billigrestaurantes Nacht werden sehen, hatte noch beim Zubettgehen den Kopf voller Kriminalgeschichten, in denen er der strahlende Held der Liebe und gefährlicher Abenteuer war, und aus denen er montags morgens über der kalten Asche der Alltagswirklichkeit wieder erwachte.

Es aber war nicht alles nur grau, fade und eintönig. Von seinem dichterischen Ungestüm war ihm noch die Angewohnheit geblieben, auf ein außergewöhnliches Ereignis zu warten; nicht verzweifelt und auch nicht in begeisterter Vorfreude, sondern eher wie auf eine ausstehende Schuld, die das Schicksal ihm zu begleichen hatte und die irgendwann einmal fällig wäre. Auch die Aufregungen jener Zeit fehlten ihm nicht. Im Gegenteil, nachdem er dem Dichterdasein entsagt hatte, das ihn zu einer glücklichen, wenn auch zehrenden Wachsamkeit gezwungen hatte, fühlte er sich wie von einer schweren Last befreit. Er freute sich sogar, daß Elicio in ein anderes Viertel und Alicia in eine ferne Stadt am Meer gezogen war. So konnte er sein Leben in neue Bahnen lenken, ohne daß es Zeugen gab, die ihn allein durch ihre Anwesenheit unentwegt an die Vergangenheit erinnert hätten. Um jedoch über die Entsagung aller Illusionen und die damit einhergehenden Gewissensbisse hinwegzukommen, entwarf er eine Zukunft, in der sich der Übermut seiner früheren Träume einvernehmlich mit dem Sinn fürs Praktische verband. Er würde diszipliniert lernen – und dafür eine herrliche, unbeschwerte Jugend opfern –, und wenn er Ingenieur wäre, würde er ohne eine Spur von Heimweh in den Dschungel gehen. Er würde ein harter Mann ohne Vergangenheit werden, einsam und wortkarg, wie seine Helden im Kino. Schließlich und endlich war auch das eine Art, Dichter zu sein und die ausgewähltesten Seiten im Buch des Lebens zu schreiben.

Die verführerische Kraft seines Idealbilds von sich selbst in Forscherkluft, mit der Peitsche in der Hand und einem Revolver am Gürtel, war so stark und das Bild so glaubhaft, daß er sich nicht mit der Frage aufhielt, ob seine Pläne überhaupt zu verwirklichen waren, und er sich mehr um die Bisse von giftigen Schlangen sorgte als um seine mäßige Begabung für die Mathematik. Vielleicht hatte er die Allmacht der Gewohnheit entdeckt, die Unwirklichkeit in ein ernstes, alltägliches Phänomen verwandeln konnte. Vielleicht vertraute er auch nur darauf, daß die Zeit alle Probleme löste und ihm die Arbeit ersparte, sie sich überhaupt erst zu stellen. Vielleicht wurde aus ihm auch gerade der junge Erwachsene, der durch den Verlust seiner Träume einen ersten, unbewußten Schritt zur Ironie hin vollzog. Vielleicht vollzog sich in ihm aber auch nur einer jener alltäglichen Urkonflikte, die der Mensch im Laufe eines Lebens nun mal durchzustehen hat. Doch obwohl es ihm nie gelang, einen Bezug zwischen seinen Büchern und den giftigen Schlangen herzustellen, zeigte sich das kraftraubende Studium versöhnlich und ließ ihn unbehelligt seinen gewohnten Träumereien nachhängen. Aber nicht, um sich selbst was vorzumachen, sondern um sich für die Zukunft zu wappnen; denn bis der Tag kam, an dem er die Vergeblichkeit seines Tuns eingestehen mußte, würde er wahrscheinlich wieder einen ganz einfachen Weg gefunden haben, der unzulänglichen Realität ein Schnippchen zu schlagen.

Bis es soweit war, bekämpfte er sie mit der Bewältigung kleiner Gefahren, wie die Stadt sie ihm bot. Jeden Morgen verließ er das Haus mit hochgeschlagenem Mantelkragen, einer Zigarette im Mundwinkel und abgebrühtem Agentenblick. Vor Schaufenstern jäh stehenbleibend und plötzliche Neugier vortäuschend, schnelle Seitenblicke werfend und das Gesicht im Mantelkragen verbergend, Verfolger abschüttelnd und Hinterhalten entgehend, legte er ohne Zwischenfälle das erste Stück seines Weges zurück. Danach erwarteten ihn neue Gefahren. Wenn er an einer Ampel wartete, und eine Frau stellte sich neben ihn, die irgendwas Schwarzes trug, mußte er bis zum nächsten Umschalten auf Grün stehenbleiben; trug sie etwas Blaues, durfte er eine Minute lang seinen Schritt beschleunigen. Hatte er einen Blinden oder Einbeinigen vor sich, durfte er ihn nicht überholen, bevor ihm ein Mann entgegenkam, der irgendeinen Gegenstand trug. Überquerte er einen Platz, so wurde dieser zu seinem Gefängnis, wenn ein Kind mit Mütze dort spielte oder wenn er besprengt wurde, und befreien konnte ihn erst ein vorüberlaufender Hund oder eine auffliegende Taube. Blieb der Hund aber stehen, um ein Bedürfnis zu verrichten, mußte er gleichfalls stehenbleiben und während der Zeit die Luft anhalten, denn andernfalls sah die Regel vor, daß er zurückgehen mußte, bis er eine Nonne oder sonst einen Menschen in Uniform traf. Für Augenblicke erschien ihm das Leben wahnsinnig aufregend.

Im Büro – wo er nach fünf Jahren als Laufbursche zum Verwaltungsgehilfen aufgestiegen war – arbeitete er so still und beflissen, daß niemand in ihm einen Dichter und künftigen Brückenbauer vermutet hätte. Wenn die anderen Gehilfen ihn nach Feierabend drängten, mitzukommen und noch einen trinken zu gehen, stammelte Gregorio meist irgendeine Ausrede, und wenn er einwilligte, sprach er kaum und machte sich bei erster Gelegenheit unter dem Vorwand dringender Verpflichtungen davon. Er sah sich gezwungen, eine Freundin zu erfinden, die er Crispinela nannte, und einen Kater, dem er den Namen Echeverría gab. Zu diesen haarsträubenden Namen war es gekommen, weil er von seinen Ausreden stets selbst am meisten überrascht wurde und dann mit dem erstbesten Namen herausplatzte, der ihm in den Sinn kam.

Auf dem Heimweg ging er manchmal an einem Geschäft vorbei, das im Schaufenster Zerrspiegel aufgestellt hatte, in denen er sich ausgiebig betrachtete. Er war rundlicher geworden, und das letzte Zupfen am Anzug zeigte ihm eine mittlere Statur und einen nichtssagenden Gesichtsausdruck, in dem das frühere Dichterglühen zu einem Häuflein fahler Asche erkaltet war. Statt dessen, dachte er, und suchte den Spiegeln die vorteilhaftesten Körperhaltungen abzugewinnen, hatte er jetzt etwas Undurchdringliches, etwas von einem Mann, den die Fährnisse des Lebens gestählt hatten. Er war jetzt kräftiger, wirkte sicherer – nicht mehr so gehemmt wie vor einigen Jahren noch, als er sich wie ein verlauster Hund vorgekommen war, der sich furchtsam um die Pfützen herumdrückte –, eleganter auch und weltmännischer. Und obwohl er weder hübsch noch von anziehendem Äußeren war – soviel gestand er sich ohne weiteres ein –, lag in seinem Profil etwas von der Verlockung des Eises, und in seinen Augen winkte spöttischer Glanz, der durchaus liebreich zu werden wußte, falls es die Situation einmal erforderte. Dieses Bild sah er an jenem Oktobermorgen in seiner Erinnerung, und er mußte sich ungemein konzentrieren, um sich in das Zimmer hineinzuversetzen, in dem er abends am Tisch saß und in nichts mehr jenen Bildern glich, die er den Spiegeln abgewann. An dem Tisch lernte er seine täglichen Lektionen, ab und zu fiel eine Haarschuppe auf das Papier, und manchmal war das Blatt voller Schuppen, bevor er seine Lektion gelernt hatte. Wenn er zu müde wurde, um weiterzulernen, sah er sich seine Sammlung von Kinokarten an, die er zwischen den Seiten der Schulbücher aufbewahrte und auf deren Rückseite er jeweils den Filmtitel, die Namen der Schauspieler und das Datum der Vorführung notiert hatte. Oder er saß stundenlang da und bearbeitete seine Fingernägel oder puhlte sich das Schmalz aus den Ohren oder hantierte rein aus Spaß mit einem Kombimesser herum, das er bei einem fliegenden Händler gekauft hatte und stets, mit einem Kettchen an der Hosenschlaufe befestigt, bei sich trug.

So bewältigte er die Härten des Lebens, und als er seine Ingenieurpläne schon fast vergessen hatte, lernte er Angelina kennen, woraufhin er sie wieder auffrischte, um sich wichtig zu machen, aber auch, weil ihm das blühende Abschweifen in Fleisch und Blut übergegangen war. Er sprach von Schlangen und von den Gefahren des Treibsands. Angelina lächelte verständnisvoll: ihr hätte es auch gefallen, auf dem Land zu leben und Gluckhennen zu halten. Das war ihr Traum, der sich nie erfüllen würde. Sie sagte es ohne Scham, beinah erfreut über die Tatsache, einen Wunschtraum zu haben und ihn vorzeigen zu können wie eine Photographie, auf der sie nicht sehr vorteilhaft getroffen war, über die sie selbst sogar lächeln mußte.

»Und was tätest du sonst noch gern?« fragte Gregorio. »Stricken«, sagte Angelina und zeigte ihm ihre Pullover, die das Werk ihrer Stricknadeln waren. Gregorio faßte sie an und roch an ihnen, wobei er die Untersuchung zu flüchtigen Zärtlichkeiten nutzte. Er wiederum brachte einige seiner Gedichte mit, die er ihr mit ersterbender Stimme vorlas und sie dabei mit seinem Atem streifte. »Wie findest du sie?« fragte er am Schluß. »Traurig«, antwortete Angelina, eine Hand in ihre jüngferliche Wange gestemmt und die Augen gen Himmel gerichtet. »Weil das Leben auch traurig ist«, sagte er zufrieden, wie ein Verkäufer, der nach einer glänzenden Vorführung seine Kataloge zuklappt. »Und was würdest du sonst noch gerne tun?« fragte er wieder. »Ich weiß nicht«, antwortete Angelina, ohne zu zögern. Doch dann gestand sie, daß sie ihre Langeweile am liebsten mit Ich-sehe-was-was-du-nicht-siehst vertrieb. »Darin bin ich sehr gut«, sagte sie. Sie machten die Probe, und tatsächlich, obwohl es auf dem Flur nur eine Landkarte, die Wände und eine Lampe gab, bewies Angelina ihre Meisterschaft, indem sie Dinge benannte, die es insgeheim auch noch gab, ohne daß Gregorio von ihnen wußte.

»Aber bei mir zu Hause«, sagte sie eines Abends, als alle Namen genannt worden waren, »gibt es so viele Sachen, daß es schwerfällt, sich für eine zu entscheiden.«

Jene Enthüllung ließ sie beide erröten, und sie richteten ihre Blicke auf denselben verheißungsvollen Punkt am Ende eines schummerigen Nichts.

Am darauffolgenden Samstag verabredeten sie sich im Park. Sie spazierten auf einem Sandweg und fragten sich, wie sie so lange im selben Stadtviertel hatten leben können, ohne sich je gesehen zu haben. Gregorio erzählte, daß er, da er Dichter sei, das Haus kaum verlasse und nur abends durch diesen Park streife, um sich inspirieren zu lassen. Tagsüber schrieb er und half ab und zu aus Mitleid in einem Kiosk aus, der einem anderen Onkel von ihm gehörte, nicht dem, bei dem er all die Jahre gelebt hatte, sondern einem anderen, der etwas versponnen und wirr im Kopf gewesen sei, sagte er, um allen Eventualitäten vorzubeugen, falls Angelina ihn doch einmal gesehen hätte und sich daran erinnerte, wie sein Onkel damals gewesen war, und um nebenbei auch die doppelte Schmach des Zugebens und Verschweigens zu lindern.

»Ja, ich glaube, ich habe dich einmal gesehen«, sagte Angelina. »Du fuhrst auf einem Motorrad und hattest das Mädchen bei dir, dem dieser Hund gehörte.«

Gregorio war entzückt von dieser Verwechslung und gestand ihr, daß er tatsächlich ein Motorrad gehabt und dieses Mädchen gekannt habe, mit dem er auch eine Zeitlang gegangen sei.

Angelina senkte den Kopf.

»Aber sie gefiel mir nicht«, sagte Gregorio und schlug vor, sich auf eine Parkbank zu setzen. »Die einzige, die mir wirklich gefällt, bist du.« Und er legte ihr einen Finger unter das Kinn und hob ihr Gesicht an. Er hätte sie jetzt gerne mit einem unwiderstehlichen Verführerblick geblendet, ihre Taille umfangen und sie mit derselben männlichen Entschlossenheit auf die Lippen geküßt wie seine Kinohelden. Sie hielt jedoch ihre Augen geschlossen und ließ sich nicht ansehen und wich ein wenig zur Seite, als er ihr seinen Arm um die Schultern legte und sagte: »Angelina.« »Was?« »Sieh mich an.« »Warum?« »Damit ich dich ansehen kann.« Angelina drehte sich ein bißchen, und er nahm all seinen Mut zusammen und überraschte sie mit einem heftig auf ihre Lippen gepreßten Kuß.

Alles, was er bisher an Gedichten geschrieben hatte, kam ihm jetzt wie ein unbeholfenes Vorgeplänkel auf dem Weg zu diesem einzigartigen Augenblick vor. Und trotzdem, nichts geschah. Eine Uhr schlug acht, der Wind wehte Blätter über den Weg, und ein Tier huschte zwischen den Sträuchern davon. Angelina senkte wieder den Kopf: es war schon spät, und man würde sich auf den Heimweg machen müssen. Lange Zeit schwiegen sie. Gregorio sammelte kleine Kieselsteine vom Boden auf, und als er schon recht viele in der Hand hatte, zeigte er sie Angelina: »Sieh mal, wie viele Kieselsteine.« Und sie antwortete: »O ja.« Und die Zweige der Trauerweide erzitterten und sagten: o ja, so viele Kieselsteine. So viele, so viele, wiederholte ein Vogel im Gebüsch. Keines seiner Gedichte reichte an diese Worte heran, denn diese Worte waren aus sich selbst entstanden und waren so nötig und so einfach wie das Wasser des Regens. Er schaute einer Wolke nach und hatte das Gefühl, allein im Anschauen das schönste Gedicht über Wolken verfaßt zu haben, das man sich nur vorstellen konnte. »Ich bin ein Dichter des Lebens«, sagte er sich und preßte die Kieselsteine in seiner Faust zusammen.

»Ein schöner Abend, nicht wahr?«

»Ja«, sagte Angelina.

Und jedes Wort hatte seinen eigenen Zauber. Von der Schwerelosigkeit der Dinge angesteckt, versuchte er sie aufs neue zu küssen, doch sie wandte sich ab und sagte, »es wird kühl«, und alle Gräser des Rasens nickten zustimmend in eine Richtung. Wieder fühlte er sich wie ein großer Dichter ohne Worte, vom Glück beschenkt und selbstgewiß, und als sie den Park verließen, schwor er sich, künftig in keinem anderem Buch mehr zu lesen als in dem stets aufgeschlagenen Buch des Lebens.

Dieselben Treppen, die er am Morgen des 4. Oktober hinunterging, war er an anderen Tagen hinaufgegangen, um den beiden Frauen Gesellschaft zu leisten. Sein Äußeres hatte sich zu dieser Zeit verändert, und er trug nicht nur einen Anzug, sondern auch Brillantine im Haar, einen Siegelring, Manschettenknöpfe und Krawattennadel und benutzte ein goldenes Feuerzeug. Bevor er klingelte, holte er einen Kamm aus der Tasche und zog ihn sich mit der Geschwindigkeit eines Taschenspielers ein paarmal so tief durchs Haar, daß alles Abgebrühte aus seinem Blick verschwand. Dann drückte er auf den Klingelknopf, und Angelina öffnete sittsam die Tür. Dahinter traf er auf ein Hündchen namens Orion, das sich in einer unglaublich katzbuckelnden Verrenkung zähnefletschend die Läuse aus dem Fell knabberte, dabei den Eindringling jedoch unablässig im Augenwinkel behielt. Am Ende des Korridors erschien die Mutter und wartete aufrecht und still, bis sie sich seufzend an die Spitze des Zuges setzte und ihn ins Wohnzimmer führte, wo sie die jungen Leute aufforderte, zwischen mit Tüchern verhüllten Möbelstücken an einem Tischchen Platz zu nehmen, auf dem auf einem gehäkelten Deckchen schon Gebäck bereitstand.

Nach einer ersten Bemerkung über das Leben, seine Tücken und seine Annehmlichkeiten, in der die Erinnerung an gütigere Zeiten durchklang, nach ausgiebigem Seufzen und Glattstreichen von Kleidern und Jackenaufschlägen verfielen sie in Schweigen, die Augen auf irgendeinen unergründlichen Spalt gerichtet, durch den der Tag entschwand. Ins Dämmerlicht gekuschelt, wohnten sie so dem Ausklang des Abends bei, dessen letzte Äußerung ihnen die nostalgischen Klänge eines Akkordeons zu Gehör brachte, denen sie lauschten, als klinge in ihnen eine glückliche Vergangenheit nach und als kündeten sie von einer verheißungsvollen Zukunft. Dann sah es in der Dämmerung so aus, als sei das Glas der Bilder an den Wänden gesplittert oder von schmutzigem Regen bespritzt.

»Noch ein Plätzchen, Gregorio«, sagte die Mutter mit unverhofftem Nachdruck.

»Ja, ja«, ermunterte ihn Angelina, für den Fall, daß er es nicht gehört hatte; und für einen Augenblick gerieten die beiden Frauen um ihn herum in Bewegung wie um ein Neugeborenes in Lebensgefahr.

Gregorio lehnte höflich ab, schüttelte den Kopf und nahm schließlich doch ein Plätzchen, wonach die Oberkörper wieder in die Sessel zurücksanken und nur noch das Ticken der Uhr zu hören war. Eben diese Uhr war es, die ihm den Fortbestand seiner Verabredungen gewährleistete. Eines Tages blieb sie stehen, und Angelinas Mutter ermutigte ihn, sie zu reparieren. »Aber ich habe doch keine Ahnung«, sagte er. »Kommen Sie, Gregorio, zumindest können Sie es versuchen, seien Sie nicht so scheu.« Gregorio versuchte es, und so wurde diese Tätigkeit für viele Jahre zu einer seiner Lieblingsbeschäftigungen. Mit seinem Kombimesser schraubte und hebelte er unter den erwartungsvollen Blicken der Frauen daran herum, doch am Ende hob er hilflos die Schultern und verstaute die Einzelteile in einer Keksdose. Er brachte sie nie wieder in Gang. »Bestimmt werden Sie es eines Tages schaffen«, sagte Angelinas Mutter, »vielleicht gelingt es Ihnen morgen schon. Lassen Sie doch nicht den Kopf hängen, Gregorio.« Und als er am nächsten Tag kam, hatten sie ihm die Keksdose schon bereitgestellt.

Ohne den Pulsschlag der Uhr hörte man nur das Seufzen der Mutter. Manchmal saß sie da und betrachtete ihren Verlobungsring, die zwei verschlungenen Reife des Traurings, die Ringe für Namensfeste und Jahrestage und seufzte: »Ach je, das Leben...«, wobei sie mit der Spitze ihres Taschentuchs eine angeblich verstohlene Träne abtupfte. Noch ziemlich zu Anfang hatte sie Angelina mit festem Blick auf Gregorio gefragt:

»Hast du Gregorio schon von deinem Vater erzählt?«

»Ja, Señora, er war Hauptmann«, sagte Gregorio.

»Ein Held«, korrigierte die Mutter in leidvoller Erinnerung. »Stark wie ein Stier, empfindsam wie ein Dichter, vornehm wie ein Fürst. Er wäre bestimmt General geworden. Und Ihnen, Gregorio, hätte er noch gute Ratschläge geben können. Ich kann ihn mir genau vorstellen, wie er sagt: ›Brust raus, junger Mann! Kopf hoch! Den Blick geradeaus!‹ Ja, er war ein großer Mann«, bestätigte sie erneut, was bereits bekundet war.

»Er konnte sehr schön singen«, sagte Angelina.

»Sehr schön ist gar kein Ausdruck«, schwärmte die Mutter. »Du hättest ihn hören sollen, mein Kind, wenn er von einer Feldübung kam (du warst da noch klein) und schon drei Straßen von hier entfernt seine Romanzen zu singen begann, dann gingen überall die Fenster auf, und die Nachbarn schauten hinaus, um ihn zu hören und zu sehen, wie er mit seiner Donnerstimme und hoch zu Roß nach Hause kam. Und hat Angelina Ihnen auch schon erzählt, wie ich ihn kennengelernt habe?«

»Nein, Señora.«

»Ich erinnere mich, als wäre es gestern gewesen«, und dabei hob sie den Blick zum Horizont, um der Erinnerung eine Grenze zu geben. »Ich trug eine blaue Schuluniform mit Ziernähten und einem Marinekragen, mein Gesicht war frisch mit Zitronenwasser gewaschen und mein Haar zu einem Pferdeschwanz gebunden. Wir waren auf einem Ausflug und spielten am Ufer eines Flusses blinde Kuh; die Oberin hatte die Augen verbunden, und wir Mädchen lugten hinter den Bäumen hervor oder hüpften kichernd um sie herum. Ich weiß noch, daß wir plötzlich Kanonendonner hörten und die Rauchwölkchen am Himmel sahen und die Staubfahnen der Kavallerie. Weißt du noch, Angelina, wie wir dir oft davon erzählt haben?«

»Ja, Mama.«

»Dann, ich weiß gar nicht wie, es muß eine Fügung des Schicksals gewesen sein, ging ich Brombeeren suchen und drang immer tiefer in das Gestrüpp ein. Als ich es merkte, kletterte ich einen Hügel hinauf, und oben wehte es so heftig, daß ich mein Haar aufband, das damals kohlrabenschwarz war, mich auf die Erde setzte und mein Gesicht in den Wind hielt. Der Kanonendonner hatte aufgehört, und man schaute ganz allein das Werk Gottes. Es war so still ringsum, daß ich glaubte, jeden Augenblick müsse mir ein Engel erscheinen, und ich weiß noch, daß ich sagte: ›Hier bin ich, Herr, deine Dienerin.‹ Wer aber erschien, war er, in Kadettenuniform. Meine Lippen waren blau von den Brombeeren, und mein Haar duftete nach Minze. Er hatte den blanken Säbel in der Hand, und hinter ihm trottete sein Pferd und fraß Klee. Er schaute mich an und sagte: ›Guten Tag, Prinzessin.‹ Er trug Stiefel mit Sporen, seine Hosen schmiegten sich an die Beine, sein Hemd stand über der Brust offen, und sein Haar war frisch gekämmt. Mit einem Säbelhieb köpfte er eine Lilie, spießte sie auf, verehrte sie mir auf der Spitze seines Stahls mit einer Verbeugung und sagte: ›Sie fiel aus deinem Haar, Prinzessin.‹ Und ich, überzeugt, es mit einem Engel zu tun zu haben, antwortete ihm: ›Herr, dein Wille geschehe.‹ So haben wir uns kennengelernt. Sag' selbst, Gregorio, war er nicht ein Engel, mein Mann?«

»Mich hat er sehr geliebt«, sagte Angelina.

»Seeehr!« pflichtete ihre Mutter mit weit aufgerissenen Augen bei. »Er konnte das Hufgeklapper eines Pferdes nachahmen und hat es oft gemacht, damit du einschliefst. In seinen Armen bist du eingeschlafen. Er war so stark! Einmal war ich krank, und der Arzt mußte kommen, aber von der Autorität her war mein Mann eher der Arzt, denn als er hörte, ich hätte eine schlimme Niere, da lachte er und fing an zu feilschen: ›Belassen wir es bei einer Muskelschwäche; in Ordnung, Doktor?‹ Und der Doktor, vor einem solchen Sturmwind von Mann, was sollte er sagen, ja, eine Muskelschwäche. Manchmal erscheint er mir nachts und sagt zu mir: ›*Écoute le son, ma princesse*‹, als wäre er im Himmel Franzose. Ja, dich hat er sehr geliebt. Er sprach deinen Namen immer auf ganz eigene Art aus. Er lief durchs Haus, du warst da noch klein, und rief, daß man es im ganzen Viertel hören konnte: ›Anyeliiina!!‹ Du warst noch ein kleines Brötchen, und er küßte dich auf den Bauch und sagte: ›Hmm, mein frisches Bäkkerblümchen!‹ Dann wieder tat er so, als würde er dich rupfen, um dich in den Kochtopf zu stecken.«

»Armer Papa.«

»Einmal hatte er einen Bart, du warst da noch klein, und er versteckte dich ganz und gar in seinem Bart, und das war dein Haus. Du wolltest da gar nicht mehr herauskommen, und ich mußte dich herauszerren, damit ich dich füttern konnte. Später hat er sich wieder rasiert. Ich hatte ihn darum gebeten. Eines Nachts habe ich zu ihm gesagt: ›Komm, Hauptmann, rasiere dich doch, mir zuliebe.‹ Und als er am nächsten Tag heimkam, erbebte das Haus unter seinen Schritten. Es grenzte an ein Wunder, denn wie er durch den Flur kam, fing die Drehorgel von ganz allein an zu spielen, und ich eilte ihm entgegen, aber schon zu spät, er ließ mir gar keine Zeit und wirbelte mich durch die Luft. ›Schau mich an, Prinzessin‹, sagte er, und sowie er den Mund aufmachte, verstummte die Musik, man hörte nichts mehr, absolut nichts hörte man, nicht einmal das Summen einer Fliege.«

Sie wandte sich wieder an Gregorio:

»Was sagen Sie zu einem solchen Gemahl?«

»Ein großer Mann«, stimmte Gregorio aufrichtig zu.

Jene recht frühen Vertraulichkeiten ermutigten sie auf der anderen Seite, Gregorio über seine Arbeit auszufragen. Um Erklärungen zu vermeiden, die ihn möglicherweise in einem ungünstigen Licht gezeigt hätten, trank Gregorio erst einmal einen Schluck Kaffee oder strich eine Falte in der Tischdecke glatt und überließ die Antwort dann dem Wohlwollen der erstbesten Einsilbigkeit. Doch schon bald (vielleicht weil er sehr früh zu der Überzeugung gelangt war, daß schwindeln weiter führte als schweigen, aber auch durch die bewundernde Zustimmung ermutigt, die man ihm entgegenbrachte) erging er sich in Spekulationen, die ihm in der Substanz recht glaubhaft schienen, und sprach – stets unter den boshaften Blicken des Hündchens – von bevorstehenden Beförderungen oder davon, welche großen Stücke seine Vorgesetzten auf ihn hielten, vor allem jedoch von seinen Plänen als Ingenieur, woraufhin es stets lebhaft wurde um ihn herum und die Mutter sich in schelmisch bewundernden Gesten ihrer Tochter mitteilte, doch gleich darauf wieder, als schäme sie sich, zum ernsten Ausdruck förmlicher Witwenschaft zurückfand. Und Angelina trug ein Kästchen mit Schilfrohr im Wasser und schwebenden Vögeln unter einem Himmel aus Japanlack herein, stellte es wie eine Opfergabe auf den Tisch, und die Mutter nahm es mit liebevoller Andacht in beide Hände, öffnete es und lockte aus kupfernem Innern eine Musik hervor, deren Melodie nach den ersten Takten immer unbeständiger wurde. Die beiden Frauen schauten versonnen auf ihre Nasenspitzen und lauschten den Klängen mit angehaltenem Atem. Später, als der Ton der letzten Feder verklungen war, holte die Mutter Photographien hervor und zeigte mit dem Finger: dies ist mein Mann, als er Leutnant war; das ist Angelina bei der Ersten Kommunion; hier sind wir drei am Strand; und auf die Photographien folgten die Reliquien: Medaillen, Rangabzeichen, Fläschchen mit Wunderwasser, die Haarlocke der Großmutter, die Nierensteine des Gatten, ein beglaubigter Splitter vom Kreuz, ein unverwester Blutstropfen des Heiligen Steins von Galgani... Das waren die Überreste einer glücklichen Zeit. Und obwohl im Laufe der Jahre alles schlechter geworden war, führten sie ein recht sorgenfreies Dasein, sagte Angelinas Mutter, denn eine alte Familie von solider Herkunft, deren Erbstücke eine glanzvolle Vergangenheit bezeugen, kann mit Anstand überleben, wenn sie sich nur von ihren Gewohnheiten leiten läßt.

»Das ist Vorsehung.«

Gregorio war der gleichen Meinung. Er reichte die Talismane an Angelina weiter, streifte dabei flüchtig ihre Hand, und als die Dinge sich wieder an ihrem Platz befanden, legte sich die Stille wie ein vages Kümmernis auf ihre Gedanken und erinnerte sie daran, daß es nun an der Zeit war, aufzubrechen.

Nachdem ihr Kränzchen aufgehoben war, gingen sie über den Flur und sammelten sich an der Wohnungstür. Da Gregorio sich am ersten Abend unbeholfen angestellt hatte, als er sie öffnen wollte, forderte man ihn seither mit liebevoller Ironie auf, sein Glück noch einmal zu versuchen, und er, um kein Spielverderber zu sein, tat jedesmal so, als schaffe er es auch diesmal nicht, nein, diesen Apparaturen war er nicht gewachsen, was soviel hieß, daß das Schicksal für jeden Menschen eine andere Aufgabe bereithielt, sagte Angelinas Mutter und ließ mit einem Finger das Schloß zurückschnappen (so leicht ging das), wobei sie den Oberkörper unmerklich nach vorn beugte, als säße sie in einer irrsinnigen Glücksnacht beim Roulette. War die Tür offen, gingen die beiden Frauen dem zukünftigen Ingenieur bis zum Treppenabsatz voraus, blieben einen Schritt vor der ersten Treppenstufe stehen und schauten ihm mit langen Hälsen nach, wie er die Treppe hinunterging.

Viele Nachmittage verbrachten sie damit, Ich-sehe-was-was-du-nicht-siehst zu spielen. Angelina und ihre Mutter kannten alle Einzelheiten und Ausformungen eines jeden Gegenstands im Wohnzimmer, so daß sie stets errieten, was Gregorio meinte, der sich seinerseits immer sofort geschlagen gab. Doch damit war Angelinas Mutter nicht einverstanden, und sie verbrachte manchmal endlose Zeit damit, ihm die Namen der unscheinbarsten Dinge aufzusagen, bis sie den Faden der Gegenwart verlor und in der Vergangenheit kramte, in der eines jeden Teils Geschichte begann, die sie mit leidender Stimme erzählte. Und wenn Gregorio zögerte und sich nicht entschließen konnte, welchen Buchstaben er nennen sollte, wurde Angelinas Mutter ungeduldig und rief: »Gregorio, den Buchstaben, nun sag' ihn schon!«

Sie spielten auch Mensch-ärgere-Dich-nicht. Angelina, für gewöhnlich schlaff in ihren Bewegungen infolge von Tugend und Sittsamkeit, ohne Studium, doch im Erbbesitz jenes kulturellen Leitfadens, den die gute Erziehung, die Weisheit des Trotts sowie die Meisterschaft in Anstand und Verhaltenheit schreiben, Angelina also ging bei diesem Spiel mit kindlicher Heftigkeit zu Werk. Leidenschaftlich schüttelte sie den Würfel, setzte mit rasender Geschwindigkeit ihre Figuren, warf gegnerische unbarmherzig aus dem Spiel und gewann so gut wie immer. Ihre Mutter spielte matt und teilnahmslos, doch oft genug lockten die Wechselfälle des Spiels sie aus der Reserve, und wenn es schlecht für sie lief, begann sie zu schreien und fegte die Figuren vom Brett, weil man angeblich betrogen oder ihre Figuren verstellt hatte, oder weil die Jugend von heute keine Ahnung hatte, wie man richtig Mensch-ärgere-Dich-nicht spielte. Schaute sie nur zu, fand sie immer wieder Gelegenheit, eine Anekdote oder Erinnerung aus glücklichen Zeiten anzubringen. Gregorio versuchte, es beiden Seiten recht zu machen; und spielte er anfangs noch wie ein Kavalier, der sich mit nachlässiger Höflichkeit aus dem Spiel werfen ließ oder nach einem guten Wurf gespielte Zerstreutheit an den Tag legte und damit durchblicken ließ, daß sein Ehrgeiz nach handfesteren, männlicheren, realen Schauplätzen verlangte, so wurde sein Spiel mit der Zeit ebenfalls hart und unnachsichtig, und er ließ keinen Vorteil mehr gelten. Nach dem Spiel gaben sie sich mit der Inbrunst von Zuschauern erneut dem Schweigen hin.

In solchen magischen Momenten völliger Versunkenheit stand Angelinas Mutter an manchen Abenden auf und verschwand im Schlafzimmer. Angelina hörte dann auf zu stricken und lauschte mit gespanntem Gesicht, schmalen Lippen und Augen, die zu Komplizen der Ohren wurden, und gleich darauf vernahm man ein ›uuuh, uuuh‹, danach so etwas wie ein Schluchzen und ein Geräusch, als ringe jemand mit sich selbst. »Sie denkt wieder an Papa«, sagte Angelina, »wie schön und wie mutig er war.« Kurz darauf kam sie in Begleitung des Hündchens, das jene Verzagtheiten mit ihr teilte, zurück ins Wohnzimmer, nahm mit einem entschlackenden Seufzer wieder Platz und sagte: »Genießt euer Leben, solange ihr jung seid, aber seid auch gottesfürchtig, liebenswert und rein. So wie er, der ein Held gewesen ist«, und danach, beinah flüsternd, »ein Held.« Gregorio wußte zwar, daß der Hauptmann an einer chronischen Krankheit in seinem Bett gestorben war, dennoch hatte Angelinas Mutter schon bald die Möglichkeit eines Heldentodes durchblicken lassen; zuerst als trügerischen Verdacht, und dann als Glaubenssatz mit so vielen Einzelheiten gespickt und von einer Wirklichkeitstreue, daß schließlich alle drei sich mit dieser Gewißheit abfanden, die sie allerdings nicht dem Gatten zuschrieben, sondern einem Geisteswesen, aus dem später dann, ebenfalls im Geiste, der tatsächliche Ehemann wurde. Zu seinem Gedenken sprachen sie jeden Abend ein paar Fürbitten unter der Anleitung seiner Witwe, die schon damals eine Neigung zu kühnen Varianten in den Gebeten erkennen ließ. Und mit den Gebeten endete der Tag.

Die Zeit ging dahin, und aus den anfangs wöchentlichen Besuchen wurden tägliche Pflichtbesuche. Gregorio erschien bei einbrechender Dunkelheit – manchmal mit einer Nelke im Knopfloch oder mit einer

Schachtel Pralinen, die er Angelinas Mutter mit einer knappen Verbeugung überreichte –, und da er zu jener Zeit angefangen hatte, Englisch zu lernen, um seine Zukunftschancen zu verbessern, grüßte er die Frauen mit einem gönnerhaften ›Chauarju?‹, was die Mutter jedesmal zu aufgeregtem Getue veranlaßte. »Wo soll das nur alles enden!« rief sie in gespielter Empörung und setzte sich an die Spitze des Zuges zum Wohnzimmer. Sie setzten sich im Kreis, seufzten, die Mutter sagte: »Ach je, das Leben...!«, und alsbald taten sie ihr Schweigen solidarisch zusammen und unterstellten sich seinem Schutz. Sie verstanden sich fast ohne Worte. Gregorio hatte die Abendschule unter dem Vorwand aufgegeben, die Zukunft gehöre den Fremdsprachen, und Angelina hatte ihren Schreibmaschinenkurs abgebrochen. Wenn sie aus dem Fenster schauten, konnten sie unten die Schüler in den Klassenräumen dösen oder wie Gespenster durch die Flure gleiten sehen.

»Das Schlimmste am Dschungel«, sagte Gregorio dann, »sind die Giftschlangen. Wenn es für mich einen Grund gibt, nicht zu gehen, dann sind es die Schlangen. Es gibt eine kleine bunte, die Korallenschlange, die tötet dich in zehn Sekunden. Und die Mamba, heißt es, wenn die dich beißt, gehst du keine sieben Schritte mehr. Könntest du im Dschungel glücklich sein?«

»Hier ist es doch ganz gut«, sagte Angelina.

»Aber, würdest du aus Liebe mitgehen?«

»Ich weiß nicht.«

»Glaubst du etwa nicht an die Liebe?«

»Nun, man heiratet.«

»Aber glaubst du an die Liebe?«

»Ja, schon.«

»Weißt du, daß es fleischfressende Pflanzen gibt, die eine ganze Kuh verschlingen können?«

»Nein, weiß ich nicht.«

»Und weißt du, daß es Kraken gibt, die größer als dieses Zimmer sind, und Spinnen so groß wie Ratten und dreißig Zentimeter lange Skorpione?«

»Aber hier doch nicht.«

»Aber es gibt sie, das weiß ich. Ich habe gelesen, daß es in Brasilien einen Frosch gibt, der mit einem Tropfen seines Gifts eine Stadt von einer Million Einwohnern töten kann. Und stell' dir vor, in Alaska; weißt du, wie kalt es da im Winter wird? Achtzig Grad unter Null. Nachts stelle ich mir manchmal vor, ich wäre da, und dann wickele ich mich ganz fest in meine Decke, und dann fühle ich mich richtig gut.«

»Du phantasierst zuviel.«

»Bist du schon einmal in einem Flugzeug geflogen?«

»Nein, noch nie.«

»Ich auch noch nicht. Würdest du gerne?«

»Ich weiß nicht.«

»Ich wohl. Es gibt ein Düsenflugzeug, das fliegt schneller als zweitausend Kilometer pro Stunde. Hättest du nicht Lust, mal zu verreisen?«

»Mama wollte immer mal nach Rom fahren, um den Papst zu sehen.«

»Ich würde gern zum Nordpol fahren, mit dem Schlitten. Vielleicht fahre ich eines Tages.«

»Ich weiß nicht.«

»Nein, wohl doch nicht«, gab er ohne Traurigkeit zu und war hochzufrieden, es ohne Traurigkeit zugeben zu können, »denn hier kann man genauso glücklich sein.«

In der Tat; an einem dieser endlosen Wohnzimmernachmittage fragte sich Gregorio, ob die Glückseligkeit dem Kandidaten kein anderes Hindernis in den Weg legte, als sich an das Mysterium ihrer Monotonie zu gewöhnen, denn wieder einmal wurde die Zeit zu einem Rätsel. Vor allem an jenen immer gleichen Nachmittagen, an denen schläfrige Eintracht vergessene Erinnerungen in ihm weckte. In solchen Momenten wurde aus dem Rätsel ein Alptraum. Er war jetzt zweiundzwanzig Jahre alt und konnte sich an Vorkommnisse erinnern, die fünf, zehn und sogar vierzehn Jahre zurücklagen, doch dort tat sich vor ihm ein Abgrund auf, und nur ein niedriges Mäuerchen trennte seine Kindheit vom Untergang des römischen Reiches und von anderen vagen Begriffen, die er aus der Schule kannte. Von der hohen Zinne der Jahrhunderte konnte er mit dem Finger auf einen Dinosaurier zeigen, auf eine Zikkurat, auf Achilles hinter der Schildkröte, auf den Esel mit der Flöte, auf Diogenes in seiner Tonne oder auf den seine Truppen anfeuernden Alexander den Großen. Jene monströsen Visionen verschlimmerten sich noch durch die Verwüstungen des Vergessens. Eines Tages wollte er die *Habanera* pfeifen und konnte es nicht mehr. Zwei Monate litt er unter dem Gefühl, die Melodie auf der Zunge zu haben, doch wenn er die Lippen spitzte, um sie zu pfeifen, entwich ihnen nur mißtönende Luft. Am nächsten Tag hatte er die Parole vergessen, die ihm Zugang zu seiner Insel verschaffte, tags darauf den Namen der Insel und wieder einen Tag danach den Namen von Alicias Hund. Alles in allem jedoch, wie großartig, dachte Gregorio, im Wohnzimmersessel erschauernd; wie klug seine umtriebige Phantasie es doch eingerichtet hatte, ihm, dem fliegenden Holländer auf dem Meer der Zeiten, die Welt zum Spielball zu geben. Und je größer der Vorsprung des Vergessens vor der Erinnerung wurde, desto nachhaltiger ging ihm jeder Zeitbegriff verloren, desto tiefer verschanzte er sich in der Gegenwart, in der die Träume lieblicher und stärkender waren als jemals zuvor.

»Gregorio! Da schläft uns dieser Mann schon wieder ein! Kommen Sie, versuchen Sie sich noch einmal an der Uhr!«

Gregorio erwachte mit einem leichten Aufzucken aus seinem Traum und lächelte dankbar in die Wirklichkeit. Angelina saß am Fenster und stickte. Ihre Mutter war die aufrechte Lenkerin des abendlichen Gespanns, die mit einfühlsamer Virtuosität die Gaben der Zukunft verwaltete; ihrer Herrschaft über die Formen und ihrem feinen Gespür für Nützlichkeiten blieb nichts verborgen. Jedes abendliche Beisammensein wußte sie zur Kunst der Erwartung zu fügen und jede Erwartung zur Kunst der Hoffnung, und ihren Worten wußte sie stets den Beiklang eines vagen Versprechens zu geben. Unter ihren wachsamen Blicken hatten die jungen Leute kaum Gelegenheit, sich kennenzulernen. Angelina, die haushälterisch war und sittsam bis zur Geschlechtslosigkeit, sprach nur dann halbwegs ungehemmt, wenn ihre Mutter mit Anekdoten aus früheren Zeiten aufwartete. Gregorio sprach, wie es die Gelegenheit erforderte, wußte sich jedoch stets ins rechte Licht zu rücken. Der Geruch einer Konfitüre führte ihn in die Wonnen des Familienlebens ein. Seine Stimme hatte ihren kindlichen Klang verloren und war jetzt auf einen einzigen gutturalen Akkord gesunken, der besonnenen Nachdruck signalisierte und in der Stille nach Gregorios stets endgültigen Worten das Echo einer dicken Baßsaite nachschwingen ließ.

Die Schüchternheit machte ihn enthaltsam, und da er auch schweigsam war, galt er als gutmütig. Hin und wieder schenkten sich die jungen Leute in der Dämmerung ein Lächeln, das man angesichts der räumlichen Entfernung zwischen ihnen nur als melancholisch bezeichnen konnte. Zu bestimmter Stunde schritt die Mutter würdevoll erhobenen Hauptes durch das Wohnzimmer, schaltete ein Lämpchen an und setzte sich mit bauschender Kleiderpracht wieder auf ihren Stuhl. Gregorio lehnte sich daraufhin im Sofa zurück und versuchte im Zwielicht des sich davonstehlenden Tages einen Blick auf Angelinas Schenkel zu erhaschen. Angelina hatte sich, durch das Licht bewegt, ebenfalls im Sofa zurückgelehnt und die Beine übereinandergeschlagen, doch das glatte Kleid hatte sich durch die Bewegung kaum verschoben und enthüllte nichts. Wenn die Mutter das Zimmer verließ, streichelte er ihr die Hand oder das Knie. Auch die Schenkel: zu ihr hinübergebeugt, als verfolge er interessiert den Fortgang der Stickerei, ein Auge unverwandt auf den Korridor gerichtet, schob er seine Hand mit versteckter Gewalt zwischen ihre Beine, und so rangen sie lautlos, ohne sich anzusehen, sie sich sträubend, er sie drängend, bis die Rückkehr der Mutter sie wieder die vorbildliche Haltung von Heiligenfiguren einnehmen ließ.

Gregorios sexuelle Erfahrungen beschränkten sich so gut wie ausschließlich auf eine einzige undeutliche Episode in seinen Kindertagen. Er war fünf Jahre alt und sein Großvater siebzig, und er wollte unbedingt, daß Gregorio noch am selben Tag lernte, wie man ein Mann wurde. Da er ein großer Jäger war, hielt er sich einige Frettchenpaare, und eines Tages im Frühling zeigte er sie ihm im Garten, wo sie herumtollten. »Weißt du, was die da tun?« fragte er ihn. »Sie spielen fangen«, antwortete Gregorio. »Nein, sie paaren sich«, berichtigte ihn der Großvater. »Das Männchen rammelt die Weibchen. Sieh dir genau an, wie es rammelt.« Gregorio sah und verstand nichts. Am nächsten Tag gingen sie zu den Eseln. Er hatte drei Esel und acht Eselinnen. »Und jetzt paß' auf, wie die Esel rammeln«, und sie setzten sich auf einen Stein, um ihnen zuzusehen. Lange Zeit saßen sie da, Gregorio schaute auf die Esel, und der Großvater schaute auf Gregorio. Tags darauf gingen sie zu den Hammeln. »Die rammeln auch«, sagte der Großvater. »Langsam lernst du, daß auf dieser Welt alles rammelt.« Es begann zu regnen, und sie gingen langsam nach Hause. An diesem Abend sagte er zu ihm: »Du mußt auch rammeln.« »Ich?« entsetzte sich Gregorio. »Klar. Du willst doch nicht schwul werden, oder?« »Neiiin.« Und eines Tages, als sie einmal unten im Dorf waren, ging vor dem Haus, in dem sie wohnten, ein Mädchen in Gregorios Alter vorbei. Enkel und Großvater saßen auf der Türschwelle, und der Großvater rief es zu sich: »He, Kleine, komm mal her!« Die Kleine kam, und der Großvater setzte sie auf sein Knie. »Schau dir meinen Enkel an, gefällt er dir?« »Ja«, sagte das Mädchen. »Na los, dann kommt mal mit.« Und er brachte sie in ein Zimmer im hinteren Teil des Hauses. Darin stand ein großes Eisenbett, eine Wasserschüssel und eine Karaffe. Er schloß sie in das

Zimmer ein und schrie: »Jetzt rammeln!« Gregorio setzte sich in eine Ecke und weinte die ganze Zeit. Das Mädchen war nicht erschrocken und sah ihn mit großen, erstaunten Augen an. In einem Anfall von Panik stieß Gregorio die Karaffe um. Sein Großvater öffnete daraufhin die Tür und befahl ihnen, nacheinander herauszukommen: »Zuerst du, Kleine, dich trifft keine Schuld; und jetzt du, du Homo!«, und mit seinen nicht zugeschnürten Schuhen stieß er ihn vor sich her, jagte ihn durch den ganzen Flur und von dort aus viele Jahre hindurch durch die verborgensten Winkel der Erinnerung.

Mittlerweile jedoch waren so viele Dinge halb erloschen, daß auf der Asche der Leidenschaften leicht zu gehen war und er sich mit den Scharmützeln eines unter Aufsicht stehenden Pärchens zufriedengab, ja, sogar dankbar war, daß die Situation weiteres nicht zuließ. Andererseits entfachte Angelina in ihm nicht jene aufwühlende Unruhe, die er in Alicias Nähe verspürt hatte. Er schrieb das Erschlaffen seiner Gefühle jedoch nicht der veränderten Qualität des geliebten Objekts zu, sondern dem Lauf der Zeit, der ihn dahin geführt hatte, die Liebe auf eine etwas behäbigere Art anzugehen. Durch Schaden klug geworden, glaubte er nun, Liebe lohne sich nur, wenn sie neben all ihren anderen wunderbaren Eigenschaften auch den Frieden bringe und in ihm sich verewige. Und jetzt hatte Gregorio den Frieden endlich gefunden. Während der harten Arbeit des Tages dachte er daran, daß er am Abend ein Plätzchen hatte, an dem er Ruhe finden konnte, und redete sich ein, die *Habanera* und andere Dinge vergessen zu haben, weil er jetzt keines Liedes mehr bedurfte, um die Gefahren der Welt zu bannen. In der lauschigen Wärme seines neuen Heims, wenn die Dämmerung jedes Wort illusorisch machte, war die Stille wie ein Nachgeschmack, der das Aroma des Tages versüßte. Er fragte sich, ob Glück nicht das Empfinden eines Verzögerungseffekts war, der von Zeit zu Zeit die Menschen vom Streben früherer Zeiten erlöste, und ob es nicht die Müdigkeit war, die linkischen Ehrgeiz sanft entschlummern ließ und in jungen Jahren ausgestellte Rechnungen beglich. Hatte er nicht selbst mit dieser Mischung aus Vorsicht und Verwegenheit gewiefter Börsenspekulanten gehandelt, als er Erwartungen aufbaute, deren Erfüllung er dem Betreiben einer solventen Zukunft überließ? Und als wäre diese eine gute Fee, und als hinge der Gewinn davon ab, mit welcher Hingabe man die privilegierte Rolle des Aschenputtels gespielt hatte, fragte er sich jetzt, Jahre später, ob er nicht die ersten Früchte jener jugendlichen Mangelsaat ernte.

»Ich bin glücklich«, hatte er an jenem Nachmittag zu Angelina gesagt, als ihre Mutter halbe Trauer verordnet und ihnen gestattet hatte, im Umkreis des Hauses spazierenzugehen. »Ich auch«, hatte sie geantwortet. Sie gingen in den Park und suchten die Abgeschiedenheit einer Platanenallee. Dort überfiel Gregorio die letzte lyrische Anwandlung seiner Jugend. Vor einem herabhängenden Zweig blieb er stehen, riß ein trockenes Blatt ab und sagte: »Wie schön das ist, es sieht aus wie das Herz eines Gestirns.« Es war Winter, und mit langsamen winterlichen Schritten gelangten sie an ein Gatter und sahen unter sich im Dunst die rumorende Geschwulst der Stadt. Angelina zeigte mit dem Finger auf die Backsteingebäude, Gregorio entdeckte eine begrünte Fassade, sie deutete auf einen Kirchturm und er auf ein Fenster mit Geranien, und als sie wieder umkehren wollten, drehten sie sich so ungeschickt, daß sie sich in einer kopflosen Umarmung verfingen. Nachdem sie eine Weile so gestanden hatten, jeder mit Blick auf den entgegengesetzten Horizont, küßten sie sich und schworen einander ewige Liebe.

Sieben Jahre später besaß Gregorio noch immer den Flanellanzug, in dem er Angelina kennengelernt hatte. Gedichte schrieb er jedoch keine mehr, und von seinen alten Plänen blieb nur noch die Gewohnheit, sich von ihnen zu distanzieren oder sie als längst vergangene Mutwilligkeiten früher Jugendjahre abzutun. Die Abendschule führte er nicht zu Ende, vom Englischunterricht schwamm noch die eine oder andere Redewendung in seinem Gedächtnis, und im Vergessen wurde die Vergangenheit zu einer Zeit glücklichen Verflossenseins. Am Tag bevor er zu Angelina zog, schnürte er seine Gedichte zu einem Bündel zusammen und legte es in einen Schuhkarton, den er einen Augenblick lang einfach dazulassen gedachte, dann jedoch mitnahm und Angelina mit den Worten übergab: »Hier sind all diese traurigen Gedichte, mach' mit ihnen, was du willst.« Und Angelina verstaute sie zusammen mit der Gitarre im hintersten Winkel eines Kleiderschranks. An diesem Tag ließen sie zum ersten Mal die Drehorgel spielen, die seit dem Tod des Offiziers und Gatten ihr Dasein unter einem Leinentuch gefristet hatte. Und Gregorio brach endgültig mit den Nöten der Vergangenheit und gab sich einer Gegenwart hin, die zu glücklich war, als daß sie der Erinnerung erlaubt hätte, sich einzumischen.

ZWEITER TEIL

KAPITEL VI

Auf der letzten Treppenstufe blieb Gregorio am Morgen des 4. Oktober stehen. »Ihr seid so jung, so verrückt und so verträumt«, hatte die Mutter gesagt und dabei wie die Schmerzensreiche dreingeschaut, als sie erfuhr, daß sie jetzt fest miteinander gingen. Es folgten verschwommene Jahre, die sich so monoton in seinem Gedächtnis häuften und vom Vergessen so übel zugerichtet waren, daß er sich nur noch erinnerte, wie er mit dem Kombimesser die Uhr reparierte oder, in der strammen Haltung eines Schiffsoffiziers und mit seemännischem Blick, vom Balkon aus den Wolken nachschaute und in ihnen seine geheimen Botschaften las. Seine Fähigkeit, in den Wolken Figuren zu sehen, verlor er nie. Wenn früher der Lehrer in der Schule vom Kampf der Römer gegen die Karthager erzählte oder von Samsons Abenteuern, dann schaute er in die Wolken und sah die Bilder so deutlich und wirklichkeitsnah vor sich, daß er sie als Visionen interpretierte, die Gott ihm als Dank für seine Frömmigkeit sandte. Er glaubte auch, daß dieses Wunder nur ihm allein zuteil wurde, und erst als einige Szenen nicht mehr ganz übereinstimmten, kam er darauf, daß er sie wohl doch nur seiner Fähigkeit verdankte, in den Wolken das zu sehen, was er wollte. »Ich werde jetzt einen Esel mit Löwenkopf sehen«, sagte er, schaute hoch, und da war der Esel mit dem Löwenkopf. In den Jahren der Verlobung behielt er diese Fähigkeit noch, wenn auch fehlender Glaube und das Kino sie ein wenig gemindert hatten. Er versuchte die beiden Frauen in das Spiel einzuweihen, indem er ihnen zuerst einmal eine Probe seines Könnens gab. Er zeigte ihnen am Himmel einen Balkon, der der Balkon war, auf dem sie standen, und drei Personen, die sie selbst waren, doch die Mutter, die schwache Augen hatte, konnte nichts erkennen, und alles, was sie zu sehen meinte, war ihr Mann auf einem Schimmel reitend, mit einem Flammenschwert in der Hand. Auch Angelina sah nichts, und obwohl Gregorio sie ermunterte, ihre eigenen Dinge aus den Wolken zu lesen, sah sie nur irgendein Gesicht und glaubte auch nicht an die Entdeckungen, die Gregorio machte. »Ich-sehe-was-was-du-nicht-siehst ist besser«, sagte sie, und danach versuchten sie es nie wieder.

Eine knarrende Diele brachte ihn in die Gegenwart zurück. Mit der Erinnerung in hellen Flammen stürzte er auf die Straße und hielt, vom Dröhnen der Trommeln verwirrt, auf dem Gehweg inne. »Fünfundzwanzig Jahre«, dachte er. Mutlos ging er, wie eine auf einen Bettler zurollende Münze, dem Ursprung des Lärms entgegen. An der Einmündung zur nächsten Straße wäre er beinah unter einen Spielmannszug geraten, der ihn mit militärischem Schritt vor sich hertrieb.

Überall stürzten Leute an die Fenster, auf die Balkone und aus den Seitenstraßen, um die Kapelle vorbeiziehen zu sehen. Aus allen Richtungen kamen Kinder herbeigelaufen, trafen an einem Punkt zusammen und verschwanden in einer Gasse, gurgelnd wie Abwasser im Ausguß. Im selben Moment bog eine Gruppe von Riesen mit gigantischen Pappmachéköpfen um die Ecke, und ein Feuerwerkskörper zog zischend seinen Rauchschweif über sie hin. Gregorio sah sie mit schlenkernden Puppenarmen und steif hin und her schwankend auf sich zukommen, bis der vorrückende Spielmannszug sie zur Seite zwang. Und wieder kamen die Kinder angerannt, stoben in alle Richtungen auseinander, sprangen an die Fenstergitter und hingen triumphierend an den untersten Stangen.

»Es lebe der Caudillo!« schrie jemand von einem Balkon.

Einige rannten ängstlich darauf bedacht, das Hauptereignis nicht zu verpassen; andere wußten nicht, worauf sie ihr Erstaunen richten sollten, und behielten einen Ausdruck rustikaler Verirrung im Gesicht. Es wurde auch getanzt, wovon man aber nur schlenkernde Arme über den Köpfen der Menge sah. Die Stimme einer Frau erhob sich über das allgemeine Geschrei und bat um Durchlaß für einen Behinderten im Holzkarren, der mit der unveränderlichen Miene eines glücklichen Automaten ein Fähnchen schwenkte. Auch Ehrwürden fehlt nicht; alt und ausgemergelt schreitet er selbstvergessen, beinah abgründig, wie ein kranker Windhund dahin; und der fette Schutzmann ist da, der schwerfällig um die Ecke steuert, vom Mittagessen noch den Zahnstocher zwischen den Zähnen und seine Umgebung mit triefäugigen Blicken musternd, unter dem Arm den mit dickem Gummiband zusammengehaltenen Strafzettelblock.

Gregorio ließ sich von der Menge bis zu der Straße treiben, auf der in Kürze der Autokorso vorbeikommen sollte. In einem Hauseingang fand er eine freie Treppenstufe, auf die er sich stellte, und gleich darauf hörte man in der Ferne Sirenen. Im selben Moment frischte es auf. Der Himmel verdunkelte sich, und ein Polizist stellte sich zwischen zwei Menschenmengen mitten auf die Straße, blies den Brustkorb auf und schaute so gewitzt in die Runde, daß ihm davon die Blödheit in die Augen trat. Ob wegen des dunklen Himmels oder wegen des Polizisten; die Menschen verstummten jedenfalls, und man hörte nur noch in einem der oberen Stockwerke ein zankendes Ehepaar. Plötzlich bogen zwei Polizisten auf Motorrädern in die Straße ein, und nach erwartungsvoller Pause folgte eine Kolonne schwarzer Dodges. Ein Hund lief auf die Straße und bellte ihnen kläglich entgegen. In diesem Augenblick (Gregorio sah den Polizisten mit aufwärts gerichtetem Blick und vorgestrecktem Kinn, als bekäme er gerade einen Rüffel verpaßt) setzte die Kapelle mit einem Militärmarsch ein.

Die Musiker standen auf einem Balkon, auf einem andern stand ein Ehepaar mittleren Alters – wahrscheinlich jenes, das seinen Ehestreit vertagt hatte und sich in einer auswendig gelernten Pose der Zuneigung in den Taillen umschlungen hielt –, auf wieder einem anderen eine Familie in photographischer Starre, und auf dem nächsten ein einzelner, schwarzgekleideter Mann, der mit höfischer Eleganz ein weißes Spitzentüchlein in der Hand hielt.

Gregorio unterdrückte einen Schrei der Überraschung. Er sprang in den Hauseingang zurück, versuchte ruhig zu atmen, schloß die Augen und erinnerte sich mühelos an jenen Frühlingstag vor vierzehn Jahren, als er sich aufgrund einer Zeitungsannonce vor einem alten zweistöckigen Haus mit Satteldach eingefunden hatte. Hinter einer mit Rosen bewachsenen Pforte führte ein Sandweg zu einer verschlossenen Garage. Empfangen wurde er von einem schwarzgekleideten Mann, der offenbar zu keinem anderen Gesichtsausdruck als dem der Überraschung fähig war, so daß seine Augenbrauen sich bei jedem Wort des Bewerbers höher und höher hoben und sein Raubvogelgesicht immer länger werden ließen. Sie saßen in der Garage, in der es einen Schreibtisch und zwei Stühle gab.

»Sind Sie Protestant?«

»Nein.«

»Sind Sie Nichtraucher?«

»Nein.«

»Können Schreibmaschine schreiben?«

»Ein wenig«, und er warf dabei die Hand zur Seite, um die Behauptung etwas abzuschwächen.

»Zehn Finger blind?«

»Nein.«

Bedächtiges Schweigen. Der Mann rauchte und öffnete den Mund, ohne den Rauch zu inhalieren.

»Wir haben viele Bewerber«, sagte er dann, und es klang wie eine Schlußfolgerung.

»Ich verstehe.«

»Warum wollen Sie den Arbeitsplatz wechseln?«

»Die Firma ist in Konkurs gegangen.«

»Wie alt sind Sie?«

»Zweiunddreißig.«

»Haben Sie jemand, der für Sie einsteht, einen Bürgen?«

»Nein.«

»Wie ist Ihr Name?«

»Gregorio Olías.«

»Olías«, wiederholte der andere. »Kennen Sie sich mit Wein und Oliven aus?«

»Nein.«

Mit pedantisch bleichem Finger deutete er auf die Gegenstände, die für die Arbeit gebraucht wurden: eine Rolle Paketband, eine Schreibmaschine, eine Stange Siegellack und eine Spirituslampe.

»Nun, für den Fall, daß wir Sie nehmen, in der Schublade befindet sich eine Schere und sonstiges Büromaterial. Sie müssen nur die Post sortieren und adressieren, Muster einpacken und eines Tages vielleicht auch das Telefon bedienen.«

»Ausgezeichnet!« antwortete Gregorio lebhaft.

Nachdem er eine Weile nachdenklich geschwiegen hatte (es so aussah, als verrichte er ein Bußgebet), betrachtete der schwarzgekleidete Mann Gregorio mit neutralem Blick, wie wenn er nicht recht im klaren darüber wäre, ob er belustigt oder erstaunt sein sollte.

»Sind Sie ehrgeizig?« fragte er unerwartet, jedes Wort genau bemessend, und lehnte sich jäh in seinem Stuhl zurück, als sei er von der zu erwartenden Wirkung seiner Worte hellauf begeistert.

»Nun ja«, antwortete Gregorio und versuchte schelmisch dreinzuschauen, »das übliche.«

Der andere, der sich jetzt die Finger schützend wie ein Visier über die Augen legte, ließ seinen Blick abgrundtief werden und zog die Mundwinkel kummervoll nach unten, so daß Gregorio die Antwort wiederholen mußte, weil sie ungültig war, dachte er, da der andere ihr mit seinem seifigen Schweigen alle Farbe entzogen hatte.

»Nun, das übliche«, wiederholte er, diesmal ernst, die Arme nur noch verhalten öffnend und sich des Gewichts eines jeden Wortes versichernd.

Er merkte jedoch gleich, daß seine Worte auch diesmal ins Leere gingen. Er merkte es am Ton seiner eigenen Stimme und an der Art, wie der andere sich umständlich eine Zigarette anzündete und damit ihm, Gregorio, Zeit gab, sich an den Gedanken einer wertlosen Antwort zu gewöhnen.

»Gut, lassen wir das«, sagte der Schwarzgekleidete nach einer Zeit ungemütlichen Schweigens. Er feuchtete sich die Lippen an, bevor er fortfuhr: »Haben Sie Kinder?«

»Nein.«

»Trinken Sie Alkohol?«

»Nein.«

»Sprechen Sie Fremdsprachen?«

»Nein.«

»Waren Sie schon einmal im Ausland?«

»Nein.«

»Leiden Sie an irgendeiner Krankheit?«

»Nein.«

»Haben Sie Abitur?«

»Nun . . .«, Gregorio wand sich auf seinem Stuhl.

»Haben Sie Abitur?«

»Nein.«

Der Mann in Schwarz warf ihm einen sorgenvollen Blick zu.

»Haben Sie vorher schon einmal von Requena und Belson gehört?«

»Nein«, sagte Gregorio entschuldigend.

Der andere schloß die Augen. Ein Schatten von unendlicher Müdigkeit verdüsterte seine Stirn.

»Dann lassen Sie sich gesagt sein«, begann er mit einer Stimme, die die Grenzen der Geduld erreicht zu haben schien, »daß Requena und Belson das älteste und angesehenste Haus in dieser Branche ist. Sehen Sie sich die Rückenlehne Ihres Stuhls an. Das ist unser Wappen: eine Tonne zwischen Adler und Füchsin. Hoher Adel und subtiles Geschick. Einbildungskraft und Ausdauer. *Si te dii amant, agere tuam rem occasio est.*«

Sie schauten sich mit ungleichem Glück an.

»Können Sie Latein?«

»Nur wenig.«

»Versuchen Sie eine Übersetzung.«

Doch kaum war ein Augenblick verstrichen, und als sei ihm das Gewicht fremder Schuld absolut unerträglich, sagte der Mann in Schwarz: »Gut, lassen wir das. Ich sehe schon, daß es nicht einfach ist, sich mit Ihnen zu verständigen.«

Gregorio versuchte, sich mit einer Miene unschuldiger Verwunderung aus der Affäre zu ziehen, doch der andere wandte seinen Blick ab und starrte finster vor sich hin.

»Außerdem sollten Sie wissen«, fuhr er, ohne ihn anzusehen fort, »daß dieses Haus ein Privathaus ist. Im oberen Stockwerk arbeiten drei Personen unter direkter Weisung von Herrn Belson. Unten im Keller arbeiten zwei, die den Wein abfüllen und die Oliven abpacken. Und wir haben noch einen Lastwagen und zwei Verkäufer. Wie Sie sehen, eine perfekte Organisation. Seit zweihundert Jahren arbeiten wir mit derselben Zahl von Angestellten. Niemals war es einer mehr oder einer weniger. Wir könnten acht oder zehn sein, aber nein, wir sind genau neun. Das ist unsere Garantie, darin liegt unsere Stärke. Nun ja, aber sagen Sie einmal, haben Sie eine politische Meinung?«

»Nein«, entschuldigte sich Gregorio.

Der Schwarzgekleidete schaute mit einer Art analytischer Nachsicht auf ihn.

»Olías, eh?«

»J . . . ja.«

Mit Daumen und Zeigefinger fuhr er sich in wiederholten Zangenbewegungen über das Kinn. »Sie sind wirklich ein sonderbarer Mensch«, dachte er laut. Dann stand er auf, trat unter das offene Garagentor, und indem er die statuenhafte Pose eines römischen Redners einnahm, streckte er einen Arm aus, drehte die zur Kralle geöffnete Hand, als wolle er eine Glühbirne festdrehen, und deutete theatralisch auf Gregorio:

»Mihi modesta, non gloriosa veste uti decet.«

Mit diesen Worten verließ er die Garage unter dem feierlichen Geleit der eigenen Rätselhaftigkeit.

Sechs Tage später empfing Gregorio einen Brief. Er enthielt die Aufforderung, am nächsten Tag mit der Arbeit zu beginnen, sowie einen Katalog mit der Bezeichnung ›Produkte der Firma R. & Belson, Wein und Oliven‹.

So begannen die vierzehn Jahre, in denen er an einem Tisch in der

Garage saß, unter einem Bogenfenster, auf dessen Sims die Tauben umherspazierten, und durch das der Himmel an klaren Vormittagen wie eine gekräuselte Wasseroberfläche aussah.

Gregorio gewöhnte sich daran, jeden Morgen an derselben Stelle auf seinem Schreibtisch die Arbeit des Tages vorzufinden und, wenn er sie erledigt hatte, an diesem vage vereinbarten Punkt wieder abzulegen. Zuerst schrieb er Geschäftsbriefe nach stets gleichem Muster, fügte die Rechnungen bei und versiegelte sie mit dem Firmensiegel. Danach richtete er die Musterpakete her, verschnürte sie, versah sie mit dem Firmensiegel und legte sie für die Post bereit. Am frühen Nachmittag hatte er die Arbeit beendet und wartete auf Telefonanrufe. Das Telefon klingelte jedoch nie, und Gregorio vertrieb sich die Zeit damit, dem in der Ferne auf und nieder fahrenden Gegengewicht eines Aufzugs zuzuschauen, die Wolken zu betrachten oder sich die Fingernägel oder die Ohren mit dem Kombimesser zu säubern. Er lauschte auch den Geräuschen im Haus und lernte schon bald, sie zu unterscheiden. Die von oben klangen alle metallisch. Manchmal bimmelte ein Glöckchen, oder ein klingender Gegenstand fiel zu Boden. Von unten rumorte es dumpf herauf wie ein schmutziges Stück Meer, das gegen eine Mauer schlägt. Bumm, bumm, machte es. Gegen sieben hörte es auf, und kurz darauf sah Gregorio zwei Männer über einen Fußpfad am Ende eines brachliegenden Grundstücks gehen. Sie begannen offenbar früher als er mit der Arbeit und verließen das Haus eher und durch eine andere Tür als er, denn er sah sie niemals aus der Nähe und wußte auch nicht, wie sie hießen. Und nicht nur sie: von den acht Angestellten sah er, vierzehn Jahre später, am 4. Oktober, allein jenen Mann wieder, der ihm die Fragen gestellt hatte; wie immer ganz in Schwarz, auf ein Balkongeländer gestützt, mit einem weißen Tüchlein in der Hand.

Seine Arbeit verrichtete er nüchtern und zuverlässig. Doch das Telefon klingelte sechs Jahre lang nicht.

Es war eine Zeit, die durch die Gewohnheit vereinfacht wurde. Abends schritt er über den Sandweg zur Pforte, ging hindurch und trat auf den Spuren des Vortags den Heimweg an. Zu Hause dann, während Angelina und ihre Mutter unter einem milchigen Lampenschirm mit eingeschliffenen Kirschen saßen und stickten, reinigte er stundenlang seine Fingernägel, legte Patiencen, nahm die Uhr, die er seit mehr als zehn Jahren zu reparieren versuchte, auseinander und setzte sie wieder zusammen, oder sie lauschten alle drei den Liebesromanserien im Radio oder dem Wunschkonzert.

Die Wohnung hatten sie renoviert. »Ihr werdet sehen, wir werden glücklich sein«, hatte die Mutter in einem Anfall von Begeisterung gesagt, als sie aus der Kirche kam. Sie beizte die Möbel ab, wusch die Gardinen, strich die Wände, pflanzte Blumen und stellte sie in die Zimmer, die Bildnisse ihres Offiziers und Gatten verbannte sie in ihr Kämmerlein und ersetzte sie durch Kalender, Hängekörbchen mit Ranken und Bilder mit Hirschen in blühenden Rahmen. »Ihr werdet sehen, wir werden glücklich sein«, wiederholte sie und sorgte für hellere Töne überall, kaufte ein mit Pfauen bedrucktes Hauskleid, Modezeitschriften, Bastsessel, große Kissen mit Dschungelmuster, Lampen, die gedämpftes Licht gaben, ein Radio mit Perlmuttknöpfen und eine Wanduhr, in der sich zu jeder vollen Stunde ein Türchen öffnete, aus dem ein Trompeter hervortrat und den Generalmarsch blies. »Ihr werdet sehen, wir werden glücklich sein«; dann entstaubte sie ihre Zuckerwerksutensilien und widmete sich an den Samstagnachmittagen der Herstellung von Weingebäck, Anisplätzchen, sahnigen Nonnenbrüstchen, Zimtbiskuits, Sahnehörnchen, Cremeschnitten und Windbeuteln.

Angelina half bei all diesen Veränderungen mit sanftmütiger Beflissenheit. Obwohl sie nie hübsch gewesen war, hatten ihre Wesensart und ihr ereignisloses Leben ihr eine unbestimmte Anmut verliehen. Tatsache war, daß sie ihren Jungfernstand in der Ehe beibehalten hatte, daß sie stark geworden war, uneinnehmbar fast in der Festung ihrer einsamen Unberührtheit. Wenn Gregorio abends von der Arbeit kam, schaute sie ihm über den Rand ihres Stickrahmens entgegen und sah ihn dann in einem Licht, das auf Dauer jedes Wort überflüssig machte. So sprachen sie kaum miteinander, wetteiferten in stiller Übereinstimmung, warfen sich verstohlene Blicke zu, und ein Seufzer zählte bei ihnen soviel wie ein langes vertrauliches Gespräch. Im Bett spielten sie manchmal noch Ich-sehe-was-was-du-nicht-siehst, oder sie zählten Namen von Blumen und Tieren in alphabetischer Reihenfolge auf.

Vom ersten Tag ihrer Ehe an hatte Gregorio begriffen, daß ihre Beziehung nichts anderes sein würde als die Verlängerung einer zaghaften Verlobungszeit, in der nicht einmal die stille Übereinkunft des Schweigens erneuert werden mußte, die bei ihrer ersten Begegnung getroffen worden war, als sie sich ihre Namen, ihre Vorlieben und Neigungen gestanden hatten. Im ersten Jahr hatten sie eine Reise zur Küste unternommen. Während der Eisenbahnfahrt hielten sie sich an den Händen und riefen immer wieder: »Da, ein Fluß!, eine Kuh!, eine

Burg!, ein Dorf!« Sie sammelten Muscheln am Strand, schauten sich Kirchen an, senkten beschämt die Köpfe vor Leuten, die sich in fremden Sprachen unterhielten, schrieben eine Ansichtskarte, auf der sie mitteilten, daß sie über tausend Muscheln gesammelt hatten, fuhren, sich an die Reling klammernd, in einem Motorboot, und abends gingen sie in einem Park spazieren und erzählten sich, was sie mit all den Muscheln anzustellen gedachten und wie glücklich sie sein würden, da es keinen einzigen Grund gab, es nicht zu sein. Gregorio wollte zwei Kinder:

»Eines soll Gregorio heißen wie ich, und ich werde ihm Schauergeschichten erzählen und beibringen, wie man in den Wolken liest, und sonntags gehe ich mit ihm in den Zoo.«

»Ich weiß nicht«, sagte Angelina.

»Magst du keine Kinder?«

»Kinder werden groß, und dann gehen sie aus dem Haus«, sagte sie.

»So ist das Leben, aber bis es soweit ist, verbringen wir eine schöne Zeit miteinander.«

»Ich weiß nicht, der liebe Gott wird es schon richten.«

Auf der Rückreise teilten sie ihr Schweigen miteinander. Ein Textilvertreter erzählte ihnen von seinen Erlebnissen und sprach von sich selbst wie von einem Haupttreffer in der Lotterie. Sie brachten weder die Muscheln noch die Kinder noch das Glück je wieder zur Sprache und ergaben sich den Tagen der Verheißung: die Monate vergingen, und jeder Monat hatte sein eigenes Kalenderbild mit Rezepten, humoresken Anekdoten und Landschaften mit Schnee oder Ähren; die Jahreszeiten gingen dahin, und der Wind wehte ein dürres Blatt oder einen Schmetterling herein. Die Jahre vergingen, und all das, was ihr Glück ausmachte, stand unverrückt an seinem Platz.

Er hatte sich nicht nur bestens an sein allmorgendliches Bild im Spiegel, sondern auch an den Ablauf seines Lebens gewöhnt, das vom wohlfeilen Wirken der Gewohnheit stark vereinfacht wurde, als, sechs Jahre nachdem er bei R. & Belson angefangen hatte, eines Nachmittags das Telefon läutete.

Dem Lärmen des Telefons folgte das entsetzte Aufflattern der Tauben im Oberlicht. Von seinem Stuhl auffahrend, gelangte Gregorio vom Erschrecken zur Ungläubigkeit, und erst nach einer geraumen Weile streckte er den Arm aus, räusperte sich, setzte eine seriöse Miene auf und nahm den Hörer in die Hand.

»Hier Gil«, klang es vom anderen Ende der Leitung mit der nasalen Stimme eines Wunderkinds.

»Olías am Apparat«, sagte er entschlossen.

»Hier Gil«, wiederholte die Stimme, »Vertreter von Requena und Belson in der Provinz.«

»Ja, bitte?«

»Wenn Sie freundlichst notieren würden: Fünfzig Kilo Oliven für Ibérico-Lebensmittel; zwanzig Kisten Wein und dreißig Kilo Oliven für Kolonialwaren La Providencia.«

Danach nannte er ein paar Adressen und sagte abschließend:

»Ich rufe am Donnerstag wieder an.«

Gregorio legte die Bestellung auf seinen Schreibtisch. Am nächsten Tag fand er an ihrer Stelle eine Notiz: *Halten Sie regelmäßigen Kontakt zu Gil.*

Am Donnerstagnachmittag klingelte das Telefon erneut.

»Hier Gil«, ließ sich die Piepsstimme vernehmen.

»Ja, bitte?«

»Heute habe ich nichts. Ich stehe in Verhandlung mit einem Grossisten. Vielleicht weiß ich morgen mehr.«

»Gut«, sagte Gregorio, »halten Sie regelmäßigen Kontakt.«

»Ich will es versuchen«, trillerte Gil, der stets in einem Ton höchster Alarmbereitschaft sprach, »aber hier draußen funktionieren die Telefone nicht immer, und in manchen Dörfern gibt es nicht mal welche.«

»Versuchen Sie es jedenfalls«, sagte Gregorio und lehnte sich in seinem Stuhl zurück, entschlossen, diesen Satz bis in alle Ewigkeit zu wiederholen.

»Vielleicht schicke ich mal ein Telegramm.«

»Nein, nein, benutzen Sie lieber das Telefon, immer das Telefon.«

»Ich will das Unmögliche versuchen«, rief Gil mit schriller Stimme, »aber ich weiß nicht, ob es mir immer gelingt. Sie müssen sich vorstellen, hier draußen ist sozusagen das Ende der Welt.«

Gregorio fühlte sich verwegen.

»Versuchen Sie es«, sagte er mit fester Stimme.

Seit dieser Zeit rief Gil jeden Montag und jeden Donnerstag an. Anfangs gab er seine Bestellungen noch zügig durch, doch dann begann er, immer längere Pausen einzuschieben.

»Sind Sie noch da?« fragte Gregorio.

Erst nach einer ganzen Weile gab er ein zustimmendes Säuseln von sich und schwieg erneut.

Gregorio malte Blumen auf ein Blatt Papier oder spielte mit seinem Messer.

»Sonst noch was?« Durch die Frage wurde die Stille noch dichter, und dann vernahm man das Bummbumm aus dem Keller, hörte das Sirren der Telefonleitung und Gils keuchenden Atem.

Etwas lauter fragte er:

»Sind Sie noch da?«

»Ja . . .«

»Ist sonst noch was?«

»Sonst noch was?« fragte die Falsettstimme aus der Ferne. »Nein . . .«

»Nun, dann auf Wiederhören und alles Gute.«

Doch Gil blieb in der Leitung, lauschte, und keiner von beiden konnte sich entschließen, aufzulegen.

Er rief weitere Male an:

»Olías am Apparat«, ließ Gregorio wissen.

Und obwohl Gil keinen Ton von sich gab, erkannte Gregorio ihn am Rhythmus seiner Atmung und an der diffusen Beschaffenheit seines Schweigens. Beide horchten in die Hörer, und wenn Gregorio mit dem Bleistift auf die Sprechmuschel klopfte, tat Gil das gleiche, und wenn er sagte, »sind Sie es, Gil?«, zog dieser sich in noch unwirtlichere Regionen der Stille zurück, immer auf der Lauer, bis er zuletzt unendlich behutsam die Gabel hinunterdrückte und Gregorio in eine bittersüße Ungewißheit entließ.

Hinter der Garage lag ein unbebautes Grundstück, an dessen Ende ein Gebäude stand, auf dessen Rückseite den ganzen Tag lang das Gegengewicht des Fahrstuhls auf und nieder fuhr. Darauf ruhte Gregorios verlorener Blick, wenn er sich vorstellte, wie dieser Mann wohl aussehen mochte, der ihn mal belauschte, mal in einem Ton bitterer Vertrautheit zu ihm sprach. Denn manchmal gab es Tage, da war er redselig.

»Wissen Sie«, sagte er an einem Montag, »heute hat es aufgefrischt, die Luft ist feucht, und die Lerchen singen.«

Gregorio warf einen erstaunten Blick auf das leere Grundstück.

»Meinen Glückwunsch«, sagte er, ohne zu überlegen.

»Ja, Sie müssen nämlich wissen, daß es hier lange nicht geregnet hat, und jetzt will es sich bewölken.«

»Großartig«, sagte Gregorio ungeduldig.

»Aber trotzdem, dieser Beruf ist hart. Stellen Sie sich vor, wie es mir geht, wenn es regnet.«

Gregorio wußte nicht, was er darauf antworten sollte.

»Hören Sie mich?«

»Ja.«

»Ich will mich nicht beklagen, aber es ist schon hart. Ich habe einen großen Koffer, und den schleppe ich überall mit hin; wohin ich gehe, immer mit meinem Koffer. Wenn ich ganz offen sein darf, will ich Ihnen sagen, daß ich sogar mit meinem Koffer spreche. Ich sage zu ihm: ›Sieh mal, Koffer, heute ist aber ein schöner Tag‹, oder ich muntere ihn auf, wenn der Weg sehr weit ist. Ich erzähle Ihnen das, damit Sie sich ein Bild davon machen können, wie hart unser Beruf ist. Ein Freund von mir, auch Vertreter, sagt immer: ›Gil, wir Vertreter sind Künstler.‹ Was meinen Sie dazu?«

»Vielleicht hat er recht.«

»Ich weiß nicht, ich weiß nicht«, sagte er mit gequälter Stimme. »Und dann das lange Warten. Manchmal läßt man mich stundenlang warten, ganze Tage sogar. Na ja, ich weiß nicht. Und außerdem, Señor Olías«, seine Stimme war fast nur noch ein Flüstern, »wenn Sie es genau wissen wollen, mich drücken die Schuhe.«

»Na, na, nur Mut«, sagte Gregorio.

Gil verstummte. Er schien vor einer Frage innezuhalten, als stehe er am Rande eines Abgrunds, und sein Schweigen kam einem Gestammel gleich.

»Nun, sonst noch was?«

Er gab jedoch keine Antwort, und erst eine ganze Weile später drang aus der Ferne sein nasales Lamento: »Die Pensionen sind eiskalt, die Züge langsam, die Wege endlos weit.« Gregorio konnte sich auch nicht entschließen, den Hörer aufzulegen.

Trotz dieser Vertraulichkeiten kehrte Gil schon bald wieder zu seinen geheimnisvollen Anrufen zurück. Aber er lauschte nicht nur, er verursachte auch eine Reihe unheimlicher kleiner Geräusche, die mal wie das Ächzen des Windes klangen, mal wie das Röcheln eines Sterbenden oder das Knistern in der Telefonleitung.

»Sagen Sie mal, Gil«, fragte Gregorio eines Tages beherzt, »sind Sie das vielleicht, der hier anruft und Geräusche macht?«

»Ich?«

»Ja, jemand ruft hier an und macht nur Geräusche. Das sind Sie doch nicht etwa?«

»Nun, was soll ich Ihnen sagen? Geräusche? Ich weiß nicht.«

»Das müssen Sie doch wissen, Gil!«

»Ab und zu rufe ich an, ja, aber es kommt keine Verbindung zustande. Ich höre dann auch Geräusche in der Leitung. Ich weiß nicht, das werden irgendwelche Störungen oder Schwingungen sein, oder ich rufe von so weit her an, daß die Stimme nicht ankommt. Ja, das wird es sein, daß die Entfernung zu groß ist, meinen Sie nicht?«

»Ich weiß nicht, schon möglich«, murmelte Gregorio.

»Jedenfalls, unglaublich, was?«

»Was, bitte?«

»Das Telefon. Sind Sie nicht auch der Meinung, daß es eine immense Erfindung ist?«

»Ja . . .«

»Eine gewaltige Erfindung, jawohl. Obwohl, was sagen Sie zur Elektrizität? Ist sie nicht noch beeindruckender?«

Gregorio wußte nicht, was er sagen sollte.

»Eine große Sache. Mr. Edison hat sie erfunden, der große Gelehrte aus Amerika«, er war so bewegt, daß seine Stimme versagte. »Thomas Alva Edison!« wiederholte er nach einer Weile mit überwältigter Stimme. »Aber ich, Señor Olías«, fügte er betrübt hinzu, »wenn Sie mir die Vertraulichkeit gestatten, ich darf diesen Namen nicht einmal in den Mund nehmen.«

»Ach, nein? Und warum nicht?«

»Ich habe dazu kein Recht«, bekräftigte Gil, »ich bin unwürdig. Aber wenn es beliebt, möchte ich Ihnen jetzt die Bestellung durchgeben.«

An einem anderen Montag rief er an, und das erste, was er sagte, war, daß er krank sei.

»Ich fühle mich schwach und habe Fieber; und stellen Sie sich vor, wenn es dunkel wird, was soll ich dann tun?«

Gregorio starrte bekümmert auf das Grundstück.

»Kommen Sie, Gil, lassen Sie sich nicht unterkriegen. Das geht wieder vorbei. Der Mensch zeigt seine wahre Stärke im Unglück.«

»Ja, ja, ich weiß. Ich bin auch schon wieder etwas zuversichtlicher. Ich sage Ihnen das nur, damit Sie wissen, wie hart unser Beruf ist.«

»Gewiß, aber denken Sie daran, daß das Leben niemals leicht ist«, philosophierte Gregorio.

»Das ist eine große Wahrheit«, bestätigte Gil. »Das Leben ist niemals leicht!«

»Und schon gar nicht das Leben der Künstler«, scherzte Gregorio.

»Vielen Dank für die tröstenden Worte, Señor Olías. Sie sind sehr verständnisvoll.«

Zu jener Zeit hatte Gregorio angefangen, lässig mit ganzen Sätzen, kecken Kommentaren und bewährten Lakonismen um sich zu werfen. Nie zuvor hatte er so selbstbewußt und überlegt gesprochen.

Kaum klingelte das Telefon, lehnte er sich in seinem Stuhl zurück, zündete sich eine Zigarette an und schlug die Beine übereinander. »Olías am Apparat«, und während der andere seinen Namen nannte, blies er kunstvoll den Rauch aus, wie es seine früheren Kinohelden getan hatten.

Da sie ja nun schon etwas vertrauter miteinander waren, fragte er ihn eines Donnerstags, ob er schon lange für Belson arbeite.

»Neunzehn Jahre, fünf Monate und acht Tage«, sagte Gil kummervoll.

»Und warum haben Sie früher nie angerufen?«

»Da habe ich immer Telegramme an den ersten Stock geschickt; an einen Mann, den Sie bestimmt kennen, der immer nur Schwarz trägt und Fragen stellt, manche davon in Latein. Wissen Sie, wen ich meine?«

»Ja.«

»Also, an den. Später hat er mir gesagt, es sei besser, zum Telefonsystem zurückzukehren, und da bin ich nun.«

Es folgte eine lange Pause.

»Wissen Sie was?« fuhr Gil plötzlich mit seiner besten Nörgelstimme fort. »Ich sitze hier in einem gottverlassenen Nest ohne elektrischen Strom, und ich habe Zahnschmerzen. Wissen Sie, was das heißt?«

»Kommen Sie, Gil, darüber müssen Sie sich hinwegsetzen.«

»Schon gut, aber begreifen Sie doch. Wenn Sie mir die Freiheit gestatten, ich bin achtunddreißig Jahre alt.«

Gregorio, der bald neununddreißig wurde, sagte ihm auf gut Glück, da sei er ja noch jung.

»Das kommt darauf an«, antwortete Gil zurückhaltend.

»Worauf kommt es an?«

»Für einen Maurer, zum Beispiel, wäre ich jung, aber um Chemiker zu werden, wäre ich schon zu alt.«

»Aber Sie sind Verkäufer, nicht?«

»Ja.«

»Nun, dann sind Sie noch jung.«

»Glauben Sie das nicht.«

»Dann weiß ich nicht, was Sie meinen.«

»Das ist auch nicht leicht zu verstehen.«

»Nun, dann erklären Sie es mir.«

»Na ja, ich kann mich so schlecht ausdrücken. Verzeihen Sie«, und er verschanzte sich hinter seinem Schweigen.

»Hören Sie mich?« schrie Gregorio. »Sagen Sie doch was!«

»Verzeihen Sie«, sagte Gil mit ersterbender Stimme und legte auf.

In der Woche darauf, nachdem er sich für seine Unbeholfenheit entschuldigt hatte, jammerte er wieder über die Pensionen; wie trist sie waren, weil es in ihnen immer nur schwarzgekleidete Frauen gab, die jeder Fremde in irgendeiner Weise an den verstorbenen Ehemann erinnerte, und sein Leben so einer einzigen Beerdigung glich.

»Und die Straßen sind alle staubig, weil es schon seit vier Jahren nicht mehr geregnet hat. Bei Ihnen in der Stadt wird es auch nicht regnen, oder?«

»Nein.«

»Irgendwann wird man den Regen einschalten können, wie man das Licht einschaltet.«

Gregorio antwortete nicht.

»Meinen Sie nicht, Señor Olías?«

»Kann sein.«

»Ich vertraue da ganz der Wissenschaft. Den gelehrten Männern in der Großstadt ist nichts unmöglich.«

Gregorio sah das Fahrstuhlgewicht in die Höhe gleiten.

»Das ist die Dynamik des Fortschritts«, sagte er und sprach damit einen Satz nach, den er vor kurzem im Radio gehört hatte.

»Die Dynamik des Fortschritts!« rief Gil. »Wie treffend Sie das gesagt haben! Sehen Sie? Sie in der Stadt finden immer den richtigen Ausdruck. Wer Ihnen zuhört, weiß gleich, daß Sie ein Mann von Welt sind.«

Gregorio räusperte sich in seiner Garage.

»Belästige ich Sie auch nicht mit diesen Dingen?«

»Natürlich nicht, Gil.«

»Gestatten Sie mir dann wohl eine Frage?«

»Selbstverständlich.«

»Glauben Sie an außerirdische Lebewesen?«

Gregorio blinzelte verblüfft.

»Nun, ich weiß nicht, was soll ich Ihnen sagen.«

»Ich verstehe.«

»Was verstehen Sie?«

»Ach, nichts. Vertretergeschichten. Nichts von Belang. Wissen Sie eigentlich, daß ich auch einmal in der Stadt gelebt habe? Vor vielen Jahren.«

»Das wußte ich nicht.«

»Es stimmt aber. Ich hatte dort eine Freundin, eine Familie und eine Katze.«

Gregorio fiel keine passende Antwort dazu ein, und Gil schien dem endgültigen Schweigen verfallen.

»Nun, dann eben nicht. Gibt es sonst noch was?« fragte er nach einer Weile.

»Nein«, antwortete Gil zögernd und war sich seiner Verneinung wohl auch nicht ganz sicher.

Sie telefonierten regelmäßig miteinander den ganzen Sommer hindurch, den Herbst und den Winter.

Gregorio fand nie heraus, auf welche Weise sich Gil allmählich ein Recht darauf erwarb, zwischen den Bestellungen die Berichte von seinem täglichen Elend als Vertreter einzuflechten, und das mit immer größerer Selbstverständlichkeit. Wenn er keine Zahnschmerzen hatte, drückten ihm die Schuhe, und als er einmal seinen Zug verpaßte, bekam er einen Schluckauf, und stand dann mit aufgeschnürten Schuhen hicksend auf dem Bahnsteig. Da gerade Donnerstag war, rief er gleich vom Bahnhof aus an, um von den Unbilden des Lebens Zeugnis zu geben.

»Ich sage Ihnen das nur, damit Sie Bescheid wissen«, sagte er, vom Schluckauf unterbrochen, und verbittert wie ein Kind.

»Jammern Sie nicht, handeln Sie«, ermahnte Gregorio ihn.

»Ich versuche es ja, Señor Olías, aber Sie wissen nicht, wie schwierig das ist. Sie in der Stadt wissen nicht, was es heißt, in dieser Wildnis zu leben. Entschuldigen Sie, wenn ich das so sage.«

»Kommen Sie, Gil, nur Mut«, zwang er sich zu einem munteren Abschied.

Doch Gil legte nicht auf. Er lauschte, kratzte an der Sprechmuschel, und Gregorio vernahm eine Art Wimmern, von dem er nicht wußte, ob es von seinem Gesprächspartner kam oder ob es nur das Seufzen der Entfernung war.

Der Winter ging vorbei, und er sah Gil in seiner Vorstellung so, wie er sich in ihr eingenistet hatte mit seinen ewig gleichen und bisweilen rätselhaften Sätzen, mit seinen Besuchen in immer gleichen Dörfern, seinen Nächten in Pensionen, die immer dieselbe Pension waren, seinen Wanderungen auf Straßen, die Sonne und Staub bis zur Hoffnungslosigkeit wiederholten. Manchmal meldete er sich mit der affektierten Stimme des Mannes von Welt: »Señor Olías, das Leben kennt kein Ruhen, und da bin ich wieder. Notieren Sie«, und dann diktierte er die Kisten Wein und Kilogramm Oliven. Es war eine begeisterte Stimme: »Hier im Dorf feiert man gerade ein Fest! Der Verkauf ist gesichert!«, und es war eine von Kummer und Leid mißhandelte Stimme: »Ich habe wieder Zahnschmerzen, ich kann nicht schlafen, und von dem Essen in den Pensionen bekomme ich Sodbrennen. Bei dieser Trockenheit habe ich manchmal das Gefühl, mich in einem finsteren Zimmer verlaufen zu haben.«

Tatsächlich hatte es seit vier Jahren nicht mehr geregnet. Am Morgen des 4. Oktober war Gregorio sich nicht mehr ganz sicher, ob das verschwommene Bild jener Zeit auf die Trockenheit zurückzuführen war oder auf das Zaubertuch, mit dem die Erinnerung die Löcher des Vergessens zu bedecken pflegt. Nie jedoch vergaß er den Sonntag im März, als er den Frauen vorschlug, eine Kirmes am Rande der Stadt zu besuchen. Angelina war weder dafür noch dagegen; sie schaute ihn nur beunruhigt an und vertiefte sich wieder in ihre Stickerei. Ihre Mutter aber ließ alle Arbeit fahren und begann haltlos zu zetern:

»Die Welt geht unter, und dir fällt nichts anderes ein, als auf die Kirmes zu gehen. Auf die Kirmes, das muß man sich mal vorstellen! Aber klar, für uns ist das Leben ja lustig, und wir gehen auf die Kirmes! Wir putzen uns heraus, und dann auf zur Kirmes! Die Welt wird von Erdbeben und unheilbaren Krankheiten heimgesucht, es gibt Wölfe in Schafspelzen und Menschen, die sich die Lunge aus dem Leib husten, und da kommt so einer und sagt: Auf zur Kirmes! Wir fahren Karussell! Wir trinken Bier und stopfen uns den Bauch mit Süßigkeiten voll! Da haben wir eine arme Witwe, und da kommt ihr Schwiegersohn, und der sagt zu ihr, das muß man sich mal vorstellen, auf geht's, Señora, werfen Sie sich in Schale, wir gehen auf die Kirmes! Auf die Kirmes! Wir gehen auf die Kirmes! Als wüßte man nicht, wie das Leben wirklich ist. Richten Sie Ihre Frisur, und dann los! Als ob man sich von gleich auf jetzt die Frisur richten könnte, als ob man Kleider in Hülle und Fülle hätte wie ein Filmstar, und Fuchsschwänze, und Schmuck und Stolen aus Brokat und Seidenschals für jeden Tag. Ah, wunderbar ist das! Wirklich wunderbar! Die Welt steht am Abgrund, aber wir gehen auf die Kirmes! Und wenn Sie nichts anzuziehen haben, Señora, macht nichts, gehen wir trotzdem. Zur Not im Morgenmantel, was? Ah, ja, das Leben ist kurz. Wenn ich da an meinen seligen Mann denke, der ein Held war, und ich, eine Witwe, die sich ihr Augenlicht zugrunde richtet. Oh, blinde Welt! Die Welt ist ein Jammertal. Da tut man seine Pflicht, und plötzlich heißt es, zieh' dir deine Schuhe an, und dann gehen wir. Schuhe! Seit zehn Jahren habe ich keine Schuhe mehr gekauft. Als ob man nur Possen im Kopf und ständig seine Kothurne an den Füßen hätte! Ah, Gregorio, wie grausam du manchmal bist und wie einfältig! Und dann diese Dreistigkeit! Auf zum Maskenball, Señora, mir ist nach Feiern! O Welt, o Welt! Hast du das gehört, Angelina?«

»Ja, Mama.«

»Aber nehmen wir an, wir gingen tatsächlich zu dieser vermaledeiten Kirmes. Was sollte ich dazu wohl anziehen, kann mir das jemand sagen?«

»Das gemusterte Kleid ist doch nicht schlecht, Mama.«

»Das gemusterte? Höre sich das einer an!«

»Oder das schlichte grüne.«

»Das grüne? Um mich lächerlich zu machen?«

Im Schlafzimmer zeterte sie immer noch und hörte auch nicht auf, als sie wie die Braut zur Hochzeit herausgeputzt wieder ins Wohnzimmer trat und wieder verschwand, um sich die Haare zu richten, und auch nicht, als sie ihre Lippen anmalte und sich diskret mit einem Wölkchen Parfüm bestäubte.

»Jetzt habt ihr es geschafft«, sagte sie ergeben. »Gehen wir also, damit die Leute was zu lachen haben!«

Sie brachen unverzüglich auf. Sie hatten sich alle drei untergehakt, liefen beschwingt dahin, nahmen einen Autobus und danach einen anderen, und hörten nicht auf zu fragen, ob sie auf dem richtigen Weg zur Kirmes waren, bis sie in der Ferne buntes Geflimmer sahen und das Humtata der Musik vernahmen.

»So ein Unsinn«, sagte Angelina.

»Was?« fragte Gregorio.

»Auf eine Kirmes zu gehen.«

»Und sich der Lächerlichkeit preiszugeben«, setzte die Mutter verbittert nach und betastete prüfend ihre Frisur.

»Es wird euch gefallen«, widersprach Gregorio.

Sie gingen ein abschüssiges Gelände hinunter und strebten einer schiebenden Menge zu, die es zu den Lichtern zog. Noch bevor sie dort ankamen, umfing sie der Staub und eine Atmosphäre ländlicher Fröhlichkeit. Benommen zwar von dem Geschubse, den kreisenden Lichtern, dem Lärm der Karussells und dem Tombolageschrei (und nicht ohne Proteste der Mutter, die sich laut rufend verständlich zu machen suchte, was ihr aber vom Knall eines Feuerwerkskörpers schnell ausgetrieben wurde), drangen sie dennoch unverzagt in das Menschengewühl vor. An einem Süßigkeitenstand kauften sie nach langem Wägen und Überlegen ein Dutzend gezuckerter Butterkringel. »Die sind ja kalt«, beschwerte sich Angelinas Mutter kauend, und schaute dabei Gregorio an. Die restlichen Kringel verzehrten sie schweigend. Gedankenverloren schritten sie durch das wogende Gelärm von Klingeln und Sirenen, die Beginn und Ende der Karussellfahrten ankündigten, von unverständlicher Musik und dem Gekreisch der Menschen in den Karussells, die sich in ihrem Vergnügen gegenseitig zu überbieten suchten. Nachdem sie eine ganze Weile dahingeschlendert waren, schlug Gregorio eine Fahrt mit der Geisterbahn vor. »So ein Unsinn«, sagte Angelina. »Als ob das Leben nicht schon gespenstisch genug wäre!« sagte die Mutter, das Klagelied der Tochter illustrierend, und ließ das Weiße ihrer Augen sehen.

Sie weigerten sich auch, das Riesenrad zu besteigen.

»Nur um rauf und runter zu fahren«, sagte Angelina.

»Und damit die andern was zu lachen haben«, ergänzte die Mutter. »Was hat dieser Mann nur im Kopf!«

»Aber warum sind wir dann hergekommen?« fragte Gregorio bitter.

»Ach, habe ich mich etwa hingestellt und alle Welt mit der Kirmes verrückt gemacht?« posaunte die Mutter. »Höre sich einer so eine Frechheit an!«

Sie schoben weiter durch die Menge. Die Männer waren sonntäglich herausgeputzt, die Mädchen gingen in Grüppchen, trugen bunte Tücher um die Schultern und frisch gepflückte Blumen im Haar.

»Und was jetzt?« fragte Angelina kurz darauf.

»Das fragst du am besten deinen Ehemann, der gibt ja hier den Ton an und verfügt über alles.«

Gregorio blieb stehen.

»Wir könnten uns an einer Schießbude was schießen«, sagte er.

»Und was haben wir davon?« fragte Angelina.

»Nun, ich gehe jedenfalls schießen.« Mit diesen Worten marschierte er entschlossen zu einer Schießbude.

Er schoß und fehlte.

»Wegen euch«, murmelte er.

Angelinas Mutter wandte sich um, als spreche sie jetzt zu Publikum:

»Du kannst sicher sein, mein Kind, daß dein Vater, Gott habe ihn selig, nicht ein einziges Mal danebengeschossen hätte.«

Ein Stück weiter stritten sie mit bitteren Worten vor den Autoscootern, vor der Schiffschaukel und vor der Achterbahn, und Gregorio drohte schon damit, die Karussells allein zu besteigen, als die Mutter den Disput beendete, indem sie vorschlug, ein paar Lose aus der Tombola zu kaufen. Mit mürrischen Gesichtern gingen sie hin und zogen auf Anhieb ein Gewinnlos. Sie konnten zwischen einer Kiste Zigarren und einem Plüschhund wählen. Angelinas Mutter deutete ohne zu zögern auf den Plüschhund. Sie drückte ihn Gregorio in die Arme und sagte:

»Siehst du jetzt, wie recht ich hatte?«

Von ihrem Glück ermuntert, beschloß sie, nun doch Karussell zu fahren.

»Um dir zu zeigen, daß ich nicht nachtragend bin und nur will, daß ihr glücklich seid«, sagte sie.

Doch jetzt wollte Gregorio nicht.

»Aber warum sind wir sonst hergekommen?« rief die Mutter und schaute sich beifallheischend um.

Schließlich setzten sich alle drei in ein Schiffchen, als nähmen sie in einem Wartezimmer Platz, und fingen an, sich zu drehen.

»So eine Geldverschwendung«, nörgelte Angelina.

»Dabei könnten wir so glücklich sein«, seufzte die Mutter.

Gregorio hielt das Plüschtier im Arm, machte ein beleidigtes Gesicht und schaute mit ausdruckslosem Blick zur Seite. Er sah ein paar Jungen, die einen Drachen steigen ließen, und nach jeder Drehung des Karussells stand der Drache höher; er sah ein Kind, das einen Luftballon aufblies, und nach jeder Drehung war der Luftballon dicker; er sah zwei Mädchen in der Schiffschaukel, die etwas riefen, und durch die Wirkung der kombinierten Bewegung verharrte die Schiffschaukel in immer der gleichen Abwärtsbewegung, und auch der Schrei der Mädchen war immer der gleiche, und ihr Haar stand steif nach hinten; und er sah, wie drei kleine Mädchen sich einen Ball zuwarfen, und wie stets nur eine ihn auffing und die anderen beiden immer enttäuschter auf die Glückliche schauten. Gespräche wurden zu Monologen, Grüße wurden nicht erwidert, einer antwortete auf Fragen, die niemand ihm gestellt hatte, und ein anderer verschwand oder tauchte wie durch Hokuspokus ein Stück weiter wieder auf. Einer nahm eine gebrannte Mandel aus der Tüte, ein anderer steckte sie in den Mund, wieder ein anderer kaute sie, und noch ein anderer leckte sich hinterher die Finger. Eine Geste wurde durch völlig unpassende Gesten erwidert, als führten närrische Komödianten eine babylonische Pantomime auf. Es gab eine Dame, deren Fächer zu Boden fiel, und einen Herrn, der ihn in einen Hut verwandelt aufhob. Ein Kind ärgerte seine Mutter und wurde mit einem Lächeln belohnt. Ein junger Mann wollte gerade seine Verlobte küssen, als diese sich in eine Wolke von Zuckerwatte verwandelte, und als er sie küßte, verschlang er sie, und alles mit gleichbleibender Wonne. Als das Karussell hielt, hatte Gregorio Mühe, sich mit dem geradlinigen Verlauf der Dinge abzufinden. Die Schiffschaukel schwang, die traurigen Mädchen fingen lachend den Ball, die Leute sprachen und bewegten sich in korrekter Abfolge, und das aufsässige Kind bekam von seiner Mutter, was es verdiente.

Die Fahrt mit dem Karussell hatte ihre Gemüter besänftigt. Sie spazierten schweigend über die Kirmes, und fast am Ende setzten sie sich an einen Kiosk und bestellten Bier und gebratene Würste. Auf einer mit Girlanden, Laternen, Luftschlangen und hohlen Kürbissen geschmückten Tribüne spielte eine Musikkapelle die ewigen alten Weisen zum Tanzen. Der Nachmittag war wunderschön, es frischte schon ein wenig auf, und es war ein Genuß, den Staub zu riechen und an der bereits ein wenig abklingenden, fast intimen Freude der Leute teilzuhaben. Die Musiker, in einheitlichem Blau, putzten in den Spielpausen ihre Brillengläser oder wischten sich die Hände ab und erfüllten die Musikwünsche des Publikums. Der Dirigent wandte sich nach jedem Stück um und bedankte sich, den Taktstock an die Brust gedrückt, mit einer knappen Verbeugung aus der Hüfte. Unten klatschten Rentner, Mädchen im besten Alter und blankgeschrubbte Jünglinge mit erhobenen Händen Beifall. Fröhliche Unbeschwertheit lag in der Luft und ein unkompliziertes Miteinander der Generationen. Gregorio war glücklich. Er zog Angelina zur Tanzfläche, und obgleich sie sich sträubte, zog er sie an den Händen hinter sich her und sagte lachend zur Mutter: »Halten Sie sich bereit, Señora, danach sind Sie an der Reihe.« »Ogottogott!« rief sie, sich am Dekolleté zupfend.

Sie tanzten zum ersten Mal seit ihrer Hochzeit, und Gregorio schien es, als spielten die Musiker, wie damals, nur für sie allein.

»Angelina.«

»Was.«

»Ist dir nicht auch, als spielten die Musiker für uns ganz allein?«

»So ein Unsinn.«

»Bist du glücklich?«

»Ja.«

»Ich auch. Angelina.«

»Was.«

»Weißt du, was wir tun, wenn die Trockenheit vorbei ist?«

»Nein.«

»Rate mal.«

»Ich weiß nicht.«

»Wir kaufen uns ein Auto.«

»So was Verrücktes.«

»Damit fahren wir wieder ans Meer, an dieselbe Stelle, wo wir beim letzten Mal waren. Wie findest du das?«

»Ich weiß nicht.«

»Wir können noch soviel unternehmen. Zum Beispiel, warst du schon einmal im Theater?«

»Noch nie.«

»Ich auch noch nicht. Da müssen wir mal hingehen.«

»Theater ist doch alles Lüge, da wird einem nur das Geld aus der Tasche gezogen.«

»Die Liebesgeschichten im Radio sind auch Lüge.«

»Die kosten aber nichts und halten einen nicht von der Arbeit ab.«

»Na ja, du wirst schon sehen. Angelina.«

»Was.«

»Würdest du nicht gern auf dem Land leben und Hühner halten?«

»Ja.«

»Irgendwann ziehen wir aufs Land. Ich säe Weizen, und du wirst deine Hühner haben.«

»Ach, hör' doch auf mit dem Unsinn, du bist heute den ganzen Tag schon so merkwürdig.«

»Außerdem würde ich dich jetzt am liebsten in die Arme nehmen, und zwar mit Hintergedanken.«

»Um Gottes willen, Gregorio, jetzt reicht es aber. Du denkst immer nur daran.«

»Woran?«

»Das weißt du genau. Jetzt aber Schluß damit. Du treibst es noch soweit, daß ich rot werde.«

Nach zwei Tänzen kehrten sie zu ihren Plätzen zurück. Gregorio wollte gerade Angelinas Mutter auffordern, da ertönte ein gellender Schrei, der ihn auf dem tiefsten Punkt seines Bücklings erstarren ließ.

»Farooониiii!!«

Er erkannte ihn in Gedanken, bevor er sich umdrehte. Es war Elicio. Er sah ihn durch den aufwirbelnden Staub so leichtfüßig und geschmeidig herankommen, wie man es nur in einem weißen Jackett, einem gelben Glitzerhemd und geflochtenen Schuhen vermochte. Ein breites, weltmännisches Lächeln zog sein Gesicht in die Breite, als er, den Tanzenden ausweichend, auf ihn zukam. Gregorio überwand seine Verblüffung und ging ihm instinktiv entgegen, um ihn von der

Neugier der Frauen fernzuhalten. Rückblickend dauerte es an diesem 4. Oktober endlos lange, bis sie jene staubige Fläche überquert hatten, die die sinkende Sonne und die Erinnerung in ein unwirkliches goldenes Labyrinth verwandelten, in dem die Luft deutlich vibrierte und trügerisch hell war, wie eine Fata Morgana.

In der Mitte der Tanzfläche fielen sie sich in die Arme. Elicio trat einen Schritt zurück und musterte ihn von oben bis unten.

»Gregor Hollis«, sagte er, wobei er ihm einen angedeuteten Boxhieb in den Magen versetzte.

»Elik Reno«, antwortete Gregorio mit hochgezogenen Schultern.

Er hatte mit einemmal das (unbequeme, fast unerträgliche) Gefühl, Elicio habe sich kein bißchen verändert: dieselbe Haartolle mit Überschlag, dieselbe Stimme, dieselben Bewegungen, dieselben Kaninchenzähne.

»Elicio, bleibst du ewig sechzehn?« fragte er mit seiner aufgeräumtesten Stimme.

»Na klar!« entgegnete Elicio und hielt den Siegesdaumen in die Höhe. »Paß' auf, Gregor«, und mit dem Ernst in seiner Stimme kam auch der vierzigjährige Mann zum Vorschein, der er in Wirklichkeit war, »ich bin mit ein paar Freunden hier. Komm doch mit uns. Wir rollen die Kirmes auf.«

»Ich kann nicht, ich bin mit Anhang hier«, flüsterte Gregorio, als befänden sie sich in einer Kirche.

»Hast du geheiratet?« fragte Elicio und deutete auf die Frauen.

Gregorio zog sein Lächeln in die Breite und gab den rechten Schwinger zurück, antwortete aber nicht.

Die Menschen um sie herum tanzten immer schneller, vielleicht weil abendliche Frische heraufzog, vielleicht aber auch, weil sie die letzten Tänze besser ausnutzen wollten. Von Staub und Musik umgeben, schauten Gregorio und Elicio sich an und nickten anerkennend mit dem Kopf.

Plötzlich begann Elicio mit schnellen, sicheren Gesten zu erzählen. Gregorio verstand ihn nicht, schaute jedoch gebannt auf seine Hände, die sich in präziser Kunstfertigkeit bewegten, als zöge er unsichtbare Fäden oder forme phantastische Figuren mit dem geschmeidigen Ton seiner Worte. Er war wie ein Schauspieler, aber auch wie ein großer Mann, der mit einem Kind spielt und ihm Bonbons hinter den Ohren hervorzaubert.

»He, und wie ist es dir so ergangen?« fragte er plötzlich. »Weißt du noch, daß du Dichter werden wolltest und ich Gangster? Ich habe immer gesagt: der Gregorio ist ein geborener Dichter, der bringt es zu was. Du schreibst doch noch, oder?«

Gregorio hätte gern den Mund geöffnet und sich gewünscht, daß die Worte von ganz allein hervorgesprudelt wären, wie die unmögliche Musik der Träume. Statt dessen antwortete er:

»Na ja, ab und zu. Was soll ich sagen?« und die Antwort erschien ihm so lächerlich, daß er hinzufügte: »Sapphische Verse«, und dabei ein kurzes, mißtönendes Gelächter ausstieß.

»Und du, was machst du?« fragte er, nachdem er sich geräuspert hatte.

Und wieder begann Elicio so unbegreiflich fließend zu sprechen, unterstützt von seinen eleganten, hypnotischen Gesten. Gregorio verstand soviel, daß er in irgendeinem Tanzlokal mit tropischem Namen Barmann war, daß er Geld verdiente, Streitigkeiten schlichtete und Frauen verführte. Er hatte einen Sohn in dem Alter, in dem sie damals gewesen waren, war aber nicht verheiratet, sondern liiert, und seine Frau war Sängerin. Dann erzählte er von einem cremefarbenen Auto und erklärte, wie die Gänge lagen. »Ich war im Ausland und im Gefängnis, und jetzt, na, siehst du ja, ganz glücklich soweit.« Er trat einen Schritt zurück:

»Mann, Faroni, wie die Zeit vergeht, was? He, du bist dicker geworden, oder? Und die Haare gehen dir aus«, dabei gab er ihm einen leichten Klaps auf die Wange.

Gregorio verteidigte sich mit einem Lachen, das ihm selbst anbiedernd und dumm vorkam.

»Sag' mal, hast du noch kein Buch geschrieben?«

»Noch nicht«, sagte Gregorio, bemüht, die Angelegenheit herunterzuspielen.

»Ich habe zu meinen Leuten immer gesagt: Ich habe einen Freund, der ist Dichter und kommt eines Tages ganz groß heraus. Merkt euch seinen Namen, Faroni, den habe ich ihm gegeben.«

Gregorio fühlte sich beschämt und ganz plötzlich sogar körperlich unwohl.

»Und Alicia?« fragte er mit einer Stimme, die ihm grauenhaft lächerlich klang.

»Die habe ich nie wiedergesehen. Ich glaube, sie hat einen Politiker geheiratet, einen Gouverneur oder so. Weißt du noch, daß du in sie verliebt warst? Und erinnerst du dich noch an Drake, ihren Hund? War das eine Zeit! Mann, komm doch mit uns.« Und wieder versetzte er ihm einen imaginären Boxhieb.

»Ich kann nicht«, antwortete Gregorio schulterzuckend und flüsterte leise jenen seltsamen Namen, Drake, an den er sich seit vielen Jahren vergeblich zu erinnern suchte.

»Mensch«, sagte Elicio, der von fröhlichen Stimmen bedrängt wurde, »komm doch mal vorbei.«

Er ging rückwärts davon und rief:

»Wir haben noch so viel zu erzählen. Und du weißt ja«, schrie er, »Gesundheit, Glück und Liebe. Auf immer, Faroni!«

Er zwinkerte ihm zu, drehte sich um, und mit dem erhobenen Siegesdaumen über der Schulter verschwand er zwischen den Leuten.

Gregorio blieb steif zwischen den Tanzenden stehen und lauschte dem Echo seines früheren Namens, versunken in Erinnerungen, die er endgültig vergessen glaubte und die jetzt wie ein bitteres Aufstoßen wieder nach oben kamen. »Faroni, Drake«, flüsterte er, ohne sich seine jähe, niederschmetternde Wehmut erklären zu können. In diesem Augenblick frischte der Wind auf, und die Luft roch nach Feuchtigkeit. Die Musik beschleunigte den Rhythmus, und die Tanzenden drehten sich wie beflügelt zwischen aufwirbelnden Staubschleiern.

»Gehen wir«, sagte Gregorio düster und lakonisch.

Die Mutter wartete, bis sie weit genug entfernt waren, bevor sie zu zetern begann:

»Halten Sie sich bereit, gleich sind Sie an der Reihe! Halten Sie sich bereit, Señora, wir tanzen! Beißen Sie in den sauren Apfel, Señora! Ich als Witwe, und krank wie ich bin, die Welt am Ende ... da will dieser Mann tanzen. Ein Frevel ist das! Dabei tanzt er schlimmer als eine torkelnde Ente. Und wer war dieser Lulatsch in Weiß?«

»Ein Freund aus Jugendtagen.«

»Jugendtagen! Und wie hat er dich genannt, Meloni oder Peroni?«

»Ach, Jungengeschichten.«

»Höre sich das einer an! Und du hast geglaubt, ich würde tanzen? Ich war wie eine Feder in den Armen meines Mannes, wenn wir in der Osternacht im Offizierskasino tanzten. ›Schenkst du mir diesen Tanz, Prinzessin?‹ Ich weiß es noch genau, es war an einem windigen Tag wie heute. Ich trug ein wundervolles lachsfarbenes Kleid mit gebauschtem Saum, einen Mantel mit Fuchskragen und traumhafte Schühchen mit Silberschnallen; das schwarze Haar reichte mir bis zur Taille und wurde von einem goldenen Salamander zusammengehalten, und auf der Stirn trug ich ein Diadem aus funkelnden

Steinen. Wie eine orientalische Prinzessin sah ich aus. Beifall habe ich bekommen, Nelken, Orchideen; Würdenträger haben sich vor mir verbeugt, ›zu Ihren Füßen, Señora, Sie sehen hinreißend aus‹. Ein französischer Marschall verneigte sich und sagte: *›Madam, vu se le esplender.‹* Und mein Mann umfing meine Taille und gab mir das Gefühl, unter den Girlanden dahinzuschweben, als entführe uns der Hauch der Violinen und als sei mein Abendkleid aus reinem Tau.«

Gregorio zerrte Angelina mit sich fort, und die Mutter blieb langsam zurück.

»Habe ich das alles erlebt, um mich jetzt von so einem Früchtchen zum Tanz auf einen staubigen Kirmesplatz bitten zu lassen? Von einem Mann, der nicht einmal Kinder zustande bringt und sich aufführt, als müsse man ihm noch dankbar sein, daß er zu Tanze bittet? Und dann läßt er einen stehen, weil irgend so ein hasengesichtiger Flegel ihn mit dem Spitznamen Meloni oder Peroni ruft; und er natürlich, hehe, auf und davon und eine Dame zum Gespött der Leute stehengelassen. Hast du das gesehen, Angelina, hast du gesehen, mein Kind, wie die Leute mich angestarrt und gelacht haben, wie sie sich mit den Ellbogen angestoßen haben? Und hast du hinterher auch nur ein einziges Wort der Entschuldigung gehört, daß es ihm leid tut, nachdem er sich in aller Ruhe von seinem Kumpan verabschiedet hat? Kein Gedanke! Gehen wir! Das war alles, was er gesagt hat. Gehen wir, für heute bin ich wirklich bedient. Und wie die Leute über mich gelacht haben! Höhnisch gekichert haben sie! Ich allein weiß, welchen Kreuzweg du mich gehen läßt, Gregorio!«

So ging es in einem fort, bis sie die Kirmes hinter sich gelassen hatten und das ansteigende Gelände hinaufgingen. Als sie oben angekommen waren, drehten sie sich um und warfen noch einen letzten Blick auf die Kirmes. Lichter kreisten, und man vernahm das dumpfe Dröhnen der Musik.

»Soviele Lichter«, sagte Angelina. »Es sieht aus wie Bethlehem.«

»Lichter?« keifte die Mutter, »wo siehst du denn Lichter? Oh, mein Gott, ich werde blind! Ich sehe nichts!«

Gregorio hatte das Gefühl, mit jeder Bewegung, jedem Wort oder jedem Gedanken tiefer in ein Unbehagen einzusinken, das sich zur Übelkeit auswuchs. Er versuchte, sich an irgendein Vorkommnis aus früherer Zeit zu erinnern, an irgendeinen der Namen, die er seit so vielen Jahren vergessen hatte, doch alles, was er sah, war der Teufel mit Umhang und Narbe, der anmutig auf einem Karussellpferdchen saß.

»Zur Kirmes, zur Kirmes!« schimpfte Angelinas Mutter außer sich.

In dieser Nacht hörten sie, wie der Wind Papierfetzen in die Korridore wehte, Türen schlagen ließ und an den Fenstern zerrte. Dann wurde es still, und gleich darauf, wie nach einem kurzen Zögern, das alle Menschen und alle Dinge mit einschloß, begann es in dünnen Fäden stetig zu regnen.

KAPITEL VII

Es regnete bis November, fast jeden Tag, und die Welt nahm die verhangene Durchsichtigkeit eines herbstlichen Morgens an.

»Das ist die Sündflut«, sagte die Mutter. Angelina unterbrach ihre Arbeit und schaute nach draußen. Ja, es regnete, und eine Zeitlang drehten beide ihre Köpfe in eine Richtung, um es regnen zu sehen. Gregorio fragte sich, wer wohl zuerst seufzen würde. Um die Ungewißheit jedoch nicht zu lang werden zu lassen, seufzte er selbst, und es entfuhr ihm ein so schroffer Seufzer, daß die Mutter diese Anmaßung einer von ihr so virtuos zelebrierten Schmerzensregung mit einem strafenden Seitenblick bedachte. Sogar das Hündchen erschauerte, als es die Richtung seines Traums verloren sah. Das ungute Gefühl, das sich seiner nach der Begegnung mit Elicio bemächtigt hatte, wurde zu einer beklemmenden Last, und jeder Spiegel, in den er schaute, zeigte ihm das unveränderte Gimpelgesicht, das er am ersten Tag des Regens aufgesetzt hatte.

»Ich bin erkältet«, jammerte Gil im Oktober. »Ich rufe Sie von einer Bahnstation an, über mir tropft es, und die Tropfen fallen mir genau in den Nacken. Ich bin bis auf die Haut durchnäßt und stehe in einer Pfütze.«

»Dann treten Sie doch zur Seite«, sagte Gregorio.

»Kann ich nicht, das Kabel ist zu kurz, und dies ist das einzige Telefon im Dorf. Außerdem haben sich alle Straßen hier in Schlammlöcher verwandelt, und die Post kommt nicht mehr durch, stellen Sie sich die Situation vor.«

»Der Regen hört sicher bald auf.«

»Ja, aber versetzen Sie sich einmal in meine Lage. Um fünf Uhr wird es dunkel, und wo geht man dann hin? Es bleibt einem gar nichts anderes übrig, als zur Pension zu gehen. Aber die Zimmer sind eiskalt, und der Wind pfeift durch die Türritzen. Und in der Küche sind immer Frauen, die sich laut unterhalten.«

»Das ist doch nichts Schlechtes, Gil.«

»Sie sprechen sehr laut«, sagte er, mit erhobener Stimme seine Klage bestätigend. »Da man hier nichts zu tun hat, gehe ich früh schlafen und wache natürlich auch früh auf. Und kaum bin ich wach, höre ich sie schon wieder sprechen. Wann schlafen diese Frauen eigentlich?«

»Lenken Sie sich ab. Lesen Sie, gehen Sie spazieren oder ins Kino.«

»Spazierengehen nicht. Glauben Sie, ein Handelsvertreter geht in seiner Freizeit spazieren? Kinos gibt es kaum, und was das Lesen angeht, so ist das Licht immer sehr schlecht, und manchmal schalten sie um neun den Strom ab. Und wie ich Ihnen schon sagte, die Post kommt nicht mehr. Höchstens noch so ein Viehzüchterblättchen aus der Gegend. Alles in allem eine Katastrophe.«

»So schlimm wird es schon nicht sein.«

»Eine Katastrophe, Señor Olías, ich weiß, wovon ich rede. Diese Dinge versteht man in der Stadt nicht. Dazu muß man hier mit den Füßen in der Pfütze unter einer tropfenden Regenrinne stehen. Señor Olías!« schrie er.

»Ja, bitte.«

»Jetzt ist in diesem Regen ein Hund vorbeigelaufen.«

»Ein Hund? Na ja, und?«

»Nun, nichts. Er ist einfach über die Schienen gelaufen. Ist kaum noch zu sehen.«

Gregorio lehnte sich in seinem Bürostuhl zurück und wußte nicht, was er sagen sollte.

»Señor Olías!«

»Ja, bitte.«

»Darf ich Sie um einen Gefallen bitten?«

»Selbstverständlich.«

»Würden Sie mir wohl sagen, ob im Oktober etwas Wichtiges passiert ist in der Welt?«

»Nun, ich denke schon«, antwortete Gregorio.

Gil, der entschlossen war, sich von Gesprächspausen nicht entmutigen zu lassen, wartete ab.

»Es hat ein Erdbeben mit tausend Toten gegeben und eine Revolution mit zweitausend«, erinnerte sich Gregorio im Radio gehört zu haben.

»Wo?« drängte Gil.

»Ich glaube in Indien.«

»Sehen Sie? Von solchen Dingen erfährt man in dieser Einöde nichts. Die Straßen sind in einem so unmöglichen Zustand, daß die

Post kaum durchkommt. Und ich bin gerne gut informiert. Ein schlecht informierter Mensch ist wie ein Tier, wie dieser Hund, der hier gerade vorbei lief. Aber in der Provinz, über was kann man sich da informieren, was man nicht längst weiß?«

Er kam der Offensive einer weiteren Pause zuvor.

»Würde es Ihnen was ausmachen, mich ab und zu davon zu unterrichten, was in der Welt passiert?«

Gregorio blickte bestürzt ins trübe Herbstlicht hinaus.

»Aber, gibt es bei Ihnen denn kein Radio?«

»Hier gibt es so gut wie keine Radios. Außerdem empfängt man die Sender nur schlecht. Um wirkliche Neuigkeiten zu erfahren, muß man in der Stadt leben, das wissen Sie besser als ich. Hier kommen nur zweitklassige Nachrichten an, die Überbleibsel sozusagen, wenn sie überhaupt ankommen; während man bei Ihnen bloß auf die Straße gehen und die Ohren spitzen muß, um die neuesten Nachrichten zu erfahren, stimmt's? Die Stadt ist wie ein offenes Buch.«

Gregorio war fassungslos.

»Das ist absurd«, sagte er.

»Was? Wieso? Wo sonst erfährt man denn was? Wo sind die Regierungen, die Universitäten, die Gelehrtenvereine, die Museen, die Flughäfen und die Niederlassungen der großen Firmen? Wo kommen die wirklichen Neuigkeiten denn zustande?«

»Nun, überall. Na und?«

»Sagen Sie lieber«, erklärte Gil mit bitterer Stimme, »daß Sie mir nichts erzählen wollen.«

Den Worten folgte ein ersterbendes Röcheln.

»Um Gottes willen, Gil, das stimmt doch nicht. Das stimmt wirklich nicht.«

»Dann ... macht es Ihnen nichts aus, mich auf dem laufenden zu halten?« fragte er zaghaft.

Gregorio spielte mit dem Bleistift und versuchte Zeit zu gewinnen, doch Gil hinderte ihn, indem er drängend mit nasaler Stimme vom anderen Ende schrie:

»Macht es Ihnen nichts aus?«

»Aber ... was soll ich Ihnen denn erzählen?« ächzte Gregorio.

»Was Sie wollen, alles, was man so hört. Das ist kein Problem.«

»Aber ich höre doch nichts!«

»Doch, Sie hören, Señor Olías, Sie hören sehr wohl. Sie wollen einem armen Vertreter nur diesen Gefallen nicht tun, das ist es. Entschuldigen Sie bitte, daß ich Sie damit belästigt habe.«

»Gil«, sagte Gregorio, von solch bescheidener und bedrohlicher Hartnäckigkeit entwaffnet, und seine Stimme klang unendlich niedergeschlagen, »sagen Sie mir, was ich tun soll.«

»Dann tun Sie es?«

»Ja, aber sagen Sie mir, was.«

»Aber das wissen Sie doch. Wie soll ich Ihnen das erklären? Mir berichten, was in der Welt so passiert, sonst nichts.«

»Ich will mein bestes tun«, flüsterte Gregorio.

»Señor Olías«, Gil war gerührt. »Ich wußte, daß Sie es mir nicht abschlagen würden. Ich wußte es. Sie sind ein großherziger Mensch, und ich biete Ihnen das einzige, was ich habe: meinen ewigen Dank.«

Von diesem Tag an bat Gil unentwegt um die neuesten Nachrichten aus aller Welt, und Gregorio erzählte ihm von einem Vater, der seinen Sohn mit dem Messer erstochen hatte, von einem Schiff, das auf ruhiger See gesunken war, von einem Wissenschaftler, der die drahtlose Bildübertragung perfektioniert hatte, von einem Affen, der in den Weltraum geschossen werden sollte, und von einem Mann, der dreiundsiebzig Stunden am Stück gesprochen hatte, ohne eine einzige Pause.

»Das nenne ich Neuigkeiten!« jubelte Gil jeden Montag und Donnerstag. »Sie atmen den Geist der Großstadt, sie tragen die unverwechselbaren Zeichen des Fortschritts.«

So berichtete er ihm weiterhin von allen möglichen Vorkommnissen, da er annahm, daß Gil in seiner Einsamkeit dieser Elixiere bedurfte. Die neue Beschäftigung weckte seine Lebensgeister. Noch nie hatte ihm jemand so andächtig dafür gelauscht, daß er so wenig gab. Also verpflichtete er sich im Gegenzug, seine Erwartungen nicht zu enttäuschen. Er fing an, Zeitungen zu kaufen, und las sie jeden Abend auf der Suche nach Neuigkeiten durch. Er war der erste, der sich von all den außergewöhnlichen Ereignissen in der Welt gefangennehmen ließ, und er fragte sich, wie er so lange Zeit vor diesen täglich neuen Wundern die Augen hatte verschließen können. Angelina und ihre Mutter saßen derweil unter der Kirschenlampe und stickten und warfen ihm bisweilen erstaunte Blicke zu ob seiner neuen Manie. Es gab Schlagzeilen, die verwarf Gregorio, und andere unterstrich er: *Boykott der Lastwagenfahrer, Papst mahnt die Gläubigen, Mann beging mit Draht Selbstmord, Panik im Orient,* und sie vermischten sich mit dem Gemurmel der Frauen: »Du solltest dir einen Mantel kaufen«, »ach, Gott, wie lange ist das schon her«, »zwei Knoblauchzehen in einem Mörser zerstoßen«, »meine Augen lassen von Stunde zu Stunde nach«.

Gil nahm die Neuigkeiten mit ernster Erwartung entgegen: in den Großstädten entschied sich das Schicksal des Jahrhunderts, hingegen man in der fernen Provinz eine unveränderliche Gegenwart lebte, deren trivialste Erscheinungen dazu neigten, sich aufs lächerlichste aufzublasen. Aus allen Fenstern aller Pensionen schaute man auf immer denselben Platz, auf dem Männer, die ihr Körpergewicht stets auf ein Bein verlagerten, stumpfsinnig auf die Ankunft irgendeines Lieferwagens warteten. Ab und zu verlagerten sie ihr Gewicht auf das andere Bein, klapperte ein Storch, bellte ein Hund, schlug eine Glocke die Stunde. »Hier kann man mit keinem reden«, klagte Gil, »wenn ich es versuche, wechselt er aufs andere Bein und grinst, als wollte er sagen, was geht es uns an, was in der Welt passiert.«

»Hier, Señor Olías«, sagte er an einem Montag, »erfährt man überhaupt nichts.«

»Was heißt, erfährt man überhaupt nichts. Nachrichten dringen überall hin.«

»Es ist, wie ich gesagt habe. Sie in der Stadt wissen gar nicht, was diese gottverlassene Wildnis ist. Nur als Beispiel: wie viele Kriege schätzen Sie, gibt es zur Zeit auf der Erde?«

»Nun, ich weiß nicht.«

»Ungefähr.«

»Mindestens hundert.«

»Hundert! Sehen Sie! Hier, wenn es hoch kommt, wissen wir von einem oder von zweien. Ist das nicht eine Schande? Von den Erfindungen ganz zu schweigen. Von all den wunderbaren Dingen, die Tag für Tag erfunden werden, von den großen Ideen, die große Männer täglich haben, und hier erfährt man von alledem nichts, kein Wort! Hier kommt der Fortschritt nicht hin, Señor Olías. Und von den Nachrichten auch nur solche, die für die Stadt nicht gut genug sind. Señor Olías!«

»Ja, bitte.«

»Darf ich offen zu Ihnen sein?«

»Selbstverständlich.«

»Entschuldigen Sie, daß ich so offen ausspreche, was ich denke, aber ich glaube, Sie verschweigen mir was. Ich glaube, es gibt Nachrichten, die nur die aus der Stadt kennen, und daß Sie sie mir entweder vorenthalten oder nicht sagen, weil Sie davon ausgehen, daß sie schon bekannt sind. Stimmt's?«

»Um Gottes willen, Gil, fangen wir nicht wieder damit an.«

»Stimmt's?«

»Hören Sie . . .«

»Schon gut, Sie brauchen mir nichts zu erklären! Ich verstehe vollkommen! Ich will Ihnen auf keinen Fall Umstände bereiten! Ich möchte nur, daß Sie mir hin und wieder erzählen, was Sie mir erzählen wollen. Aber Sie sollen wissen, daß ich es weiß.«

»Daß Sie was wissen?« fragte Gregorio matt.

»Sie wissen schon, was, und ich schweige still. Haben Sie vergessen, daß ich selbst vor vielen Jahren in der Stadt gelebt habe? Ich hatte eine Verlobte, meine Eltern und eine Katze, Señor Olías. In der Stadt. Also, vielleicht geben Sie doch einmal eine dieser großen Nachrichten, von denen wir beide wissen, daß es sie gibt, an mich weiter. Solche, die erst noch geschmiedet werden, die schon in der Luft liegen, die man aber nur in der Stadt schnuppern kann. Verstehen Sie meine Bitte. Montags und donnerstags sage ich mir: heute rufe ich Señor Olías an, und der wird mir alles erzählen, was in der Welt passiert. Und das ist, wenn ich ganz ehrlich zu Ihnen sein darf, meine einzige Freude.«

Gregorio berauschte sich so an den Nachrichten und an seiner Rolle als allgewaltiger Informant, daß er oft bis tief in der Nacht am Radio saß, wie vor vielen Jahren in seiner Kinderzeit. Es gab Sender, die, bei Anbruch des neuen Tages schon, aus fernen Gegenden berichteten und von gänzlich unbekannten Welten sprachen. Und da Gil vor allem nach Neuigkeiten aus fremden Ländern verlangte, die er für das Privileg der Großstadt hielt, berichtete Gregorio ihm bald nur noch aus den Ländern Afrikas und des Fernen Ostens, und je einzigartiger und ausgefallener die Ereignisse waren, desto mehr wußte Gil sie zu schätzen und sich darüber zu wundern. Um seinen Wissensdurst besser befriedigen zu können und auch aus Bequemlichkeit, veränderte er Nachrichten, und andere erfand er. Irgendwann im Januar erfand er einen Krieg, den ›Diamantenkrieg‹, der zwischen den beiden imaginären Ländern Tamarca und Suilán stattfand. Er nannte ihm die Namen der Herrscher (General Bantuka und sein Gegenspieler, der blutrünstige Marschall Fusio, ein massiger, kahlköpfiger Mann, der ein goldenes Monokel trug), und die Namen von Bergen, von Flüssen und Schlachten und auch die der Pakte. Den Kriegsschauplatz, dessen Zentrum die großen Diamantminen waren, legte er in den Urwald, und wenn er spätnachts zu Bett ging, dachte er über den aktuellen Stand der Feindseligkeiten nach, denn seine Erfindung war aufrichtig und chronologisch. Er hatte Partei für Tamarca ergriffen, doch drei Monate lang war der Sieg äußerst ungewiß.

»Wie steht es im ›Diamantenkrieg‹?« fragte Gil stets.

Gregorio informierte ihn in allen Einzelheiten und analysierte die Ereignisse manchmal mit solch frappierender Logik, daß er die Resultate vorhersagen konnte. »Ich fürchte, Marschall Fusio hat sich da eine strategische Blöße gegeben, die ihn teuer zu stehen kommen wird.« Und früher oder später kam sie ihm teuer zu stehen. Gil bewunderte Gregorios Scharfsinn, und seine Achtung vor ihm wuchs ebenso wie seine Dankbarkeit.

»Hier hat man weder von diesen Ländern noch von dem Krieg je was gehört; damit Sie nicht wieder sagen, Nachrichten kämen überall hin. Das einzige, was es hier gibt, Señor Olías, sind Dummheit und Hochmut. Wie die Dinge stehen«, sagte er an einem Donnerstag im März, »gibt es hier einige, die immer noch daran zweifeln, daß die Erde rund ist.«

Gregorio, der dieser schulischen Selbstverständlichkeit stets gewisse Vorbehalte entgegengebracht hatte, glaubte sich in der unausweichlichen Pflicht, laut lachen zu müssen.

»Na, wie sollte sie denn sonst wohl sein?« fragte er, und das Lachen blieb an seinen Zähnen hängen.

»Flach, sagen sie. Ich sage zu ihnen, daß sie von oben gesehen rund aussieht, aber sie treten nur von einem Fuß auf den andern und lächeln mich an, als wollten sie sagen, was bedeutet das schon. Sagen Sie, wenn ich mir die Frage erlauben darf, sind Sie schon einmal mit einem Flugzeug geflogen?«

Und noch bevor er ihm Zeit für eine Antwort ließ, fügte er hinzu, »ach, was frage ich, natürlich«, und bevor Gregorio irgend etwas richtigstellen konnte, sagte er: »Sehen Sie? Das wußte ich. Und wie ist das?«

»Wie ist was?«

»Das Flugzeug. Hat man da Angst?«

»Nein, da merkt man nichts«, sagte Gegorio, der sich nicht traute, Gil zu widersprechen.

»Kaum zu glauben, daß sich so ein Ding in der Luft halten kann.«

»Das ist ein einfaches physikalisches Gesetz«, sagte er und begann, die Blütenblätter einer Blume zu malen.

»Klar, weiß ich ja. Nur, hier draußen verdummt man, weil man keinen hat, mit dem man sprechen kann. Aber Sie in der Stadt haben doch sicher Freunde, mit denen Sie alles mögliche besprechen können, nicht?«

»Na ja . . .«, räumte Gregorio sehr abstrakt ein.

»Und sonst, wie sieht es in der Stadt aus? Gibt es da immer noch die Gelehrtenvereine und Künstlercafés?«

»Was, bitte?«

»Die Cafés.«

»Die Cafés?«

»Ja, das wissen Sie doch, die Künstlercafés.«

»Nun ja, ich glaube schon.«

»Aber sind sie noch so wie früher, wie vor zwanzig Jahren?«

Gregorio, der gerade ein Haus malte, mit einer Kuh vor der Tür, sagte, Wissenschaft und Kunst seien ohne Alter. »Der Mensch stirbt, das Werk bleibt«, sagte er; »Zeit ist nur eine Illusion.« Gil seufzte:

»Wie gut Sie sich ausdrücken können. Und sagen Sie, Señor Olías, glauben Sie, daß die Wissenschaft die Welt vor dem Untergang rettet?«

»Die Wissenschaft und die Kunst, Gil, die Wissenschaft und die Kunst.«

»Ja, auch die Kunst«, zwitscherte Gil. »Als Kind wollte ich immer Chemiker und Denker werden. Aber Sie sehen ja selbst, jetzt werde ich bald vierzig und bin Vertreter für Wein und Oliven. Manchmal denke ich, es ist noch nicht zu spät, aber hier draußen, was kann man hier schon tun.«

So begann er zwischen aufgegebenen Bestellungen und empfangenen Nachrichten Episoden aus seinem Leben einzustreuen, die das Herz bluten ließen. Seit mehr als zwanzig Jahren lebte er jetzt fern der Stadt, aber diese Zeit hatte sich mit all seinen Erinnerungen und unerfüllten Jugendträumen multipliziert, so daß er von der Vergangenheit wie von einem geliebten Wesen sprach, das schon gestorben war. Und als die Straßen wieder trocken geworden und alle Vorwände erschöpft waren, trat hell und klar seine wahre Absicht zutage. Gil wollte in allen Einzelheiten erfahren, wie die Stadt sich in den letzten zwanzig Jahren verändert hatte.

»Wissen Sie, ich kenne die Stadt nur unzureichend«, sagte Gregorio.

»Ich verstehe schon«, jammerte Gil gleich los. »Es ist nur gerecht, daß ein Mann, der in der Stadt lebt und schon in einem Flugzeug geflogen ist, nichts mit einem Vertreter wie mir zu tun haben will. Es ist nur recht, und ich akzeptiere das. Ich sage Ihnen: Señor Olías, verachten Sie mich, denn es geschieht mir recht, daß Sie mich verachten«, und seine Stimme versiegte.

Gleich darauf unterhielten sie sich angeregt über die Stadt.

»Sie muß mächtig gewachsen sein seit damals.«

»Na klar.«

»Sie muß riesengroß sein.«

»Natürlich. Aber es gibt Straßenbahnen und schnelle Autos.«

»Der Fortschritt.«

»Vielleicht.«

Er fragte nach einem großen Brunnen, den Gregorio nicht kannte. Aus Mitleid erzählte er ihm, man habe ihn abgerissen und an anderer Stelle wieder aufgebaut.

»Und was steht jetzt an seiner Stelle?« fragte Gil mit einem Kloß im Hals.

»Nageln Sie mich nicht darauf fest, aber ich glaube, ein Observatorium.«

Mit der verwegenen Rücksichtslosigkeit, zu der die Unwissenheit zwingt, befriedigte er Gils Neugier in allen Punkten. Gils Erinnerungen waren so vage, seine Wißbegier so groß, und so niedergeschlagen war er von der Wehmut seiner Abwesenheit, daß Gregorio sich seiner Erfindungen absolut sicher war und einen Ton anschlug, der keinerlei Zweifel zuließ. Noch nie hatte er so selbstsicher gesprochen, so fließend, daß es ihn daran erinnerte, wie Elicio auf der Kirmes zu ihm gesprochen hatte, und es ihm schien, seine Worte sprudelten wie Wasser aus dem Löwenmaul eines Brunnens hervor. Gil sprach von einem Park, in dem er einmal unter winkenden Tüchern einen Heißluftballon hatte aufsteigen sehen; Gregorio erwiderte, es sei jetzt nicht ungewöhnlich, an Sonntagnachmittagen ein halbes Dutzend Zeppeline über der Stadt gemächlich ihre Bahn ziehen zu sehen; Gil erzählte von einer Musikkapelle, die abends in einem Pavillon gespielt hatte, und Gregorio sagte, es gebe jetzt viele Musikkapellen und viele Pavillons in der Stadt. Die Museen, Theater oder Denkmäler, die Gil gekannt hatte, existierten entweder nicht mehr, oder waren Bauwerken anderer Nutzung gewichen. Er dehnte die Stadt aus, soweit er konnte, malte die Straßenbahnen rot an, errichtete Wolkenkratzer, dachte sich Tunnel und Hängebrücken aus, baute Monumente und gründete ein Museum, das er ›Museum des Fortschritts und der Neuen Dinge‹ nannte. Er war von seiner eigenen Fiktion so begeistert, daß er manchmal den Wunsch verspürte, selbst einmal die Stadt zu erkunden, in der er seit mehr als dreißig Jahren lebte, ohne viel mehr von ihr gesehen zu haben als das Viertel, in dem er wohnte. Eines Nachmittags wäre er beinah auf eine Straßenbahn gesprungen, um sich davon zu überzeugen, wie weit seine wunderbaren Erfindungen der Wirklichkeit entsprachen. Um seine überschwengliche Einbildungskraft zu zügeln und auch seine Bedenken etwas zu glätten, begnügte er sich jedoch damit, einen Stadtplan und einen Bildband für Touristen zu kaufen. Als Gil wieder anrief, lagen sie bereits aufgeschlagen vor ihm, zusammen mit einer Zeitung voller Unterstreichungen und allen Neuigkeiten in geordneter Reihe. Er antwortete nicht nur geläufig auf alle Fragen, sondern drang, ohne daß es ihm recht bewußt wurde, ins Reich der Nuancen und Zwielichtigkeiten vor. Wo eine Straße endete, führte er sie bis an den Rand seines Stadtplans weiter oder löste sie in einem Labyrinth von Gassen auf; wo er Plätze und freie Flächen sah, errichtete er Türme und Denkmäler, und auf dem Gelände der Kirmes zwei Pyramiden und eine Zikkurat. Den Straßen gab er neue Namen, die Plätze verlegte er an andere Stellen, die Parks gestaltete er neu, und er änderte sogar den Lauf des Flusses, den er mit sehr viel Einfühlungsvermögen schiffbar machte und mit Jollen, Barkassen und Lastkähnen bevölkerte, die den Himmel mit dem dumpfen Tuten ihrer Signalhörner ganz benommen machten. Geleitet wurde er dabei stets von einem Gefühl wohlfeilen Mitleids, da er schnell eingesehen hatte, wie wenig es ihn kostete, Gil zu beglücken und ihn, montags und donnerstags, in seiner selbstgemachten Utopie zu bestärken. Und da Gil nicht nur alle Wunder für bare Münze nahm, sondern sie im Namen des Fortschritts, der Nostalgie und des fügenden Schicksals forderte, erkannte Gregorio bald, daß der Mensch sich leicht von dem überzeugen läßt, was ihm gelegen kommt, sofern eine andere Person ihn in seiner Argumentation unterstützt. Oder, was das gleiche ist: daß zwei solidarische Meinungen eine Überzeugung bilden.

Eines Tages im Mai erzählte ihm Gil von der Straße, in der er während seiner urbanen Zeit gewohnt hatte.

»In einem fünfstöckigen Haus, ziemlich im Zentrum.«

Gregorio schaute auf den Stadtplan.

»Da ist jetzt ein Park«, sagte er und malte einen Kreis.

»Ein Park?«

»Ja, ich glaube, ein Park. Mal sehen. War da nicht ein Platz mit einer Kirche?«

»Sankt Hilarius.«

»Ja, da ist jetzt ein Park, und wo die Kirche stand, ist jetzt ein Theater, das ›Olympia-Theater der Künste‹ glaube ich.«

Eine lange Pause entstand, und man hörte das Knistern der Telefonie. »Das ist genau das, was Gil von mir hören will.« Und so folgten sie, der eine mit dem Gedächtnis, der andere mit dem Bleistift, den Wegen, die Gil früher gegangen war und stellten fest, daß auch sie nicht mehr wiederzuerkennen waren.

»Ich habe schon gefürchtet, daß die Stadt sich seit damals sehr verändert hat.«

»Der Fortschritt«, ließ Gregorio vermuten.

»Sehr richtig, und ich verkaufe unterdessen in der Provinz Oliven. Sagen Sie selbst, daß das schändlich ungerecht ist.«

»Aber ich erzähle Ihnen das alles doch nur, damit Sie wieder Mut fassen!« protestierte Gregorio.

»Ich versuche es ja, Señor Olías, aber verstehen Sie, wir leben nur einmal, und für unsere Irrtümer zahlen wir ewig.«

»Irrtümer sind das Salz des Lebens«, log Gregorio. »Wir sind Menschen, vergessen Sie das nicht.«

»Klar, natürlich«, hörte man von ferne. »Eben darum beklage ich mich ja.«

Jeden Abend löschte Gregorio die Lichter, ging über den Sandpfad zur Pforte und trat, jegliche Einladung zu Gewissensbissen ablehnend, den Heimweg an. Eher überrascht als besorgt, dachte er, die Zeit werde schon dafür sorgen, daß der Irrtum sich aufkläre. Dennoch gab es Momente, in denen er die Gefahr so deutlich vor sich aufdämmern sah, daß es ihm in den Magen fuhr und er sich vom blanken Entsetzen in die Luft gehoben fühlte. Falls Gil eines Tages die Wahrheit erfuhr, was sollte er ihm dann sagen? Er sagte sich, daß seine Lügen, gemessen an den Zeitungsnachrichten, kaum als Lügen zu bezeichnen waren und daß die Städte so schnell ihr Gesicht veränderten, daß eine Beschreibung, die gestern richtig war, heute falsch sein konnte. Es gab so viele Möglichkeiten, eine Lüge zu rechtfertigen! Er könnte ihm zum Beispiel sagen, alles sei nur ein Scherz gewesen, er könnte sich irre stellen, oder er könnte behaupten, ihm eine künstlerische Version der Stadt geliefert zu haben, denn schließlich (und wie er Gil kannte, wäre dieses Argument absolut unschlagbar) sei er Dichter und sehe die Welt mit den Augen eines Dichters. Oder er würde ihn daran erinnern, daß er, Gil, selbst es gewesen war, der den ganzen Schwindel angestiftet hatte mit seiner Manie, um Neuigkeiten zu betteln, sie im Namen des Schwächeren buchstäblich einzuklagen. Was ihn jedoch am meisten vor der Wahrheit zurückschrecken ließ, war die drohende Zerstörung jenes Bildes, das Gil sich von ihm gemacht hatte und das so etwas wie die Inkarnation seiner Jugendträume war. Seit der Begegnung mit Elicio verzehrte er sich nämlich nach seiner Jugend, obschon er sich nur undeutlich an sie erinnerte, wie an ein Lied, dessen Melodie man vergessen hat, das aber in der Erinnerung lebt und mit Empfindungen und Gegenständen aus jener Zeit verbunden ist, in der man es gehört und gesungen hat, so wie es ihm selbst mit der *Habanera* erging. Also beschloß er, ebenso erwartungsvoll wie furchtsam, es der Zeit zu überlassen, das Mißverständnis zu klären.

Im Hochsommer schon tat Gil dann einen weiteren Schritt in Richtung auf das wahre Objekt seiner Begierde. An einem Tag im Juli fragte er, als käme es ihm gerade zufällig in den Sinn, nach einem bestimmten Café.

»Wissen Sie, wenn ich mich recht entsinne, hatte es eine Drehtür. Es hieß Hispano Express. An Samstagen war ich manchmal dort. Das erste Mal nahm mein Vater mich mit. Es gab dort immer viele Künstler und Gelehrte, die den ganzen Nachmittag miteinander redeten. Ich bin natürlich nie hineingegangen.«

»Und warum nicht?« fragte Gregorio neugierig.

»Ich habe mich nie getraut. Aber wir waren dort immer vier oder fünf, die durch die Fenster geschaut haben. Es gab da eine Rednerecke, mit Spiegeln an den Wänden. Der Redner stand an der Säule, und die andern saßen um ihn herum. Ich erinnere mich auch noch an ein Stilleben mit Früchten und Fasanen und an einen Philosophen, der klapperdürr war und Goldzähne hatte. Der war phänomenal.«

»Und warum sind Sie nicht hineingegangen?«

»Wie sollte ich denn da hineingehen? Ich war noch jung und habe studiert; ich wollte auf eigene Kosten das Abitur nachholen. Verstehen Sie, ich hatte doch kein Recht, da hineinzugehen, ich hätte mich wie ein Eindringling gefühlt. Da drinnen waren nur Akademiker, müssen Sie sich vorstellen, die kannten sich alle. Außerdem stellte der Redner manchmal Fragen. Das war wie ein Club. Es gab da noch andere«, fuhr er nach einer Pause fort, »die trauten sich weder, hineinzugehen noch einen Blick durch die Fenster zu werfen. Hineinzugehen schien ihnen zuviel, und zu spionieren war ihnen zu wenig, und so spazierten sie auf dem Gehweg hin und her, als ginge sie das alles gar nichts an. Uns, die wir durch die Fenster spähten, haben sie mitleidig angeschaut, und denen, die eintraten, blickten sie neidisch hinterher, das war zumindest mein Eindruck. Ich weiß auch noch, daß die Sofas rot waren.«

Gregorio, der seine Neugier in ein Gewand wohlgefälliger Verwunderung hüllte, fragte:

»Und was hatten Sie davon, nur durchs Fenster zu spähen?«

»Da fragen Sie? Die größten Gelehrten des Landes waren da versammelt, das müssen Sie sich einmal vorstellen: Wissenschaftler, Erfinder, Philosophen, Dichter ... Ich habe nie erfahren, über was sie gesprochen haben, aber allein schon dadurch, daß man sie mit ihren von der reinen Vernunft getragenen Bewegungen gestikulieren sah, hat man viel gelernt. Man konnte sich in die Atmosphäre einfinden und auf den Tag vorbereiten, an dem man mit eigenem Recht selbst dort eintreten durfte. Außerdem natürlich die Neugier und die Bewunderung. Besser am Fenster als überhaupt nicht, oder?«

Gregorio war verwirrt.

»Hören Sie mich?«

»Ja, ich höre Sie.«

»Gibt es dieses Café noch?«

Er schaute auf das leere Grundstück. Auf der Rückseite des Gebäudes glitt das Fahrstuhlgewicht still nach unten.

»Natürlich, wenn es das ist, das ich meine.«

»Dann existiert es also noch?« drängte Gil.

»Ja, es heißt jetzt Café der Essayisten«, und er sagte sich: »ich tue es aus Mitleid«.

»Café der Essayisten!« rief Gil konsterniert. »Aber es ist doch noch da, wo es früher war, oder?«

»Ich glaube.«

»Und das Stilleben, die Wandspiegel und die Säulen, sind die auch noch da?«

Gregorio, der jedes Gefühl für Gefahr verloren hatte und sich wie von einer Vision inspiriert fühlte, antwortete:

»Nun, die Spiegel und die Säulen schon, aber die Sitze sind jetzt grün, und anstelle des Stillebens hängt dort jetzt ein Leuchtturm am Meer.«

»Das Licht des Fortschritts!« brach es aus Gil heraus.

Beide verharrten in stummer Bewunderung.

Das war an einem Donnerstag. Am Montag darauf, kaum, daß er seine Bestellung diktiert hatte, sagte Gil:

»Dann«, und räusperte sich umständlich, um auf die Einfalt seiner Worte schon mal einzustimmen, »kennen Sie also das Café der Essayisten, vormals Hispano Express.«

Gregorio hatte sich in den Tagen zuvor entschlossen, begangenes Unrecht wiedergutzumachen und dabei an den Sinn für Humor zu appellieren, doch aus Furcht oder im Sog einer Anziehungskraft, wie sie Abgründen eigen ist, bejahte er.

»Jeder in der Stadt kennt das Café«, rechtfertigte er sich.
»Aber nicht jeder weiß, daß man sich dort zu kulturellen Veranstaltungen trifft, daß die Stühle grün bezogen sind oder daß dort ein Bild von einem Leuchtturm am Meer hängt.«
»Nun, das weiß ich vom Hörensagen.«
Gil gab seiner Stimme einen fernen, schmerzlichen Klang.
»Sie sind zu mir nicht aufrichtig, Señor Olías, verzeihen Sie die Direktheit.«
»Ich?«
»Ja, Sie. Sie haben Mitleid mit mir und wollen mich glauben machen, Sie seien ein ganz gewöhnlicher Mensch wie ich.«
»Das bin ich«, sagte Gregorio nicht ohne Widerwillen. »Ich bin ein ganz normaler Mensch, ein Angestellter wie Sie.«
»Darf ich ganz aufrichtig sein?«
»Selbstverständlich«, sagte Gregorio erbebend.
»Sie, Señor Olías, haben ein Geheimnis.«
»Ich?«
»Ja, ein Geheimnis. Aber Sie sollen wissen, daß Sie mir vertrauen können. Ich bin ein Ehrenmann.«
»Aber, ich weiß wirklich nicht, was ich Ihnen sagen soll!«
»Und ich sage Ihnen, daß ich ein Ehrenmann bin. Noch nie hat es jemand bereut, mir vertraut zu haben; noch nie! Lassen Sie mich Ihnen sagen, daß ich ein grundanständiger Mensch bin.«
»Aber wenn ...«
»Sie vertrauen mir nicht, das höre ich, und das beleidigt mich und tut mir weh. Sie, Señor Olías, schätzen mich nicht. Sie verachten mich. Aber ich akzeptiere das und schweige.«
»Also, jetzt mal langsam, Gil«, sagte Gregorio und bemühte sich, mit Geduld und mit der Kante seiner rechten Hand Ordnung in die Sache zu bringen. »Was für ein Geheimnis könnte ich haben?«
»Daß Sie in dem Café verkehren, ist klar. Das spüre ich, und sagen Sie mir nicht, daß es nicht stimmt, denn auf mein Gefühl kann ich mich verlassen. Sie verkehren im Café, stimmt's?«
Gregorio hörte die Tauben auf dem Oberlicht, sah das Gegengewicht des Fahrstuhls und seine Schreibtischutensilien, und es war, als sagten alle: »Komm, Gregorio, es hat doch keinen Zweck, nein zu sagen, hab' keine Angst, wir sind auf deiner Seite und werden dir beistehen. Und außerdem, Gil würde dir ohnehin nicht glauben. Gestehe deine Niederlage ein, und wenn es nur aus Mitleid ist. Welche Bedeutung kann es denn haben, ob jemand in ein Café geht oder

nicht, und wenn es noch so vornehm ist?« Er sah die Wolken vorüberziehen, und mit einem Mal schien ihm die Welt wie ein unschuldiger Ort, an dem Gefahr nicht existiert, und sein Gespräch mit Gil wie ein kindisches Spiel mit dummen Fragen und gedankenlosen Antworten. Und so lehnte er sich in seinem Bürostuhl zurück, bis er bequem genug saß, um sich ins Unvermeidliche zu fügen: »Sie haben mich enttarnt«, sagte er, und seine Stimme klang männlich und spöttisch wie die seiner Kinohelden.

»Sehen Sie? Ich habe es gewußt. Ich habe es gewußt! Und gehen Sie oft?« fragte Gil mit ohnmächtig werdender Stimme.

»Ab und zu.«

»Und, Sie gehen natürlich hinein.«

»Nun . . . klar.«

»Und da drinnen haben Sie Freunde, nicht wahr?«

»Ein paar.«

»Und Sie kennen auch die Redner.«

»Na ja, das übliche, wie alle andern auch.«

»Und Sie, ich meine, verzeihen Sie, warum gehen Sie dort hin?«

Die nachfolgende Stille war so bedeutsam, daß Gregorio in ihr die unerträglich drohende Gefahr erahnte, die er durch seine Leichtfertigkeit und durch Gils und aller Dinge Beihilfe auf sich zog. Ohne rundheraus zu lügen, hätte er sagen können, er sei Dichter oder sogar Ingenieur, und einen Moment lang war er versucht, es auch zu tun, die Worte drängelten sich schon auf seinen Lippen, doch er fürchtete sich davor; und die Scham über seine Furcht erfüllte ihn mit einem undeutlichen, verworrenen Ärger auf Gil. Daher sagte er: »Hören Sie, Gil, nehmen Sie es mir nicht übel, aber das sind persönliche Dinge, und es lohnt sich auch gar nicht, darüber zu reden. Wir können uns über alles mögliche unterhalten, aber nicht über mein Leben. Einerseits, weil es uninteressant ist, andererseits, weil ich nicht gern von mir selbst erzähle. Ich weiß nicht, wie ich es Ihnen sagen soll.«

»Schon gut», ächzte Gil, »ich verstehe schon. Entschuldigung, verzeihen Sie«, und dann diktierte er seine Bestellung.

Seit diesem Tag wandte sich Gil mit beinah ehrerbietigem Respekt an Gregorio. Stotternd manchmal, sich räuspernd, stets für seine Aufdringlichkeit sich entschuldigend, dann wieder seine Schüchternheit mit nervösen spitzen Schreien und stockenden Anläufen überwindend, nutzte er jede Frage, um darin all die Zweifel unterzubringen, die ihn seit zwanzig Jahren quälten. Zuerst sprach er vom Ursprung des Menschen und gestand, daß ihm die Vorstellung, von den Affen abzustammen, noch ungewöhnlicher schien als die, von Gott geschaffen zu sein, und daß die Rätsel des Glaubens ihm vertrauter seien als die Erkenntnisse der Wissenschaft. Gregorio, den Ansehen und Autorität in die Kunst der zweideutigen Antworten einführten, verwarf beide Mutmaßungen und erklärte, Gott habe nicht den Menschen, sondern den Affen nach seinem Ebenbild erschaffen und dieser Affe sei, nachdem er den verbotenen Apfel gegessen habe, mit der Zeit ein Mensch geworden, beziehungsweise, als Gott den Affen aus dem Paradies vertrieben habe, habe er zur Strafe einen Menschen aus ihm gemacht, oder er war schon Mensch, und er bestrafte ihn, indem er ihn zum Affen machte und dazu verurteilte, im Schweiße seines Angesichts wieder Mensch zu werden. Er gab noch weitere Hypothesen dieser Art zum besten, die Gil in wunderbares Staunen versetzten und die Dämme seiner Neugier vollends einrissen: Glauben Sie, daß es ein Leben nach dem Tod gibt? Glauben Sie, daß der Mensch einmal zum Mond fliegen wird? Gibt es wirklich außerirdische Lebewesen? Stimmt es, daß man durch die Zeit reisen kann? Kann der Mensch Leben erschaffen? Und Gregorio beantwortete alle Fragen mit Erfindungsgeist und Autorität, und selbst die ausgefallensten Einfälle wurden andächtig aufgenommen, und selbst in den verschwommensten Worten fand Gil den verschlüsselten Kern einer Gewißheit.

»Man muß Sie gar nicht sehen, um gleich zu wissen, daß Sie ein moderner Mensch sind«, sagte Gil oft, und Gregorio schmückte sich dann stets mit effektvollem Schweigen. »Ein moderner Mensch, jawohl«, um nach einer Weile hinzuzufügen, »mit einem Geheimnis, das er keinem Menschen verrät.« Denn seit dem Tag, an dem er von seinen Besuchen im Café erfahren hatte, interessierten ihn die Nachrichten aus der Welt und aus der Stadt weit weniger als die das Leben seines Informanten betreffenden, unter dessen Ägide die Stadt sich so verändert hatte, daß er sie überhaupt nicht mehr wiedererkannte.

Oft genug versuchte er daher, ihre Gespräche in den persönlichen Bereich zu lenken, und obwohl Gregorio seinen Fragen auswich oder sie schlicht zurückwies, hatte er aus Furcht, das denkwürdige Bild zu zerstören, das sich bereits in Gils Hirn festgesetzt hatte, eine Verteidigungshaltung eingenommen, die der Belagerung in Wahrheit Vorschub leistete. »Es lohnt sich doch gar nicht, über mich zu sprechen«, sagte er leutselig; oder in einem rätselhaft höflichen Ton: »Bitte, wenn es Ihnen nichts ausmacht, würde ich es vorziehen, über andere Dinge zu sprechen.«

Es gab Tage, da fehlte nicht viel, daß beide Taktiken (Gils, der aus seiner Verlassenheit heraus Druck ausübte, und Gregorios, dessen lakonische Abwehr zur Einnahme rief), sich zu einem gemeinsamen Sieg verbündeten. Denn manchmal bewegte die Angst, zu weit gegangen zu sein, Gregorio zu panischem Weitermachen; und wenn ihm die Flucht nach vorn zu gefährlich wurde und er den Fehler beging, die Qualität der imaginären Dinge auf die von Anekdoten zu reduzieren, fand er einige Stufen tiefer dieselben Gründe wieder, die ihn dazu bewogen, Gils unbeholfenen Versuchungen nachzugeben. So kam es, daß er sich ein Jahr nach dem Kirmesbesuch eines Tages in seinem Bürostuhl zurücklehnte und, als sei die aufgebaute Spannung zwischen ihnen unerträglich geworden, die Worte sprach:

»Ich weiß gar nicht, was Sie haben; ob einer ins Café der Essayisten geht oder nicht, ist doch völlig bedeutungslos.«

»Für Sie, ja«, entgegnete Gil kurz angebunden und mit Ärger in der Stimme.

»Ja, aber was für eine Vorstellung haben Sie denn von mir?« fragte er in scherzhaftem Ton.

»Von Ihnen?«

»Ja.«

Gil hatte keinerlei Zweifel:

»Ein kultivierter, moderner, junger, idealistischer Mensch, der alles erreicht, was er sich vornimmt. Mit einem Wort: der geborene Sieger.«

Gregorio hielt seinen Blick ins Leere gerichtet und antwortete ungerührt: »Sie schmeicheln mir, aber ich fürchte, ganz so toll ist es nicht.«

»Doch, doch, ein Sieger. Darum kann ich auch verstehen, daß Sie sich nicht mit mir abgeben wollen. Ich bin ja nur ein einfacher Mann, besser gesagt, ein Verlierer.«

»Das ist nun aber wirklich nicht wahr, Gil. Ich bin auch nur ein einfacher Angestellter, genau wie Sie.«

»Aber es ist nicht dasselbe. Darf ich aufrichtig sein?«

»Selbstverständlich.«

»Ich möchte wetten, daß Sie studiert haben. Stimmt's?«

Gregorio schloß die Augen und sagte, daß studieren heutzutage etwas ganz Alltägliches sei.

»Sehen Sie, wie recht ich habe? Und Sie haben auch einen Titel, stimmt's?«

»Nun . . .«

»Sehen Sie? Ich wußte es. Aber Sie werden mir nicht sagen, welchen, was?«

»Selbst wenn ich einen hätte, was täte das zur Sache?«

»Sehen Sie? Ich wußte, daß Sie es mir nicht sagen.«

Gregorio schlug im Geiste ein Kreuzzeichen, zählte mit krauser Nase und zusammengekniffenen Augen bis vier und antwortete:

»Also, wenn Sie darauf bestehen, daß ich einen Titel habe, sagen wir, zum Beispiel, ich bin . . . Ingenieur«, und es klang ihm so empörend, daß er immer weiterredete und eine Lüge mit einer anderen begrub. Er sagte, man habe ihm angeboten, Brücken und Straßen im Urwald zu bauen, er nannte die Namen von giftigen Schlangen und fleischfressenden Pflanzen und beschrieb sie ihm und sagte schließlich mit gesenkter Stimme, er fahre aber nicht, denn seine eigentliche Berufung, sein wahres Geheimnis (da Gil ja ohnehin entschlossen sei, ihm alle Geheimnisse zu entreißen), sei ein anderes.

»Welches denn?« flehte Gil.

»Nun, eigentlich bin ich ja Dichter«, sagte er; und obwohl er sich an die Begegnung mit Elicio erinnerte und in seinem Magen wieder die Übelkeit erregenden Tentakel spürte, hatte er die zwar vage, aber doch absolute Gewißheit, diesmal nicht ganz und gar zu lügen.

»Dichter!« rief Gil außer sich. »Ingenieur und Dichter! Aber dann sind Sie ja einer der Künstler aus dem Café, nicht?«

»Ich sagte Ihnen ja bereits, daß ich ab und zu hingehe«, und wieder schien ihm alles vollkommen unwirklich: als wäre er ein Geheimagent, der den Gegner auf eine falsche Fährte lockt.

Gil war wie versteinert am anderen Ende der Leitung.

»Darf ich Ihnen noch eine Frage stellen?« fragte er nach einer Weile.

»Nur zu.«

»Sie müssen verstehen, ich bin ganz durcheinander. Wer hätte das geglaubt, daß ich einen Künstler aus dem Café einmal näher kennenlerne. Sie, ehm, sind noch sehr jung, oder?«

Gregorio fühlte, wie ihn die Luft, die ihm beim Aussetzen der Atmung in den Magen schlug, von einem Moment zum andern in die Höhe hob.

»Ach was, woher denn«, sagte er schwerelos.

»Darf ich raten? Noch keine dreißig. Siebenundzwanzig!«

Als Gregorio die Wahrheit zu sagen versuchte, weil das Ausmaß der Lügen ihn plötzlich ängstigte, war es bereits zu spät, denn er hörte sich mit zuversichtlicher, heller, jugendlicher Stimme sagen:

»Fünfundzwanzig, um genau zu sein«, und er war berauscht und erschreckt von seinen eigenen Worten.

»Fünfundzwanzig! Unglaublich, so jung und schon Ingenieur und Dichter und geht im Café ein und aus. Mein Gott, Sie haben Ihre Zeit aber gut genutzt!« rief er ungläubig und mit einem Ton unendlicher Bitterkeit in der Stimme.

Gregorio biß sich auf die Lippen. »Jetzt gibt es kein Zurück mehr« dachte er, versuchte aber doch abzuschwächen, indem er sagte, Alter sei immer relativ, worauf es ankomme, sei der Geist. Er führte sein eigenes Beispiel an: »Es gibt Leute, die sind über vierzig und haben einen Geist wie fünfundzwanzig, und umgekehrt.«

»Nun, Señor Olías, ich bin körperlich und geistig alt«, sagte Gil kleinlaut. »Wäre ich Chemiker und Denker geworden, wäre ich jetzt nur körperlich alt; aber ich bin es nicht geworden, und so bin ich jetzt auf doppelte Weise alt.«

Sie schwiegen lange.

»Und Sie, sprechen Sie auch im Café?« fragte er, seinen Schmerz überwindend.

»Nun, dort spricht jeder.«

»Aber ich meine neben der Säule.«

»Neben der Säule? Ja, warum nicht?«

»Das heißt, Sie sind einer der Redner dort.«

Gregorio wußte, daß es für ihn kein Zurück mehr gab, und sagte, na ja, was denn daran besonderes sei, schließlich und endlich sei es doch ganz gleich, ob man neben einer Säule spreche oder aus einer Tonne heraus. Aber Gil ließ sich auf solche Überlegungen gar nicht ein.

»Und alle kennen Sie da als Señor Olías?« fragte er.

»Nein, nein, als Künstler benutze ich ein Pseudonym«, sagte Gregorio hastig.

»Und . . . darf man erfahren, welches?«

Gregorio schloß die Augen, um die Fülle des Augenblicks ganz auszukosten.

»Faroni«, sagte er, und der Name klang ihm so zauberhaft, als hätte er ihn gerade erfunden.

»Faroni«, sprach Gil in der Ferne nach. »Wenn Sie erlauben, würde ich Sie ab jetzt auch gerne Señor Faroni nennen. Was meinen Sie?«

»Natürlich.« Er verspürte einen undeutlichen Anflug von Panik und Jubel.

»Darf ich aufrichtig sein?«

»Ich bitte darum.«

»Nun, ich glaube nämlich«, sagte Gil mit vor Bescheidenheit flatternder Stimme, »daß Sie noch ein weiteres Geheimnis haben.«

»Noch eins?« rief Gregorio beunruhigt.

»Ja, weil Sie nämlich eine Arbeit verrichten, die nicht zu einem Ingenieur paßt, und zu einem Künstler aus dem Café noch weniger.«

Gregorio, dem diese Unstimmigkeit schon aufgefallen war, sagte, in der Tat, er habe noch ein Geheimnis, das er aber noch nicht preisgeben wolle.

»Sie können mir doch vertrauen«, sagte Gil. »Ich weiß, daß Sie ein Lebenskünstler sind und daß Künstler so ihre Eigenarten haben, daß sie alles ihrer Kunst unterordnen, nicht?«

»So ungefähr«, antwortete Gregorio und wunderte sich, wie leicht der Schwindel auf Kurs kam.

»Es ist aber mehr, wenn Sie erlauben. Wetten, daß Ihr Geheimnis etwas mit Politik zu tun hat?«

»Das . . .«, zögerte Gregorio.

»Verstehe schon! Verstehe schon!« rief Gil. »Sie brauchen mir nichts zu sagen. Es ist gefährlich. Ich weiß! Ich weiß! Und bestimmt ist es so, wie ich schon mal von anderen Fällen gehört habe, daß das, was Sie schreiben, von der Regierung verboten ist, stimmt's?«

»Nun . . .«

»Sie brauchen mir nichts zu sagen!« unterbrach er ihn. »Wenn Sie aber erlauben, dürfte man erfahren, wie Ihr Taufname ist?«

»Gregorio«, antwortete er und fügte ohne nachzudenken hinzu: »Obwohl man mich in gewissen Kreisen auch als Augusto kennt, denn mein vollständiger Name ist Gregorio Augusto Olías.«

»Augusto Faroni!« deklamierte Gil. »Aber sehen Sie, wie ich die Dinge erraten habe? Ich verstehe die Künstler. Ich bin nämlich ein guter Mensch, Señor Faroni.«

»Das weiß ich, Gil, das weiß ich, und darum schätze ich Sie.«

»Danke. Aber wenn Sie wüßten, wie ich Sie beneide – im guten Sinne des Wortes – und wie leid ich mir selbst tue! Wenn Sie wüßten, wie ich lebe, könnten Sie mich nur bedauern. Sie würden sich meiner schämen. Und stellen Sie sich vor, Chemiker und Denker wollte ich werden.«

»Kommen Sie, Gil, Sie dürfen sich nicht hängen lassen.«

»Nein, keine Angst. Im Grunde bin ich ein harter Bursche, auch wenn man es mir nicht ansieht. Ein Diener des Fortschritts, aber ein harter Bursche. Sollte ich Ihnen eines Tages mein Leben erzählen, werden Sie sehen, daß ich Gründe genug habe, ein Mann ohne Herz zu sein. Andere an meiner Stelle wären zu reißenden Wölfen geworden, aber ich bin Realist und ziehe es vor, einvernehmlich mit dem Schicksal zu leben.«

»Das ist bestimmt eine richtige Entscheidung.«

»Mein Wunsch wäre, Señor Faroni, wenn es nicht zuviel verlangt ist, daß Sie mir von diesen bedeutenden Männern in den Cafés erzählten, all das, was mir verwehrt geblieben ist, als ich noch in der Stadt lebte. Ist das zuviel verlangt?«, und seine Stimme kippte in ein nasales Falsett.

Gregorio erfaßte die ganze Kompliziertheit des Labyrinths, das, ohne daß er es bemerkt hatte, um ihn herum angelegt worden war. Er ahnte, daß sein Leben künftig darin bestehen würde, die Flamme eines Irrtums zu nähren, ihn zu rechtfertigen und glaubhaft zu machen, solange seine Kräfte reichten.

»Um ehrlich zu sein«, sagte er, von der Last der Verantwortung niedergedrückt, »habe ich nie verstanden, was Sie an diesen Cafés so aufregend finden.«

»Weil Sie meinen großen Traum nicht kennen.«

»Und welcher ist das?«

»Einmal ein moderner Mensch zu werden«, sagte er mit kieksender Stimme.

»Und Sie glauben, das gelingt einem in den Cafés?«

»Wie? Werden in ihnen etwa nicht die großen Theorien erdacht, wird dort nicht die Mode diktiert, die Kunst beflügelt und der Fortschritt geschmiedet? Alle großen Männer sind in Cafés gegangen. Das ist eine Tatsache, und Sie wissen das besser als ich. Darum möchte ich, daß Sie mir einfach nur berichten, was da passiert; wenn es nicht zuviel verlangt ist.«

»Ehrlich gesagt, soviel gibt es da gar nicht zu berichten«, murmelte Gregorio. »Da ist viel Mythos dabei.«

»Ich begnüge mich mit wenig.«

»Außerdem sollten Sie wissen, daß ich ein Einzelgänger bin und kein Freund von vielen Worten.«

»Weil Sie ein Künstler sind, und Künstler muß man verstehen. Dürfte ich Sie um noch etwas bitten, und dann belästige ich Sie nicht mehr?«

»Was denn?« fragte Gregorio besorgt.

»Daß Sie mir erlauben, Ihr Schüler zu sein, der geringste von allen.«

Gregorio schluckte.

»Nun, Sie fragen, und ich will sehen, was ich antworten kann«, sagte er ausweichend.

»Danke, Señor Faroni. Ich frage, und Sie antworten. Sie werden mich durch die Geheimnisse dieser Welt führen, werden mir den Weg der Moderne zeigen. Sie werden mir Vorbild sein und Licht in der Nacht, wie der Leuchtturm im Café. Sie sind gnädig zu dem geringsten Ihrer Mitmenschen, und auch das beweist, daß Sie ein großer Mann sind.«

Kaum hatte er aufgelegt, öffnete Gregorio sein Kombimesser und säuberte sich ausgiebig die Fingernägel. Es wurde dunkel. Er ging über den Sandweg und zählte seine Schritte, bis die Maßlosigkeit der Zahl ihm anzeigte, daß diese Rechnung eine andere war; und als er sich zu Hause ans Fenster setzte, schlug sein Herz immer noch in Höhen, an die die Macht der Zahlen nicht heranreichte.

Während der nächsten Monate sprachen sie fast ausschließlich über das Café. Von Gils Fragen geleitet und unter Zuhilfenahme einiger Blätter Papier, auf denen er seine Antworten vorbereitete, erweiterte er das Café, zog sogar ansteigende Sitzreihen ein und eine Art Pult, an das die Redner traten. An die Wände malte er Szenen, die die Künste und Wissenschaften darstellen sollten: einen Gänsekiel, einen Lorbeerkranz, eine Laute, Achilles im Wettlauf mit der Schildkröte (ein Rätsel, das Gil in Aufruhr versetzte und ihn verblüffte, weil er noch nie etwas davon gehört hatte), Newtons Apfel, Platons Höhle, Franklins Drachen und andere die Großartigkeit des Fortschritts repräsentierende Bilder, unter denen auch Justitias Waage und die Friedenstaube nicht fehlten. Das waren die Überreste seines abendschulischen Schiffbruchs. Gils Neugier war jedoch unersättlich, und es verging kein Montag und kein Donnerstag, an dem er nach Aufgabe seiner Bestellung nicht irgendeine Frage formulierte. Was gab es zum Beispiel außer den Gesprächen und wissenschaftlichen Darlegungen sonst noch bei den Stammtischen? Na ja, manchmal wurde gesungen, besonders nach heftigen Kontroversen. Und die Stammgäste, trafen die sich auch außerhalb des Cafés? Na klar, ließ Gregorio wissen, manchmal trieben sie Sport miteinander. Sie trafen sich in einem Park, alle im Trikot, selbst die Ältesten, und machten gemeinsam Dauerlauf. An manchen Sonntagen wurden Exkursionen in die Berge organisiert, zu Klöstern oder Seen. Dann wurde gepicknickt und dabei wie im Café diskutiert, nur nicht so formell, eher geistreich-spaßig als ernst. Und im Winter fuhren sie manchmal Ski.

Und Gil stellte sich den Gelehrtenverein vor, Wissenschaftler, Philosophen und Künstler, wie sie elegant durch den Schnee glitten mit ihren bunten Anoraks, ihren großen Schneebrillen und Stiefeln, in denen sie aussahen wie Freilufttaucher. Aber noch was anderes: kamen außer den üblichen Teilnehmern auch sonst noch wichtige Leute als Gäste? Klar, irgendein Industriemagnat, Graf oder Filmstar war immer da. Faroni wurde von ihnen oft zum Abendessen in Villen und Chalets eingeladen. Manchmal ging er hin, meistens aber nicht, denn die große Gefahr, die große Versuchung für den Künstler war der gesellschaftliche Glanz, dem er jedoch die anonyme Einsamkeit seiner Schriftstellerklause vorzog. Und von denen, die dort Vorträge hielten, welche waren da die bekanntesten? Tja, um ein paar Namen zu nennen, wären da Don Octavio Friso, Don Fausto Cienfuentes, Don Feliciano Ballesteros Matamoros oder Mark Sperman, der große Biologe aus New York. Und in der letzten Zeit, über welche Themen wurde da gesprochen? Über die Kunst des Romans und die Relativitätstheorie. Und an was schrieb Faroni zur Zeit? Gregorio antwortete, daß er gerade einen Roman beende und mit einem Essay beginne. Und was für eine Art Essay würde das? Nun, Betrachtungen über Kunst, Politik, Sprache und über die Einsamkeit. Und auf weitere Fragen Gils erklärte er, daß er neben dieser Tätigkeit noch Theater und Konzerte besuchte (und gestand bei dieser Gelegenheit, daß er Klavier und Gitarre spielte und eigene Kompositionen sang) und vor allem Gespräche mit seinen Freunden führte. Sie trafen sich bei irgendwem zu Hause oder auch in einer Kneipe und plauderten oft bis in die frühen Morgenstunden. Ach, und noch etwas: kam dieser Philosoph mit den Goldzähnen auch immer noch zu dem Stammtisch?

»Ich erinnere mich«, sagte Gil, »daß ich ihn eines Tages um ein Autogramm bat, als er herauskam; aber er hatte keinen Kugelschreiber dabei, und meiner war eingetrocknet. Und ich weiß noch, daß er zu mir sagte: ›Beim nächsten Mal, Junge.‹ Stellen Sie sich vor, Junge hat er zu mir gesagt. Wie lange muß das her sein. Er gab mir einen Klaps auf den Rücken, wissen Sie? Ich habe schon oft einen Klaps auf den Rücken bekommen. Ich kriege es immer auf den Rücken. Aber das, ich weiß nicht, das war anders. Es war, als wollte er mir sagen: ›Mut, Junge, du schaffst es schon.‹ Verstehen Sie, Señor Faroni?«

Gregorio wußte nicht, was er sagen sollte, fühlte sich aber zu einer Antwort verpflichtet und sagte daher, dieser Philosoph habe jetzt ein Holzbein, ein Glasauge und eine Silberplatte im Schädel, als Folge einer kürzlich vorgenommenen Trepanation. Gil fragte daraufhin, ob es Roboter gebe. Gregorio entgegnete, ja, er habe im Café einmal mit eigenen Augen einen gesehen, der alle Fragen, die man ihm stellte, richtig beantwortet hatte, bis auf eine, und das sei die nach seinem Namen gewesen, denn da habe sich herausgestellt, daß der Roboter keinen Namen hatte. War das ein Jux! Alle hätten dann nach einem gesucht, und er, Faroni, hätte ihn Lonly getauft; Robot Lonly, das sei Englisch und heiße einsam.

»Das nenne ich Fortschritt und Wissen!« rief Gil. »Ach, wie haben Sie es dort so gut! Und Sie, eh, sprechen Englisch?«

»Ja«, sagte Gregorio und war glücklich, eine Antwort geben zu können, die nicht ganz falsch war.

»Und Französisch?«

Gregorio hatte wieder das Gefühl, ein idiotisches Frage-und-Antwort-Spiel zu spielen und sagte:

»Oui, Mesié. Fremdsprachen spricht doch heute jeder.«

»Ich, Señor Faroni, spreche nur Spanisch, und das nicht einmal gut. Und selbst wenn ich Sprachen spräche, was nützte es mir in dieser Wildnis?«

Gregorio ermunterte ihn mit den gleichen Worten wie immer, den Worten, mit denen er ihre Gespräche gewöhnlich beendete: »Sie dürfen sich nicht aufgeben, Gil, mehr Selbstbewußtsein!« Nachdem er aufgelegt hatte, saß Gregorio da und starrte gedankenlos auf das Grundstück, und in seinen Ohren summte und sauste es wie die Brandung eines nahen, unmöglichen Meeres.

Gleich darauf blies er die Spirituslampe aus, ging über den Sandweg auf die Straße und verlor sich in der Menge.

KAPITEL VIII

»Sagen Sie, Señor Faroni, was ist Kunst?«

»Kunst. Wie soll ich sagen? Ich könnte Ihnen von sauren Trauben erzählen, von brennenden Wäldern, von ... Aber nein, das Leben ist Kunst. Oder, wenn Sie wollen, der Geist. Der aufrührerische Geist, der verändert, der regiert, der die Dinge beherrscht. Die Beherrschung der Dinge. Der aufrührerische Geist, der die Dinge beherrscht. Die Vögel sprechen nicht, und die Ameisen nicht, aber der Dichter verleiht ihnen eine Stimme. So etwas wie ... wie Moses. In dem Felsen war ja auch kein Wasser. Aber dann kam er, klopfte mit seinem Stock daran, und es floß. Kunst ist der aufrührerische Geist, der die Dinge beherrscht und die Substanz, das Geheimnis, nein, die verborgene Schönheit der Dinge ans Licht befördert, befreit, nein, herausbricht.«

»Sagen Sie, Señor Faroni, was ist Kunst?«

»Die Kraft des Geistes, den Dingen ihr Innerstes zu entreißen. Das Herz der Bäume zum Beispiel, oder die Leber der Gestirne.«

»Und was ist Inspiration?«

»Ich würde sagen, ein Hauch, ein Luftzug, nein, ein Fluidum, aber auch ein Blitz. Stellen Sie sich einen Wanderer vor, der sich in stürmischer Nacht verirrt hat. Er sieht kaum den Weg vor sich, und plötzlich zuckt ein Blitz auf, der ihm den Abgrund zeigt, an dessen Rand er steht. Das ist Inspiration: ein kurzer, nein, ein flüchtiger Blick in den Abgrund.«

»Und ein Künstler; wird man als Künstler geboren oder kann man das werden?«

»Man wird als Künstler geboren. Nein, ein Künstler keimt auf, entspringt. Das ist es. Der Künstler entspringt der Vereinigung von Schicksal und, und, und Leidenschaft. Nein, von Schicksal und ... von Freiheit und Schicksal. Der Künstler entspringt der Vereinigung von Leidenschaft, Freiheit, Schicksal und, und Unwissenheit.«

»Unwissenheit?«

»Ja, warum nicht? Unwissenheit. Oder Zufall, ganz gleich, das Wort bedeutet nichts. Es ist, als ob man einen Schatz findet. Nein, als ob man sich im Wald verlaufen hätte, wie diese beiden Kinder, und ein Lebkuchenhäuschen findet. Genau. Sich von Unwissenheit leiten zu lassen, ist der sicherste Weg, irgendwohin zu gelangen. Nicht irgendwohin, sondern nach, nach ... zu diesem Lebkuchenhaus. Das heißt, dahin, wohin man nicht mit Nachdenken gelangt. Wie die Kinder im Wald. Der Künstler erwächst aus göttlicher Ahnungslosigkeit. So können wir es hinschreiben.«

Gregorio schaltete die Nachttischlampe an und notierte in seinem Notizbuch die Definition von Kunst, von Inspiration und Künstlertum.

»Und wer kann dann Dichter werden?«

»Die vom Schicksal erwählt sind, sich im Wald zu verlaufen. Wir Dichter sind Verdammte. Nein, nein.«

Er schaute im Wörterbuch nach.

»Was machst du da?« fragte Angelina.

»Sachen fürs Büro.«

»Du bist eine richtige Nachteule geworden. Um diese Zeit noch Licht.«

»Schlaf nur weiter«, sagte Gregorio. »Ich mache es gleich aus.«

›Verdammnis, Unheil, Katastrophe.‹

»Wir sind friedlose Seelen.«

»Was sagst du da?« fragte Angelina.

»Ich sagte, das hat mit dem Büro zu tun.«

»Du reibst dich auf, wenn du dich so unruhig im Bett herumwälzt. Wenn der Mensch nicht genug Schlaf bekommt, wird er verrückt. Du hast jetzt schon ein Gesicht wie ein Kauz.«

Gregorio sah sie so langsam an, daß es Angelina rätselhaft vorkam. Dann schrieb er die Antwort in sein Büchlein, bekreuzigte sich und hüpfte, wie von einer unerwarteten kindlichen Beglückung inspiriert, unter die Bettdecke und mummelte sich ein.

»Das Gesicht eines Künstlers«, sagte er, noch einmal unter der Decke hervorlugend.

»Welcher Künstler?«

»Das verstehst du doch nicht. Die Aufgabe der Künstler auf dieser Erde ist es, nicht verstanden zu werden. Wir sind friedlose Seelen.«

»Ach, komm, schlaf endlich, jetzt reicht es aber.«

Er warf einen letzten Blick auf sein Büchlein und löschte das Licht.

»Wir müssen noch einmal ans Meer fahren«, sagte er.

»Weißt du, wie spät es ist? Es hat schon vier geschlagen.«

»Wir kaufen uns ein Auto oder ein Motorrad. Wir könnten sogar ins Ausland fahren. Weißt du, daß es ein Land Tamarca gibt und einen Fluß der Feuersmaragde?«

»So ein Unsinn.«

»Wir könnten nach Rom fahren, den Papst besuchen.«

»Komm, schlaf jetzt, man könnte meinen, du hast das Kribbelfieber.«

»Was ist das Leben, Señor Faroni?«

»Ein Traum. Nein«, er erinnerte sich undeutlich, daß er sich in seiner Jugend die Welt als einen Teppich vorgestellt hatte, der mit einem einzigen Faden gewebt war, »besser gesagt, ein Spiel.«

Das hatte er aus den Kriminalromanen. Denn was tat der Detektiv anderes, als an dem Teppichfaden zu ziehen? Und wie hatte er noch geheißen, dieser Detektiv mit dem Schlapphut, der Sonnenbrille, dem seidenen Halstuch und hochgeschlagenen Mantelkragen? Nacki, Neck, Niuck? Von ihm hatte er gelernt, daß, wenn ein Gegenstand zu einem anderen führt, und dieser wieder zu einem anderen, und immer so weiter, einer dieser Gegenstände notgedrungen einmal der Mörder sein muß oder das Diamantenkollier. »Ein Künstler, Gil, ist der ausdauernde Detektiv der Schönheit.«

Er stand auf, nahm sein Büchlein und schlich aus dem Zimmer. In der Küche schrieb er im schmutzigen Glanz des heraufziehenden Tages eine lange Notiz. »Er hieß Nick und war Linkshänder«, erinnerte er sich jetzt an den Detektiv. Außerdem trug er zimtfarbene Slipper und ein blaues Jackett mit Messingknöpfen. »Ein Dichter des Lebens.« Auf dem Weg zurück zum Schlafzimmer hörte er die Mutter mit glockenheller Traumstimme sagen: »Da kommt der Trommler mit dem Lorbeerkranz.« Er trat ins Dämmerlicht und hatte sich kaum hingelegt, als in der Ferne das erste Hornsignal des neuen Tages erscholl. Er kontrollierte seine Atmung, schloß die Augen und versuchte einzuschlafen.

»Aber Sie sind ein einsamer Mensch.«

»Die Einsamkeit ist der Preis des Ruhms«, antwortete er, ohne zu zögern. »An der Verständnislosigkeit, an der Verachtung der Welt leiden. Kunst ist Heiligkeit.«

»Worin unterscheidet sich der Dichter von einem Wissenschaftler?«

»Nun, wenn die Wissenschaft lügt, verliert sie ihren Wert. Der

Dichter aber sagt immer die Wahrheit, auch wenn er lügt. Was er in Versen sagt, kann keine Prosa ihm widerlegen, weil es keine Meinung ist, sondern eine ... ein Zweck. Was schön ist, ist auch wahr, hat schon Platon gesagt. Und dann ist da noch die Freiheit. Wir Dichter gehorchen keinem Herrn.«

»Bravo, Faroni! Aber sagen Sie, wann erscheinen Ihre Bücher?«

»Die besten Werke erscheinen nach dem Tod des Autors. So viel erwarte ich zwar nicht, aber ... Nun, Sie wissen ja, daß die Regierung meine sämtlichen Bücher konfisziert hat. Wie ich gehört habe, sollen sie in einer Krypta unter einem Grabstein liegen, auf dem die Worte BEINHAUS DER GEFÜHLE eingemeißelt sind. Aber im nächsten Jahr wollen gute, treue Freunde eine lyrische Anthologie meiner Gedichte herausgeben. Der Titel: *Gesammelte Gedichte eines Künstlerlebens.*«

Er machte Licht und schrieb.

»Was, schon wieder?«

»Wir müssen ans Meer«, sagte Gregorio, als er das Licht wieder löschte. »Ich will das Meer noch einmal sehen, will mich auf einen Stein setzen und mit dem Finger die vorbeifahrenden Schiffe zählen. Ich wäre gerne Pirat geworden.«

»So ein Unsinn, und das mitten in der Nacht.«

»Mein Vater wollte, daß ich Admiral würde. Das nannte er Eifern.«

»Du hörst wohl nie mehr auf.«

»Aber ich war ein Kind ohne Eifer. Oder doch. Habe ich dir nie erzählt, daß ich mich danach sehnte, Heiliger zu werden, oder Stier, oder heiliger Stier? Waren das Zeiten!«

»Eine Stadt.«

»Stambul.«

»Wie heißt Ihre Geliebte?«

»Urwaldveilchen nenne ich sie, und auch ozeanische Lerche.«

»Ihre Farbe?«

»Azur.«

»Ein Wort?«

»Ernte.«

»Welche Pläne haben Sie für die Zukunft?«

»Eine Reise um die Welt, eine Fahrt im Heißluftballon, in die Tiefen des Meeres hinabtauchen, nach Rom fahren und einen berühmten Verwandten besuchen ...«

Die Worte kamen jedoch schon aus den Tiefen des Schlafs. Der

Hund lief an der Tür vorbei und blieb lauschend stehen; gleich darauf vernahm man so etwas wie herabregnende Reißnägel, die sich über den Flur entfernten. »Friedlose Seelen«, sagte er noch und fühlte die Worte über seine Lippen rinnen wie einem sabbernden Greis die kalte Suppe.

Mehr als zwanzig Nächte verbrachte Gregorio damit, sich nächtliche Interviews zu geben. Es war der Beginn einer langen Metamorphose, die er vier Jahre später, an einem Sonntag im Oktober, als ein offenbar willkürliches Spiel begriff, dessen geheimnisvolle Präzision erst nach Ende des Spiels erkennbar wird und bei dem derjenige Spieler gewinnt, der als erster die Regeln durchschaut. Vorerst verlangte die Farce von ihm sorgfältigste Vorbereitung. Zunächst kaufte er sich ein in Wachstuch gebundenes Büchlein und schrieb auf den Umschlag: *Buchführung*. Zur Vermeidung späterer Komplikationen schrieb er darunter den fiktiven Namen *Alvar Osián*, ohne zu ahnen, daß aus diesem Pseudonym einmal eine weitere Person seiner Hochstaplerlaufbahn werden würde. Im Moment spielte er noch – aus Zerstreutheit und aus Neugier – ein Spiel, bei dem er, da es keine Regeln hatte, auch nicht auf die Fallen achtete. In sein Büchlein schrieb er mit Hilfe des Wörterbuchs die Antworten des großstädtischen, nach Gils unerschrockenen Vermutungen gestalteten Helden, so daß er seinen Fragen stets voraus war. Nahm das Gespräch einmal eine unerwartete Wendung, dann redete er entweder so lange drauflos, bis die vorbereiteten Worte paßten, oder er verfiel in feindseliges Schweigen, was Gil klaglos dem unbeständigen Charakter der Künstler zuschrieb. Montags und donnerstags verließ er das Haus mit dem Büchlein unter dem Arm, er ging dann auch schneller als gewöhnlich, und die Furcht ließ ihn keine Ruhe finden. Doch kaum klingelte das Telefon, atmete er tief durch, räusperte sich, zählte bis vier und war dann wieder Herr seiner Weichteile und seines Willens.

Der Winter ging dahin, und der Frühling überraschte sie, die Geheimnisse der Kunst und der Wissenschaft erforschend. Gil fragte, ob es möglich sei, zu erfahren, an welchem exakten Punkt des Fortschritts die Welt sich gerade befinde. Gregorio, der die Frage vorhergesehen hatte, las in seinem Buch, daß es einen halbwegs geheimen Ort gab, an dem die Künstler ihre Werke, die Wissenschaftler ihre Erfindungen, die Philosophen ihre Theorien, die Ärzte ihre Heilmittel und die Redner ihre Reden vorstellten. Dieser Ort, an dem gekauft und verkauft, ausgetauscht und diskutiert und bekanntgegeben wurde, war so etwas wie ein großer Markt der Intelligenz, eine Fortschrittsbörse. Dort wurden Unsterblichkeit und Vergessen verteilt.

Gil fragte, welche Erfindungen die Erfinder denn so anzubieten hätten, und welche davon berufen seien, die Welt in den kommenden Jahrzehnten in Staunen zu versetzen. Gregorio berichtete ihm, zu den erstaunlichsten Erfindungen gehöre eine Ankleidemaschine, in die man auf einer Seite unbekleidet hineingehe und auf der anderen Seite nach Alter, Mode, Körperbeschaffenheit und Jahreszeit bekleidet wieder herauskomme. Es gebe auch ein leuchtendes Buch, das man im Dunkeln lesen könne, und man habe vor, die öffentlichen Denkmäler mit einer inneren Maschinerie auszustatten, die sie in Bewegung setze. So würde der General säbelschwingend auf seinem Pferd galoppieren, der Redner würde im Rhythmus seiner Worte gestikulieren, und der Denker würde den Kopf bewegen und sich die Stirn reiben können.

»Wunderschön.« Gil sagte es mit solch engelhafter Stimme, daß Gregorio sich vorstellte, wie sein Blick dabei sanftmütig auf idyllischer Landschaft ruhte.

»Von wo aus rufen Sie an?« fragte er.

»Aus dem Hinterzimmer eines Dorfladens«, jammerte Gil. »Stellen Sie sich vor, die Störche sind schon gekommen.«

Gregorio erinnerte sich an die Verszeile eines Gedichts aus der Schule.

»So geruhsam ist das Leben. Kennen Sie das Gedicht?«

»Nein.«

»So geruhsam ist das Leben, für den, der Weltens Lärm entflieht, und abgelegne Pfade sucht, gleich den wenigen Weisen, die der Welt gegeben.«

»Ist das von Ihnen?«

»Kommt es darauf an?«

»Das war sehr schön, aber so war es früher. Heute sind die Weisen alle in der Stadt.«

»Sie übertreiben, Gil, die Weisheit ist heimatlos.«

»Nein, glauben Sie mir. Hier draußen gibt es bestimmt keine Weisen. Das Problem ist, daß Sie, und alle Dichter, Idealisten sind.«

Gregorio malte an einer Pyramide.

»Kann man denn ohne Ideal leben?«

»Nein!« schrie Gil. »Ich möchte sagen, nein, und das hier im Hinterzimmer eines Ladens und umgeben von Störchen. Ich bin zwar bloß ein Niemand, der die Vierzig schon hinter sich hat, aber ich bin auch ein Idealist. Ich, Señor Faroni, und ich sage Ihnen das in aller Bescheidenheit, wie es meine Art ist, bin auch eine friedlose Seele.«

»Weil im Grunde seines Herzens jeder Mensch ein Dichter ist. Aber Sie sollten nicht so darüber jammern, fern der Stadt zu leben. Man kann an jedem Ort und aus eigener Kraft ein weiser Mensch werden.« Und er erzählte ihm, die Welt sei ein aus einem einzigen Faden gewebter Teppich, und wer seinen Kopf zu gebrauchen wisse, könne aus jedem einzelnen Teil die Gesamtheit der Dinge ableiten. »Worauf es ankommt, ist nachzudenken; man muß das lose Ende des Fadens finden und daran ziehen, dann fällt einem der Rest von allein in den Schoß«, sagte er.

»Genau!« rief Gil mit krächzender und kieksender Stimme. »Habe ich Ihnen nicht gesagt, daß ich immer schon Denker werden wollte?«

»Worauf warten Sie dann noch?«

»Ja, wissen Sie, mir fällt nichts ein. Es ist schrecklich. Ich setze mich hin und denke, und nichts. In der Schule hatten wir einen Lehrer, der sagte, Philosophen kämen hauptsächlich am Meer vor, weil die Leute da viel Fisch essen und Fisch Phosphor enthält. Er sagte immer, entschuldigen Sie den Ausdruck: ›Wie der Esel frißt, so scheißt er auch.‹ Das ist zwar ordinär, aber ich glaube doch, daß des Menschen Schicksal bei seiner Körperlichkeit beginnt. Bei mir sind zum Beispiel die Augen das Problem. Wenn ich sie schließe, sehe ich im Geiste zwei kleine Löcher, wo vorher die Augen waren, und darin tanzt und flimmert es, daß ich mich gar nicht konzentrieren und nachdenken kann. Halte ich meine Augen offen, lenken mich die Dinge um mich herum ab, und ich kann auch nicht nachdenken. Ich bewundere solche Leute, die sogar auf einem Jahrmarkt konzentriert denken können. Ich bin immer gleich abgelenkt, es ist furchtbar. Außerdem tun mir die Füße weh, ich habe Zahnschmerzen und leide unter Sodbrennen. Ich werde nie ein Denker werden, Señor Faroni. Ich bin krank, jawohl, ein kranker Mensch.« Gregorio vernahm so etwas wie ein unterdrücktes Schluchzen.

»Kommen Sie, Gil, Kopf hoch«, murmelte er.

»Habe ich ja, Señor Faroni. Ich sagte Ihnen doch schon, daß ich ein harter Bursche bin. Schlimm ist nur, daß man hier nicht denken kann. Obwohl, einmal«, und seine Stimme leuchtete auf, »vor vielen Jahren, habe ich einen guten Gedanken gehabt. Wollen Sie ihn hören?«

»Selbstverständlich, Gil.«

»Er wird Ihnen sicher unsinnig vorkommen. Ich habe bisher nie darüber gesprochen, damit man ihn mir nicht stiehlt, Sie wissen schon; aber bei Ihnen ist das was anderes, weil Sie ja selbst genug Gedanken haben und über mich wahrscheinlich nur lachen werden. Also, ein Gedanke über das Leben. Sie kennen doch die Fabel vom Fuchs und dem Raben, nicht? Wissen Sie noch, wie der Rabe sein Stück Käse aus dem Schnabel verliert, weil er krächzt? Nun, so ist das Leben, entweder man ißt oder man krächzt. Und ich habe mir gedacht, ideal wäre es doch, das Stück Käse mit dem Schnabel gut festzuhalten und aus den Schnabelwinkeln heraus zu krächzen. Was halten Sie davon?«

»Das ist ein guter Gedanke.«

»Das ist nur die Grundidee«, sagte Gil lebhaft, »sie hat noch viele Varianten, je nach dem, wen wir uns als Fuchs, als Raben oder als das Stück Käse vorstellen. Und außerdem kann man die Leute, alle Leute, danach einordnen, ob sie singen oder nicht, ob sie beim Singen den Käse fallenlassen, und entsprechend auch, wer der Fuchs für den andern ist und welche Art von Lied ihm gefällt. So gibt es Leute, denen ist es gleich, ob sie den Käse verlieren, solange sie nur singen können; und es gibt ehrenhafte Füchse, die weniger daran interessiert sind, den Käse zu erhaschen, als das Lied anzuhören. Ich denke manchmal, das ist ein großartiger, beinah unendlicher Gedanke, doch dann wieder denke ich das Gegenteil und könnte verzweifeln. Halten Sie den Gedanken wirklich für annehmbar, Señor Faroni? Finden Sie ihn nicht zum Lachen?«

»Im Gegenteil, es scheint mir ein sehr umfassender Gedanke zu sein, und vor allem ein sehr praktischer. Ein bißchen ergeht es uns doch allen so. Mir selbst zum Beispiel.«

»Genau, daran habe ich auch schon gedacht: Sie halten Ihren Käse bei Belson und krächzen im Café, nicht?«

»Sie sagen es. Sehen Sie nun, wie gut der Gedanke ist?«

»Ich weiß nicht, ich weiß nicht«, Gils Stimme klang gequält. »Vielleicht sagen Sie das ja nur aus Mitleid.«

Gregorio hatte plötzlich eine Idee. Er versuchte flüchtig, Risiko und Gewinn seines Vorschlags gegeneinander abzuwägen, doch erschien er ihm so logisch und edelmütig, daß er, ohne seine Berechnungen zu Ende zu führen, sagte:

»Ich halte ihn für so gut, daß ich ihn, mit Ihrer Erlaubnis, gern im Café vortragen würde.«

»Wie! Meinen Gedanken?«

»Ja.«

»Aber, das ist doch unmöglich! Man würde darüber lachen.«

»Ich könnte auch Ihren Namen nennen«, sagte er leise.

»Aber ... das ... Meinen Sie das wirklich?« stammelte Gil.

»Klar. Warum nicht? Wenn Sie nichts dagegen haben, erzähle ich am kommenden Samstag im Café von Ihnen und Ihrem Gedanken.«

»Das ist phantastisch! Ich kann es gar nicht glauben. Wollen Sie das wirklich tun?«

»Natürlich. Dann sehen Sie auch mal, daß der ganze Wirbel, den Sie um das Café machen, so wild gar nicht ist. Am Montag berichte ich Ihnen, wie man darauf reagiert hat.«

Gil ließ noch die Besorgnis durchklingen, sein Gedanke könne ihm gestohlen werden; nicht von den Gelehrten im Café, sondern von den Neugierigen, die wie Geier draußen herumlungerten. Gregorio beruhigte ihn und sagte, er werde zuerst den Gedanken vortragen und dann öffentlich seinen Namen und seinen Beruf dazu nennen, und vor so vielen Zeugen käme das einem Patent gleich.

»Ich kann Ihnen gar nicht sagen, wie sehr ich Ihnen danke«, rief Gil. »Aber überlegen Sie mal, ein Gedanke in vierzig Jahren. Ist das nicht zum Weinen?«

»Nein, denn was zählt, ist die Qualität des Gedankens«, antwortete Gregorio und berichtete von Gelehrten, die nur einen einzigen Gedanken gehabt hatten, von Wissenschaftlern mit nur einer Formel und Schriftstellern mit nur einem Buch. Da hatte er den Fall Sokrates, der praktisch mit dem einen Satz berühmt geworden ist: ›Ich weiß nur, daß ich nichts weiß.‹

»Da haben Sie's, die Unsterblichkeit in sieben Worten.«

Oder dieser andere Philosoph, der gesagt hat: ›Ich denke, also bin ich, das ist hier die Frage.‹ Und wieder ein anderer: ›Der Mensch ist dem Menschen ein Wolf.‹

»Also, wer weiß, vielleicht erinnert man sich später einmal, in vielen Jahren, an Sie wegen des Gedankens mit dem Raben. Die Geschichte ist voll solcher Fälle. Sie haben also gar keinen Grund, sich wegen Ihres einen Gedankens zu schämen. Im Gegenteil, Sie sollten stolz darauf sein.«

»Danke, Señor Faroni«, sagte Gil gerührt, »obwohl es dazu noch viel zu sagen gäbe. Aber um eines möchte ich Sie bitten. Nennen Sie nicht meinen Beruf, denn dann wird man auch über meinen Gedanken lachen. Sie wissen ja, welche Bedeutung solche Dinge haben, und daß es ein Unterschied ist, ob eine Meinung von einem Straßenkehrer oder von einem Arzt vertreten wird, um nur mal ein Beispiel zu nennen.«

»Was soll ich denn sagen?«

»Sagen Sie nichts.«

»Und wenn ich gefragt werde?«

Gil wußte darauf keine Antwort.

»Wir können sagen, Sie sind Chemiker«, säuselte Gregorio.

»Nein, nein, das ist doch gelogen«, rief Gil empört.

»Gelogen! Es dient aber einer gerechten Sache, dem Gedanken, und außerdem richtet es keinen Schaden an.«

»Nein, nein.«

»Überlegen Sie es sich. Oder Philosoph. Der Gedanke ist schließlich vorhanden.«

»Ich weiß nicht, ich weiß nicht.«

»Hören Sie, überlassen Sie es einfach mir. Ich werde tun, was die Situation erfordert.«

»Einverstanden, Señor Faroni, Ihnen vertraue ich blind. Was immer Sie tun, es wird bestimmt das Richtige sein.«

»Dann bis Montag, Gil. Und daß dies alles unter uns bleibt!«

In dieser Nacht ging Gregorio früher zu Bett als gewöhnlich. Nachdem er ein Vaterunser gebetet und sich bekreuzigt hatte, schloß er die Augen und sah sich unverzüglich auf den Straßen der nächtlichen Stadt. Aber es war nicht er, sondern das strahlende Bild, das Gil sich von ihm machte. Er war ein gutaussehender junger Mann, obwohl man seine Gesichtszüge nicht deutlich erkennen konnte, da die breite Krempe seines Hutes das Gesicht beschattete. Er war wie ein Detektiv gekleidet (zimtfarbene Slipper, weiße Hose, blaues Jakkett, Regenmantel, perlfarbenes Hemd, seidenes Halstuch) und ging eine breite Straße hinunter, einen Fluß verbotener Lichter, wie ein Hölzchen, das auf einem stillen Bach dahintreibt. Mit seinem Hut und mit einer Kippe im Mundwinkel ging er dahin, den Blick voll überflüssiger Erfahrung und in jedem Schritt den Nimbus hart erkämpfter Einsamkeit. Er schien von weit her zu kommen: seine Müdigkeit unterschied sich von anderen Müdigkeiten dadurch, daß diese alle gleich und alle hastig waren, während seine die überlegte Langsamkeit eines Menschen auszeichnete, der die Last vieler ungelöster Rätsel mit Würde zu tragen weiß. Er schien auch ein schöner Mensch zu sein, von dieser komplizierten Schönheit der Wanderer ohne Ziel; und obwohl er in Wirklichkeit die Vierzig überschritten, eine unauffällige Statur und ein Dutzendgesicht hatte, gab es keinen Widerspruch zwischen den beiden Gestalten, denn beide nahmen sich auf dem Gebiet der Wachträume zurück, um im unbestimmten Reich der Andeutungen zueinander zu finden und sich anzuerkennen. So ging er durch die Stadt, jeder Schritt der Abdruck eines unwiderruflichen Entschlusses. Er hielt inne, um den Mantelkragen hochzuschlagen und sich eine Zigarette anzuzünden; den Blick ließ er mit der Gleichgültigkeit gehärteten Stahls umherschweifen und fühlte sich wie der Künstler seines Lebens, dessen Werk seine Bewegungen, seine Blicke, seine Schritte, der Hauch von Wagnis, der ihn umwehte und die Bedrohung durch seine Mitmenschen war, die ihn im Vorübergehen streiften. Voll der besten Meinung von sich selbst, fühlte er sich zu einem Freudenschrei gedrängt, so wie ihn der Waldkauz in dunklem Tann ausstößt, Kuwiett! Kuwiett!, wohltönend und laut. Er unterdrückte ihn jedoch; es reichte ihm aus, sich im Besitz höchster Leidenschaften zu wissen, aufwendig im Verzicht, verschwenderisch im Feilschen, einzigartig in seinen Identifikationen. Regenmantel, weicher Hut, Seidentuch um den Hals geknotet; in dieser Ausstaffierung lag ein dunkler Beweggrund für Frauen, ihn zu lieben, ohne was von ihm zu fordern. Er sah sich sicher und ungeniert inmitten der Menge gehen. Der Weg war ihm sowohl Halt als auch zurückzulegende Strecke, und mit seinem Blick eines Vagabunden der Meere hätte er abgebrühten Männern aus den Vorstädten Furcht eingeflößt. Sie hätten allerdings eine Heimat haben müssen und den Stolz auf eigene Berge. An dieser Stelle mußte dem Gefühl von Unwirklichkeit Paroli geboten werden, indem man sich eine dunkle Brille aufsetzte und ein Buch in die Tasche steckte, von dem noch der Titel zu lesen wäre: *Gesammelte Gedichte eines Künstlerlebens*. Er seufzte, und ein leichter Nieselregen erschien auf der Szene. Düstere Körper beschleunigten ihre Schritte unter dem herbstlichen Getröpfel, die Straßen leerten sich, und zurück blieb eine im Rätsel ihrer Geschichte gefangene Stadt. Jede Einladung zu Händel oder galanten Abenteuern zurückweisend, schlenderte er einem Platz zu, auf dem er im Angesicht einer Neonschrift stehenblieb, die ihn mit puffigen Lettern anblinzelte: *Café der Essayisten*. Und es war, als kämen ihm die Leuchtbuchstaben freudig schwänzelnd wie ein Schoßhündchen entgegen, oder als wollten sie ganz allein ihm den wahren Sinn ihres Lockens anvertrauen. Er umrundete den Platz und stand vor dem Café.

Es handelte sich in der Tat um ein geräumiges Lokal mit Spiegeln an den Wänden, die Sofas waren grün, und an der Wand hing ein großes Gemälde, das einen Leuchtturm darstellte. Er sah die in den Spiegeln vervielfältigten Säulen griechischer Tempel und das Gedränge der Gäste, die beifällig klatschten, als er mit beschwichtigender Geste eintrat, und riefen, »Faroni soll reden, der Dichter, die friedlose Seele, der Weltenwanderer!« Halb verborgen hinter Mantelkragen, Hutkrempe und Sonnenbrille, betrachtete er verstohlen das Publikum. Sein Onkel Felix war da, sein Großvater, sein Vater, Elicio, der Teufel mit Umhang und Narbe, Alicia mit ihrem Hund, Angelina, die Mutter und das Hündchen Orion, das ihn aus den Augenwinkeln fixierte. Es gelang ihm jedoch, sie von der Szenerie zu vertreiben. Erst dann erklomm er eine Art Pult, und über den Saal legte sich eine Stille, wie sie eintritt, kurz bevor die Musik beginnt. »Meine Damen und Herren«, sagte er und sah sich selbst ohne Gesicht und Stimme mit eleganter Gestik eine Rede halten, von der man nichts anderes wahrnahm, als daß sie leicht und fließend war. Es mußten wundervolle Worte sein, die er sprach, denn das Publikum saß regungslos, wie verzaubert von einem Gesang. Er hörte sich so etwas sagen wie: »heute ist kein Tag für Verse, heute steige ich herab, um Neuland für Euch zu erobern, und von der Weisheit will ich den Sack Asche Euch zeigen und das Fell des Widders«, doch waren diese Worte ausgedacht, wie Fußspuren auf dem Wasser. Plötzlich jedoch verspürte er den unwiderstehlichen Drang, Gil in seinen Traum einzuflechten, woraufhin er sogleich seine wahre Stimme und die wahre Bedeutung seiner Worte vernahm: »Ich habe einen Freund, der ist Chemiker und lebt in einer kleinen Stadt, weit draußen in der Provinz. Wie Sie alle wissen, wurde aus Benjamin Franklin, dem nur mangelhaft gebildeten Sohn eines Seifenhändlers, ein weltbekannter Gelehrter. Nun, dasselbe habe ich Gil prophezeit, so der Name meines Freundes. Er entwickelt gerade eine Substanz, die geeignet ist, Zahnschmerzen und wehe Füße gleichzeitig zu kurieren, sowie einen Kopfhörer, der die Stimmen all jener Frauen in Musik verwandelt, die sich in den Küchen kalter, unwirtlicher Pensionen mit schriller Stimme unterhalten. Bereits erfunden hat er eine andere Substanz, die einem Menschen zu glücklichen Gedanken verhilft. Er selbst hat sie ausprobiert, und dabei kam ihm die Idee, der Rabe aus der Fabel hätte das Stück Käse fest im Schnabel halten und durch die Schnabelwinkel krächzen sollen; und ich darf Ihnen versichern, daß es keine Philosophie mit dieser Alltagsweisheit aufnehmen kann. Meine sehr verehrten Damen und Herren, ich möchte Ihre Aufmerksamkeit auf diesen Mann lenken, der in der Einsamkeit der tiefsten Provinz arbeitet. Er hat zwar keine universale Theorie entwickelt wie Platon, aber er macht sich Gedanken über die kleinen Dinge des Alltags, wie den, von dem ich eben berichtet habe, und versucht, in der bescheidenen Komplexität der ländlichen Ödnis eine Ordnung für sie zu finden. Sein Name ist Gil, und er ist Chemiker und Philosoph. Das ist alles, was ich Ihnen zu sagen habe.«

Er vernahm Applaus und Hochrufe: ›Es lebe Gil! Hoch lebe der Chemiker der Wildnis!‹ Er stieg vom Rednerpult herab, und als er seine Blicke über die Zuhörer schweifen ließ, fühlte er sich von Unwirklichkeit übermannt. Die Furcht, ein unglaubwürdiges Bild zu erschaffen, in dem er sich nicht mehr wiedererkennen könnte, ließ ihn lange unschlüssig. ›Wohin gehst du jetzt, Faroni?‹ fragte ihn jemand. ›Nach Babylon, ans Meer‹, antwortete er in seinem Traum.

Am nächsten Morgen erwachte er mit einem von Schuldgefühlen entlasteten Gewissen. Wenn Gil ihn in einem Netz nostalgischer Phantasien gefangenhielt, so hatte er in seinem nächtlichen Traum jetzt dasselbe mit ihm getan. »Nun sind wir schon zwei Hochstapler«, dachte er und notierte in seinem Büchlein die neuesten Wendungen der Farce.

KAPITEL IX

Am Montag klingelte das Telefon früher als gewöhnlich. Die Wunderkindstimme meldete sich: »Hier Gil.«

»Hier Gil«, wiederholte er, als fürchtete er, nicht erkannt worden zu sein.

Er wagte nicht zu fragen, wie es seinem Gedanken ergangen war, und so machte Gregorio den Anfang.

»Herzlichen Glückwunsch.«

»Wofür?« stellte Gil sich unwissend.

»Na, für den Gedanken mit dem Raben. Ich habe ihn vorgetragen, und er war ein durchschlagender Erfolg.«

»Das gibt es doch nicht!«

»Doch. Erst sprach man über alle möglichen Dinge. Ein Erfinder hatte zum Beispiel einen Apparat dabei, der Haß in Energie umwandeln konnte, und es gelang ihm, den Deckenventilator in Gang zu setzen, als wir uns alle auf unsere ärgsten Feinde konzentrierten.«

»Aber, das ist ja phantastisch!« rief Gil.

»Es geht«, schwächte Gregorio ab. »Man nutzt einfach die Energie des Gehirns. Sie haben doch sicher schon von Leuten gehört, die durch Gedankenkraft Stühle verrücken können.«

»Ja, habe ich schon gehört, und Gläser.«

»Na also, worüber wundern Sie sich? Man muß nur die latente Kraft der Leidenschaft in mechanische Kraft umwandeln.«

Gil fragte, ob auch die Liebe in Energie umgewandelt werden könne. Sie dachten darüber nach und kamen zu dem Schluß, daß das sehr wohl der Fall sein könnte und daß es in Zukunft vielleicht sogar Flugzeuge gäbe, die ohne Treibstoff fliegen könnten, wenn nur ein einziges verliebtes Pärchen an Bord wäre, oder daß ein zärtlicher Blick ausreiche, um das Licht anzuknipsen.

»Bis dahin werden aber noch viele Jahre vergehen, und ich fürchte, weder Sie noch ich werden das erleben. Doch zurück zum Thema.

Nach dem Experiment wurden die verschiedensten Dinge erörtert, und als ich Ihren Gedanken vortrug, applaudierten die Leute ebenfalls und ließen Sie hochleben, und einer von den Gelehrten, Sie kennen ihn, der mit den Goldzähnen und den künstlichen Körperteilen, interessierte sich sehr für Sie. Wissen Sie, was er gesagt hat?«

»Nein«, hauchte Gil.

Gregorio sprach mit sonorer Stimme: »Dieser Gil wird es noch weit bringen.«

»Das hat er wirklich gesagt?«

»Das hat er gesagt, und auch, daß er gern noch andere Gedanken von Ihnen kennenlernen würde.«

»Sehen Sie, da wird es schon schwierig«, sagte Gil betrübt.

»Er fragte mich, welchen Beruf Sie ausübten. Um nicht zu großen Erklärungen ausholen zu müssen, habe ich ihm gesagt«, und hier senkte er verschwörerisch seine Stimme, »Sie seien Chemiker und Denker. Von Ihrem Gedanken her war das gerechtfertigt.«

»Gut. Aber wenn er was merkt?«

»Ich werde schweigen. Nur wir beide kennen die Wahrheit. Was die andern angeht, was kann sie das interessieren?«

Sie besiegelten den Pakt mit einem langen Schweigen.

»Sind Sie zufrieden?« fragte Gregorio.

»Das können Sie sich vorstellen. Ich wünschte, es wäre schon Nacht, damit ich mich ins Bett legen und mir noch einmal alles durch den Kopf gehen lassen könnte, was Sie mir gesagt haben. Wenn das mein Vater noch erfahren könnte, daß man mich im Café erwähnt hat!«

»Lebt er nicht mehr?«

»Doch, er müßte noch in der Stadt wohnen. Und meine Mutter auch.«

»Dann wissen Sie also nichts von ihnen?«

»Nein, und von meiner Verlobten auch nicht.«

Gregorio wußte nicht, was er sagen sollte.

»Sie hieß Mari.«

»Wer?«

»Meine Verlobte.«

»Aber was ist mit Ihren Eltern und Ihrer Verlobten passiert?«

»Ach, wissen Sie, mein Leben ist eine einzige Katastrophe.« Seine Stimme klang zum Erbarmen. »Ich habe es nie einem Menschen erzählt. Allein Ihnen würde ich mich trauen, es zu erzählen, weil Sie ein Künstler sind, und weil die Künstler den einfachen Mann verstehen können. Nur, wenn ich es Ihnen erzähle, werden Sie mich hinterher vielleicht verachten.«

»Sie beleidigen mich, Gil. Niemand ist besser geeignet, fremdes Unglück anzuhören und wertzuschätzen als ein Dichter.«

»Danke, Señor Faroni. Dann ist es Ihnen also recht, wenn ich aus meinem Leben berichte?«

»Ich höre, Gil.«

»Ja, aber wo soll ich anfangen? Es ist so schwer, Dinge zu erzählen. Ich will Ihnen sagen, was mir einmal passiert ist. Ich habe drei Vertretern einen Witz von einer Katze, einem Hund und einem Pferd erzählt. Der erste verstand nicht recht, was mit der Katze war, und fragte den zweiten. Während der es ihm erklärte, erzählte ich schon von dem Hund, was die beiden natürlich nicht mehr mitbekamen. Also fragten sie den dritten, und während der es ihnen erklärte, erzählte ich schon vom Pferd, und alle drei verpaßten die Pointe. Ist das nicht ein Jammer? Klar, hinterher hieß es dann, ich hätte einen schlechten Witz erzählt.«

»Hier bin ich der einzige, der Ihnen zuhört, Gil. Wir beide sind ganz unter uns. Erzählen Sie unbesorgt.«

»Nun gut, also, ich bin jetzt einundvierzig Jahre alt, und damals war ich ungefähr achtzehn. Ist das ein guter Anfang?«

»Sehr gut. Nur weiter.«

»Ich arbeitete bei Requena und Belson. Ich nahm auch die telefonischen Aufträge entgegen. Ich sprach damals mit einem gewissen Gómez, der schon tot ist. Er wurde von einem Zug überfahren, als er an einem nebligen Tag vom Weg abkam. Aber, merken Sie, ich verliere schon den Faden. Ich hätte besser mit der Coca-Cola begonnen. Sie haben Coca-Cola natürlich schon als Kind probiert, nicht? Ich aber erst, als ich schon beinah achtzehn war. Ich will Ihnen erzählen, wie das war, damit Sie wissen, mit was für einem Menschen Sie es zu tun haben. Ich war neun oder zehn Jahre alt. In der Schule hatten wir gerade Religionsunterricht, und der Priester erzählte die Geschichte von dem Kampf zwischen David und Goliath. Ich weiß noch, es war an einem Nachmittag im Winter. Plötzlich stand der Priester auf, blickte aus dem Fenster, klatschte zweimal laut in die Hände und sagte: ›Meine Herren, die Coca-Cola ist gekommen!‹ Damals machte die Coca-Cola nämlich Werbefahrten in die Schulen und auf die Dörfer, um bekannt zu werden. Wir Kinder standen auf und nahmen Haltung an. Ich konnte einen Blick nach draußen werfen und sah im Schulhof zwei Getränkewagen von Coca-Cola und die beiden Fahrer stehen, die Masken von Comicfiguren trugen. Der Priester sagte: ›Wohlan, allein die von euch dürfen Coca-Cola trinken, die nicht in Todsünde leben.‹ Und ich, Señor Faroni, lebte in Sünde, denn in der Nacht zuvor hatte ich unzüchtige Handlungen begangen. Also ging ich mit vielen anderen Kindern zuerst in die Kapelle, um zu beichten und meine Buße von ich weiß nicht wie vielen Vaterunsern und Avemarias zu verrichten. Ich weiß noch, daß ich wahnsinnig schnell betete, um möglichst bald in den Schulhof zu kommen. Aber als ich endlich hinkam, was war? Die Coca-Cola war alle. Und so kam eins zum andern, und es vergingen noch fast zehn Jahre, bis ich sie zum erstenmal probiert habe. Damit habe ich Ihnen in wenigen Worten eigentlich mein ganzes Schicksal geschildert. Sie sehen ja. Ich war damals achtzehn und ... Sehen Sie? Die Geschichte geht mir wieder daneben. Ich hätte anderswo anfangen müssen.«

»Ich glaube, so kommt sie ganz gut in Gang, Gil.«

»Nein, ich will Ihnen zuerst einmal von meinem Vater erzählen. Er war ein sehr eigenartiger Mensch, müssen Sie wissen. Ihm schmerzte ein Bein, und er konnte nicht arbeiten, so daß er den ganzen Tag über zu Hause war, stets schwarz gekleidet und mit dem Hut auf dem Kopf, als ob er ausgehen wollte, was er aber nie tat. Er saß immer stumm am Tisch, ein bißchen schief, und wie verbittert. Wir wohnten, das sagte ich Ihnen ja schon, ziemlich im Stadtzentrum. Ich weiß noch, wie wir alle drei, mein Vater, meine Mutter und ich, als ich noch klein war, in unserem Viertel spazierengegangen sind. Mein Vater ging ein Stück voraus und bestimmte den Weg, und wir hinterdrein. Da ihn zu der Zeit schon das Bein schmerzte, mußte er alle paar Schritte stehenbleiben, und wir taten dasselbe und warteten, bis er wieder zu Kräften kam. Er drehte sich dann um und winkte uns mit der Hand, wie ein Pfadfinder im Wilden Westen dem Siedlertreck winkt, ihm zu folgen; und dann gingen wir alle weiter, er wieder voraus und wir hinterher. Wir gingen Verkehrsunfälle beobachten. Mein Vater kannte die Stellen, an denen es Zusammenstöße und sonstige Unfälle gab. Tatsächlich gab es keinen einzigen, aber wir stellten uns da hin und warteten. Meine Mutter war dagegen und sagte, das sei Sünde. Und mein Vater sagte zu ihr: ›Was weißt du denn? Was wißt ihr vom Leben?‹ Wenn ein Blinder die Straße überquerte, lief er gleich hin, um zu sehen, ob er überfahren würde, und wenn der Blinde die andere Straßenseite erreichte, sagte er: ›Der hat seine Haut noch mal gerettet.‹ Einmal wurde ein Radfahrer angefahren. Mein Vater rief: ›Da, da!‹ und rannte mit hochgeworfenen

Armen und wehender Jacke zu der Stelle. Ich hatte ihn noch nie rennen sehen, und ich hätte so losheulen können. Ich glaube, seit dem Augenblick fürchtete ich mich noch mehr vor ihm als bisher. Als wir an die Unfallstelle kamen, sahen wir ihn von Neugierigen umringt, denen er erklärte, wie der Unfall passiert und er dem Opfer als erster zu Hilfe geeilt war. Und einmal, weiß ich noch, gingen wir wieder Verkehrsunfälle beobachten, als ein Hubschrauber ganz tief über uns herflog. Wir hörten plötzlich das Geräusch von diesem Hubschrauber und wußten gar nicht, wohin wir gucken sollten. Mein Vater sah ihn als erster. Er ergriff meinen Arm und sagte: ›Schau, Junge, da!‹, und hob seinen Arm mit dem Spazierstock, um mir den Hubschrauber zu zeigen. Ich schaute hoch, konnte aber nichts sehen, weil er ihn mit seiner Hand verdeckte. Außerdem hielt er mit der anderen meinen Arm so fest, daß er schmerzte. Und je mehr mein Vater rief, ›siehst du ihn? siehst du ihn?‹, und je mehr er seinen Arm in die Richtung streckte, und je heftiger er meinen Arm drückte, desto weniger sah ich. Schließlich fragte er mich: ›Hast du ihn gesehen?‹, und aus Angst antwortete ich, ›ja‹. ›Auf den Straßen‹, sagte er, ›muß man immer wachsam sein, denn ehe man sich's versieht, ist was passiert.‹ Und später, jahrelang ging das, fragte er mich manchmal überraschend: ›Da, hast du gesehen?‹ Und ich sagte immer, ›ja‹. Und er: ›Man muß stets wachsam sein, die Lektion darfst du nicht vergessen.‹ Das war vielleicht eine Zeit! Ich weiß noch, daß er immer einen Scherz mit mir machte. Er sagte zu mir: ›Junge, hast du Lust auf eine Partie Schach?‹ Wir hatten gar kein Schachspiel zu Hause, und keiner von uns konnte spielen. Ich antwortete ihm dann: ›Nein, ist schon zu spät.‹ Und er sagte: ›Na, dann ein andermal.‹ Das war alles, was wir miteinander sprachen. Wenn es schon Nacht geworden war, aß er zu Abend. Er aß mit dem Taschenmesser und ohne seinen Hut abzunehmen. Es dauerte unglaublich lange, bis er zu Ende gegessen hatte. Er schnitt Brot und Käse in kleine Stücke, schälte das Obst ganz dünn, danach schnitt er das Fleisch ebenfalls in ganz kleine Stücke, und dann spießte er es mit seinem Messer auf, Stückchen für Stückchen, und aß ganz langsam, als bereite es ihm Kummer. Sein Messer gab er nie aus der Hand, und niemand durfte es anfassen, er hatte Angst, man könnte es ihm stehlen. Er hielt es in den Tiefen seines schwarzen Anzugs verborgen und holte es nur zum Essen heraus. Doch manchmal tastete er mit der Hand über die Tasche, um festzustellen, ob es noch da war. Er öffnete es mit einer Hand, wie die Zauberer es mit einem Kartenspiel machen. Er schnitt damit und spießte auf, benutzte es als Gabel und als Löffel und um sich den Rücken damit zu kratzen, um bestimmte Teile auszuwählen und andere zu verwerfen. Zum Schluß schob er mit der Schneide die Essensreste zusammen, säuberte es, klappte es zu und ließ es wieder verschwinden. Ist es so gut, Señor Faroni?«

»Sehr gut, obwohl vielleicht ein bißchen langatmig. Aber fahren Sie fort, wie Sie können.«

»Ich studierte damals, müssen Sie wissen. Ich hatte erst spät damit begonnen, und es war ein Heimstudium; ich wollte aber einen Abschluß haben. Nun ja, ich hörte ihn dann essen, und das lenkte mich ab. Ich fragte mich, ›ob er wohl schon zu Ende gegessen hat?‹ Aber da ich das natürlich nicht wissen konnte, stand ich auf, schaute nach, und er saß immer noch da und aß. Und jedesmal, wenn ich nachschaute, war es noch dunkler geworden und die Geräusche weniger, aber mit seinem Abendessen schien er kein bißchen weitergekommen zu sein. Am Ende war dann nur noch ein Häufchen mit Schalen, Knochen und Brotkrümeln übrig. Doch ich war immer noch abgelenkt, weil ich mit den Gedanken bei seinem Messer war, und ob ich wollte oder nicht, dachte ich: ›Wenn er stirbt, gehört das Messer mir.‹ Aber jetzt sehen Sie einmal, wie schlecht ich erzähle. Ich hätte mit dem Friseur und dem Huhn anfangen müssen.«

»Mit welchem Friseur?«

»Nun, das einzige, was ihn aufmunterte, war, wenn der Friseur kam und ihn rasierte. Dann wurde er redselig und machte Witze und klopfte sich sogar vor Lachen auf die Schenkel. Und auch, wenn es Huhn zu essen gab. Das war seine Lieblingsspeise, bei der vergaß er alles, was an Bitterkeit in ihm war. ›Was fehlt uns denn zu unserm Glück?‹ sagte er zu meiner Mutter und mir. Er sagte, wenn alle so wären wie er, dann hätte es keine Kriege gegeben und das Telefon müßte erst noch erfunden werden. ›Aber wozu brauchen wir Telefon?‹ fragte er und hielt sich sein Taschenmesser ans Ohr, als wäre das der Hörer, und sprach mit nachäffender Stimme: ›Hallo? Ja? Hören Sie? Ah! Sind Sie noch da? Ja? Ja, bitte? Hm? Ah, natürlich! Klar! Ja, ja! Hören Sie?‹ Aber er tat das nicht, um uns zum Lachen zu bringen. Nein, er war todernst dabei, halb unter seinem schwarzen Hut versteckt. Es war schrecklich, ihm zuzuhören, man bekam Angst und wußte gar nicht, wo man hinsehen sollte. Meiner Mutter kamen dabei sogar die Tränen. Hören Sie mich noch, Señor Faroni?«

»Ich höre Sie, Gil, das ist ja eine merkwürdige Geschichte«, sagte Gregorio.

»Aber ich erzähle sie nicht gut. Ich hätte anfangen sollen, als ich vierzehn Jahre alt war. Da wollte ich Journalist werden. Wenn Besuch kam, sagte mein Vater immer: ›Der Junge wird Journalist‹, als hätten diese Worte eine geheime Macht. Einmal hatten wir Besuch, und mir fiel eine Tasse zu Boden. Alle erschraken und sahen mich an, nur mein Vater nicht, der sagte ganz gelassen: ›Der Junge wird Journalist.‹ Das sind so Dinge, die man nicht vergißt, und derer man sich später schämt, wenn man sich wieder an sie erinnert. Ich las damals aber noch nicht einmal Zeitung. Mein Vater sagte: ›Wie erklärt man sich, daß es in der Zeitung immer Unfälle gibt und auf der Straße nie? Wenn du Journalist werden willst, Junge, dann mußt du in die Ferne gehen.‹ Ich begriff damals noch nicht, daß das wie eine Prophezeiung war. Aber ich will nicht abschweifen. Wie ich Ihnen schon sagte, begann ich sehr spät, mich im Heimstudium auf das Abitur vorzubereiten. Ich lernte nachts. Ich kaufte mir eine Gelenkschreibtischlampe, und ich weiß noch, daß ich meine Studien oft unterbrach und daran dachte, welch ein Glück ich doch hatte, eine Lampe ganz für mich allein zu haben. ›Vielleicht kann Mr. Edison mich jetzt vom Himmel aus sehen‹, dachte ich und sprach mit ihm: ›Danke Mister Edison‹, sagte ich, ›dank Ihrer Erfindung kann ich jetzt lernen, obwohl es draußen schon dunkel ist.‹ Ich tat auch so, als könne er mich tatsächlich sehen: ich stellte Dinge ins Licht, schaltete es ein und aus, drehte es zur Zimmerdecke und sagte mit bewegter Stimme: ›Danke, Mister Edison, danke im Namen der ganzen Menschheit.‹ So brachte ich viel Zeit herum. Der Fortschritt und die Männer des Fortschritts haben mir immer große Bewunderung abgenötigt. Na ja, so kam eins zum andern, und jede Kleinigkeit lenkte mich ab. Wir hatten einen Kater, dem ich den Namen Edison gegeben hatte. Wenn ich ihn auf der Terrasse miauen hörte, dachte ich: ›Hoffentlich frißt er nicht die Blumen‹, denn Edison fraß gern die Blumenkästen leer, es gab nichts, das ihm besser schmeckte. Ich ging zur Terrasse und verscheuchte ihn mit lautem Geschrei. Von dem Lärm angelockt, kam mein Vater, der es ohnehin auf den Kater abgesehen hatte, mit einem Wachslicht angelaufen. Ich ging wieder in mein Zimmer, hörte dann aber meinen Vater, der mit dem Wachslicht alle Winkel absuchte und mit der Fußspitze überall hineinstieß. Außerdem pfiff er irgendwelche Signaltöne, ich weiß nicht, ob er damit den Kater anlocken oder verscheuchen wollte, jedenfalls waren es lange, traurige Pfiffe, die einem das Herz brechen konnten. Mein Vater pfiff nämlich sehr schön. Abends nach zehn stellte er sich auf den Balkon und fing wie verrückt an zu pfeifen, immer dasselbe, Lieder aus dem Krieg. All das lenkte mich ab, und wenn es nicht das eine war, so war es das andere. Ich harrte jedoch an meinem Tisch aus und war fest entschlossen, weiterzustudieren für den Tag, an dem ich das Café betreten durfte. Das mit dem Café hatte sich mein Vater in den Kopf gesetzt, das erzähle ich Ihnen jetzt. Ich glaube, ich hätte besser an dieser Stelle angefangen, und das mit dem Kater übersprungen, meinen Sie nicht?«

»Das ist doch nebensächlich, Gil, kommen Sie zur Sache«, drängte Gregorio.

»Nun, bevor es ihm so schlecht ging, und er so traurig wurde, brachte er mir noch die einzige Lektion bei, die er mir beibringen konnte. Er nahm mich mit zum Café der Essayisten, das damals noch Hispano Express hieß, zeigte durchs Fenster und sagte zu mir: ›Siehst du die Männer da an dem Tisch? Das sind Weltmänner, Künstler, Wissenschaftler, Persönlichkeiten des Weltgeschehens. Was früher die Grafen und Herzöge waren. Sieh zu, daß du einer von ihnen wirst, studiere und messe dich an ihnen.‹ Dann nahm er mich mit in einen Park, wo sich Landstreicher und Betrunkene trafen. ›Diese Leute sind Habenichtse, Gesindel‹, sagte er, ›sieh dir den Spitzbuben da an, der die Knotentricks macht. Er hat seine Jugend vergeudet, und jetzt sitzt er da und tut das einzige, was er kann.‹ Mehr sagte er nicht. Ich setzte mich gleich hin und fing an zu lernen, um eines Tages in das Café eintreten zu können. Damals entschloß ich mich, Chemiker und Denker zu werden. Ich dachte, es käme alles, wie Weihnachten kommt oder der Tod, und da sehen Sie nun, was aus mir geworden ist: fast einundvierzig Jahre alt und Vertreter für Wein und Oliven.«

Er schwieg bekümmert. Gregorio tröstete ihn so gut es ging und ermunterte ihn fortzufahren.

»Eben merke ich«, überwand Gil seinen Kummer, »daß ich meine Geschichte mit Mister Edison hätte beginnen müssen. Ich hätte sagen müssen: ›Wenn Mister Edison nicht das Licht erfunden hätte, wäre mein Leben wahrscheinlich anders verlaufen und ich stünde jetzt nicht hier und würde mich mit Ihnen unterhalten.‹ Wie finden Sie das?«

»Das wäre wirklich ein guter Anfang gewesen«, sagte Gregorio aufrichtig.

»Mir fällt immer alles zu spät ein, wenn schon nichts mehr zu retten ist. Aber nun, lassen Sie mich weitererzählen. Seit fast einem Jahr betrieb ich meine Heimstudien, als Gómez, der Vertreter, starb und Requena und Belson mir anbot, seine Stelle zu übernehmen.

›Nur für ein paar Monate‹, sagte der Mann in Schwarz. Ich war damals aber schon verlobt, ganz offiziell, und meine Verlobte hieß Mari, sie wohnte im selben Viertel wie wir. Ich sprach mit ihr darüber und auch mit meiner Mutter. ›Du solltest gehen‹, sagten sie, ›das Geld solltest du dir mitnehmen.‹ Ich wehrte mich mit Argumenten, die immer lächerlicher klangen, je öfter ich sie vorbrachte: wir hatten einen Kater, ich hatte eine Verlobte, einen kranken, wunderlichen Vater, ich wollte studieren, wollte Chemiker und Denker werden. Ich spielte auch Laute – Gavotten, Rondos, Sarabanden und Walzer –, ich hatte ein Notenheft, und wenn ich danach spielte, war ich wie trunken. Meine Eltern staunten beide und waren stolz, wenn sie mich spielen hörten, und sogar der Kater kam, um mir mit steil aufgerichtetem Schwanz und halberhobener Pfote zuzuhören. Ich bekam Unterricht von einem Blinden, und nach jeder Stunde sagte ich zu mir: ›Heute bist du ein gutes Stück vorangekommen. Wenn du so weitermachst, bist du in zehn Jahren ein studierter Mann und Berufsmusiker.‹ Also fragte ich mich: ›Was wird aus meiner Zukunft, wenn ich mich in die Provinz schicken lasse?‹ Außerdem hatten meine Verlobte und ich feste Pläne. Wir wollten heiraten, wenn ich meine Studien beendet hatte, und eine Reise ins Ausland unternehmen. Und plötzlich sollte ich in die Provinz gehen. ›Nimm deine Laute und die Bücher mit‹, sagten sie, ›dann kannst du dort weiterstudieren, und wenn du zurückkommst, bist du Chemiker.‹ Ich wollte aber nicht. Da mischte sich mein Vater ein, der bisher geschwiegen hatte. Er zog sein Eßmesser hervor und gab es mir mit den Worten: ›Geh, mein Junge. Da draußen kannst du Journalist werden.‹ Meine Verlobte schenkte mir einen Klappspiegel, und meine Mutter strickte mir einen dicken Pullover für den Winter. Das ist alles, was mir von ihnen geblieben ist. Ich ging und habe seitdem die Stadt nicht wiedergesehen. Jetzt, da ich darüber spreche, fällt mir auch ein, wie ich die Geschichte hätte beginnen müssen. Bei meinem Namen nämlich. Wissen Sie, wie ich heiße?«

»Gil.«

»Und mit zweitem Namen?«

»Nein, das weiß ich nicht.«

»Auch Gil. Und mit Vornamen?«

»Na?«

»Ob Sie es glauben oder nicht, ebenfalls Gil.«

Er schwieg beschämt.

»Die Idee stammt von meinem Vater. Er sagte immer, es reiche aus, bei einem Namen gerufen zu werden. Und da die Familiennamen gleich waren, warum sollte man sich da den Kopf über den Vornamen zerbrechen? Ich weiß noch, daß er einmal, um zu beweisen, wie recht er hatte, ans andere Ende der Wohnung ging und laut rief: ›Juan Antonio González Alvarez López Martínez de Churruca y Mendoza! hast du Lust auf eine Partie Schach?‹ Na ja, das Ergebnis kennen Sie. Gil Gil Gil. Lächerlich, nicht?«

Gregorio dachte an seine eigenen Pseudonyme und sagte:

»Namen sind ohne Bedeutung. Was bleibt, ist das Werk.«

»Das glaube ich nicht«, entgegnete Gil. »Ich glaube, daß des Menschen Schicksal bei seinem Namen beginnt.«

»Dann ändern Sie doch Ihren Namen, suchen Sie sich ein Pseudonym, wie ich. Sie dürfen sich nicht vom Schicksal unterjochen lassen.«

»Das wäre wunderbar«, sagte Gil und nieste.

Gregorio hörte, wie er sich die Nase putzte und dann mit leiser Stimme sagte:

»Das wäre wunderbar, aber das traue ich mich nicht. Außerdem, welchen Namen sollte ich mir geben?«

»Da werden wir schon einen passenden finden. Aber jetzt erzählen Sie erst mal weiter.«

»Nun, da ist nicht mehr viel zu erzählen. Anfangs dachte ich noch, ich könnte bald wieder in die Stadt zurück, doch die Dinge komplizierten sich. Jedesmal wenn ich den Schwarzgekleideten an sein Versprechen erinnerte, so schnell wie möglich einen Ersatz für mich zu schicken, sagte er: ›Sehen Sie doch ein, Gil, daß Sie für ein Leben da draußen bestimmt sind. Belson braucht Sie genau dort, wo Sie selbst sich unentbehrlich gemacht haben‹ und fügte noch ein paar Sätze auf Latein hinzu. Und dann meine Eltern und meine Verlobte: ›Wenn du zurückkommst, verlierst du deine Arbeit, welche Schande wäre das, wir wären enttäuscht von dir, du könntest uns nicht mehr in die Augen schauen.‹ Nach einem Jahr beantworteten sie nicht einmal mehr meine Briefe. Ich bat den Mann in Schwarz, sich nach dem Verbleib meiner Eltern zu erkundigen, und er sagte mir, sie seien umgezogen, in ein anderes Viertel, man wisse nicht wohin. Mit ihrem letzten Brief schickten sie mir ein Photo. Alle drei saßen beim Picknick im Grünen, fröhlich lachend, meine Verlobte auf Vaters Knien, meine Mutter mit Vaters Hut auf dem Kopf und dem Kater auf dem Schoß (dabei war er immer so wild, daß er sich nie fangen ließ), und mein Vater zeigte lachend mit dem Finger auf die Kamera. Sie sahen wie verjüngt aus und trugen Blumen in den Haaren. Auf der Rückseite stand ein Gruß: ›Uns geht es gut, einen Kuß von Edison.‹ Seitdem habe ich nichts mehr von ihnen gehört. Dies ist meine Geschichte, und wenn sie auch schlecht erzählt ist, so werden Sie doch zugeben, daß es wohl kaum eine traurigere gibt.«

Sie bewahrten ein schmerzliches Schweigen, und am Ende sagte Gregorio, der Mensch denke und Gott lenke, und es sei keineswegs zu spät, wenn nicht Chemiker, so doch zumindest Denker zu werden.

»Nein«, antwortete Gil, »ich werde nie ein Denker. In dreiundzwanzig Jahren ist mir nur ein einziger guter Gedanke gekommen. Nehmen wir einmal an, ich lebte noch dreißig Jahre, dann hätte ich am Ende vielleicht zwei oder drei, und ich sage Ihnen, nichts ist schlimmer, als sich im Alter seiner selbst schämen zu müssen. Nein, ich gebe mich damit zufrieden, mit Ihnen zu sprechen. Sie sind ein Künstler aus dem Café und wie vom Himmel geschickt, um mich über mein trauriges Schicksal hinwegzutrösten. Und wissen Sie was? Ich habe Ihnen ein Geschenk geschickt.«

»Ein Geschenk?«

»Ja. Nichts Großes, eine Kleinigkeit. Und nicht, daß Sie denken, ich wollte damit Ihre Güte und Geduld bezahlen, die Sie mit mir haben, denn die sind unbezahlbar. Ich wollte Ihnen damit nur ein wenig meine Dankbarkeit bekunden. Sie werden es wahrscheinlich morgen bekommen.«

»Sie hätten sich meinetwegen doch keine Umstände machen müssen, Gil«, protestierte Gregorio.

»Im Gegenteil, ich rechne es mir als Ehre an. War es früher Edison, so stelle ich mir heute vor, daß Sie es sind, der mir zuschaut, wenn ich zum Beispiel etwas lese, und das gibt mir die Kraft, weiterzulesen. Das Geschenk ist also eine kleine Gabe der Bewunderung.«

»Danke«, sagte Gregorio mehr verwirrt als gerührt.

Am nächsten Tag kam das Geschenk. Es war ein Topf Honig und ein Pfund Quittenmus. Aus der Verpackung fiel ein Visitenkärtchen, aus dem hervorging, daß G. G. Gil Repräsentant der Firma R. & Belson war. Auf der Rückseite stand in säuberlicher Schönschrift: *Für den großen Künstler, Señor Faroni, zum Dank für sein Wissen und seine Güte, von seinem getreuen Bewunderer Gil.*

Durch das Geschenk lebten Gregorios Gewissensbisse wieder auf. Zu Hause erzählte er, es handle sich um ein Geschenk von einem Untergebenen. Und während sich die Mutter mit Honig vollstopfte und dabei über das Ausbleiben besserer Süßigkeiten mäkelte, wodurch sie den Gedanken vom schnabelwinklig krächzenden Raben aufs anschaulichste interpretierte, dachte Gregorio an die Widmung und sagte sich: ›Was bist du für ein Schuft, einen Mann wie Gil so zu beschwindeln.‹ Doch dann glaubte er selbst nicht an die Vorwürfe, wie er auch nicht den Argumenten glaubte, die sein Verhalten entschuldigten. Denn plötzlich überlegte Gregorio sich, daß er im Grunde gar kein richtiger Schwindler war. Er wunderte sich zwar immer noch über die ganze Lügengeschichte, aber weniger, weil er die Lügen so schwindelerregend fand, als wegen der Leichtigkeit, mit der es ihm gelang, glaubwürdig zu sein. »Und das heißt, daß etwas Wahres daran sein muß«, sagte er sich. »Denn die Wahrheit zeigt sich niemals pur und bedarf stets des äußeren Scheins, wie der Blinde des Hundes bedarf. Zieht man die Erscheinungsform also ab, dann bin ich Faroni«, verkündete er eines Tages und erkannte an dem feierlichen Ton sogleich, daß er lange auf den Augenblick gewartet hatte, diese Worte auszusprechen.

Nein, ganz und gar unsinnig war die Sache nicht. Denn jetzt, da er sich langsam an seine neue Identität gewöhnte und die Lust und die Gefahr der Erfindung auszukosten begann, stellte er begeistert fest, daß jemand, der über sich selbst Lügen erzählt, eigentlich gar nichts erfinden kann (wenn aufrichtig gelogen wird), was nicht in seiner Vergangenheit bereits angelegt war, was nicht im Innern seiner tiefsten Überzeugungen und Wünsche eine irgendwie geartete Wahrheit war. Elegant wie ein Schiffsoffizier auf das Balkongeländer gestützt, verlor er sich Abend für Abend an die breite, träge dahinfließende Dämmerung und dachte daran, wie die ganze Farce begonnen hatte, die voller bis dahin unbekannter Einzelheiten war und sich ihm klar und deutlich in einer Vergangenheit zeigte, die zwar gar nicht existierte, aber dennoch vom Willen einer unsteten und befreiten Erinnerung lebendig gehalten wurde, einer Erinnerung, die dazu neigte, das Vergessen zu korrigieren und mit Tatsachen zu füllen, die nur dem äußeren Anschein nach trügerisch, in Wirklichkeit jedoch beurkundet waren vom wehmütig sehnsüchtigen Schmerz um ihren Verlust. Bei diesem Gedanken befiel ihn sogleich der Verdacht, daß jedes Leben mindestens zwei Leben sei: eines, das tatsächliche und unwiderrufliche; und das andere, das hätte sein können und in uns lebt wie ein ruheloser Geist, der durch die Erinnerung streift und in ihr wächst, bis er Merkmale von Selbständigkeit und Realität annimmt und dem anderen Leben, dem erstgeborenen, Teile der Vergangenheit streitig macht und es manchmal in der Herrschaft über das gewaltige Reich des Vergessens ablöst und sich wie ein Feudalherr darin einnistet: trostlos, grausam, närrisch und aufsässig. Vielleicht stellte der Wahnsinn oder das Eifern den Sieg des Bastards über den Erstgeborenen dar, doch in Gregorio drängte nichts nach Brudermord, sondern alles, was er forderte, war die Rückgabe geraubter Güter. Und in diesem Vorhaben lag etwas Großes, denn so wie eine verbrecherische Tat schlecht und verwerflich ist, jedoch ungestraft bleibt, wenn der Richter auf Selbstverteidigung erkennt, und im Kriegsfall sogar zur Heldentat wird, so kann auch, da wir uns im Krieg mit unserem Nächsten und mit uns selbst befinden, die Lüge durchaus verständlich und sogar zum Nährboden großer Heldentaten werden. Sollten Gil einmal, und damit war zu rechnen, den Tatsachen entsprechende Berichte über die Stadt und, was noch schlimmer war, über den wirklichen Olías zu Ohren kommen, so könnte er ohne weiteres behaupten, seine Vergangenheit mit den Augen eines Künstlers gesehen und interpretiert zu haben, doch ebensogut könnte er ihn mit bitteren Worten angreifen: »Waren Sie es nicht selbst, Sie unseliger Mensch, der mein Leben mit unpassenden und unredlichen Fragen aufgewühlt hat? Sie wissen wohl nicht, daß man einen Verrückten am besten in dem Glauben läßt, seine Verrücktheiten seien ganz normal? Zum Dank für mein Wohlwollen jetzt auch noch Vorwürfe?«

Mit solchen und ähnlichen Überlegungen konnte Gregorio sein Gewissen ein weiteres Mal beruhigen, und als er das Gefühl hatte, sich seiner Motive und Vorwände ganz sicher zu sein, stürzte er sich leidenschaftlicher denn je in die Unwirklichkeit. Jede Nacht nahm er sein Büchlein zur Hand und schrieb eine neue Episode seines imaginären Lebens auf. Er redete sich sogar ein, was Gil brauche, sei eine ordentliche Lektion, eine Art Abschreckung sozusagen, und daß die Müdigkeit, die die Doppelzüngigkeit ihm verursachte, als Buße für all seine Sünden gelten könnte.

Es folgte eine lange Periode trügerischer Vertraulichkeiten. Es verging keine Woche mehr, in der sie nicht hastig die Bestellungen abfertigten, um sich dann dem zuzuwenden, was sie wirklich bewegte. Gil, der unbarmherzig war in seiner Sehnsucht und seiner Bewunderung, der vor Glück erschauerte, weil er mit einem bekannten Künstler aus städtischen Intellektuellenkreisen verkehrte, wußte nicht, wo er anfangen sollte, seine Gier zu stillen.

Eines regnerischen Tages, nachdem er wieder einmal über die Mißlichkeiten der Vergangenheit gejammert hatte, sprach er über das

Reisen und den Kummer, den es ihm bereitete, mitansehen zu müssen, wie er alt würde, ohne je im Ausland gewesen zu sein und sich am Honig fremder Sprachen gelabt zu haben. Er erinnerte sich, in seiner Jugend Ansichtspostkarten aus allen fünf Erdteilen gesammelt und einmal ein Abenteuerbuch gelesen zu haben, dessen Titel ihm zwar entfallen war, das jedoch einen ungestümen Tatendrang in ihm geweckt hatte.

»Und was ist nun daraus geworden? Hier stehe ich wieder, und der Regen tropft mir in den Nacken.«

»Ich sitze auch hier«, sagte Gregorio, der schon ahnte, welche Richtung das Gespräch nehmen würde, »und hier regnet es ebenfalls.«

»Aber es ist nicht dasselbe. Sie sprechen fremde Sprachen. Bestimmt sind Sie schon im Ausland gewesen und können auf eine Vergangenheit zurückblicken, die eines großen Mannes würdig ist. Und die natürlich in nichts mit meiner zu vergleichen ist«, fügte er schüchtern und drängend hinzu, »weder von ihrem Wesen her noch von der Art, über sie zu berichten. Künstler lernt man meiner Meinung nach am besten durch ihre Vergangenheit kennen.«

Gregorio verschanzte sich hinter einem Wall des Schweigens. Einmal hatte er auf seine Vergangenheit angespielt, denn er wußte sehr wohl, daß Gil als Gegenleistung für die seine früher oder später das Recht auf Revanche geltend machen würde. Um dem zuvorzukommen, hatte er seinerzeit widerwillig eine recht verschwommene Kurzversion der Wahrheit zum besten gegeben. Gil hatte wie zuvor bei den Nachrichten aus der weiten Welt reagiert, als er geargwöhnt hatte, daß ihm die besten vorenthalten würden, und durchblicken lassen, mit solchen Surrogaten solle ihm – vielleicht aus Bescheidenheit – eine wunderbare Geschichte vorenthalten werden. Gregorio mußte sich wieder einmal der Einsicht beugen, daß es keinen Ausweg gab. Dennoch war es ihm in den langen nächtlichen Wachträumen, in denen er eine Vergangenheit zu erfinden suchte, die den hohen Ansprüchen Gils gerecht würde, nicht gelungen, eine Geschichte zu spinnen, die außergewöhnlich und zugleich glaubwürdig war. Es war, als versuche er, eine weiche, klebrige Paste aufrecht hinzustellen. Denn kaum ließ er die Wahrheit hinter sich, verfiel er unweigerlich den plumpesten Absurditäten, und auf der Suche nach einem Ausweg geriet er entweder noch tiefer hinein, oder er fand sich über kurz oder lang wieder am Ausgangspunkt bei der sterilen und ebenso unwirtlichen wie unzulänglichen Wirklichkeit.

»Oder irre ich mich?« fragte Gil.

Gregorio seufzte: die Stunde der Entscheidung war gekommen, und kein einziger denkwürdiger Satz fiel ihm ein. Von der Gefahr angeregt, und der verwirrenden, wenn auch vorhersehbaren Inspiration seiner durchwachten Nächte vertrauend, antwortete er:

»Nun, darauf kommt es doch nicht an. Außerdem ist es ganz natürlich, denn schließlich war mein Vater Admiral, mein Großvater Jurist und mein Onkel Kardinal.«

Gil schluckte überwältigt und bat, er möge ihm doch bitte aus solch herrlicher Vergangenheit berichten, woraufhin Gregorio sogleich sein Büchlein aufschlug und erzählte, er habe als Kind in einem Haus mit drei Innenhöfen und einem Garten auf den Fluß hin gewohnt, in dem habe es fünfhundert Blumenkübel und siebzig Singvögel gegeben. In Wirklichkeit handelte es sich um das Haus seiner Kindheit, das im Gedächtnis zerstört und mit der zeitraubenden Beharrlichkeit einiger weniger Erinnerungen wieder aufgebaut worden war. Überlebt hatte ein Limonenbaum, der seine Früchte vor dem leuchtenden Weiß einer frisch gekalkten Mauer feilhielt, ein Torweg mit gewölbter Decke und allerlei Kritzeleien an den Wänden, Aspidistras in hohen, schmiedeeisernen Blumenkübeln und Mauersockel, deren Fugenläufe im Sommer als Ameisenstraßen dienten, und noch ein knarrender Dachboden, ein Jasmin, eine Turnstange mit geschwungenen Füßen, ein paar fensterlose Zimmer und der Eukalyptusbaum, in dem frühmorgens die Distelfinken sangen. Das Haus verlegte er jedoch in die Stadt, an das Ufer des schiffbaren Flusses, aus den Lehmziegeln wurden Steine, und aus Schiefer wurde Marmor, und oben auf das zweite Stockwerk setzte er einen runden Turm mit gotischen Fenstern in bunter Bleiverglasung. Dort arbeitete sein Großvater, der Jurist.

In seinen Träumen hatte Gregorio ihn mit einem Gänsekiel am Stehpult schreiben sehen. Hohe Regale mit ehrwürdigen, in Leder gebundenen Büchern bedeckten die Wände des Zimmers, in dem ein riesiger Schreibtisch aus silberbeschlagenem Ebenholz stand, daneben eine Erdkugel, und auf dem Boden lag ein Teppich, der, aus einem einzigen Faden gewebt, die Menschheitsgeschichte vom Paradies bis zur Flugtechnik in Kurzfassung darstellte. Eine Kuppel hatte das Zimmer, die mit den Sternen und Planetenbahnen des Universums bemalt war und mit über den Tierkreiszeichen schwebenden Erzengeln – letzteres erinnerte er sich, einmal auf einer naiven Illustration in seinem Schülerkatechismus gesehen zu haben. In diesem

Zimmer beobachtete Gregorio seinen Großvater. Hinter dem Schreibtisch versteckt, hatte er gebannt auf den Gänsekiel gestarrt, wie der Großvater ihn von Zeit zu Zeit in ein Tintenfaß von der Größe eines Blumentopfes tauchte und dann damit auf dem Pergament herumfuchtelnd einen ohrenbetäubenden Lärm verursachte, der sich anhörte, als stapften Wanderer durch dürres Laub.

Alles in diesem Zimmer wog außergewöhnlich schwer. Waren das kindliche Wahnbilder, Alpträume der Erinnerung oder nostalgische Ungeheuer? Gregorio wußte es nicht, doch die ältesten Bücher konnte er kaum von der Stelle rücken, und er brauchte beide Hände, um ihre riesigen Sulfidblätter umzuschlagen. Einmal versuchte er, den Globus zu drehen (den sein Großvater mit einem Finger rotieren ließ), und schaffte es nicht. Wieder erklomm er das Schreibpult, hob unter großen Mühen die Feder an und versuchte, etwas zu schreiben, doch auch das gelang ihm nicht. In diesem Moment trat der Jurist in sein Zimmer, um etwas zu notieren, und Gregorio fand gerade noch Zeit, die Feder fahren zu lassen und sich im Dickicht eines großen H's zu verbergen (›Und dann heißt es, das H sei ein nutzloser Buchstabe‹, scherzte Gil.), wo er betete, der Großvater möge nicht auf den Gedanken kommen, umzublättern oder ihn im Eifer seines wilden Federgefuchtels aufspießen.

»Ich weiß nicht, ob das nur Kinderphantasien waren«, sagte er, um die Glaubwürdigkeit seiner Erzählung auf die Probe zu stellen, »aber das sind meine ersten Erinnerungen oder besser gesagt, meine ersten Vergessen, denn Sie sehen ja selbst, welche Merkwürdigkeiten ich mir da behalten habe.«

»Ganz klar«, argumentierte Gil, »Sie sind ein Künstler, und damals waren Sie ein Kind, und mit der Zeit haben die Dinge sich vergrößert. Bestimmt erinnern Sie sich an Ihren Großvater als an einen sehr großen Mann, nicht?«

»Ja, ich erinnere mich genau an ihn«, sagte Gregorio. »Er trug eine Toga mit bestickten Säumen und ein Birett. So sah ich ihn oft unter dem Eukalyptusbaum stehen, wo er seine Reden probte und den Ton zu halten suchte, indem er die Hände wie ein Tenor zu Krallen formte und gen Himmel hob. Seine Stimme war wie Donner, seine Augen wie loderndes Feuer, und seine Hände konnten Stürme bändigen.«

»Hätte man seine Plädoyers im Gerichtssaal hören können!« seufzte Gil.

Noch ungewöhnlicher aber war der Garten. In ihm wurde Gregorio in die Geheimnisse der Kunst und der Wissenschaft eingeweiht, denn dieser Garten war ganz der Weisheit gewidmet. Alle Gelehrten des Landes trafen sich dort sowie auch einige, die aus anderen Teilen der Welt kamen.

»So wie in den Cafés«, bestätigte Gil.

Ja, genau. Denn früher, als es noch keine Cafés gab, gab es Gärten. Zum Beispiel jenen, den Aristoteles in Athen gründete und Akademie nannte. Früher gab es in jeder großen Stadt einen Garten für die Gelehrten und die Freunde der Wissenschaft. Den ihren hatte vor einigen Jahrhunderten ein Vorfahr gegründet und ›Asilo del Genio‹ genannt, und wenn Gil sich von diesem Geistesasyl das Wort ›Asilo‹ näher ansehe, werde er feststellen, daß es aus denselben Buchstaben bestand wie der Name ›Olías‹.

»Stimmt«, sagte Gil nach einer Weile staunend.

Und obwohl er sich in nächtlichen Phantasien daran ergötzt hatte, die Reliquien aufzuzählen, die all jene berühmten Männer im Garten zurückgelassen hatten (Descartes seine Schlafmütze, Newton seine Perücke, Galilei sein Teleskop, und noch vieles andere, das wie Alptraumungeziefer auf ihn eingedrungen war und das er vergebens abzuwehren gesucht hatte), begnügte er sich jetzt damit, vage auf berühmte Persönlichkeiten anzuspielen, die er zu jener Zeit, da er noch ein Kind war, nicht erkannt habe, und gab Gil damit die Möglichkeit, sich seine eigenen Wunder zusammenzureimen.

Was seine Kindheit anging, so war er schon als kleiner Junge viel gereist. Als er ungefähr zwölf Jahre alt war, nahm ihn sein Vater als Schiffsjungen an Bord. Sein Vater war groß und stark, hatte einen blonden Bart und helle Augen und rauchte eine Meerschaumpfeife. Er war mit ihm durch die Karibik gefahren, auf dem Nordmeer und der Chinesischen See, durch die Nordlandregionen und auf den großen amerikanischen Flüssen, und im Herbst waren sie mit einem Boot die Seine hinaufgefahren und hatten vor Nôtre-Dame geankert. Sie hatten zweimal die Welt umsegelt, und beim zweiten Mal hatten sie eine Felseninsel entdeckt, die sie ›Abschied‹ nannten. Auf dem Amazonas hatten sie mit Pistolen Krokodile geschossen, und als sie in Paris einfuhren, hatten sie eine Piratenflagge gehißt und die Stadt mit Salutschüssen in Aufregung versetzt.

»Das nenne ich Leben«, sagte Gil bewundernd.

Sein Vater war zudem ein großer Geigenvirtuose gewesen. Gregorio erinnerte sich an ihn, wie er in seiner Admiralsuniform am Bug stand und, in der Brise seiner eigenen Musik hin und her schwankend, auf der Geige spielte. Er war auch Taucher, und auf einem ihrer

Tauchgänge entdeckten sie eine vollkommen unversehrte Stadt, die wahrscheinlich zu Atlantis gehört hatte, und in der sie unter anderen Merkwürdigkeiten einen Hai gesehen hatten, der vergnügt im Thronsaal eines Palastes herumgeschwommen war, eine Seeschlange, die aus einem Badehaus kam, und einen Wal, der in einer Kathedrale gefangen war.

»Noch nie habe ich von so vielen fabelhaften Dingen auf einmal gehört«, sagte Gil, »aber ich wundere mich nicht, denn ich weiß, daß es viele unglaubliche Dinge auf dieser Welt gibt, nur daß ich nicht das Glück oder das Talent dazu hatte, sie aufzuspüren. Aber von Atlantis habe ich schon einmal gehört, und Taucher habe ich im Kino gesehen.«

»Die Welt ist ein offenes Buch«, improvisierte Gregorio.

»Ja, aber um es lesen zu können, muß man reisen, nicht?«

»Aber Sie reisen doch viel.«

»Ach, das ist doch kein Reisen; das ist so etwas wie auf dem Pferdchen eines Kinderkarussells im Kreis herumfahren. Reisen heißt, in Paris oder Amerika gewesen sein, Krokodile im Urwald getötet haben oder zu einer versunkenen Stadt zu tauchen. Alles andere ist nicht mehr als ein Spaziergang von hier bis zur Straßenecke. Aber bitte, erzählen Sie weiter, ich wollte Sie nicht unterbrechen mit meinem Gejammer.«

Gregorio gönnte sich eine kleine Pause, um den Ton seiner Erzählung wiederzufinden.

Die Erinnerungen an jene Zeit waren ungenau, und viel gab es nicht mehr zu berichten. Sein Großvater war kurz darauf gestorben und ein paar Jahre später auch sein Vater. Er war zur versunkenen Stadt hinabgetaucht und kam nie mehr zurück. Seine Mutter hatte er kaum gekannt, und so ging er nach Rom zu dem einzigen Verwandten, den er noch hatte, seinem Onkel Felix de Olías, der Kardinal war.

»Kardinal in Rom«, besiegelte Gil.

Bei seinen nächtlichen Interviews hatte er ein paar erfundene Episoden eingeflochten (in einer gab es zum Beispiel einen Teufel, der den Kardinal mit drei magischen Büchern in Versuchung führen wollte), um diesen Teil seines Lebens damit zu illustrieren. Mittlerweile jedoch hatte Gregorio den Glauben an seine Geschichte verloren und wußte nicht recht, wie er fortfahren sollte. Unter Ausschaltung aller Anekdoten blieb von seinem Onkel nicht mehr als ein friedlicher alter Herr mit unzähligen Gebrechen und fixen Ideen, der in Selbstgespräche vertieft durch die endlosen Flure eines herbstlichen Palastes schlurfte. Dann berichtete er, wie er in Rom, zwischen Brunnen und Ruinen, die wunderbare Welt der Klassik entdeckt hatte. Dort las er Platon, Vergil, Sallust, Pico della Mirandola und viele andere. Es war die Zeit der jugendlichen Fragen nach dem Wesen der Dinge, des Besuchs von Universitäten, Versammlungen, Intellektuellentreffs, Bibliotheken, Laboratorien und Museen auf der Suche nach Antworten und neuen Fragen und dem endgültigen Schweigen.

Gil mußte niesen. Gregorio vernahm planschende Geräusche im Telefonhörer und hörte ihn dann sagen: »Auf meine Art habe ich dieses Feuer jugendlichen Wissensdurstes auch verspürt. In ihm werden die großen Männer dieser Welt geschmiedet, und in ihm wird der Fortschritt geboren«, und in seinen Worten schwang ein inbrünstiges Beben.

Gregorio, der sich von seiner fruchtlosen Phantasie wie niedergeschmettert fühlte, hoffte, von der reinen Erfindung bald zu genesen. In Rom, erzählte er, habe er seinen ersten Gedichtband geschrieben. Er hieß *Der Student der Meere* und war ein Hochgesang auf die Lebensfreude und das Kreuzen unter der Flagge von Freiheit und Gesetzlosigkeit, mit keiner anderen Heimat als der ganzen Welt. Aber offenbar geriet das Buch in die Hände der Regierung, und es hieß sogar, der General persönlich habe es in aller Öffentlichkeit verurteilt und verbieten lassen. Angeblich hatte er gesagt: »Diesen Olías muß man kurzhalten.«

Daraufhin habe er beschlossen, sich ein Pseudonym zuzulegen, und ein Freund von ihm, Eliccio Renatti, habe ihm den Namen Faroni vorgeschlagen.

»Klar, darum klingt er so italienisch«, flüsterte Gil. »All das zeigt deutlich, daß Sie schon als junger Mensch zu Ruhm und Ehre auserkoren waren.«

Das war für Gregorio der Moment, ihm zu gestehen, daß er nicht dem Ruhm nachjagte, sondern der Vollkommenheit in der Kunst.

»Mich interessiert nur die Kunst«, sagte er, »Sie sehen ja, nicht einmal wenn ich nur mein Leben erzähle, kann ich der künstlerischen Versuchung widerstehen.«

»Wie meinen Sie das?«

»Nun, wegen der etwas, wie soll ich sagen, übertriebenen oder poetischen Art und Weise, in der ich die Dinge erzähle.«

»Übertrieben?« wunderte sich Gil. »Keineswegs. Wie Sie selbst gesagt haben, sind Sie ein Künstler und erzählen wie ein Künstler, machen das Leben zu Poesie, nicht? Außerdem bin ich nicht so dumm, nicht zu wissen, daß es auf der Welt Juristen, Admiräle, Kardinäle, Taucher, Haifische und versunkene Städte gibt. Was soll daran ungewöhnlich sein? Die Welt ist ein einziges Wunder. Denken Sie doch nur: der Mensch stammt von einem Affen ab, es gibt außerirdische Lebewesen, und es gab Dinosaurier, und dann ist da noch das Rätsel der Heiligen Dreifaltigkeit, die Lichtgeschwindigkeit, der Magnet, die Hubschrauber und das mit dem Achilles und der Schildkröte, wovon Sie mir erzählt haben, und noch so vieles andere. Ich bitte Sie in aller Bescheidenheit, erzählen Sie mir weiter aus Ihrem Leben und halten Sie mich nicht für einen ungläubigen Ignoranten.«

Ursprünglich hatte Gregorio sich diese Phase seines fiktiven Lebens als eine Folge von gefährlichen und galanten Abenteuern wie in den Mantel-und-Degen-Filmen vorgestellt, die ihn in seiner Jugend so fasziniert hatten. Die Vernunft oder sein Ehrgefühl geboten ihm jedoch, von solchen Unsinnigkeiten abzusehen. So erzählte er nur, nach dem Tod seines Onkels habe er Rom verlassen und sei nach Paris gegangen. Aus seinem Büchlein las er: »In Rom fand ich die Kunst und die Philosophie, in Paris die Wissenschaft und die Liebe.«

Der Rest war in wenigen Worten erzählt. In Paris beendete er sein Studium an der Universität und machte sich einen Namen in den Hörsälen, Cafés und Bibliotheken der Stadt. Er bestand ein berühmt gewordenes Rededuell mit einem international angesehenen Philosophen und eine stürmische Idylle mit einem Mädchen, das eine Baskenmütze trug und Klavierunterricht nahm. Seine rebellische Bohemiengesinnung ließ ihn als Musiker in Varietés und als Kolumnenschreiber für Zeitungen arbeiten, ließ ihn Motorradrennen fahren und ansonsten ein rechtes Lotterleben führen, ein Leben zwischen Aktionismus und Kunst. Als Dichter konnte er sagen, er hatte von den Wassern aller Flüsse getrunken und keines war süßer gewesen als ein anderes. Gil wollte wissen, wie es in den Intellektuellenkreisen der Cafés von Paris zuging. Gregorio antwortete vage, genau wie in allen Städten der Welt, und er selbst habe einen Treff an Bord eines Seglers auf der Seine ins Leben gerufen. Er sah sich noch deutlich auf einem Diwan im Achterschiff hingestreckt, seine Zigaretten aus einer Bernsteinspitze rauchend und mit einem blauen Strohhut auf dem Kopf. Ja, das waren glückliche Zeiten. Wie könnte man jene Nächte vergessen, in denen man sich mit ein paar Freunden – Wissenschaftlern und Künstlern wie er selbst – im Dachkämmerchen traf und im Flüsterton oder lauthals die grundsätzlichen Fragen der menschlichen Existenz diskutierte. Oder die fröhlich durchzechten Nächte, nach denen man frühmorgens auf der Straße mit anderen Gleichgesinnten zusammentraf und in ein Existenzialistenlokal zog, wo Bier getrunken und Aal gegessen wurde und wo man sich mit geistreichen Reden, Scherzen und Gesängen gegenseitig zu übertrumpfen suchte.

»Was hätte ich gegeben, um dabeigewesen zu sein«, sagte Gil bedauernd, »in dieser Welt von jungen Leuten, allein der Freundschaft und dem Wissen verschrieben.«

So ging das ein paar Jahre. Er reiste viel. Er nahm zum Beispiel an einer wissenschaftlichen Expedition in arktische Gewässer teil und war eine Zeitlang Lehrer für Ästhetik an einer amerikanischen Schule. In dieser Zeit schrieb er ein paar Bücher mit Erzählungen, einen Roman und einen zweiten Band mit Gedichten, *Gesammelte Gedichte eines Künstlerlebens*, alles Werke jedoch, die praktisch vergriffen waren, da sie nur im Ausland gedruckt und verkauft wurden und hier immer noch verboten waren. Er hatte sich schon so gut wie mit dem Exil abgefunden, als ein paar Gelehrte (darunter der Philosoph mit den Goldzähnen) ihn aufforderten, in sein Vaterland zurückzukehren, und er, seinem Heimweh und ihrem Drängen nachgebend, aller Gefahr zum Trotz heimgekehrt war.

Er war mit dem Zug ins Land gekommen, verkleidet und mit falschen Papieren, hatte sich eine bescheidene, anonyme Arbeit gesucht und lebte seitdem nur noch für sein Werk, mit Ausnahme der Sitzungen im Café, die er unter falschem Namen besuchte.

»Klar, darum arbeiten Sie bei Belson«, sagte Gil. »Jetzt wird mir alles klar. Jetzt verstehe ich, warum ein Mann wie Sie in einer Firma für Wein und Oliven arbeitet. Das also ist Ihr großes Geheimnis, das ich schon seit längerer Zeit vermutet habe.«

»Ich vertraue Ihrer Diskretion«, sagte Gregorio und unterdrückte die aufkommende Übelkeit, die die Irrealität ihm verursachte. »Erzählen Sie niemandem davon, niemals.«

»Das schwöre ich Ihnen, Señor Faroni, das schwöre ich Ihnen bei Gott. Ehm . . . gestatten Sie mir ein offenes Wort?«

»Nur zu«, sagte Gregorio, schon im voraus angewidert von den Worten, die er auszusprechen hätte.

»Sind Sie ein . . . Revolutionär?« flüsterte es.

Gregorio schlug im Büchlein nach. Irgendwo mußten da seine politischen Überzeugungen skizziert sein.

»Sagen wir einmal, mit aller gebotenen Zurückhaltung, daß ich an die Brüderlichkeit in der Welt glaube«, las er. »Ich sage Ihnen nur, es gibt Menschen in Armut. Es gibt Menschen mit Wunden und Narben. Es gibt welche, die am Tisch sitzen und welche, die unter dem Tisch die Krümel aufsammeln. Ich habe mich sehr vorsichtig ausgedrückt.«

»Ja, ich verstehe sehr gut, was Sie meinen. Ich glaube ein wenig an Gott, wissen Sie, und an das, was die Kirche lehrt. Das mit dem armen Lazarus und dem reichen Prasser. Entschuldigen Sie die Indiskretion: glauben Sie an Gott?«

»Nicht an Gott und nicht an den Teufel«, antwortete Gregorio, sich der Macht seiner Worte bewußt.

Gil verstummte.

»Ich glaube nur an den Menschen«, fuhr er fort. »Ich glaube daran, daß die Welt eines Tages von Dichtern regiert wird und es den Menschen an nichts mehr mangelt. Wie bei den Vögeln.«

»Verstehe, verstehe«, sagte Gil. »Und welch wunderbare Worte Sie dafür gefunden haben!«

»Aber ich will Ihnen noch etwas sagen«, improvisierte Gregorio jetzt. »Ich möchte, daß Sie wissen, daß der Umgang mit mir Sie in Schwierigkeiten bringen kann. Sie könnten als Komplize oder Mitwisser beschuldigt werden, und ich möchte nicht, daß Sie durch mich in Gefahr geraten. Es wäre daher vielleicht ratsam, uns auf den rein geschäftlichen Umgang zu beschränken, bevor es zu spät ist.«

»Niemals!« schrie Gil mit kippender Stimme. »Niemals. Es ehrt mich, und ich bin stolz, einer solchen Gefahr ausgesetzt zu sein.«

»Seien Sie nicht verrückt, Gil«, riet ihm Gregorio friedlich, vernünftig, praktisch.

»Zum ersten Mal«, erklärte Gil feierlich, »fühle ich mich des Menschseins würdig, ja, sogar ein wenig bedeutend.«

Sie redeten noch eine ganze Stunde. Gregorio war von den anstrengenden Lügenmärchen so mitgenommen, daß ihm nichts mehr einfiel. Die Kiefer schmerzten ihm, und in seinen Ohren brauste es.

»Darf ich Sie um einen letzten Gefallen bitten?«

»Bitte.«

»Daß, wenn Sie die Illegalität verlassen und nicht mehr bei Belson arbeiten, Sie sich an mich erinnern und mir erlauben, Sie einmal anzurufen.«

Gregorio war tief gerührt und spürte in seinem Hals die Zangen des Gewissens.

»Sie werden immer mein erster Vertrauter sein, Gil. Sie sind ein guter, ein bescheidener und ein aufrichtiger Mensch. Sie sind ein wahrer Freund.«

»Danke, Señor Faroni. Diese Worte haben mich zutiefst bewegt. Außerdem müssen Sie wissen, bin ich im Grunde stolz darauf, daß mein Leben, bei allem Unterschied, ein wenig dem Ihren gleicht. Uns beide hat man aus der Stadt verbannt, wenn Sie es recht besehen. Nur, daß man Sie wieder zurückgeholt hat und ich immer noch hier bin. Finden Sie nicht?«

»Ja, Sie haben recht«, gab Gregorio zu. »Und, bitte, sage ab jetzt du zu mir. Du weißt zuviel von mir und ich von dir, als daß wir uns weiterhin der Höflichkeitsform bedienen sollten. Einverstanden?«

»Einverstanden, Señor Faroni. Sie sind nicht nur ein großer Mann, Sie sind auch ein, ich weiß nicht, Sie sind ein, ein Heiliger«, sagte Gil mit einer Stimme, die dem Schluchzen nahe war, und legte auf.

Es war schon spät, und es hatte aufgehört zu regnen. Gregorio brachte seinen Schreibtisch in Ordnung, blies die Spirituslampe aus, trat auf den Sandweg hinaus und schloß die Gartenpforte hinter sich. Der Sommer ging zu Ende. Er kam mit leerem Hirn nach Hause, und seine Kieferknochen hämmerten in den Schläfen. Die Frauen hatten die Balkontür geöffnet und unterhielten sich im Dunkeln. Gregorio grüßte mit einem müden Knurren, durchquerte das Wohnzimmer und setzte sich in seinen Sessel. Eine Weile suchte er Trost im tiefen Rhythmus seines Atmens. Vor seinem geistigen Auge zog wie im Flug die ganze Farce vorüber, von dem Moment, als Gil ihn um Nachrichten über das Weltgeschehen bat, bis zu seiner, Gregorios, heimlichen Rückkehr ins Land. Er hatte mit größter Voraussicht kalkuliert und geglaubt, keinerlei Risiko mit dem Betrug einzugehen, doch jetzt begann er dunkel zu ahnen, daß die Wirklichkeit den Flüchtigen stets einholt und bestraft. Er fühlte nicht genug Kraft in sich, um die Heldenpose durchzustehen. ›Sie sind nicht nur ein großer Mann, Sie sind ein Heiliger‹, rief er sich in Erinnerung. Er zerlegte die Anbetung in Worte und suchte nach ihrer syntaktischen Unschuld. ›Sie sind ein Heiliger‹, wiederholte er, die einzelnen Silben auf der Zunge auslegend, bis er sich in dem geläuterten Sinn der Worte an die leuchtenden Kindertage seiner Schulzeit erinnerte, als der Lehrer Sätze von einmaliger Weisheit an die Tafel schrieb: »Der Hund im Bilderbuch ist bunt.«, »Was kann ein Huhn schon tun?«, »Die Kuh macht muh, und der Ochs schaut zu.« Schlagartig sah er die letzten zwanzig Jahre vor sich, wie er im Halbdunkel und im warmen Geruch nach schlafenden Hühnern dasaß und diese ganze Zeit ihren Ausdruck in einer

Grimasse des Überdrusses fand. Er fühlte sich von der empörenden Kürze des Lebens betrogen. »Zweiundvierzig Jahre«, sagte er. Die Frauen tuschelten immer noch in der Dunkelheit. Angelina fragte ihn: »Bist du eingeschlafen?«

»Ja«, antwortete Gregorio heiser.

KAPITEL X

Den Herbst hindurch vervollständigte er mit bittersüßem Schrecken das Bild Faronis. Obwohl er ihn recht vage beschrieb, fühlte Gregorio zum ersten Mal die lebendige Präsenz des Helden und teilte mit Gil die Bewunderung für diesen herrlichen, ungezähmten Mann und auch die Neugier auf weitere Einzelheiten seiner Persönlichkeit. Da er jedoch unfähig war, sich von ihr zu unterscheiden, ließ er Gils unausbleiblichen Fehlinterpretationen freien Lauf. Bevor er sich dem Aussehen und den Bekleidungsgewohnheiten zuwandte, suchte er, um sich nicht völlig haltlos selbst zu betrügen, nach einem Foto aus seiner Jugendzeit als einem Verbindungsstück zur Wirklichkeit. In der Musikdose fand er eines von ihrer Hochzeitsreise ans Meer. Sie lächelten beide in die Kamera. Im Hintergrund sah man das Meer, und jeder von ihnen hielt eine Handvoll Muscheln, als wollten sie sie vorzeigen, was wohl auch der Grund für ihr schüchternes Lächeln war, das über ihre Zähne huschte und sie zugleich wie Schamteile zu verbergen suchte. Aber auch Dankbarkeit lag in diesem Lächeln, Dankbarkeit vielleicht dafür, daß sie zusammen, mit den Händen voller Muscheln, am Strand eines wohlwollenden Meeres standen. Seit damals hatte er zugenommen. Von der straff gekämmten Scheitelfrisur war ein Kranz farbloser Haare geblieben. Das scharfe Kinn und der klare Blick waren heute unter schlaffer Haut verborgen und in den trüb schimmernden Augen kaum noch zu ahnen. Seine hängenden Schultern, das angeschwemmte Fett, das seine Hüften verschwinden ließ, und sein hängendes Doppelkinn gaben ihm das Aussehen eines wehrlosen Warans, der sich in seiner eigenen Verwunderung sonnt.

Er ließ sich von den Äußerlichkeiten jedoch nicht unterkriegen. In seinen Träumen hatte er – insgesamt großzügig und sich den Ungenauigkeiten der Erinnerung nachsichtig fügend – einen Modellcharakter entworfen, aus dem eine eigene Beschreibung abzuleiten er Gil nun ermunterte. Und Gil fragte: »Groß?«, und Gregorio antwortete, »ja«; Gil fragte: »Schlank?«, und Gregorio sagte, »ja«; Gil fragte: »Stark?«, und Gregorio sagte, »na ja ...«

»Athletisch!« räumte Gil jede Ungewißheit beiseite. »Sehen Sie, wie gut ich rate? Und sicher sind Sie auch gutaussehend, stimmt's?«

Doch hier wies Gregorio ihn darauf hin, daß das Leben in der Illegalität und sein eigener unsteter Geist ihn zwängen, sein Aussehen regelmäßig zu verändern, so daß keine Beschreibung voll und ganz zutreffen könne, denn obwohl er zum Beispiel langes schwarzes Haar habe, würde er es manchmal ganz kurzgeschnitten tragen oder eine gewisse Kahlheit vortäuschen, oder er färbte es blond, genau wie er auch Form, Farbe und Schnitt des Bartes ständig änderte, wenn er einen trug (was zur Zeit nicht der Fall war), und er ging sogar gebeugt, um seine wahre Statur und sein wahres Alter zu verbergen.

»Wie bin ich also? Groß oder klein? Blond oder braun? Jung oder alt? Dick oder dünn? Schön oder häßlich? Ehrlich gesagt, weiß ich es in diesen unsäglichen Zeiten manchmal selbst nicht.«

»Jedenfalls sind Sie unverwechselbar, so wie ich Sie mir vorstelle«, sagte Gil.

Und er hörte nicht auf zu bohren, bis er die unveränderlichen Kennzeichen seiner Persönlichkeit herausgefiltert hatte: groß und athletisch, helle Augen, deren Blick flammend und durchdringend war, klassisches Profil, auch schwärmerisch, sicherer Ausdruck und eleganter Gang.

An einem Wintertag begutachteten sie die Kleidung. Gregorio beschrieb sich bei der Gelegenheit in sportlicher Aufmachung: Segeltuchschuhe, Kammgarnpullover, helle Hose aus elastischem Stoff und Schiffermütze. Das Modell aus der Illustrierten, an dem er sich inspiriert hatte (das Blatt lag ausgeschnitten vor ihm), war ein junger Mann mit Sonnenbrille, der mit eingeknickter Hüfte an der Reling einer schneeweißen Yacht lehnte und mit verführerischem Lächeln zu einem Mädchen hinüberschaute, das in Tenniskleidung, mit fliegenden Armen, offenen Haaren und wie vom Jubel über eine große Neuigkeit getrieben, aus dem Hintergrund des Fotos gelaufen kam. Normalerweise war er aber nachlässiger gekleidet, so wie er sich in seinen Traumvorstellungen sah: Halstuch, Sonnenbrille, weicher, breitkrempiger Hut und Regenmantel mit hochgestelltem Kragen.

»Sie müssen sehr sportlich sein«, sagte Gil, von der Beschreibung geblendet.

»Nun, ich kann schnell laufen, wenn es eilt«, scherzte Gregorio und faltete das Foto zusammen. »Aber eigentlich bin ich ein nachdenklicher, einsamer Mensch.«

»Ein sportlicher und einsamer Mensch, welche Größe«, sagte Gil. »Ich war auch sportlich, als ich noch in der Stadt wohnte. Wer ist dort kein guter Sportler? Ich war wie aus Gummi. Aber jetzt sind meine Bewegungen unbeholfen.«

Er hielt nachdenklich inne.

»Meine Oberschenkel sind eher dick«, sagte er dann, »und ich habe einen Bauchansatz.«

»Die körperliche Erscheinung ist unwichtig«, entgegnete Gregorio, von der Richtigkeit seiner Behauptung absolut überzeugt. »Platon war auch dick, na und?«

»Ja, aber denken Sie an die Namen. Ein dicker Platon, das mag durchgehen, ist beinah Schicksal. Aber ein dicker Gil ist einfach lächerlich, nicht? Wäre ich ein Auserwählter, wäre ich entweder schlank oder hieße Gilón. Seinen Namen muß man sich verdienen, glauben Sie nicht?«

»Das ist Unsinn. Du solltest dir einen neuen Namen zulegen, wenn deiner dir auf die Nerven geht. Was hältst du davon, wenn ich dich in Zukunft Dacio nenne? Das ist ein Name, der zu nichts verpflichtet, und der für Dicke wie für Dünne geeignet ist.«

»Dacio«, sagte Gil träumerisch.

»Dacio Gil.«

»Und als zweiten Namen?«

»Was hältst du von Pizarro? Dacio Gil Pizarro.«

»Nein. Einen Pizarro gab es schon.«

»Dann Monroy! Dacio Gil Monroy!«

»Das wäre ein schöner Name«, flüsterte Gil.

»Stelle dir einmal deinen Gedanken mit dem Raben und darunter deinen kompletten Namen vor: *Ausgewählte Gedanken von Dacio Gil Monroy*. Na, klingt das nicht wunderbar?«

»Ja, aber das glaubt mir doch keiner. Das ist unmöglich.«

»Im Gegenteil, das ist das leichteste von der Welt. Allen Leuten, die du ab jetzt kennenlernst, sagst du deinen neuen Namen. Du mußt was aus dir machen, Mann! Allein auf den Geist kommt es an! Für mich bist du ab jetzt Dacio Gil Monroy, Chemiker und Denker.«

»Sie sind sehr großherzig«, sagte Gil.

»Lassen wir die Bescheidenheit für die Schwachen. Hast du mir nicht erzählt, im Grunde wärst du ein harter Bursche?«

»Ein reißender Wolf, wenn es darauf ankommt.«

»Dann zeige, was in dir steckt: Dacio Gil Monroy. Diesen Namen mußt du dir jetzt verdienen.«

»Darauf wollte ich gerade zu sprechen kommen. Was kann ich denn hier tun?« jammerte er.

»Erst mal läßt du dir neue Visitenkärtchen drucken, mit deinem neuen Namen und deinem neuen Beruf. Danach sehen wir weiter.«

»Aber das ist Lüge.«

»Na und? Außerdem sind Wahrheit und Lüge relative Begriffe, über die sich nicht einmal die Philosophen einig sind. Man muß lernen, skeptisch zu sein. Du hast Gedanken, und du weißt etwas über Chemie, oder? Dazu werde ich dir künftig Bücher empfehlen, damit du dich umfassend bilden kannst. Also, wo ist da die Lüge?«

»Soll ich das wirklich tun? Soll ich auch Chemiker schreiben?« fragte er zweifelnd.

»Natürlich. Hinterher hast du immer noch Zeit, dich dieser Titel würdig zu erweisen. Aber dazu muß man erst einmal an sich selbst glauben. Wenn du mir deine Karte schickst, schicke ich dir meine.«

»Also gut, abgemacht!« rief Gil.

»So gefällst du mir. Siehst du? Du benimmst dich schon, wie es einem Dacio Gil Monroy zusteht. Wer weit kommen will, muß zunächst einmal eine gute Meinung von sich selbst haben.«

»Danke, Señor Faroni, genau das ist es, was mir fehlt.«

Gregorio klappte sein Büchlein zu und sammelte Kräfte für den Abschied.

»Dann bis Montag, Dacio«, sagte er und hielt einen Moment nachdenklich inne, suchte nach einem realen, feierlichen Satz, der dieses kurze Kapitel eines winterlichen Donnerstags beschließen könnte.

Doch wieder überkam ihn die Ermattung des Absurden. Er spürte sie in langen Wellenbewegungen heranbranden, während Gil um Anweisungen bat, wie er sein neues Ich am erfolgreichsten präsentiere, und er antwortete, ohne noch des Büchleins zu bedürfen, denn die Fragen waren so einfach, daß sie beinah mit der nackten Wahrheit beantwortet werden konnten: Kämmen Sie sich mit dem Kamm oder mit den Fingern? Schlagen Sie die Beine übereinander, wenn Sie sich setzen? Schreiben Sie nachts? Lassen Sie Ihre Fingernägel wachsen? Treiben Sie Frühsport? Und um der Farce einen Hauch von Wirklichkeit zu verleihen, begann Gregorio sich mit den Fingern durchs Haar zu fahren, die Fingernägel wachsen zu lassen und jeden Morgen Frühsport zu treiben. Diese subtilen Veränderungen seiner Gewohnheiten belebten ihn zwar für einige Tage, doch die Bedrängnis der Fiktion, die Last der Täuschungen und die düsteren Vorzeichen stürzten ihn oft in eine ausweglose Verbitterung. Seine nächtlichen Ausflüge in die Irrealität langweilten ihn allmählich, und sein Alltagsdasein beschämte ihn, während seine fiktiven Namen ihm manchmal das Wasser im Mund zusammenlaufen ließen. Es gab Augenblicke, da wurden ihm Gils Fragen unerträglich, und seine Antworten wurden von Mal zu Mal einsilbiger. Von dem ganzen Lug und Trug hatte er endgültig die Nase voll. Er war bald dreiundvierzig Jahre alt und ein absolut glückloser Mensch. An dem Nachmittag mit Schnee und Wind, als er seine Visitenkarten (›AUGUSTO FARONI. Schriftsteller, Ingenieur, Musiker, Sprachenkenner‹, und unten in der Ecke: *Café der Essayisten*) aus der Druckerei abholte, fiel ihm die Schachtel auf einer Kreuzung widriger Winde zu Boden. Es waren dreihundert, und er bückte sich hastig, um sie aufzusammeln. Die meisten wehte der Wind davon (er sah sie durch die Luft flattern, auf Balkone niedergehen und in Wirbeln zu den Dächern aufsteigen), andere landeten im Schneematsch, ein paar Neugierige reichten ihm welche und lasen mit verblüfften Gesichtern, was daraufstand. An die Hundert raffte er zusammen und floh unter Gesten, die besagen sollten, mit alldem habe er eigentlich nichts zu tun. Einem, der ihm ein Stück weiter eine Handvoll schmutziger Kärtchen entgegenstreckte, sagte er: »Ist nicht wichtig, das Ganze war nur als Scherz gedacht«, und ließ ihn stehen.

Mit einer Hundelaune kam er nach Hause. Die Frauen saßen einander Knie an Knie in der Dunkelheit gegenüber und beteten den Rosenkranz. Gregorio setzte sich mit dem Gesicht zur Straße ins Wohnzimmer, ohne einen festen Punkt ins Auge zu fassen, nur im Nichts versunken und bemüht, einen Gedanken festzuhalten. Der Versuchung ferner Erinnerungen ging er aus dem Weg. Er hörte weder die mit unüberwindlicher Beharrlichkeit gemurmelten Gebete der Mutter, noch antwortete er auf Angelinas direkte Fragen: »Tut dir was weh?, willst du zu Abend essen?« Von ihrer abwartenden Haltung in Bedrängnis gebracht antwortete er nur: »Nein, ich habe Kopfhunger.« Er aß nicht zu Abend und nahm nur zwei Aspirin, als er in Unterhosen auf der Bettkante saß und mit unschuldigem Staunen seine Schenkel betrachtete. Kaum lagen sie im Bett, setzte Angelina zu einer weiteren Frage an:

»Gregorio«, sagte sie.

Aber Gregorio schrie sie an:

»Mußt du mich eigentlich immerzu Gregorio nennen?«, und so blieb die Frage unausgesprochen.

Am nächsten Tag schickte er Gil seine Karte, der ihm seine eigene mit der Rückpost zukommen ließ: ›DACIO GIL MONROY. Reisender, Chemiker, Denker.‹

Das war Dienstag. Am Donnerstag fühlte er sich dem Gespräch über neue Identitäten nicht gewachsen und ging nicht ans Telefon. Es klingelte zehnmal, und er hielt den Atem an, damit das lärmende Gebimmel nicht bis ins obere Stockwerk drang. Er fühlte sich erst sicher, als er die Gartenpforte hinter sich geschlossen hatte. Es war Anfang Dezember, und die Straßen erstrahlten in vorweihnachtlichem Glanz. Gregorio nahm es kaum wahr. Er ging geistesabwesend und schnellen Schritts nach Hause, und auch an diesem Abend legte er sich zu Bett, ohne zu essen und ohne, daß ihm etwas weh tat.

Er nahm sich vor, den Montag ohne Bitterkeit und Illusionen zu erwarten, doch allein bei dem Gedanken daran befiel ihn eine dumpfe Unruhe, die ihm schon fast vertraut vorkam. »Ich kann Gil nicht weiter belügen. Das ist Wahnsinn, das ist eine Sünde, das ist eine Schweinerei. Mein Gott, wie konnte ich nur so tief sinken?« Das waren die einzigen Worte, die er dafür fand. Am Sonntag ging er im Viertel spazieren und blieb an der Kreuzung stehen, auf der er in jenem fernen Sommer, als er die Poesie entdeckte, ein Wappenschild aus Stein und einen Balkon mit Wespen und Geranien gesehen hatte. Das Wappenschild war noch dort. Es sagte ihm nichts und weckte nicht das geringste Gefühl in ihm. Er verstand nicht, was ihm daran einmal geheimnisvoll und poetisch erschienen sein konnte. Dann versuchte er, noch einmal, sich die *Habanera* ins Gedächtnis zu rufen. Vergebens begann er zu pfeifen, und auch die Namen von damals fielen ihm nicht mehr ein, das Losungswort zum Beispiel, das er sich ausgedacht hatte, um auf seine Insel fliehen zu können, oder das poetische Pseudonym, das er Alicia gegeben hatte. Diese mißlungene Enthüllung der Vergangenheit verfeindete ihn noch ein bißchen mehr mit der Gegenwart. ›Ich bin meiner selbst unwürdig, dessen, der ich war‹, dachte er, und dann schloß er die Augen, sammelte seine Kräfte und sagte zu sich: ›Du bist ein Versager, ein Betrüger, ein alter Mann, der sein Leben verspielt hat, du hast dein Vermögen verschleudert, du bist ein Verräter, ein Bastard‹, und der Haß, den er gegen sich selbst empfand, richtete sich gegen Gil. »Ich bin beschmutzt und muß mich läutern«, redete er sich immer wieder ein, bevor er nach Hause ging.

»Wo bist du gewesen?« fragte Angelina.

»Da wo früher«, antwortete er und fuchtelte mit den Armen.

Am Montag erwachte er mit einem blinden Zorn auf die Welt.

»Ich bin's, Gil«, vernahm er die nasale Wunderkindstimme.

Gregorio hatte nicht die Kraft zu antworten.

»Ich bin's, Gil. Na ja«, sagte er dann zögernd, »ich meine, eh, Dacio. Dacio Gil Monroy.«

Lange Zeit vernahm man keinen Laut.

»Hören Sie mich?«

»Ja.«

»Was ich sagen wollte . . . was war am Donnerstag? Ich habe angerufen, und niemand war da.«

»Was für ein Donnerstag? Ah, ja, da war ich unterwegs.«

»Sehen Sie? Auf Reisen, nicht? Das habe ich mir gedacht.«

Gregorio antwortete nicht. Er hörte das Bummbumm aus dem Keller, und es klang wie ein Schweigen mit Alpträumen. Er schaute sich um, und die Gegenstände zeigten sich ihm in der idyllischen Unbeholfenheit einer Kinderzeichnung. ›Dort draußen auf dem Weg der blonden Kühe‹, dachte er, ohne es zu wollen.

»Ihre Karte habe ich erhalten«, sagte Gil. »Ich habe sie schon überall herumgezeigt, sie wird bald ganz abgenutzt sein, vom vielen Ansehen. Ich zeige sie den Leuten und sage: ›Das ist der große Faroni.‹ Mehr sage ich anstandshalber nicht.«

»Ich habe deine Karte auch bekommen«, sagte Gregorio mit Grabesstimme.

»Hat sie Ihnen gefallen? Ich habe schließlich noch Reisender dazugeschrieben. Mir kam nämlich der Gedanke, daß Dacio der Denker ist, Gil der Reisende und Monroy der Chemiker. Und sie alle drei sind eine Person, wie bei dem Geheimnis der Heiligen Dreifaltigkeit. Ich bin ja schon gesetzten Alters, und da nimmt man, was kommt, um das Leben mit Würde und Anstand hinter sich zu bringen. Verstehen Sie mich recht. Ich nehme den Namen wie ein Almosen an. Und das beschämt mich in gewisser Weise, wie es mich andererseits auch mit Stolz erfüllt. Aber wenn ich aufrichtig sein soll, muß ich Ihnen sagen, daß ich mich wie ein neuer Mensch fühle. Ich spreche, als ob ich mir jetzt sicherer wäre, und mit einer höheren Stimme.«

Gregorio sagte nichts. Er war plötzlich voll eines blinden, wütenden Hasses auf Gil, der ihn in diese Lage gebracht hatte.

»Ich habe sie natürlich noch niemandem gezeigt. Ich traue mich nicht. Ich sehe sie mir heimlich an, und das reicht mir im Moment.«

Er wartete vergebens auf eine Antwort.

»So, auf Reisen also. Irgendeine Konferenz zufällig?«

Gregorio bemaß jedes einzelne seiner Worte.

»Ich glaube nicht, daß unsere Vertraulichkeit soweit geht, daß ich jede deiner Fragen beantworten muß«, sagte er und empfand heimliche Freude.

»Oh, entschuldigen Sie«, sagte Gil mit brechender Stimme. »Ich wollte nicht aufdringlich sein.«

»Hören Sie«, fügte Gregorio hinzu, um seinen Ausfall abzuschwächen, »ich habe Schwierigkeiten und bin nicht in bester Stimmung.«

»Ja, ja, das verstehe ich. Künstler muß man verstehen, das habe ich immer schon gesagt. Sie sind ein Genie und brauchen sich nicht zu entschuldigen. Sie, da draußen auf Konferenz und alles, als ob ich das nicht verstehen könnte. Als Sie am Donnerstag nicht ans Telefon gingen, dachte ich schon, Sie hätten bei Belson gekündigt und wären wieder ins Ausland gegangen oder man hätte Sie verhaftet, und ich könnte nie mehr mit Ihnen sprechen. Bei dem Gedanken, ich weiß nicht, da hätte ich heulen können, das Leben hätte für mich keinen Wert mehr gehabt. Beinahe hätte ich meine Visitenkärtchen zerrissen, denn ohne Sie bin ich gar nichts, weder Dacio, noch Gil, noch Monroy, noch sonstwas.«

Gregorio spürte, wie sein Zorn sich gegen ihn selbst richtete, und um sich noch besser hassen zu können, sagte er:

»Hören Sie, Gil, eine solche Verantwortung bin ich nicht bereit zu übernehmen. Ich habe eine Menge Dinge zu erledigen, und deine Fragen und Klagen werden mir langsam zu viel. Rede mich künftig wieder mit Olías an und beschränke dich auf das strikt Geschäftliche, haben wir uns verstanden?«

Dann forderte er von Gil die Bestellung, notierte sie in unleserlichem Gekrakel und wollte sagen: ›bis Donnerstag‹, brachte aber nur ein ›bisonnosach‹ heraus und legte auf.

Mit dem Bummbumm im Kopf trat er nach draußen. Wie jeden Tag seit elf Jahren vertraute er den Heimweg der Erinnerung seiner Schritte an und überließ sich seinen Gedanken. Er sagte zu sich: »Was bist du für ein Schuft, einen Mann wie Gil so zu behandeln, was für eine schamlose Kanaille, was für ein Schwein, was für ein niederträchtiger Kerl.«

Er lief hastig und mit den Armen fuchtelnd wie ein hinkender Vogel. Als er die Straße überqueren wollte, blieb er mit benebeltem Verstand stehen und sah die festlich geschmückte Stadt. In den Bäumen funkelten bunte Glühbirnen, die Schaufenster zerbarsten im eigenen Glanz, die Straßenbahnen fuhren unter leuchtenden Bögen dahin, die die Straßen überspannten, und die Menschen schlenderten gemächlich, als hätten sie nichts Besseres zu tun, als ihre Zeit zu verbummeln und sich treiben zu lassen.

Ohne sich in den Grund für seine Entscheidung zu vertiefen, hielt Gregorio einen Alten an und fragte ihn nach dem Café Hispano Express. Der Alte beschrieb ihm den komplizierten Weg dorthin, als bahne er sich schwimmend einen Weg durch dichtes Gehölz. Gregorio verlor sich im Gewühl der Menge und bog dann in eine Seitenstraße ein. Er nahm Straßen, die ineinander übergingen, so daß er mehrere Male an demselben Torbogen vorbeikam, an denselben Gesichtern und demselben Plakat mit schwarzem Grund, auf dem sich ein Spezialist für Geschlechtskrankheiten empfahl. Eine Sackgasse führte ihn dreimal zu einem angelehnten Tor, durch das man in ein Schiff voller Menschen mit verzückten Gesichtern schaute, die einem Prediger in unsichtbaren Höhen lauschten.

Nachdem er lange gelaufen war und bei jedem Schritt schon die Müdigkeit des ganzen Weges spürte, trat er auf einen Platz und sah das Café. Zuerst den Namen (CAFÉ HISPANO EXPRESS, in gerader grüner Neonschrift), dann die erleuchteten Fenster und zum Schluß die Spiegel an den Wänden, die wie im Traum die Stimmen und Gesichter der Gäste wiederholten. Er warf einen Blick hinein. Er sah in Grüppchen beieinandersitzende Frauen, die wie reiche Witwen oder pensionierte Damen aussahen, und (sie gleichsam kontrapunktierend) in melancholisches Schweigen vertiefte Rentner. Es gab auch einen Tisch mit jungen Leuten, und man erkannte auf den ersten Blick – an den abgetragenen Schals und den großen Mappen –, daß das die Künstler waren. Er schritt vor den Fenstern auf und ab und warf heimlich Blicke hinein. Schließlich rang er sich durch, einzutreten, glitt durch die Drehtür und bestellte sich ein Gläschen Anis. Vom Tresen aus hatte die Entfernung zu den Tischen das ihre getan, und die Künstler wirkten jetzt kleiner, wie eine weihnachtliche Idylle von Porzellanhirten um die Krippe geschart; zugleich aber hatten sie an Bedeutung gewonnen, denn ein Spiegel zeigte sie in ihrem wahren Ausmaß und vervielfältigte in den anderen Spiegeln ihre Gesten auf einem Grund von Säulen, Simsen und Rosetten. Lange Zeit betrachtete er sie durch die Maserungen seines Anis. Ein graues oder schmutziges Wasser war bis auf die Höhe ihrer Gesichter herabgesunken und hatte sie wie in einem Traum verwischt. Einige Einzelheiten merkte er sich: die braunen Holzstühle, das Stilleben mit Früchten und Fasanen, die Sofas aus abgewetztem grünen Samt. Das also war das Café seiner nächtlichen Träume, nur daß er es Café der Essayisten genannt hatte. Das also die Welt, von der Gil so schwärmte. Hier (wo es weder ein Pult noch ansteigende Sitzreihen gab und auch sonst nichts, was auf einen ehrwürdigen Ort verwiesen hätte) hatte man ihm zugejubelt und mit den Rufen empfangen: »Faroni soll sprechen, der Dichter, die friedlose Seele, der Weltreisende!« Ihm war, als seien all diese Leute fremde Eindringlinge, oder als sei Gil schlicht verrückt, oder als habe dieser Gelehrtenverein schon seit Jahren aufgehört zu existieren. Vergebens suchte er nach dem Bild mit dem Leuchtturm am Meer. Die Sofas, die zu Gils Zeiten rot gewesen waren, waren jetzt grün, genau wie er es sich ausgedacht hatte. Er hielt einen mageren, melancholisch dreinblickenden Kellner an und fragte: »Wann treffen sich denn hier die Gelehrten?« Der andere mußte erst jedes einzelne Wort verdauen, bevor er »samstags« antwortete, als habe er damit ein schweres Rätsel gelöst. Gregorio bezahlte und ging nach Hause.

Das also war der Ort, den er für Gil so mühevoll neuerschaffen hatte; und der, der sich da in scheuer Hast an den Wänden entlangdrückte, durch Seitenstraßen trottete, unter Lichtbögen die Straße überquerte und der festlich gestimmten Menge aus dem Weg ging, der plötzlich von Vorahnungen niedergedrückt mit flatternden Lidern und gestaltlosen Gedanken stehenblieb, das war er, Gregorio Olías, und es war der Name dessen, der langsamer als zuvor jetzt weiterging und für einen kurzen Moment das ganze lange Kapitel seines Lebens schlagartig zu durchschauen vermochte. Er sah die letzten Blätter von den Bäumen fallen. Er kam zu einem Bogengang und hielt bei den Verkäufern von Kugelschreibern und Feuerzeugen, bei den Blinden des Vaterlands und den Zigarettenverkäufern, gefangen allesamt in einer monotonen, fiebernden Koloratur.

Einen sah er, der hockte auf seinen Absätzen wie ein wahrer Athlet der Müdigkeit, und ein armer Teufel zählte zwei Münzen wie ein großer Gelehrter der Not. Trotzdem wollte seine Rechnung nicht aufgehen. Er sah auch zwei Vagabunden an eine Hauswand gelehnt, Besitzer eines hartgekochten Eis und einer Literflasche Bier. Sie lachten über die Leute, und um noch lauter lachen zu können, zeigten sie mit dem Finger auf sie. Aber sie brauchten gar keine Leute, um zu lachen, es reichte ihnen, ihre Finger zu sehen. Hielt jemand ihren Blicken stand, so zeigten sie Ei und Bierflasche vor, als handelte es sich um Amulette. Wie zwei Hexenmeister, die ihre Glanzzeit parodierten, saßen sie da als Skulptur ihres ureigensten, inneren Wesens. Er betrachtete die Schaufenster von Trödelläden, in denen sich Heiligenbilder, alte Büchsen und Musketen häuften, Kupferarbeiten und tausenderlei Kram, der während seiner Kindheit noch in Gebrauch gewesen war: Dreifüße, Luntenstöcke, Kerzenhalter, Mörser, Mausefallen, Klistierspritzen, Karbidstücke, Vogelkäfige, Stilmöbel, eiserne Kaminschirme, vorsintflutliche Dreiräder und viele andere Dinge noch, deren Namen er nie gekannt hatte. Ein Mann ging vorüber, dem lange Wurstschnüre vom Arm baumelten und der einen Korb mit Käse auf den Schultern trug. »Würste! Geräucherte Würste! Käse und Quark! Honig! Lorbeerblätter!« rief er, mit sorglosem Paradeschritt einherstolzierend. Eine verschwiegene Menschenmenge bevölkerte die Straßen. In den Bars brutzelten die Fettpfannen, und vor einigen wurden die Butterkringel draußen auf der Straße zubereitet, wo unter der Markise ein Mann in Unterhemd mit dünnen Holzstöckchen den Teig umrührte. Nebenan hatte ein alter Mann seinen Stand mit Blechspielzeug aufgebaut: da war das schwimmende Entchen, das pickende Hühnchen, der hüpfende Frosch und die tanzende Ballerina. »Schönes Blechspielzeug für die Kinder! Alle Tiere zum Aufziehen! Eine Freude für Groß und Klein!« Er schaute in das Innere einer Milchbar und sah dort die Frau Kellnerin von hinten mit einer großen Geschenkschleife verschnürt. Nie war für Gregorio die Stadt so voller verbotener Geschmäcker gewesen. Ohne es zu merken, imitierte er bereits den nachlässigen Gang aus seinen Träumen und riskierte sogar einen flüchtigen Blick in einen der Spiegel, was er eigentlich vermied, seit er Gil seine äußere Erscheinung beschrieben hatte. In einem Gefühl erlebnishafter Unbeschwertheit schob er sich leichtschultrig durch die Menge.

Etwas weiter hörte der Trubel auf. Schließlich kam er an einen kleinen kopfsteingepflasterten Platz, der ganz im Schatten einer Kirche lag, die für sich ein ungewisses Licht wie von übernatürlichem Groll beanspruchte. Im selben Augenblick läutete in der Höhe ein Glöckchen, und es klang wie das Alarmgebimmel eines Geizhalses, der seine Geldbörse vermißt und nun aufgeregt um Hilfe schreit. Er setzte sich auf eine Bank, und kaum hatte die Glocke aufgehört zu läuten, sagte er zu sich selbst: »Nüsse im Frühling.« Und dann trällerte er plötzlich die *Habanera*, die er von seinem Onkel gelernt hatte, und deren Melodie ihm jahrelang nicht eingefallen war. Er sagte: »Ondina, Crispinela«, und andere Namen aus seinen Dichtertagen. Dann verlor er das Zeitgefühl. Ihm war, als sei er noch ein Junge, als habe er die Jahre des Heranwachsens und der Reife geträumt und sei gerade erst erwacht. Von einem plötzlichen Unbehagen erfaßt, eilte er nach Hause.

Im Halbdunkel des Flurs schimmerte ein Spiegel, und die Gemächer verströmten eine panische Ordnung. Wortlos suchte er nach dem Schuhkarton mit den seit seiner Jugend vergessenen Gedichten und trug ihn ins Wohnzimmer. Er wischte den Staub ab und öffnete ihn ebenso feierlich, wie Angelinas Mutter einst das Kästchen aus Japanlack geöffnet hatte, in dem sie die Erinnerungsstücke ihrer besten Jahre verwahrte. Die Mutter war bereits zu Bett gegangen, aber Angelina hatte ihn erwartet und hob jetzt zu einer Frage an, die Gregorio ihr vom Mund abschnitt.

»Ich will nichts essen, und mir tut nichts weh«, sagte er.

Ohne Hast löste er die Knoten und legte den Deckel auf die Seite. Er fand die blasse Schrift seiner Jugendjahre und las auf dem ersten Blatt seinen vollständigen Namen, das Geburtsdatum, sein Sternzeichen und – in größeren und kunstvolleren Buchstaben – sein Dichterpseudonym, und etwas tiefer den Namen seiner Angebeteten und die Zeichnung eines Vogels und einer Blume. Er las die ersten Verse. Voller Bewunderung las er sie sich drei- oder viermal laut vor. Es war, als hätten die Worte, da sie nie benutzt worden waren, eine kryptische Tiefe erlangt. Einige von ihnen hatte er seit mehr als zwanzig Jahren vergessen. Andere wiederum erschienen ihm unerklärlich neu. Das Wort ›Melancholie‹ erinnerte ihn an die letzte, kraftlose Drehung einer Aufziehballerina. Oder ›mokant‹ (Was mochte das Wort bedeuten, und wie war es möglich, daß dieser grüne Bengel damals es so unbekümmert hingeschrieben hatte?), ein Vogel konnte so heißen, oder es konnte der Titel eines kirchlichen Würdenträgers sein (in den Zweigen zwitschert ein Mokant, der Herr Mokant teilte den Segen aus), und das Wort ›schwärmen‹ klang nach etwas sehr Zerbrechlichem, fast wie das Wort ›träumen‹, nur in Cellophanpapier verpackt. Als er sein Erstaunen über die Wörter überwunden hatte (und über den Rhythmus, der in jedem Vers einen Abgrund vor ihm aufzureißen schien), durchlebte er noch einmal Gefühle, die – daran erinnerte er sich jetzt nicht ohne Wehmut – seine Tage mit dem Erbeben des Unbekannten, der Unendlichkeit und der Ewigkeit erfüllt hatten.

Es waren fast ausschließlich Liebesgedichte, doch gab es auch welche mit philosophischen Themen und andere in burleskem Ton.

Ganz unten lag ein Stoß Blätter mit dem Titel: *Epische Dichtung über Alvar Núñez Cabeza de Vaca, ›der fliegende Eroberer‹*, und darunter die Widmung, die er für Alicia geschrieben hatte: *Für Dich, meine Frau, meine Liebe ohne Hoffnung, von Deinem unbekannten Dichter, Augusto Faroni, Weltendichter und Dichter des Nichts, der Liebe und aller Dinge – des Todes.* »Mein Gott!« stöhnte er bei dem Gedanken an den jungen Dichter, »Was ist aus dir geworden? Was habe ich dir angetan?«

Eine uralte Trauer umwölkte seinen Blick. Mehr als zwanzig Jahre waren vergangen. Seit damals hatte er nicht mehr den Herbst besungen, nicht mehr den Drang des Weges verspürt und die Geliebte nicht mehr bei ihren geheimen Namen von Blumen und Vögeln gerufen. Er verschnürte den Schuhkarton und fragte sich, für was er das alles aufgegeben hatte, was passiert war, um so unmenschlich zu vergessen. Er schloß die Augen. All die alten Träume von Großartigkeit umkreisten ihn wie die Ungeheuer einer teuflischen Versuchung. Er dachte an seinen Onkel, an den Unsterblichkeitswahn seiner letzten Tage und an die fleißige Trübsal, zu der ein nutzloses Leben nötigt. Und in einem unbändigen Zärtlichkeitsgefühl verstand er alles, auch seinen Vater und seinen Großvater, die, um der Qual des Eiferns zu entgehen, ihre Wünsche so unerreichbar hoch gehängt hatten, daß sie ihr Leben hätten lassen müssen, wenn sie ernsthaft versucht hätten, sie zu erreichen. Er bedauerte, nicht als so ein Insekt geboren zu sein, das sein Leben damit verbringt, sich durch ein Stück Holz zu nagen. Er dachte, daß er tatsächlich – und biß sich vor Schmerz ob dieser Offensichtlichkeit auf die Lippen – ein großer Dichter hätte werden und reisen können und jetzt Ingenieur im Urwald sein könnte und all die anderen Dinge, die er für Gil ersonnen hatte, und so einfach erschien ihm alles, daß er ob der Gewißheit seiner Verfehlungen vor Entsetzen erschauerte. Für einen kurzen Augenblick sah Gregorio zum ersten Mal und in aller Deutlichkeit das vollständige Bild seines Lebens vor sich und wußte, daß die Farce das treffende und beredte Abbild der kopflosen Flucht war, wie sie der Niederlage folgt. Er sah sich selbst, den Erwachsenen, der er war, als Eindringling im Leben des Jünglings, der er gewesen war, und mußte tief Atem holen, um über das erstickende Gefühl eines verheerenden Mitleids hinwegzukommen. Er betastete sein Gesicht, stellte sich voller Verwunderung sein Aussehen vor, bemerkte darin etwas, das ihm zutiefst fremd war, nahm die Temperatur und den Geruch seiner Haut und das Gewicht seines Körpers wahr und hatte einen Eindruck von Masse, als seien es viele, die dort dachten und dieselbe Sache im Kopf herumwälzten. Für den Bruchteil einer Sekunde ahnte er, was an bösen Zeiten auf ihn zukommen würde, und redete sich ein, mit dem Wissen darum bereits einen Teil der Buße verrichtet zu haben. Zugleich aber dachte er an Faroni und sagte sich, daß sein Leben im Grunde doch von einer gewissen Erhabenheit war und daß er nie aufgehört hatte, in Wirklichkeit ein wahr- und leibhaftiger Künstler zu sein. Er atmete wieder tief durch und hörte Angelina sich unter knisternder Weißwäsche und Gebetsgeflüster in der Dunkelheit entkleiden. Da ging auch er zu Bett.

»Wie soll ich dich denn nennen, wenn ich nicht Gregorio zu dir sagen soll?« fragte sie.

»Das ist deine Sache«, antwortete er, tapfer gegen den Sog kämpfend, der ihn durch das Nadelöhr der Angst zu ziehen drohte. »Denke dir ein Pseudonym für mich aus. Und dich werde ich in Zukunft auch nicht mehr Angelina nennen.«

Er fühlte sich auf wunderbare Weise inspiriert.

»Von jetzt an sollst du Marangel heißen.«

»Marawas? So ein Unsinn.«

»Jawohl, die Señorita Marangel. Aber ich werde dich nur Mar nennen und ab und zu Blüte des Dschungels.«

»Du hast sie ja nicht alle.«

»Und mir würde es gefallen, wenn du mich zum Beispiel Gregor oder Goyo nennen könntest. Oder mich mit einem Diminutiv riefest, Gori zum Beispiel oder Gorito. Oder besser noch Faroni.«

»Komm, schlaf jetzt.«

»Und was noch?«

»Gregorio.«

»Nein.«

»Na, dann Gori, oder was immer.«

»Nein, Faroni.«

»Na, dann Faroni, oder was immer.«

»Gute Nacht, Señorita Mar.«

Kaum war er eingeschlafen, träumte er, ein Bote komme ins Schlafzimmer geeilt, um ihm mitzuteilen, daß in Paris bereits die Mandelbäume blühten. Er trug eine Öllampe, und während er seine Botschaft sprach, erlosch das Licht, und seine tatsächlichen Worte trieben unkenntlich durch die Dunkelheit.

»Was redest du da jetzt von Mandelbäumen?« fragte Angelina.

Gregorio dachte wieder an die Gedichte, an die *Habanera* und an

Gil, und eine bange Ahnung ließ ihn auffahren. Er stand auf, ging ins Badezimmer, stellte sich vor den Spiegel und betrachtete sich forschend, wie ein Medizinmann die Eingeweide betrachtet, aus denen er die Zukunft liest.

Eine einzige Falte malte ein Schmerzenslabyrinth auf sein Gesicht. Er ging wieder zu Bett und fiel sofort in einen schwarzen Schlaf ohne Bilder und Worte.

KAPITEL XI

Mit dem Schuhkarton war es also gewesen, als hätte er die Büchse der Pandora geöffnet und die Vergangenheit wäre herausgestürmt, und drinnen geblieben wäre nur die Scham. Und es war, als sähe er sich in jenen Monat Juli zurückversetzt, in dessen glühendem Labyrinth er seinen Liebeskummer ohne Ausweg vor sich herschob.

Die ersten Anzeichen von Gewissensqual machten sich am nächsten Morgen bemerkbar, als er in seinem Gesicht einen seltsamen, bisher nie gesehenen Ausdruck entdeckte, eine Art unmerkliches Lächeln zwischen Perversion und Spott, wie von einem aztekischen Götzen. Es erinnerte ihn an eines seiner Jugendgedichte, die er am Vortag gelesen hatte und in dem es hieß, daß ebenso, wie der Wind die Form der Wolken verändert, die Zeit sich schmirgelnd auf die Gesichter stürzt, bis sie vom Firmament der Jahre abgerieben sind. Dieser Gesichtsausdruck nährte die absurde Vorstellung, die er am Nachmittag zuvor gehabt hatte, sein eigener Fremder zu sein; doch absurder noch erschien ihm die Erkenntnis, daß dieses Gesicht vor fünfundzwanzig Jahren das Antlitz eines Jünglings gewesen war. »Ich fühle mich, als wäre ich mein eigener Überlebender«, sagte er, sich aufmerksam betrachtend.

Es war ein Gesichtsausdruck wie das Vorzimmer zu einem Niesen oder Grunzen, und kaum hatte Gregorio ihn in dieser Deutlichkeit erkannt, da zog er sich ins Dickicht der Gewohnheit zurück und verschwand, und sein Gesicht war wieder das alltägliche, das ihm geläufige und bekannte. Etwas Obszönes und zugleich Bemitleidenswertes lag darin, etwas Stolzes und etwas Flehentliches, und als er sich unter Grimassen aus unterschiedlichen Perspektiven betrachtete, dachte er bei seinem Anblick unwillkürlich an ein dickes Kind ohne Nachtisch. »Ich bin alt, und ich bin fertig«, sagte er sich. »Ich bin ein Hochstapler auf einem sinkenden Schiff.« Und so unerträglich war daraufhin seine Verbitterung, so unermeßlich die Buße, die er sich aufzuerlegen gedachte, und so unbarmherzig waren glücklicherweise die Worte, mit denen er sich vor Gil offenbaren wollte, daß er ganz erleichtert war, so alt und unglücklich zu sein.

Er schloß die Augen, um den Schmerz in seiner ganzen Fülle in sich aufzunehmen und mit ihm allein zu sein. Einen Moment lang dachte er gänzlich unüberrascht an Selbstmord. Und obwohl er den Triumph einer solchen Kühnheit nicht mehr würde auskosten können, sann er, hinderte ihn doch nichts, im voraus ein wenig daran herumzuschmecken. Um nicht unnötig lange im gegenwärtigen Elend zu verharren, und ohne Raum für andere Überlegungen zu lassen, die diesen grandiosen Vorsatz hintertreiben könnten, legte er die Frist dafür auf eine Woche fest, und er würde sich des Nachts vom Balkon auf die Straße stürzen und einen Abschiedsbrief hinterlassen. In seinem Büchlein der Fiktionen, an das er schon gar nicht mehr gedacht hatte, würde er gleich morgen mit dem Entwurf des Briefes beginnen.

Als erstes fragte er sich, ob er ihn an die Welt richten sollte oder nur an Angelina. Doch bevor die Anrede auch nur ansatzweise in seinem Geist Gestalt angenommen hatte, war ihm schon klar, daß er keinesfalls die wahren Gründe für den Freitod nennen würde, und überraschte sich dabei, wie er schon andere, bewundernswertere ersann, als denke er unbewußt an die Reaktion von Gil. Und wie sollte er unterschreiben? Als Gregorio Olías oder Augusto Faroni? Und sollte er eine Nachricht für Gil hinterlassen, oder sollte er ihm am Telefon sagen, die Schergen des Diktators seien ihm dicht auf den Fersen, was den Gedanken an einen Heldentod nahelegte? Die Versuchung, den Tod zu seiner letzten Lüge zu machen, entsetzte ihn. Er dachte, ein anständiger Moment im Leben könne die Würde einer ganzen Existenz retten. Er würde sich in einfachen, bescheidenen Worten an Angelina wenden. So etwas wie *Liebe Angelina, es tut mir leid, aber ich kann nicht mehr. Verzeihe mir. Gregorio.* Aber nein, die Größe seines Vorhabens ließ es nicht zu, der Welt auf dieser anonymen Weise zu entsagen. Das verbot ihm, wenn nicht der Erwachsene, so doch der Dichter, der er in jungen Jahren gewesen war. Denn der da aus dem Leben schied, das war der Jüngling, fünfundzwanzig Jahre später. Und damit das auch so verstanden würde, würde er sich nach der damaligen Mode gekleidet und mit dem Schuhkarton, der Gitarre, dem Wörterbuch, dem Atlas und dem Lexikon in die Tiefe stürzen und einen Zettel hinterlassen, auf dem stand: *Ich kann meinen eigenen Tod nicht länger überleben und töte auch den Schiff-*

brüchigen, und durch diesen hochanständigen Akt fühlte er sich reingewaschen und geläutert.

Doch dann kam Weihnachten, und Gregorio wurde für einige Tage von seinen Hochstaplerqualen abgelenkt. Er verbrachte die Feiertage im Kreis der Familie, hörte sich mit heiserer Stimme Kirchenlieder brummen und Litaneien beten, kaufte Anis, Sidre und Marzipan, sang Weihnachtslieder, schlug die Schellentrommel und benahm sich ganz wie ein braver, glücklicher Ehemann. Und als in der Silvesternacht ein paar Nachbarn mit Rasseln und Tröten, bunten Papiermützen und Luftschlangen zu Besuch kamen, eröffnete er das Fest mit einem Bolero, den er mit Angelinas Mutter tanzte, die sich trotz Blindheit und allem ihr schönstes Festgewand herausgesucht hatte, wie es einer im Exil der Gegenwart ausharrenden Königin nicht besser hätte anstehen können. Am Ende des Tanzes verneigte Gregorio sich mit einem höfischen Knicks und erntete dafür solchen Beifall, daß er die Verbeugung noch dreimal wiederholen mußte. Um Mitternacht aßen sie Weintrauben, und der letzte Glockenschlag war noch nicht verklungen, als ein schwarzgekleidetes Mütterchen verkündete, und dabei von der Trauer ihrer Kleidung geradezu verschlungen wurde, eine weitere Weihnacht werde sie wohl nicht mehr erleben.

»Stimmung!« rief jemand, doch obwohl alle wieder anfingen, in die Hände zu klatschen und nach den Modetänzen aus dem Radio zu tanzen, saß das alte Mütterchen mit zuckenden Mundwinkeln dabei, unentwegt nickend, wie vom Donner der Erkenntnis gerührt. Auch Gregorio mußte an seine lieben Verstorbenen denken, und die wehmütigen Gedanken an seine Kindheit nahmen ihm jede Lust am Leben. Er fühlte sich allein unter Fremden, ohne Freunde und ohne Hoffnungen, gefangen in einem Netz erbärmlicher Lügen.

»Stimmung!« riefen sie wieder und sangen: »Laßt uns froh und munter sein!«

Da begann Gregorio maßlos zu trinken, prahlte herum und gab sich leutselig. Er sprach mit verstellter Stimme, erzählte Witze, tanzte allein und klatschte dabei mit erhobenen Armen in die Hände, balancierte ein Glas auf der Stirn und stellte sich schließlich in die Mitte des Zimmers, band seine Krawatte ab, klemmte seine Daumen hinter die Jackenrevers und tanzte einen Rumba Flamenco unter Stampfen und Verrenkungen und vor und zurück trippelnd wie ein Torero. Angespornt vom Erfolg, sagte er mit einer Hand, jetzt paßt mal auf. Mit zusammengekniffenen Augen die Entfernung taxierend, steuerte er auf seine Gitarre zu, warf sich herum und kam mit dem Hintern wackelnd zurück, wedelte den Staub vom Instrument, stimmte es und begleitete sich selbst zur *Habanera*. Er sang mit farbloser Stimme, doch alle applaudierten, und jemand sagte, so daß es alle hören konnten:

»Dieser Gregorio, wer hätte das von ihm gedacht!«

Woraufhin die Mutter sich sogleich an jene Nacht erinnerte, in der ihr Verstorbener sechzig Geiger für sie engagiert hatte, die alle als Kapitäne zur See kostümiert waren.

»Beide Hände ans Herz gedrückt, sang er eine Romanze, und am Schluß warf ich ihm eine Orchidee zu, die er an seine Lippen preßte, während die Musiker einen Walzer spielten und sich dabei wiegten wie die Wellen des Meeres.«

Gregorio begleitete die Serenade, indem er ihre Worte parodierte, und als er die Geiger imitierte, schwankte er hin und her, wie von wechselnden Winden bewegt, so daß alle ein Lachen unterdrücken mußten und sogar Angelina dreinschaute, als sei ihr Ehemann ein unverbesserlicher. Die Mutter, die Gregorios Schatten und Bewegungen wahrnahm, glaubte wohl, es mit dem Geist zu tun zu haben, den sie gerade beschwor, und sagte:

»Mir ist, als sähe ich diesen schrecklichen Mann dort unter dem Balkon«, und alle brachen in Gelächter aus, selbst das alte Mütterchen, für das es keine weitere Weihnacht mehr geben sollte.

Sie tranken einander zu, und jemand schlug vor, jeder solle in die Mitte treten und etwas zum besten geben. Es ging reihum mit Witzen, Tierstimmenimitationen und Raten, und als die Reihe an Gregorio kam, hatte er schon seinen Schuhkarton auf den Knien, aus dem er ein ernstes und ein lustiges Gedicht nahm und sie stockend, wie ein Clown auf dem Drahtseil, vorlas.

»Soll mir einer sagen, daß er dem Gregorio so was zugetraut hätte!«

Mit priesterlich ausgebreiteten Armen trat Gregorio vor und sagte:

»Gregorio? In Wirklichkeit, meine Herrschaften, heiße ich ... Faroni!«

Die Gäste lachten vergnügt über den launigen Einfall.

»Und was bedeutet dieser Name?« fragte jemand.

»Es ist ein italienischer Name«, antwortete Gregorio, »er bedeutet nichts. Er ist wie eine Blume, die nur duftet. Solche Namen gibt es viele auf der Welt.«

Er kippte einen Anis hinunter.

»Und meine Gattin nennt bitteschön Señorita Mar, und meine Schwiegermutter ist ab jetzt die Dame Muse.«

Dann gab er allen Anwesenden neue Namen. Das Mütterchen hieß Señora Clementine, und er nannte sie Doña Celeste, und den Hund taufte er Pater Revilla, im Gedenken an einen, den sein Großvater gehabt hatte.

»Und wie willst du Don Isaías nennen«, wurde er gefragt.

»Don Isaías?«

»Ja, der Alte aus dem sechsten Stock, der das Haus nicht mehr verlassen kann.«

»Na, den nennen wir Diogenes Tonneau.«

Einem Abilio Góquel, dem der Name Octaviano Murillo Quesada verpaßt wurde, gefiel das Spiel nicht, und er murrte:

»Lassen wir die Namen, wie sie sind.«

»Wie Sie wollen«, sagte Gregorio, »aber kein Name stört einen andern. Daß Sie Abilio Góquel heißen, bedeutet nicht, daß Sie nicht auch Octaviano Murillo Quesada sein können.«

»Mein Vater war ein Góquel, und ich bin stolz darauf, ebenfalls ein Góquel zu sein.«

»Ach, wissen Sie«, sagte die Alte, »mir gefällt Doña Celeste, aber noch besser gefallen würde mir Maria Cristina.«

»Schon geschehen!« verkündete Gregorio. »Doña Maria Cristina Celeste. Sehen Sie? Namen kosten nichts.«

Bei Morgengrauen verabschiedeten sie sich im Treppenhaus voneinander mit ihren neuen Namen, und der letzte Besucher rief vom unteren Stockwerk herauf:

»Gute Nacht, Faroni!«

Als sie wieder allein waren, schauten Gregorio und Angelina zum Fenster hinaus und sahen zu, wie es schneite. Angelina trug einen geblümten Hausmantel, und Gregorio zählte die Blumen mit dem Finger und gab jeder einzelnen einen Namen.

»Danach machen wir dasselbe mit den Schneeflocken und dann mit den Läusen des Hundes. Und wenn es Frühling wird, gehen wir hinaus und taufen alle Blätter an den Bäumen, weil es ungerecht ist, daß es Dinge gibt, die keinen eigenen Namen haben. Ungerecht ist auch, daß wir nur einen Namen haben, aber zwei Anzüge oder vier Paar Schuhe.«

»So ein Unsinn.«

»Worte haben Zauberkraft und sind umsonst.«

»Du bist betrunken und sonst gar nichts.«

Die Mutter ging mit dem bimmelnden Hündchen zwischen den Beinen vorbei.

»Gute Nacht, Dame Muse«, sagte Gregorio.

Sie hörte ihn aber nicht, da sie ein Gebet murmelte, um die umherirrenden Seelen zu bannen, die in einer der vergangenen Nächte schon die Schränke durchwühlt hatten, auf der Suche nach Erinnerungsstücken aus der Zeit, als sie noch lebendig waren.

Als Gregorio schon im Bett lag, war er immer noch damit beschäftigt, den Dingen andere Namen zu geben, und erst im letzten wachen Augenblick kam ihm der Verdacht, daß er rettungslos im Sumpf der schwärzesten Angst versank.

Die Mühsal des Versinkens ließ ihn schlagartig erwachen. Es kostete ihn einiges, den Punkt seines Lebens zu finden, an dem er sich gerade befand. Er war wie erschlagen vom Gewicht der Wirklichkeit und der Jahre, bis zur körperlichen Erschöpfung verzagt, als er auf sein Leben zurückblickte und begriff, daß er tatsächlich bis auf den Grund der Seelenangst gesunken war. Und als habe er bereits vorhergesehen, wo mit der Buße zu beginnen sei und wie man sie wohl erleichtern könnte, erklärte er feierlich: »Mein Leben ist ruiniert. Ab jetzt bin ich der armseligste Wurm auf dieser Welt.«

Durch dieses ehrgeizige Projekt der Verzweiflung fühlte er sich sogleich gestärkt, und bestärkt auch, da Neujahrstag war, in seiner kühnen Entscheidung, die er am selben Morgen noch Angelina kundtat, keine Fragen mehr zu beantworten, da er ein lebenslanges Schweigegelübde abgelegt habe, das er bis zu seinem Tode nicht zu brechen gedenke. Und das Geheimnis dieses Entschlusses werde er mit ins Grab nehmen. »Ich werde kein einziges Wort mehr sprechen, denn alle Worte sind verflucht«, sagte er.

»Und darf man fragen, was das soll, nicht mehr sprechen zu wollen? Was ist das wieder für ein Unsinn?« fragte Angelina.

Aber Gregorio gab schon keine Antwort mehr.

Um nicht zum Sklaven seines Unglücks zu werden, ergab er sich ihm, in der Illusion gar, es beherrschen zu können, indem er seinen Attacken zuvorkam und dem Verhängnis stets einen Schritt voraus war. Den Hausbau beim Dach zu beginnen oder die Sünde bei der Buße, um sich so seiner Mutlosigkeit zu bemächtigen und ihre Auswirkungen zu übertreiben, bis sie jeden realen Gehalt verlor – wie bei den Fortsetzungsmelodramen im Radio, die er so oft gehört hatte –, dieser Plan schien anfangs recht wirkungsvoll zu sein, als es ihm noch gegeben war, bei der begeisterten Verteidigung seines Ungemachs glückliche Augenblicke zu erleben. Er hielt sich für Prometheus und für Samson und glaubte sich wie in seiner Jugend in einem Labyrinth verloren, das zwar nicht das der Liebe war, aber ebenso schrecklich wie damals. Es waren unselige Zeiten.

Er ließ sich einen Bart wachsen (um den Gesichtsausdruck eines Fremdlings nicht mehr sehen zu müssen), vernachlässigte Kleidung und Körperpflege und lief abends ziellos durch die Straßen seines Viertels. Wütend auf sich, auf Gil und auf alle andern, seinen Zorn ohne Gegenstand widerkäuend, mit abwesendem Blick und entrückten Gedanken hin und wieder innehaltend, die halbe Kippe im Mundwinkel, drückte er sich mit schlurfenden Schritten an den Hauswänden entlang. Mit seinem Schlüsselbund schlug er Funken und musikalische Noten aus Ecken und Gitterzäunen. Die Jacke wurde ihm zu weit, und aus den Taschen zog er Dinge wie ein spitzes Stück Holz, eine Rolle Zwirnsfaden, einen Hemdknopf und eine klebrige Tablette, die er vergebens zu identifizieren suchte. »Hallo, Faroni!« riefen die Nachbarn ihm nach, aber er antwortete nicht. Er hob eine Hand oder wandte den Kopf und ließ die Augen rollen, und dann verklumpte sein Blick in der absoluten Leere. Seine fiktive Vergangenheit beschämte ihn so sehr, daß er an seiner Gegenwart litt, ohne sich erinnern zu müssen, denn die Zeit verschmähte den von der Erinnerung angebotenen Weg zur Gegenwart und nahm die Abkürzung über Unbehagen und alles einebnende Verwirrung, über den Geruch von schlafenden Hühnern und den unveränderlichen Geschmack des Mauerwerks im Winter.

Zu Hause blieb er stumm, obwohl Angelina, die überzeugt war, er sei verrückt geworden, ihn Faroni nannte und, um ihn zum Sprechen zu bewegen, seinen Wahnideen folgte: »Sag mal, Faroni«, fragte sie ihn, »warum gibst du den Fußbodenfliesen keine Namen oder überlegst dir welche für die Blätter, wenn der Frühling kommt?« Sie schlug ihm sogar eine Reise ans Meer vor, und die Mutter wollte ihn exorzieren lassen, da sie überzeugt war, er habe den Teufel im Leib. Er kam spät nach Hause, setzte sich schweratmend ins dunkle Zimmer, bis die beiden zu Bett gingen, und weder wollte er zu Abend essen, noch hatte er Kopfschmerzen. Zu mitternächtlicher Stunde jedoch, wenn alles still war, aß er allein in der Küche und fand sein Vergnügen daran, sich mit dem Löffel in der Faust wie ein verfressener Bauernknecht zu fühlen, der sich schmatzend an der Welt rächte und schlürfend aus dem Glas trank, daß es sich anhörte, als verschlinge er das Wasser in Stücken und Brocken, und sich dabei in den Bart zu brummen: »Die ganze Schüssel für mich alleine, verdammt, den Fraß hau' ich mir rein, ein reißender Wolf bin ich allemal.«

An einem Tag machte er sich auf die Suche nach den Orten seiner frühen Jahre. Wie zu seinen Dichterzeiten versuchte er, das Geheimnis hinter den Dingen zu ergründen, ihre wahre Bedeutung, die sie dem neugierigen Betrachter vorenthielten. Er schaute die Bäume und die Vögel an und sagte: »Aha, was mag das wohl bedeuten, was hat dieser Baum von einem Vogel, und worin mag dieses Geheimnis dort bestehen?« Die Dinge teilten ihm jedoch nichts mit und hatten auch nichts zu verbergen. Sie waren einfach da, genau wie er selber, jedes mit seinem Namen und nur darauf bedacht, ihre Aufgabe des Existierens wahrzunehmen, und keines war ein anderes oder mit einem der anderen verbündet. Er versuchte, das Leiden an den Dingen, das er in seiner Jugend empfunden hatte, zu neuem Leben zu erwecken, doch von dem wohltätigen Schmerz vergangener Tage blieb heute nur noch das leere Pathos dessen, der Glückseligkeit um jeden Preis verlangt. Er floh in dem entsetzlichen Gefühl, seine eigene Vergangenheit zu schänden. Er hatte nun jede Kontrolle über seine mißliche Lage verloren. Eines Nachts träumte er, er sei in der Abendschule und habe sich in einem der düsteren Gänge zum Schlafen hingelegt, als der Schuldiener mit seiner Lampe kam und schrie: »Hoch mit der Jugend! Auf die Beine, Abiturienten!«, und aus dem Traum des Traums wehrte ihm Gregorio mit den Worten: »Es ist noch zu spät, es ist noch zu spät«, und dieser Satz wehte wie ein Motto über seinem rabenschwarzen Unglück. In einer anderen Nacht träumte er von einem Satz, der ebenfalls in das magische Repertoire seines Unglücks aufgenommen wurde. Er sah sich im Traum in einer völlig überfüllten öffentlichen Toilette, von deren Becken aber nur zwei funktionierten, da alle anderen zerschlagen und zerbrochen waren. Überall sah man nacktes Mauergestein, tropfende Leitungen, aufgeweichten Zement und große Pfützen auf dem Boden. Schließlich kam er an die Reihe und neben einem Mann zu stehen, der aufreizend gemächlich vor sich hinpinkelte. Die Leute hinter ihnen warteten, ohne zu drängen oder ungehalten zu werden, und einige steckten von draußen die Köpfe durch die Tür und betrachteten die drinnen mit gesammelter Miene, daß es Gregorio an einen um eine Partitur gescharten Engelschor erinnerte. »So ein Andrang«, sagte er zu seinem Nebenmann. »Das ist noch gar nichts«, erwiderte der (und jetzt erkannte er in ihm den Mann in Schwarz), »in Rom waren wir einmal so viele in einem Pissoir, daß wir uns gegenseitig mit dem Pimmel in die Quere kamen.« Er verstummte nachdenklich, als suche er nach dem treffenden Wort. Dann lächelte er und sagte etwas, das Gregorio im Traum nicht richtig verstand. In diesem Augenblick erwachte er. Er stand auf, um zu urinieren, und auf dem Rückweg verlor er in der Dunkelheit die Richtung, und da fiel ihm der Satz ein, den der Schwarzgekleidete gesagt hatte: »Das war wie ein Nagel im Schenkel eines Blinden.« Gregorio fand, dieser Satz sei eines Hochstaplers würdig, und er wurde noch trauriger, als er begriff, daß er in Zukunft mit diesen Sätzen würde leben müssen und daß ihm, genau wie Gil, nichts anderes erlaubt sein würde als solche müden Scherze. Bei jeder Berührung oder jedem kleinen Schubs sagte er während der Monate seiner Mutlosigkeit: »Wie ein Nagel im Schenkel eines Blinden«, und jedesmal, wenn er auf die Uhr schaute oder sonstwie auf die Zeit aufmerksam wurde, sagte er: »Es ist noch zu spät«, und mit diesen beiden Sätzen drückte er alle seine Gefühle aus.

Er dachte auch an Gils Ängste (jetzt, da der Schwarzgekleidete vom Balkon verschwunden war und die schiebende Menschenmenge ihn in den Schatten eines Hauseingangs verbannt hatte, wo ein kleines Mädchen, das von jenem unseligen Morgen des 4. Oktober keine Ahnung hatte, mit seiner Puppe in einem Schaukelstühlchen aus Weidengeflecht schaukelte und dazu ein Wiegenlied trällerte), an seine Furcht, anzurufen, an seine bebenden Fragen (»Haben Sie noch, eh, ich meine, Ihre Probleme?«), an den einzigen Satz, den er ungehemmt aussprechen konnte (»Künstler, das habe ich immer schon gesagt, muß man verstehen.«), an sein peinlich berührtes Schweigen und seine umständliche Art, zu verstehen zu geben, daß er einiges an Neuigkeiten zu berichten hatte: »Ich muß Ihnen da ein paar Dinge erzählen, Sie werden schon sehen, aber nicht jetzt, ich weiß ja, daß das nicht geht, daß Sie Künstlerprobleme haben, sobald Sie wollen, kann ich es Ihnen aber erzählen, mal sehen, was Sie davon halten.« Und an einem Montag, als er sich überwand, um ein Exemplar eines seiner Bücher zu bitten, die in den unsäglichen Provinzbuchläden nicht zu kriegen waren, antwortete Gregorio ausweichend, einsilbig und abweisend: »Sie sind von der Regierung verboten und ich besitze nur meine eigenen Exemplare«, und in der Fensterscheibe seines Garagenbüros sah er klar und deutlich das Gesicht des Schwindlers vor sich. Sie hatten die Rollen vertauscht, und jetzt war Gregorio es, der geheimnisvolle Geräusche machte oder in den Hörer blies, und Gil, der wie der Imitator seines Vaters beim Nachäffen telefonischer Gespräche fragte: »Hören Sie mich?, ja?, sind Sie noch da?«, und in drängendem Säuselton, wie jemand, der einen anderen sanft wecken will, sagte: »Ich bin's, Dacio.« Gregorio gab keine Antwort und brach sein Schweigegelübde nur, um zu verneinen. Er betrachtete sich verstohlen in Spiegeln und sah hinter dem schmutzigen Bart das verräterische Gesicht des Eindringlings, und dort blieb es mehrere Monate: er sah es sich in den Schaufenstern spiegeln, in den marmornen Hauseingängen, in den Stoßstangen der Autos, in den Akkordeons der Straßenmusikanten, in Stricknadeln und Regenpfützen und in den Fenstern des Cafés, das er eines Abends wieder aufsuchte, um die Künstler genauer zu beobachten und in das Geheimnis ihrer Gesten, die Gründe ihres Lachens oder die Tiefe ihres Schweigens einzudringen.

Im April sprach Gregorio immer noch nicht, und die Nachbarn mieden ihn. Er war abgemagert und blaß geworden, litt unter Schlaflosigkeit und saß stundenlang mit gesenktem Blick und blödem Gesichtsausdruck, und mit einer chronischen Schlafsucht, die es ihm unmöglich machte, einzuschlafen. Und da er sich der Gründe gar nicht mehr voll bewußt war, die ihn ins Unglück gestürzt hatten, existierte dieses aus sich selbst heraus, so daß schon ein Sonnenstrahl oder Schritte aus der darüberliegenden Wohnung ausreichten, um es in seiner ganzen Größe erblühen zu lassen. Je mehr ihn seine Kräfte verließen, die er gebraucht hätte, um sein ehrgeiziges Projekt der Verzweiflung in Gang zu halten, das ihn zu Arbeiten verpflichtete, die heroisch und wohltätig sein sollten, und da er auch schon nicht mehr Herr seiner eigenen Furcht war, hatte er die Freude an der Sühne verloren, und damit erlosch auch der letzte Sinn seines Lebens. Er wußte, daß er einen Punkt ohne Wiederkehr erreicht hatte. Er wußte es, als er seinen Selbstmordgedanken wieder aufnahm und sich so vehement und realistisch in ihn vertiefte, daß er erschrak, als er keinen Weg mehr hinausfand. Er betrachtete jetzt die Schaufenster der Modehäuser auf der Suche nach Kleidungsstücken, wie sie in seiner Jugend Mode gewesen waren, um diesen Teil der Abmachung wenigstens einzuhalten. Mit finsterer Endgültigkeit redete er sich ein, wenn er einen Marinemantel fände, einen langen braunen Schal und eine Ledermütze mit Ohrenklappen, würde er seine Entscheidung nicht mehr hinauszögern. Die Mode hatte sich jedoch geändert, und man trug längst keine Ohrenmützen mehr, und was den Marinemantel anging, so gab es ähnliche Modelle, aber keines war wie der, den sein Onkel aus Kuba mitgebracht und er in seiner Jugend verschlissen hatte.

So kam es, daß er auf der Suche nach dem Gegenstand seines Verderbens den seiner Rettung fand, als er sich bereits am Rande des Abgrunds wähnte.

Es war Ende April. Gregorio sprach immer noch nicht, irrte weiterhin durch die Stadt, und seine Selbstmordabsicht wurde immer unwiderruflicher, oder zumindest wollte er als kleineres Übel seine Arbeit aufgeben, um so Gil nicht mehr hören zu müssen, der wie die Stimme seines Gewissens war. Eines Tages blieb er auf dem Heimweg vom Büro vor einem Schaufenster stehen und spürte in sich ein Unbehagen, das ihm irgendwie bekannt vorkam.

Er starrte eine Zeitlang auf das Fenster, ohne etwas zu sehen, und als er schließlich weiterging, stand ihm die trügerische Reichhaltigkeit all dessen vor Augen, was er nicht gesehen hatte. Anderntags kam er wieder, und am darauffolgenden auch, stets von derselben Unruhe bedrängt. Er betrachtete das Schaufenster, ohne sich zu getrauen, offen nach dem Grund seiner Beunruhigung zu suchen. Statt dessen ließ er seine Blicke scheu über die Schaufensterpuppen huschen, die nach der neuesten Mode gekleidet in den unwahrscheinlichsten Posen verharrten, zerbrechlich und glücklich wie lange vor jeder Erbschuld, und an Fäden in einer Umgebung von schmerzendem Licht festgehalten, in der silberne Sterne, Sputniks und goldene Kometen schwebten. Und alles strahlte so hell und war so leicht, daß man sich am liebsten dort eingerichtet hätte, in der gleichen künstlichen Haltung wie die Puppen.

Von Tag zu Tag hatte er mehr das Gefühl, seine Unterscheidungsfähigkeit zurückzugewinnen – denn sein Unglück hatte ihm auch den Blick vernebelt, so daß er nicht imstande war, eine Sache zwischen mehreren zu lokalisieren –, bis ihm eines Nachmittags im Mai schlagartig die Erleuchtung kam. Er hockte in einem dunklen Winkel des Wohnzimmers und wand sich plötzlich in seinem Sessel wie ein Tier im fernen Gestank seines Käfigs.

»Was ist mit dir?« fragten sie ihn.

Er machte unter Zeichen irgendeinen Vorwand deutlich und eilte hinaus zum Schaufenster, wo er zwischen den hinteren Puppen suchte. Sie stand halb verborgen hinter den anderen. Bekleidet war sie mit zimtfarbenen Slippern, weißer Hose, marineblauem Jackett mit Messingknöpfen, Regenmantel mit hochgeschlagenem Kragen, perlgrauem Hemd, kunstvoll geknotetem Halstuch aus schillernder

Seide, weichem Filzhut mit breiter Krempe und einer goldumrandeten Sonnenbrille. Mit der ins Gesicht gezogenen Hutkrempe, der Sonnenbrille, dem Halstuch und dem hochgeschlagenen Mantelkragen sah das Modell wie maskiert aus, von unbestimmbarem Alter. Wie es da in düster entschlossener Unabhängigkeit in der Tiefe des Schaufensters verborgen stand, hatte es etwas Furchteinflößendes und zugleich Faszinierendes. »Faroni!« flüsterte er, denn das war Faroni, wie Gregorio ihn sich in seinen Träumen vorgestellt und wie er ihn Gil beschrieben hatte: dieselbe geheimnisvolle Ausstrahlung, dieselbe Aufmachung.

Jedes Stück der Bekleidung war mit einem Preisschild ausgezeichnet, und Gregorio addierte die Zahlen wie ein gedankenloser Automat. Ohne einen weiteren Blick auf die Schaufensterpuppe ging er nach Hause, und kaum hatte er die Tür hinter sich geschlossen, rief Angelina ihm zu: »Wo warst du denn jetzt schon wieder?« Gregorio lief jedoch mit schräggelegtem Kopf und einer schelmischen, kindlichen Armbewegung, die besagen sollte: ah, ah, das ist ein Geheimnis!, durchs Wohnzimmer, legte sich sogleich ins Bett und versuchte an nichts anderes zu denken als an das, was er gerade erlebt hatte.

Die Woche verging unter hoffnungsvollen Berechnungen. Er verbrachte jeden Tag ein Weilchen vor dem Schaufenster und geriet jedesmal in einen Zustand bedauernswerter Erregung. Er schnippte mit den Fingern, kratzte sich wütend die Handknöchel, belebte wieder seine Manie, die Wirklichkeit mit Hilfe der Zahl vier zu strukturieren, und fand nicht einen Augenblick Ruhe. Am Dienstag warf er im Büro ein Fläschchen Alkohol um, schnitt sich beim Aufsammeln der Scherben in den Finger und kam früher als gewöhnlich nach Hause. Angelina legte ihm einen Verband mit Schleife an und fragte ihn, ob er eine Hühnerbrühe wolle. Er gab keine Antwort, lief einmal um den Block, und als er wieder in die Wohnung trat, stolperte er über den Hund, fiel hin und stieß mit dem Kopf an die Drehorgel, wobei er sich eine Beule zuzog, die Angelina mit Öl und Petersilieauflagen abschwächte. »Soll ich dir die Brühe aufwärmen?« Gregorio nickte und löffelte sie geistesabwesend in sich hinein, die Augen starr auf das Tischtuch geheftet. In dieser Nacht saß er lange auf, las in seinen Gedichten und vertiefte sich in ihre Bedeutungen. Er sprach den Namen Faroni einige Male leise vor sich hin, betonte ihn jedesmal anders, doch gelang es ihm nicht, seine geheimnisvolle Macht zu ergründen.

In der Nacht auf Mittwoch begann er zaghaft wieder zu träumen.

Diesmal wurde er von seinem Realitätssinn geleitet, denn die Schaufensterpuppe war nicht nur die greifbare Verkörperung des stets ein wenig ungewissen Bildes, das er sich von Faroni gemacht hatte, sondern half ihm auch, es außerhalb seiner selbst lebendig werden zu lassen und so der Schande einer allzu verwegenen Identität zu entgehen. Nicht lange jedoch nachdem er die Puppe zu eigenem Leben erweckt und sie mit den herrlichen, von ihm selbst und Gil erdachten Attributen ausgestattet hatte, bemerkte er, daß die Charakterzüge in Wirklichkeit seine eigenen waren und er sich dieser Erkenntnis nicht länger verschließen konnte. Da hielt er in seinem Traum inne. Kurz darauf sah er, ohne es eigentlich zu bemerken, die Schaufensterpuppe wieder, als sie durch die Innenstadt spazierte und das Café betrat. Bei zwei weiteren Gelegenheiten jedoch erkannte er – trotz hochgeschlagenen Mantelkragens, Sonnenbrille und Hut – sich selbst: einmal als er inmitten der Menschenmenge den Kopf wandte und ein anderes Mal im Profil in einem der Spiegel des Cafés. Beim dritten Versuch gab er die Fiktion auf.

Am Donnerstag ging er mit geschlossenen Augen an dem Schaufenster vorbei, da er sich entschieden hatte, sein Idealbild als unvermeidliche Strafe zu akzeptieren. Auf seinen Augenlidern spürte er schon die drückende Last der rohen Nachtarbeit. In dieser Nacht sah er sich von einem Schiff an Land gehen und einer Gruppe junger Leute zuwinken, die keine anderen waren als die Künstler aus dem Café mit ihren langen Schals, ihren Pfeifen und Lammfelljacken, und wie sie ihn umringten und nach seinen Reisen und seinen Gedichten fragten. Bildhübsche Mädchen waren darunter, manche mit einer Baskenmütze, und sie dufteten nach Limonen und schauten verzückt zu ihm auf, und die Vorübergehenden sagten: »Seht, das ist Augusto Faroni, er kehrt von einer Reise zurück.« Er sah sich mitten im amazonischen Urwald den Bau einer Hängebrücke leiten, angetan mit den Kleidungsstücken der Schaufensterpuppe, jedoch mit umgebundenem Patronengurt und einer Nilpferdpeitsche über der Schulter. Er sah sich im Café die *Habanera* singen, von jungen Leuten und vornehmen Herrschaften umringt, unter denen er auch den Philosophen mit den Goldzähnen und dem Silberschädel erkannte. Dann öffnete er die Augen und empfand weder Scham noch Bitterkeit. Schließlich, sagte er sich, existierten diese Bilder auf einem nicht zu leugnenden Grund von Wahrheit. Und er zählte auf: er war Gregorio Olías, aber ein paar Nachbarn kannten ihn als Faroni; er hatte vor Publikum die *Habanera* gesungen, und man hatte ihm applaudiert; er hatte das Café besucht, nur nicht während des Künstlertreffs; es gab die Gedichte, und es war noch nicht zu spät, weitere zu schreiben und ein wirklicher Dichter zu werden, ja, sogar Bücher mit Essays könnte er schreiben, und zum Beweis fielen ihm sogleich großartige Titel ein: *Das Gute und das Böse, Essentielle Einsamkeit* und Romane wie *Octavios Bangen* oder *Der Tod an jeder Straßenecke*, und seine Memoiren natürlich, die man ohnehin besser erst im Alter schrieb. Er sah ein, daß alles möglich war, wenn man sich nur an die Arbeit machte. Blieb noch das Alter. Faroni (auch er war älter geworden) war jetzt achtundzwanzig Jahre alt und er, Gregorio, Ende dreiundvierzig. Nun, Alter war relativ, so wie bei der Schaufensterpuppe und auch bei vielen Romanhelden, die gewissermaßen alterslos waren. Er erinnerte sich an Filme, in denen der Held bestimmt schon an die Vierzig war, sich aber prügelte und Frauen betörte wie mit zwanzig. Ja, das Alter war relativ, und außerdem war es der Geist, der zählte, und der kannte keine Zeit. Er sagte sich, daß noch nichts definitiv verloren, hingegen alles noch zu gewinnen war, und ebenso wie sich ihm in jungen Jahren die Poesie durch die himmlische Kunst der Rückbesinnung auf die Vergangenheit erschlossen hatte, war ihm jetzt, als könne er beherzt in die Zukunft schauen, und zwar ohne daß eine magische Kraft im Spiel war, vielmehr durch das urplötzliche Ungestüm seines eigenen Mutes. Hatte die Welt ihn bisher eingeschüchtert und hatte er wie ein Bettler in ihr gelebt, der von den Abfällen zehrte, so war es jetzt an der Zeit, sagte er sich, und seine Stimme klang rauh und wild, in aller Form seinen Platz an der Tafel einzunehmen. Er atmete tief durch, wobei er die Luft entschlossen durch die Nase blies, und gleich darauf war er tief und fest eingeschlafen.

Am Freitagmorgen erwachte er vollkommen unbeschwert. Er badete und rasierte sich (den schmutziggrauen Bart eines üblen Lebenswandels, den er nie ehrwürdig oder auf Künstlerart hatte wallen sehen), putzte seine Schuhe, zog seinen Sonntagsanzug an, parfümierte sich mit Kölnisch Wasser, griff ohne hinzusehen nach den häuslichen Ersparnissen, die sie in einem Binsenkörbchen aufbewahrten, und marschierte schnurstracks zu dem Modegeschäft. Mit zwei Handbewegungen, und ohne anzuprobieren oder zu feilschen, ließ er sich vom Hut bis zu den Schuhen sämtliche Kleidungsstücke einschließlich der Sonnenbrille einpacken, und als er die nackte Schaufensterpuppe nur noch mit ihrer Perücke da stehen sah, war er versucht, auch diese zu kaufen, hielt sie letzthin jedoch des von ihm entwickelten Charakters für unwürdig.

In dem Bewußtsein, den Verkäufer übervorteilt zu haben, drückte er ihm ein Bündel Geldscheine in die Hand und verließ den Laden mit dem Paket unter dem Arm. Er schaute nach links und nach rechts. Unnötige Vorsichtsmaßnahme: nur Fremde und eine Taube. Im Büro angekommen, begann er sofort mit der Arbeit, die er ohne Unterbrechung und gewissenhaft langsam verrichtete, um sich durch Präzision in Trance zu versetzen und nicht denken zu müssen. Er wußte, daß jeder Gedanke ihm jetzt feindlich gesonnen war.

Am Abend räumte er ohne Hast seinen Schreibtisch auf, nahm sein Kleiderpaket und ging ohne Eile nach Hause. Am Ende des Flurs blieb er stehen. Die beiden Frauen hechelten ihre schmerzensreichen Mysterien in einem Ton durch, der ihn an eine bezahlte Denunziation erinnerte. Er ging an ihnen vorbei, als wäre er unsichtbar, und durch das täuschende Dämmerlicht schwebend, gelangte er ins Bad, wo er sich im Dunkeln einschloß. Tastend zog er sich um, öffnete zwischendrein das Badezimmerfensterchen und schaute hinaus zu den Sternen, die er durch ein Wolkenloch über der Dachtraufe aus Eternit glitzern sah. Er stellte fest, daß ihm alles zu groß war, bis auf die Sonnenbrille und den Hut, doch ließ er sich dadurch weder in seinem Tun beirren, noch erlag er der Versuchung, sich eine Meinung darüber zu bilden. Erst als er ganz angezogen war, mit hochgeschlagenem Mantelkragen, den Hut in die Stirn gezogen und das Halstuch kunstvoll geschlungen, machte er Licht.

Er erkannte sich nicht sofort, da von der ihm vertrauten Hochstaplervisage nichts mehr geblieben war. Mit wiegenden Hüften vom Spiegel zurücktretend, probierte er verschiedene Gesten, Haltungen und Bewegungen aus, fand tausend Arten, die Sonnenbrille auf- und wieder abzusetzen, seine Hände in die Taschen zu schieben, den Kragen hochzuschlagen oder den Hut in den richtigen Neigungswinkel zu schubsen, und weitere tausend Arten von verführerischen oder tödlichen Blicken. Und zum Schluß sagte er: »Ah, Faroni, Faroni, du bist ein Zauberer!« Die Hosenbeine hingen zwar über den Schuhen, die Jacke reichte bis fast an die Knie und der Mantel bis an die Knöchel, aber das war leicht zu beheben und nahm ihm noch lange nicht die Zuversicht. Mit einer Hand auf der Türklinke, dem Spiegel das Profil zugewandt, warf er sich einen letzten prüfenden Blick zu, und sein Spiegelbild erinnerte ihn an den Mann, der sich, kurz bevor er geht, einen Augenblick lang im magischen Hintergrund von *Las Meninas* verewigt. Dann löschte er das Licht, schloß die Tür auf und lauschte: er hörte es in der Wohnung regnen, doch kaum hatte er das

Wohnzimmer betreten, wurde es still, und da begriff er, daß er für Regen gehalten hatte, was das Rosenkranzgewisper der Frauen gewesen war. Angelina trug einen stummen Aufschrei im Gesicht, und auch ihre Mutter hatte aufgehört zu beten. Gregorio musterte sie mit festem Blick durch die doppelte Verdunklung des Zwielichts und der Sonnenbrille und war begeistert, daß er jetzt jedem Blick standhalten konnte, ohne daß ihm das Schweigen peinlich wurde oder er sich zu einer Antwort gedrängt fühlen mußte. So stand er eine Weile und hätte endlos weiter dastehen können, denn die Entfernung wurde regulierbar, da er sie mit der Hutkrempe verdunkeln konnte, je nach dem er den Kopf senkte oder zur Seite neigte, und wenn er die Szene schräg aus den Augenwinkeln betrachtete, entfernte er sie von sich, bis sie nur noch Miniaturgröße hatte, und das war, als befände er sich im sicheren Zielfeld eines Mensch-ärgere-dich-nicht-Spiels oder im fernen Schutz einer einsamen Insel.

Schließlich zog er den Hut noch ein wenig tiefer ins Gesicht, machte Licht und drehte sich ein paarmal im Kreis wie ein Fotomodell. Angelina starrte ihn offenen Mundes an und war den Tränen nahe, doch bevor sie ein Wort herausbringen konnte, blieb Gregorio vor ihr stehen und sprach zum erstenmal seit Neujahr.

»Er ist mir zu groß«, sagte er und schaute aus seiner dunklen Brille, seinem Kragen und seinem Hutschatten an sich herab. »Er ist mir da und da und da zu groß, und ich brauche ihn bis Montag.« Wieder spürte er die leichte Sicherheit des Schweigens und des undurchdringlichen Blicks, mit dem er den Hochmut eines jeden Gegners bezwingen konnte.

Angelina starrte ihn nach wie vor ungläubig an, ließ ihren Blick über Halstuch, Hemd und Hose bis auf seine Schuhe sinken, schaute danach wieder auf und sagte:

»Gregorio, jetzt hast du völlig den Verstand verloren!«

Gregorio legte den Kopf schief und lächelte milde, wie jemand, der versucht, ein furchtsames Kind von der Unnötigkeit seiner Ängste zu überzeugen.

»Nein, nein«, sagte er, »das wird von der Firma so verlangt, sie haben mir eine genaue Liste von Sachen gegeben, die ich kaufen soll.«

»Für die Firma?«

»Ja, alles. Ab Montag gehe ich Kunden besuchen.«

»Aber Gregorio, du siehst lächerlich aus. Hast du dich mal im Spiegel angesehen?«

»Na ja, ein bißchen groß, das ist alles.«

»Du siehst lächerlich aus. Wie ein Waldkauz, mit der Brille und dem Hut.«

«Du hast keine Ahnung. Das ist Mode. Außerdem bin ich lichtempfindlich, und außerdem kann der Kunde bei einer Sonnenbrille nicht die Gedanken in den Augen lesen. Auf der Liste stand dunkle Sonnenbrille. Willst du, daß sie mich entlassen?«

Einen Moment lang schauten sich alle drei an wie die Punkte eines Dreiecks, die sich gegenseitig zu erkennen und einen Sinn zu geben suchen. Dann erhob sich Angelinas Mutter, trat schnüffelnd zu Gregorio, als rieche er nach Scheiße, und betastete ihn von oben bis unten.

»Da du ja ein Freund von Spitznamen bist«, sagte sie schließlich, »will ich dir auch einen geben: Juan Lebemann. Und Angelina nenne ich Juana Narrenbraut, und mich selbst Doña Juana Schmerzensreiche.«

Sie trat ein paar Schritte zurück und begann eine Strafpredigt gegen Eitelkeit und Unrecht weltlicher Genüsse loszulassen, und wie entartet und verlogen es war, sich seidene Halstücher zu kaufen, leinene Hemden und Gürtel aus echtem Leder, Socken aus reiner Wolle, Sonnenbrillen und all den anderen Luxus, und das Ganze unter dem Vorwand, daß man ihm in der Firma gesagt hatte, am Montag müsse er wie ein Modegeck herausgeputzt sein, ohne ihn aber zu fragen, ob seine Gattin nicht vielleicht eine Krokotasche brauchte oder ob die Schwiegermutter schon eine schlichte Pelzstola besaß, mit der sie sich am Sonntag in der Kirche nicht zu schämen brauchte vor all den anderen Damen der feinen Gesellschaft, da sie selbst mindestens ebensosehr eine Dame war und die Witwe eines Helden zudem, die seit Jahren allen Freuden entsagt hatte und das Leben einer Heiligen in der Wüste führte, und das aus reinem Opferwillen und für Juan Lebemann, den sie buchstäblich aus der Gosse gezogen und dem sie ihr Haus geöffnet und ihre einzige Tochter zur Frau gegeben hatte, die wahrlich zu Höherem berufen wäre, die einen Leutnant oder einen Arzt hätte heiraten können, wenn sie gewollt hätte, oder einen Geschäftsmann, der sie auf Händen getragen und ihr jeden Wunsch von den Lippen abgelesen hätte, anstatt einen armen Schlucker zum Mann zu nehmen (und hier deutete sie mit ausgestrecktem Arm in die falsche Richtung), der kaum in der Lage war, sie zu unterhalten und obendrein monatelang nicht sprach, um sich dann plötzlich wie ein Prinzregent herauszuputzen, das mußte man sich nur mal ansehen, ganz herrlich, als ob das keine Sünde wäre und nicht gegen die Lehren des Glaubens verstieß, jawohl, ein Sünder war er, der Juan Lebemann, das würde er schon sehen, wenn er in der Hölle schmorte und sie von oben zu ihm sagen würde, »habe ich es dir nicht gesagt?, weißt du noch, wie du damals dahergekommen bist und ich dir gesagt habe, paß' auf und alles?«, und er würde es sich ohne mucksen anhören müssen, während die ewigen Feuer ihn verschlangen, und dann käme jede Reue für seine Sünden zu spät. Man würde ja schon sehen, wer von ihnen recht behielt.

»Jetzt lachst du noch«, schrie sie, »aber warte nur ab, wer zuletzt am besten lacht!«

Sie holte gerade Luft, um ihren Redeschwall fortzusetzen, als Angelina ihr mit einer Bestimmtheit, die man ihr nie zugetraut hätte, Ruhe zu geben befahl.

»Entweder du bist jetzt still, oder ich fange an zu schreien«, sagte sie entschlossen.

Ihre Mutter schaute sie ungläubig und zornbebend an. »Das ist also der Lohn«, flüsterte sie. Dann rief sie den Hund, den einzigen, der ihr auf dieser Welt noch zugetan war, und entschwand mit einem bitteren Monolog über undankbare Kinder, die ihre Mütter im Stich ließen, nachdem sie alles für sie gegeben hatten, nachdem sie endlos Popos abgeputzt und darauf ihre besten Jahre verwendet hatten, im ständigen Kampf um das Glück ihrer Kinder, und was bekamen sie dafür, Verachtung, Fußtritte, Beleidigungen, grausame Worte wie die ihrer eigenen Tochter, die ihr Herz wie Pfeile durchbohrt hatten, wobei sie die Hände an den Busen preßte, denn jetzt konnte sie es ja sagen, sie würde nicht mehr lange leben, sie spürte schon die Nähe des Todes und fühlte einen bedrückenden Schmerz in ihrem Körper, den sie bisher verschwiegen hatte, um eben jene nicht zu beunruhigen, die sich jetzt gegen sie verschworen, um sie auf ihre alten Tage abzuschieben, jawohl, wie man einen alten Putzlappen fortwarf, genau so, aber das war ihr jetzt egal, sie sollten ruhig wissen, wie sie nächtelang wach lag und sich die Lippen blutig biß, um nicht zu weinen vor Kummer über den beklemmenden Schmerz in ihrer Brust, und den Herrgott anflehte, wenn jemand sterben müsse, dann möge er doch sie zu sich rufen, sie biete sich an als Sühneopfer für ihre Kinder, und alles nur dafür, daß sie jetzt die Hand gegen sie erhoben, gegen ihre eigene Mutter, die sie unter Schmerzen geboren und an ihren Brüsten genährt hatte, deren Reiz soviele Männer erlegen waren, und noch vieles mehr, was sie gar nicht alles aufzählen wollte, weil es ihr gar nichts mehr bedeutete, denn selbst den Schmerz der

Kränkung war sie bereit zu ertragen wie die heiligen Märtyrer, wie die Heilige Monika oder die Heilige Inés und die Heilige Eulalia zum Beispiel, die von den Löwen zerrissen worden waren, und hier beschleunigte sich der Rhythmus ihrer Worte, und sie trat triumphierend in ihr Schlafzimmer, in dem ihr unbeugsamer Protest noch lange nicht versiegte.

»Hat man dir das wirklich in der Firma aufgetragen?« fragte Angelina, die immer noch mit den Händen im Schoß dasaß und nicht einen Augenblick lang die Geduld verloren hatte.

»Ja«, erwiderte Gregorio.

Sie öffnete ihr Nähkästchen, kniete nieder und begann Maß zu nehmen.

»Da du jetzt ja wieder redest, wie soll ich dich nennen?«

»Ist mir gleich«, sagte Gregorio. »Aber wir könnten uns darauf einigen, daß du mich Faroni nennst, wenn ich den Anzug trage, und sonst Gregorio.«

»Das gibt doch ein Durcheinander.«

»Dann nenne mich, wie du willst. Namen sind ohnehin Schall und Rauch.«

»Du bist verrückt. Manchmal machst du mir richtig Angst.«

Gregorio lächelte unmerklich, denn es schien ihm gar keine so üble Sache, furchteinflößend zu sein, ohne es sich besonders vornehmen zu müssen.

Angelina nähte das ganze Wochenende unermüdlich, am Sonntag bis um zwei Uhr morgens, und Gregorio saß dabei und schaute ihr zu.

Um elf fragte er, ob sie noch wisse, wie er Gedichte geschrieben habe.

»Ja«, sagte Angelina.

»Soll ich dir welche vorlesen?«

»Warum nicht.«

Er holte seinen Schuhkarton und las eine halbe Stunde lang, und immer wenn er fragte: »Gefällt es dir?«, antwortete Angelina; »ja.«

»Vielleicht fange ich wieder an, Gedichte zu schreiben«, sagte er zum Schluß, während er den Karton zuschnürte. »Ich glaube nämlich, daß ich eigentlich eine Dichterseele habe.«

»Gedichte schreiben ist nicht schlecht«, sagte sie, ohne ihren Faden zu verlieren.

»Vielleicht nehme ich auch an einem Wettbewerb teil oder gebe auf eigene Rechnung ein Buch heraus. So haben alle Dichter angefangen.«

»Aber das kostet Geld und ist zu nichts gut.«

»Es ist dazu gut, sich bekannt zu machen und auch, um Freude daran zu haben. Man kann es auch verkaufen, und vielleicht wird sogar ein gutes Geschäft daraus.«

»Ich weiß nicht.«

Als es Mitternacht schlug, fragte Gregorio:

»Glaubst du, daß es Feen gibt?«

»Unsinn.«

»Jetzt ist es doch so, als wäre ich Aschenputtel und du die gute Fee, nicht?«

»Ich weiß nicht.«

Um halb eins fragte er:

»Weißt du eigentlich, daß ich gerne Ingenieur geworden wäre?«

»Das sind Phantasien. Hauptsache, man ist glücklich.«

»Bist du denn glücklich?«

»Ich ja«, antwortete sie, ohne ihr Nähen zu unterbrechen. »Und du?« fragte sie nach einer Weile.

»Ich hätte gerne, wenn ich sterbe, daß man dann von mir spricht. Das schlimmste ist, zu sterben und nichts zu hinterlassen, nicht einmal ein Kind.«

»Kinder sterben auch.«

»Aber Namen nicht. Denke nur an Platon oder Cervantes.«

»Wenn man tot ist, hat man nichts mehr davon.«

»Ich weiß nicht.«

Um Punkt eins fragte Gregorio:

»Glaubst du an Gott?«

»Er ist für uns gestorben«, antwortete Angelina furchtlos.

»Aber glaubst du an ein Leben nach dem Tod?«

»Ihr werdet beide in Verdammnis enden!« rief die Mutter aus ihrem Zimmer.

Um Viertel nach eins fragte Angelina:

»Wer ist Faroni?«

»Faroni bin ich«, antwortete Gregorio verwirrt. »Das ist mein Dichterpseudonym. Hast du das nicht gewußt?«

»Aber du bist weder Ingenieur noch Musiker, und du kennst auch keine Sprachen«, sagte Angelina, ohne ihren Blick von der Nadel zu heben. »Ich habe das auf einer Visitenkarte gelesen.«

Gregorio fühlte, wie er rot anlief, und brauchte eine Weile, bis er eine Antwort fand.

»Das war nur ein Scherz, damit habe ich einen Freund auf den Arm genommen«, sagte er abwinkend und mit übertriebener Unschuld in der Stimme. »Er hat mir erzählt, er sei Chemiker und Denker, und ich habe ihm dies aufgetischt. Ein harmloser Scherz.«

»Aber es ist gelogen.«

»Ach, Quatsch, gelogen!« brach es aus Gregorio heraus. »Was weißt du außerdem, wer ich bin oder nicht bin? Vielleicht habe ich eine Vergangenheit, von der du nichts weißt. Vielleicht heiße ich ja nicht einmal Gregorio Olías.«

»So ein Unsinn.«

»Außerdem habe ich Englisch gelernt, oder? Es gibt so viele Dinge in meinem Leben, von denen du überhaupt keine Ahnung hast«, brummte er finster. »Ich bin immer ein Dichter gewesen, und wir Dichter führen eine Art Doppelleben. Da gibt es so vieles, das ich dir nie erzählt habe. Zum Beispiel: wußtest du, daß ich Mitglied in einem Gelehrtenverein bin, und zwar dem besten in der Stadt, und daß man mich da als Augusto Faroni kennt und nicht als den Büroangestellten Gregorio Olías?«

»Und was wird da gemacht?«

Gregorio gab seiner Stimme einen Ton vertraulicher Enthüllung.

»Die Dichter lesen da ihre Gedichte, die Wissenschaftler stellen ihre Erfindungen vor, die Philosophen berichten von ihren Erkenntnissen . . .«

»Und was hast du da zu suchen?«

»Wie, was habe ich da zu suchen!« Gregorio warf die Arme in die Luft. »Ist dieser Karton etwa nicht voll mit Gedichten? Ich lese sie vor, ich rede.«

»Worüber?«

»Über alles, was mir einfällt. Es wird auch diskutiert.«

»Diskutieren ist nicht gut.«

»Mit deiner Mutter vielleicht nicht«, sagte Gregorio mit gesenkter Stimme. »Aber mit einem Historiker oder einem Philosophen wohl. Da werden wichtige Dinge diskutiert.«

»Ich weiß nicht, du bist so verändert.«

Um Viertel vor zwei stieß Gregorio einen Seufzer aus.

»Was ist denn jetzt?« fragte Angelina.

»Ich mußte gerade an meinen Onkel denken und vermißte ihn so. Er hat mir wirklich gute Ratschläge gegeben.«

»Mein Vater mir auch.«

»Mein Onkel ist zum Schluß verrückt geworden.«

»Dasselbe wird dir auch passieren. Du redest jetzt schon verrücktes Zeug.«

»Verrückte leiden nicht.«

»Sie lassen aber andere leiden«, sagte Angelina.

Um zwei Uhr fragte Gregorio:

»Du glaubst also wirklich, daß man hinterher weiterlebt?«

Im selben Moment tat Angelina jedoch den letzten Nadelstich, stand auf und drückte Gregorio die Jacke in die Hand.

»Probier' mal, ob sie paßt.«

Gregorio zog sie an und ging ein paar Schritte.

»Steht dir gut. Du siehst aus wie ein anderer Mensch.«

»Ja, stimmt«, sagte Gregorio, »wie ein anderer Mensch.«

Als sie im Bett lagen, sagte Angelina:

»Wer weiß, vielleicht hast du eine Freundin, da wo du immer hingehst.«

»Ach, Quatsch«, sagte Gregorio und löschte lächelnd das Licht.

Am Montag versöhnte er sich mit Gil. Er ging als Faroni gekleidet aus dem Haus und kam, wie jeden Morgen, an dem Portier des Nachbarhauses vorbei, dem er, falls er ihn auf sein neues Aussehen anspräche, erzählen wollte, er sei befördert worden und mache jetzt Kunden- und Geschäftsbesuche, was sich jedoch erübrigte, da der andere ihn nicht erkannte. Ein neues Gefühl der Sicherheit ließ Gregorio leichtfüßiger ausschreiten als gewöhnlich. Als er um eine Straßenecke bog, stieß er mit einem Offizier in Uniform zusammen und hatte Gelegenheit, seinem Blick standzuhalten, ohne sich zu entschuldigen oder seinen Schritt zu beschleunigen. Es war ein sonniger Tag, und der Wind wehte, sein Halstuch flatterte, und der hochgeschlagene Mantelkragen gab ihm freundliche Klapse auf die Wangen. Er fühlte sich glücklich und zuversichtlich, beschwingt und herrlich unbedarft. An einer Straßenecke schenkte ein Baum ihm ein neues Blatt, das er als Versprechen nahm und zwischen Ehering und Finger durchzog. Gebändigten Schritts, und die Trägheit des Tages auskostend, erreichte er das Büro. Bevor er eintrat, blieb er kurz auf dem Sandweg stehen, und unmerklich den Kopf hebend, führte er die Zigarette in der hohlen Hand zum Mund, warf einen Blick nach oben zu den Fenstern im ersten Stock und dachte an den Mann in Schwarz und an die Antworten, die er ihm geben würde, wenn er es noch einmal wagen sollte, ihm Fragen zu stellen. Wieder erlag er dem Gefühl, daß die Zeit wie weicher Ton sei, den jeder Lebenskünstler nach Belieben formen und mit ihm für einen Augenblick das genaue Abbild der Ewigkeit erschaffen konnte. Und noch einmal empfand er es um sechs Uhr abends, als das Telefon klingelte und er sich Hut und

Sonnenbrille aufsetzte und es drei-, vier-, fünfmal klingeln ließ. Da erst klemmte er sich das Blatt zwischen die Lippen, nahm den Hörer ab und lehnte sich in seinem Bürostuhl zurück.

»Hier Gil«, klang es nasal durch den Hörer.

»Gil? Ich kenne keinen Gil.«

»Spricht dort nicht Señor Olías?«

»Ja, Faroni am Apparat.«

»Ich bin's, Gil.«

»Ich dachte, dein richtiger Name lautet anders.«

»Ja, hm, Dacio, ich meine, Dacio Gil Monroy.«

»Das ist schon besser. Nun, Dacio, wie geht es dir?«

»Na, schlecht, was sonst. Und Ihnen?«

Gregorio hatte in seinem Fiktionsbüchlein die Begründung für sein Schweigen vorbereitet. Da er tatsächlich eine künstlerische Krise durchlitten hatte, hätte er ihm gerne von den wahren Auswirkungen berichtet, obwohl er die wahren Ursachen natürlich verschwiegen hätte, fand jedoch keine Worte, die beredt genug gewesen wären (mit Ausnahme vielleicht von Entsetzen, Inferno, Spinne und Mortadella), so daß er sich damit begnügte, ihm zu sagen, er habe eine künstlerische Krise durchgemacht, deren Gründe schwierig zu erklären seien, denn Monate voller Widersprüchlichkeit, Ekel, Depressionen und Selbstmordgedanken (windigere Wörter zweifellos als jene, die er gebraucht hätte, wenn er sich ein Konzept hätte erarbeiten können) in wenigen Sätzen darlegen zu wollen, sei geradezu absurd, weswegen er sich nur noch wünsche, daß jetzt, da er die Krise überwunden habe, Gil diese Dinge verstehe und ihm verzeihe. Gil sagte, er brauche ihm nichts zu erklären, da Faroni ja ein Künstler sei, und Künstler – das war schon immer seine Rede gewesen – müsse man verstehen. Ihm sei es selbst auch sehr schlecht ergangen, und er hatte sogar geweint, weil er geglaubt hatte, Faroni habe genug von ihm und seiner Ungeschicktheit und Unwissenheit und wolle nichts mehr von ihm wissen und sei deswegen so einsilbig und ausweichend gewesen, aber jetzt, das konnte er ohne Scham eingestehen, könnte er so losheulen, und zwar aus genau dem entgegengesetzten Grund. Komischerweise habe er nämlich auch kurz vor dem Selbstmord gestanden und wisse, was es heiße, aus diesen finsteren Gefilden zurückzukehren.

»Und, wenn Sie die Frage gestatten, warum wollten Sie sich umbringen?«

Gregorio erzählte mit matter Stimme von einem epischen Gedicht mit mehr als zwanzigtausend Versen, an dem er arbeite. Gil pfiff bewundernd angesichts dieser gewaltigen Zahl, und Gregorio hakte mit der Erklärung nach, daß gerade die Gewaltigkeit der Aufgabe zusammen mit fehlender Inspiration, infernalischer Leere, der Spinne der Furcht, der Mortadella des Ekels und dem entsetzlichen Zweifel an der Tauglichkeit der Kunst und des Lebens – der ihn an der Schwelle des Todes zu einem Gesang der Hoffnungslosigkeit inspiriert habe – es gewesen seien, die seine Krise heraufbeschworen hätten.

»Künstler muß man verstehen«, bestätigte Gil sich noch einmal, »das habe ich immer gesagt.«

»Man muß alle Leidenden verstehen«, improvisierte Gregorio.

»Gewiß, aber denken Sie an den Unterschied, der zwischen Ihrer Krise, die eine künstlerische Krise ist, und meiner Krise besteht, die mit Genialität gar nichts zu tun hat. Zwanzigtausend Verse! Und wie soll das Werk heißen?«

»Der fliegende Eroberer.«

»*Der fliegende Eroberer!* Das wird bestimmt ein großartiges Werk, da bin ich sicher.«

Gregorio zog das Blatt wieder durch den Ring und betastete seinen Seidenschal.

»Jetzt erzähle mir aber mal von dir. Was hast du all die Monate getrieben?«

»Wissen Sie noch, daß ich Ihnen gesagt habe, ich hätte Ihnen viel zu erzählen?«

»Ja.«

»Und genauso ist es. Ich weiß nur nicht, wo ich anfangen soll.«

Er nieste.

»Sie müssen nämlich wissen«, begann er, während er sich die Nase putzte, »daß ich seit einiger Zeit ein Verhältnis habe. Eine sehr nette Frau, sie heißt Socorrito, und ihr gehört eine schöne Pension mit elf Betten und drei Badezimmern. Vielleicht heiraten wir sogar.«

»Na, dann aber herzlichen Glückwunsch.«

»Sie sind natürlich nicht verheiratet, klar. Künstler pflegen nicht zu heiraten, andere Menschen aber wohl. Na ja, da habe ich an was gedacht. Ich habe mir gedacht, wenn ich heirate, kann ich mich ganz der Leitung der Pension widmen und, was noch viel wichtiger ist, für die Samstagabende einen Kulturkreis ins Leben rufen.«

»Wirklich eine große Idee.«

»Und wissen Sie, wie ich ihn nennen würde? Kulturverein Faroni! Na, wie gefällt Ihnen das?«

Gregorio biß sich auf die Lippen, weil er nicht wußte, was er sagen sollte, und verwünschte sich, weil er eine solche Wendung der Dinge nicht vorausgesehen hatte.

»Was sagen Sie dazu?«

»Daß es eine verrückte Idee ist«, murmelte er.

»Außerdem will ich Sie zur Eröffnung einladen, damit Sie uns hier aus Ihren Gedichten vorlesen und über die Kunst und den Fortschritt in der Welt sprechen. Finden Sie nicht auch, daß das eine gute Idee ist?«

»Aber ich . . .«, stammelte Gregorio.

»Sie brauchen gar nicht weiterzusprechen!« unterbrach ihn Gil. »Bescheidenheit zählt hier nicht. Wie Sie selbst gesagt haben, überlassen wir die den Schwachen. Ich werde Sie persönlich vorstellen: ›Meine Damen und Herren, vor Ihnen steht der große Künstler, Weltreisende, Ingenieur, Philosoph und Sprachenkenner, dessen Name in allen Gelehrtenvereinen dieser Welt ein Begriff ist, dessen Freundschaft ich mich rühmen darf und dessen Anwesenheit uns alle ehrt, Señor Augusto Fa-ro-ni!‹«

»Aber das ist unmöglich. Nein, das kann ich nicht zulassen«, sagte Gregorio, um Zeit zu gewinnen. »Es ist besser, Sie nennen ihn Kulturverein Platon, oder Espronceda-Kulturkreis, oder Kulturverein Vergil, oder nehmen sonst einen Namen, Kulturverein Leuchtturm der Meere zum Beispiel.«

»Nein, nein, er soll Faroni heißen. Das ist beschlossene Sache.«

»Na gut, wenn das so ist, akzeptiere ich es«, sagte Gregorio, nachdem er kurz überschlagen hatte, was alles dafür sprach, »aber nur, weil du mich darum bittest.«

»Und ich werde der Vorsitzende dieses Kulturvereins sein. Ich habe mir schon überlegt, ob ich mir Kärtchen drucken lassen soll mit der Aufschrift: DACIO GIL MONROY, Vorsitzender des Kulturvereins Faroni. In Goldbuchstaben.«

»Das klingt wirklich gut«, sagte Gregorio anerkennend.

»Dann kommen Sie also zur Einweihung?«

Seine eigene subtile und geistesgegenwärtige Erfindungsgabe bewundernd, sagte Gregorio, ohne mit der Wimper zu zucken:

»Wenn ich kann, komme ich gerne. Wenn nicht, schicke ich einen Schüler.«

»Einen Schüler?«

»Ja, einen Schüler. Können auch mehrere sein. Der geeignetste allerdings, den ich eher Kollege nennen müßte, wäre ein Cousin von mir. Er hat fast den gleichen Namen wie ich, Gregorio Olías, weil unser Großvater auch Gregorio hieß, und er ist Dichter und dazu noch mein Biograph. Er ist auch ständiger Gast im Café der Essayisten.«

»Schon gut. Aber ich hätte wirklich gerne, wenn Sie selbst kämen.«

»Ich komme, sobald es mir möglich ist«, versicherte Gregorio hastig. »Aber du mußt bedenken, daß mir die epische Dichtung kaum Zeit für andere Dinge läßt. Aber dieser Gregorio Olías ist wirklich ein großer Mann. Er hat ungefähr dein Alter, ist Dichter, wie ich dir schon gesagt habe, hat auch ein Ingenieurstudium begonnen und ist viel herumgekommen. Mein Leben kennt er so gut wie ich selbst, wenn nicht besser.«

»Ich verstehe. Nun gut, dann soll also dieser Schüler kommen, Hauptsache, es kommt jemand. Und ich nehme Sie beim Wort, wenn Sie mit Ihrer Dichtung fertig sind.«

»Das wird sich zeigen, wenn es soweit ist«, sagte Gregorio und warf das Blatt über seine Schulter.

»Wissen Sie noch, daß ich Ihnen gesagt habe, ich hätte Ihnen so viel zu erzählen?« fuhr Gil fort. »Das habe ich deswegen gesagt, weil ich einen neuen Gedanken gehabt habe, den man vielleicht auch im Café vortragen könnte.«

»Du weißt, daß mir das eine Freude sein wird.«

»Es ist nichts Umwerfendes. Es handelt sich nur um eine Methode, um das Rauchen aufzugeben. Ich rauche ja nicht, aber andere Vertreter wohl, und immer wollen sie das Rauchen gerade aufgeben. Ich habe dann versucht, eine Methode dafür zu finden und habe mir gedacht, die beste Möglichkeit, das Rauchen aufzugeben, wäre doch, wenn man es schaffte, die letzte Zigarette nicht mehr zu rauchen. Verstehen Sie?«

»Nicht ganz.«

»Weil ich mich so schlecht ausdrücke. Ich kann mich einfach nicht klar ausdrücken. Das Rauchen aufzugeben, ist schwer, aber eine Zigarette nicht zu rauchen, ist leicht, nicht?«

»Das stimmt.»

»Also geht es darum, diese Zigarette nicht zu rauchen, die die letzte ist, und die man als einzige immer bei sich trägt. Es geht darum, diese eine Zigarette zu besiegen, einen kleinen, konkreten Gegenstand, und nicht die Angewohnheit des Rauchens, die etwas Großes und Abstraktes ist. Wenn die Sucht kommt, holt man die Zigarette aus der Tasche und kämpft mit ihr, bis sie überwunden ist. Es ist immer besser, gegen einen zu kämpfen als gegen viele. Das heißt, man schwächt den Feind zuerst, und dann besiegt man ihn. Darum habe ich gesagt, wer das Rauchen aufgeben will, muß es zuerst schaffen, die letzte Zigarette nicht zu rauchen und diesen kleinen Kampf zu gewinnen. Wie finden Sie das?«

»Das ist sehr einfallsreich, wirklich«, sagte Gregorio aufrichtig.

»Und so geht es mit allem«, schwärmte Gil. »Wenn man mit dem Trinken aufhören will, trinkt man die letzte Flasche nicht mehr. Das kann man endlos fortführen.«

»Das ist beinah eine Lebensphilosophie.«

»Danke, Señor Faroni. Dürfte ich Sie dann wohl um einen letzten Gefallen bitten? Ja? Nun, da es keine Möglichkeit gibt, Ihre Bücher zu lesen, könnten Sie mir nicht wenigsten ein Gedicht schicken? Und wenn es noch mit einer Widmung versehen wäre, um so besser.«

Gregorio lächelte, denn er hatte daran gedacht, daß früher oder später eine solche Bitte an ihn gerichtet würde, und trug daher seit einiger Zeit stets eines seiner besten Jugendgedichte bei sich.

»Nächste Woche schicke ich dir einige«, sagte er, »aber wenn du willst, kann ich dir jetzt gleich eines vorlesen.«

»Das wäre mir eine große Ehre.«

»Also, paß' auf«, sagte er und faltete dabei das Papier auseinander. »Das habe ich vor vielen Jahren einmal geschrieben, und es handelt von der romantischen Leidenschaft, die große Reisen im Menschen erwecken. Ich trage es gerade bei mir, weil am Samstag im Café über das Thema Reisen diskutiert werden soll und man mich um meine Meinung als Dichter dazu befragen wird. Fertig?«

»Ja.«

Gregorio sah sich um, räusperte sich und begann mit tiefer Stimme feierlich zu rezitieren:

> Am Gestade des Meeres einst sah ich,
> ein Schiff unter Segeln nicht fern,
> die Fahrt ging in fremde Länder,
> an Bord wäre ich gar so gern.
> Vorne am Bug sang ein Matrose,
> die Stimme vom Rum schon entzweit,
> voller Wehmut eine Abschiedsromanze,
> von der Liebe so fern und so weit.
> Ich rief zu ihm hin, bitte schweige
> über deinen Liebeskummer dort,

willst in der Heimat du bleiben,
so, bitte, laß' mich gehen an Bord.
Doch der Segler entfloh wie ein Vogel geschwind,
so daß er mein Flehen nicht mehr vernahm,
und von dem Lied voll schmerzlicher Wehmut,
nur ein leises Echo noch kam.

»Noch nie habe ich etwas so Schönes gehört«, sagte Gil bewegt. »Ich habe eine richtige Gänsehaut bekommen. So was kann man wirklich Gedanken nennen und nicht meine, die ich noch nicht einmal ausdrücken kann.«

»Ich habe es vor Jahren einmal geschrieben«, sagte Gregorio und faltete das Papier zusammen. »Von dieser Art müßte ich Hunderte haben.«

»Sehen Sie nur, und ich dagegen mit meinen zwei Gedanken. Das ist der Unterschied zwischen einem großen Künstler und einem armen Teufel wie ich. Am schönsten war die Stelle, wo es hieß: die Fahrt ging in fremde Länder, an Bord wäre ich gar so gern«, sagte er mit einem dramatischen Ton in der Stimme. »Wenn es mir gelänge, so ein Gedicht zu schreiben, würde ich es mein Leben lang immerzu wiederholen und mir sagen: ›Das hast du geschrieben, Gil, denke immer daran, das ist von dir‹, und dieses Gefühl würde ausreichen, um glücklich zu sein.«

»Ach, das war doch nichts Besonderes. Das Gedicht eines Halbwüchsigen«, sagte Gregorio entschuldigend.

»›Die Fahrt ging in fremde Länder, an Bord wäre ich gar so gern‹, ach, wie schön. Wenn Sie mir das mit einer Widmung schicken könnten, dann würde ich es auswendig lernen.«

»Na sicher, und nicht nur das. Ich habe daran gedacht, ein Gedicht speziell für dich zu schreiben.«

»Aber das habe ich doch gar nicht verdient«, sagte Gil. »Sicher machen Sie sich über mich lustig.«

»Du hast das sehr wohl verdient, das und noch viel mehr.«

»Danke, mein Freund Faroni, erlauben Sie mir, daß ich Sie so nenne, und denken Sie ein wenig an Ihren ergebenen Bewunderer, wenn Sie ins Café gehen und dort über die großen Weltreisen, über die Kultur und über den Fortschritt sprechen.«

»Bis Montag, Dacio.«

»Gott segne Sie, Señor Faroni.«

KAPITEL XII

Und dann kam der Samstag. Nachdem er Angelina gesagt hatte, er gehe zu dem Treffen mit den anderen Dichtern, sie wisse schon – und Angelina schaute ihn mit den Händen im Schoß wortlos an und ließ weder Verwunderung noch Vorwurf laut werden –, rückte er sich im Treppenhaus mit beiden Händen den Hut zurecht, beulte sein Halstuch aus, schlug den Mantelkragen hoch und setzte seine Sonnenbrille auf, und als er bereits in der Tür stand, zog er eine Grimasse, um seine Gesichtszüge zu neutralisieren, zündete sich ein Zigarillo an, bekreuzigte sich und trat unhörbar pfeifend auf die Straße.

Es war der Tag des Treffens im Café, Stunde der Vorbereitungen. Die Teilnehmer stellten ihre Stühle in Sitzreihen auf. Freie Sitzplätze gab es schon keine mehr. Nachdem Gregorio das Treiben vom Tresen her eine Weile beobachtet hatte, ging er zu einem Zeitpunkt, den er für günstig erachtete, mit schnellen Schritten in die hinterste Ecke des Saals und lehnte sich dort an eine Säule. Einige der Teilnehmer hatten bereits Papier und Bleistift gezückt. Auch er zog sein Wachstuchbüchlein aus der Tasche und blätterte gelangweilt darin herum. Er las in ihm, daß er im Mittelpunkt eines Interesses stand, schaute wie ein Hagestolz in die Runde und war bereit, die Herausforderung anzunehmen. Er begegnete jedoch nur dem spöttischen – vielleicht aber auch bewundernden – Blick einer jungen Dame mit frisch erblühten Lippen und limonenduftenden Achseln. Neben ihm hatten ein paar junge Leute die Köpfe zusammengesteckt, als debattierten sie eifrig, während sie ihren Gesten nach eher Karten zu spielen oder Münzen zu zählen schienen. Gregorio beobachtete alle mit zerstreutem Blick. Er sah das Stilleben mit Früchten und Fasanen, die gelehrten Schals, das einvernehmliche Gelächter, die Buckel der getuschelten Unterhaltungen. Einige trugen Lammfelljacken, andere Strickwesten, ausgebeulte Jacketts, grobe Rollkragenpullover, runde Nickelbrillen, Stiefel oder Turnschuhe. Kein Mensch trug einen Regenmantel mit

Aufschlägen, eine Marinejacke, Sonnenbrille, Hut oder weiße Hosen. Mindestens zwei trugen schwarze Dichterschleifen, und ein anderer hatte sich in einen flauschigen, orientalisch bestickten Umhang gehüllt. Sollte er sich in der Aufmachung geirrt haben? Er tröstete sich mit dem Gedanken an die Kinohelden, die so gekleidet waren, und damit, daß sein Weltenbummleraussehen ihm etwas Zeitloses und Geheimnisvolles gab, das ohne weiteres auch die Vermutung einer künstlerischen Betätigung zuließ. Was durch sein Büchlein noch unterstrichen wurde, in das er nun ein Haus mit rauchendem Schornstein, die Umrisse ferner Berge, Vögel und Wolken malte. Der Saal war so gut wie voll. Viele standen, bildeten eine zweite Zuhörerebene, drängten und drückten, jeder bemüht, eine bessere Position zu ergattern. Die Atmosphäre lud sich langsam auf, und in der Nähe der Säule, an der der Redner stehen würde, gab es so viele Leute, daß das Licht von draußen – das Licht eines bewölkten Nachmittags – nicht mehr ausreichte, sie alle kenntlich zu machen, und auch die Spiegel wurden dunkler, bis sie fast erblindeten. Es gab aber auch tiefe Räume in dem Saal, die von staubflimmernden Lichtbalken durchschnitten wurden und so im Schatten lagen, daß man die Umrisse der Zuhörer kaum noch erkennen konnte – wenn es überhaupt welche waren, denn eigentlich schien es unmöglich, daß man dort noch den Redner hören konnte. Und dieser, würde er ein Podium oder ein Pult benutzen? In dieser Überlegung befand Gregorio sich gerade, als plötzlich ein allgemeines Gemurmel anhob, näherkommende Schritte hörbar wurden, Applaus, bewundernde Pfiffe, gereckte Hälse und Stühlerücken. Und dann erschien der Professor in weißem Pelz – mit wehender, graumelierter Buffomähne und sinnenblindem Gesicht – und hinter ihm, wie der Inbegriff beschämender Unscheinbarkeit, ein graugekleidetes Männchen. Sämtliche Spiegel huldigten dem Maestro und führten ihn durch das dichtgedrängte Publikum, das die Reihen hinter ihm schloß. Das graue Männchen richtete den Bedarf des Meisters eilfertig wie ein beflissener Praktikant. Der Professor legte in der Zwischenzeit seinen Pelz ab. Das Männchen schaute zu ihm auf, klatschte zweimal in die Hände, und das Publikumsgemurmel wich einer kunsthandwerklichen Stille. Der Redner ergriff umstandslos das Wort und ließ seine Stimme wie einen Rauchschleier aufsteigen, bis die Stille ganz von ihr durchdrungen war. Dann nahm er die anfängliche Sanftheit aus seiner Stimme und bot an, über das Sein und das Seiende zu sprechen. Er kam gleich zur Sache und hielt eine feinsinnige Rede, der Gregorio vergebens zu folgen suchte. Die Aufmerksamkeit mehr auf sich selbst als auf den Redner gerichtet (er hatte nämlich den Eindruck, der verwegene Sitz seines Hutes komme ihm zusehends abhanden), verlor er bald den Faden und ließ seinen Blick durch den Saal schweifen: da saßen Leute, die das ganze Gelehrtenspektakel unberührt ließ, die Zeitung lasen, irgendwas schrieben, mit seitwärts hängendem Kopf ein Nickerchen hielten oder mit den unterschiedlichsten Dingen beschäftigt waren. Im Hintergrund, dort, wo der Saal sich zu den Toiletten hin verengte, vernahm man sogar das klackende Geräusch aneinanderstoßender Billardkugeln. Andere Geräusche verschmolzen zu einem einzigen: am Tresen trafen sich die rohen, hingeworfenen Worte der Biertrinker und die Stimmen der Kellner (›Einmal Sardellen!‹, ›Churros für drei!‹, ›Einen Teller Wurst, aber ein bißchen prompt!‹) mit dem Klicken von Dominosteinen, und die Rentner, obwohl auf den ersten Blick schweigsam, grummelten, hüstelten und fingerten unentwegt mit Dingen herum, die sie aus ihren Jackentaschen hervorzogen. So war der Redner nur mit Mühe zu hören, und noch schwieriger war es, seinen Worten zu folgen. Gregorio fing einzelne Wörter auf, manchmal nur eine Handbewegung oder seine Augenlider, die regelmäßig auf- und zuklappten, vor Ermüdung oder lauter Weisheit, wer wußte das zu sagen. Wenn er sich zur Seite drehte, zeigte er ihm seinen kurzen Wollnacken. Doch einmal gelang es Gregorio, einen vollständigen Satz zu erhaschen: »Das Ich ist das Sein an sich.« Was wollte er damit sagen? Er schrieb den Satz in sein Büchlein und versuchte noch weitere herauszuhören, doch sosehr er auch die Ohren spitzte, vernahm er nur den zerstückelten Ton der Stimme, eindringlich und unbarmherzig im Rhythmus. ›Wovon spricht er?‹ fragte ihn jemand von hinten. ›Vom Sein‹, antwortete Gregorio, ohne sich umzudrehen oder eine Miene zu verziehen.

Nachdem man eine Stunde lang ebenso erwartungs- wie sorgenvoll zugehört hatte – etwa so, als warte man in einem Vorzimmer –, beendete der Professor seine Rede, flüsterte mit seinem grauen Gehilfen (der dazu verdammt war, stets im Schatten des Meisters zu agieren) und erteilte dann mit einladender Hand, an der ein Diamant im Licht blutrot glänzte, dem Publikum das Wort. Man hörte Beifall und vereinzelte Pfiffe. Sogleich wurde eine Frage an den Redner gestellt: Gregorio sah einen Oberkörper, einen Kopf, eine dreifach geschlungene Perlenkette um einen Hals; es sah aus wie, ja, es war eine Frau. Alle wandten sich ihr zu, um sie zu hören. Sie sprach in gereiztem Ton, aber es war unmöglich, etwas zu verstehen. Gregorio schaute zum Redner: er hörte aufmerksam zu und holte tief Luft. Ein paar Schweißperlen standen auf seiner Stirn. Die Frau kam mit ihrer Frage nie zu Ende. Der Maestro hatte den Blick jetzt abgewandt und zeigte ihr sein blindes, behaartes Ohrläppchen. Andere Stimmen wurden laut, die gegen die Einwände der Frau protestierten, und wieder andere, die den Protest verurteilten. Zigarettenqualm ließ den Marmor erbeben. Gregorio stellte sich auf Zehenspitzen, um, wie andere auch, die Polemik in den Wandspiegeln zu verfolgen. Die Gesichter bestanden nur noch aus weit offenen Mündern; die Stimmen klangen wie in einem Traum oder wie unter einem Gefäß. Der Professor pochte dreimal mit seinem Fingernagel auf den Tisch. Es wirkte lächerlich, daß jemand annahm, mit solchen Signalen die Ordnung wiederherstellen zu können, und doch war es so. Stille trat ein. Die Gesichter verharrten mitten in einer Grimasse, in einem Satz. Der Redner ergriff wieder das Wort. Gregorio blickte wieder zu der jungen Frau; sie spielte mit einer Franse ihres Schals. Vom erfolglosen Zuhören erschöpft, versuchte er, an etwas Erhabenes zu denken. Er versenkte das Kinn in sein Halstuch, der Saal wurde zum Karussell und begann sich im leeren Raum zu drehen. Zum Klang einer Kirmesmusik, in dem auch ein feierlicher Ton mitschwang, flog die junge Dame mit dem Lächeln ewiger Jugend vorbei, der Redner ohne Stimme, ein gesichtsloser Gil, doch mit Tränen in den Augen, der Teufel mit Umhang und Narbe, das graue Männlein, die beiden Zuhörer mit den poetischen Trauerschleifen, die jungen Leute mit ausdruckslosen Keramikaugen. Ihm fiel jedoch nichts ein, nur ein paar lose Wörter, die ebenfalls im Karussell mitfuhren: Eitelkeit, Turmfalke, Pfenambun. Er schaute in sein Buch, klappte es wieder zu, plusterte sein Halstuch auf, verlagerte sein Gewicht, rückte die Sonnenbrille zurecht. Die Kellner eilten hin und her, als hätten sie sich unsichtbare Gänge zwischen den Zuhörern gegraben, und die Zurufe der Gäste ließen sie ebenso kalt wie die hoch schlagenden Wellen des intellektuellen Disputs. Es kam vor, daß ein junger Mensch an seinem Tisch aufstand und redete, während der Kellner abräumte und ihn dabei mit der Wölbung seines Körpers verdeckte, so daß der junge Mann sich zur Seite hin drehen und strecken mußte, um gesehen zu werden, denn sobald ein Redner, aus welchem Grund auch immer, vom Publikum nicht mehr gesehen wurde, verlor es sofort sein Interesse an seinen Worten. Einmal schrie sogar jemand, der den Sprechenden nicht sah und sich nicht mit dem zufriedengab, was er hörte: »Wer zum Teufel spricht denn da?« Alle wandten daraufhin ihre Blicke dem Rufer zu, und als der seine Neugier befriedigt hatte (denn über die Köpfe hatte sich ein Gesicht emporgereckt), hörte niemand mehr dem Redner zu, und alle Köpfe blieben dem andern zugewandt, als sei die Rede automatisch auf ihn übergegangen. Neben Gregorio saß ein kleiner Mann, der alle naselang Ruhe forderte. Er hatte nichts vorzubringen, sondern begnügte sich damit, im Kreise der Umsitzenden zu protestieren und von ihnen ein zustimmendes Kopfnicken zu ernten, um danach wieder in eine Haltung pennälerhafter Aufmerksamkeit zurückzufallen.

Draußen war es mittlerweile dunkel geworden. Gregorio, der sich in einem der Spiegel betrachtet hatte, erkannte kaum noch die Hochmutsmiene in seinem Gesicht, das ihm jetzt wie eine physische Tara erschien. Von dem Redner nahm er nur noch das Schimmern des Diamanten wahr, wenn er die Hände hob, um seine Gedanken zu modellieren oder einen Gegenstand fand, in den er seinen Zeigefinger stoßen konnte, und von seinen Worten nur noch das hypnotisierende Gesumme schwüler Sommertage. In einer Gesprächspause stellte jemand eine Frage, und alle versuchten vergebens, den Frager zu lokalisieren. »Hier bin ich, hier«, hörte man ein schwaches Stimmchen, doch die meisten sahen ihn immer noch nicht und suchten dort, wo er nicht war. Der Professor nutzte das momentane Durcheinander, um leise ein paar Worte mit seinem Assistenten zu wechseln, und obwohl einige Unentwegte dem Dialog, von dem man nichts verstehen konnte, zu folgen suchten, bildeten die meisten Zuhörer eigene Grüppchen und diskutierten für sich.

Gregorio nutzte die Gelegenheit ebenfalls und ging zur Toilette. Er strebte einem dämmerigen Gewölbegang zu, mit Tischen auf beiden Seiten und Sofas dahinter, auf denen küssende Pärchen mehr lagen als saßen, und daneben dösende oder Domino spielende Rentner. Dann weitete sich der Raum, und er traf auf eine Gruppe hemdsärmeliger Männer, die sich mit starren Blicken um einen Billardtisch bewegten. »Die Toiletten?« Einer der Spieler zeigte wortlos und ohne den Blick vom Tisch zu nehmen, mit dem Billardstock auf den nächsten Gang. Gregorio ging in die angedeutete Richtung, doch schon nach wenigen Schritten hörte er plötzlich ein ›psst‹. Verblüfft blieb er stehen.

»He, Sie! Ja, Sie, kommen Sie mal!«

Gregorio sah sich um. An den Wänden stapelten sich Fässer, Putzgerät, Kisten und ausgedientes Mobiliar. Es roch nach Feuchtigkeit, Urin, Vergorenem und sonstigen üblen Ausdünstungen. Inmitten dieses ganzen Wirrwarrs stand ein Tisch, und an dem Tisch saß ein kleiner Mann, Gregorio schätzte ihn auf etwa dreiundsechzig, der sich wie wild die Hände rieb.

»Na, kommen Sie schon!« drängte er.

Unwillig und mißtrauisch trat Gregorio näher.

»Meinen Sie mich?«

»Ja, Sie, kommen Sie her.«

Auf dem Tisch stand eine Aluminiumkanne.

»Sind Sie Polizist?«

»Nein, nein«, sagte Gregorio.

»Sind Sie im Dienst?« fragte der andere unbeirrt.

»Ich bin nur zu der Veranstaltung gekommen und habe wenig Zeit.«

»Sie haben keine Töchter, stimmt's?«

»Eh, nein.«

»Dann haben Sie wohl auch noch nie was von der Piñatablume gehört, oder?«

»Nein, tut mir leid.«

Er wrang seine Hände und sah Gregorio gequält an.

»Sie müssen mir vertrauen«, sagte er und senkte dabei die Stimme. »Man kennt mich hier. Jeder kennt hier meine Geschichte, und deswegen haben sie mir auch den Tisch hergestellt, damit ich mich ausruhen kann. Mögen Sie Lindenblütentee?«

»Nein.«

»Ich wohl«, sagte er stolz und trank aus der Kanne. »Es ist Berglindenblütentee mit Orangenblütenhonig. Manchmal sitze ich hier bis spätabends und muß mich ausruhen, damit mir die Nerven nicht durchgehen. Dies ist die vierte Kanne, die ich heute trinke. Wie finden Sie das?«

»Ich weiß nicht, ich bin in Eile.«

Der Alte zog sich die Finger lang, bis sie knackten.

»Man merkt, daß Sie keine Töchter haben. Ich aber bin ein ehrenwerter Familienvorstand, Witwer, und habe drei Töchter, die bald schon die Stütze meines Alters sein werden. Und damit Sie Bescheid wissen und nicht meinen, ich sei einer von diesen Schwätzern, die den Leuten die Zeit stehlen, will ich Ihnen sagen, daß die älteste Maria Casilda heißt, und glauben Sie mir, sie ist eine Heilige, den ganzen Tag lang nur am Nähen und mit diesem und jenem beschäftigt, daß es eine Freude ist. Die zweite heißt Maria Antonieta und ist etwas eigenwillig, gerade hat sie's mit Singen und besucht eine

Opern-Abendschule, und die Kleine, die nur Maria heißt, die will eine Señorita werden. Bildhübsch sind sie, alle drei. Abends stehen sie zusammen auf dem Balkon und sehen sich die Sterne an, und morgens kämmen sie sich gegenseitig die Haare mit goldenen Kämmen. Sie lieben mich über alles, die drei. Manchmal fragen sie mich soviele Dinge gleichzeitig, daß ich gar nicht weiß, welcher ich zuerst antworten soll. Sie sind immer um mich herum, sind zärtlich, fragen mich immer, ob ich etwas brauche, und singen mich in den Schlaf. Eine deckt mir den Tisch, die andere schenkt mir den Wein ein, und die dritte bringt mir Obst auf einem silbernen Tablett. Nun sagen Sie selbst, ist das nicht eine Verantwortung, die man mit drei so verschiedenartigen Töchtern hat, und auch ein Stolz? Oft warten die drei nach der Arbeit auf mich und tragen mich auf Händen nach Hause. Na, wie finden Sie das?«

»Da haben Sie großes Glück.«

»Das sagen Sie nicht, denn die drei haben ihre Launen. Die Kleine besonders, die kann den ganzen Tag darüber grübeln, welcher ihr Lieblingsvogel ist oder was ihre Lieblingsblume. Und dann schicken die drei mich los, die schwierigsten Dinge für sie aufzutreiben. Maria Casilda bat mich einmal, ihr Soconuscoflocken zu besorgen, weil sie damit Reis würzen wollte. Die Mittlere wollte einmal, an einem Sonntag im Winter, daß ich ihr Schwalbengalle brächte, die die Stimme geschmeidig macht. Am schlimmsten ist aber die Kleine. Jetzt hat sie sich das mit der Piñatablume in den Kopf gesetzt, und ich suche schon seit über einem Monat, aber kein Mensch kennt diese Blume, vielleicht gibt es sie gar nicht. Da ich aber nun den Eindruck habe, oder besser gesagt, davon überzeugt bin, daß das Glück meiner Töchter, vor allem der Kleinen, davon abhängt, ob ich ihre Launen befriedigen kann oder nicht, was kann ich da anderes tun, als nachzugeben und zu warten, daß sie ihre Hirngespinste wieder vergessen? Sie sind ja auch so verträumt. Auf der anderen Seite sind sie so gut zu mir, daß ich schon tun muß, was in meinen Kräften steht, um es ihnen zu vergelten. Darum tue ich so, als würde ich auf ihre Launen eingehen, was in gewisser Weise ja auch stimmt, denn heute habe ich das Haus nur verlassen, um die Blume zu suchen. Seit einem Monat suche ich sie jetzt. Von der Arbeit komme ich gleich her, setze mich in diese Ecke und hoffe, daß sie die Sache bald vergißt. So kann ich mich der Illusion hingeben, etwas für die Erfüllung ihrer Wünsche zu tun. Wenn ich im Morgengrauen nach Hause komme, springt sie aus dem Bett, kaum daß sie mich eintreten hört, und fragt nach ihrer Piñatablume. Ich sage ihr dann immer, es könne nicht mehr lange dauern, und sie umarmt mich und sagt, ich sei ein guter Mensch und andere Dinge, die mich beschämen, weil es doch beschämend ist, wenn ein Vater die Wünsche seiner Töchter nicht erfüllen kann, nicht einmal der Kleinsten.«

Nachdem er wieder einen großen Schluck aus der Kanne genommen hatte, vergrub er seine Hände in den Haaren und raufte sie verzweifelt.

»Ich weiß gar nicht, wie ich in eine so ausweglose Lage geraten konnte«, fuhr er fort. »Es ist mir, als wäre es gestern gewesen, daß ich als Kind auf der Straße Katzen gejagt habe, und jetzt breche ich unter der Last der Verantwortung schier zusammen. Aber keine Angst, ich bin nicht so ein Schwächling, der alle Welt mit seinen kleinen Problemen behelligt. Wissen Sie, daß ich im Krieg Eisenbahner gewesen bin und mit diesen Händen eine Lokomotive gelenkt habe?«, dabei streckte er sie ihm wie Krallen entgegen. »Jawohl, mein Herr. Heute arbeite ich hier in der Nähe, als Buchhalter in einer kleinen Drahtfabrik.«

»Das ist sehr schön«, sagte Gregorio, den Rückzug antretend.

»Glauben Sie bloß nicht, weil ich Ihnen das alles erzähle«, sagte er, und seine Stimme wurde hart, »daß ich einer von diesen Schwätzern bin, die davon leben, andere Leute anzusprechen. Im Gegenteil, ich bin ein sehr zurückhaltender Mensch, ich gelte sogar als menschenscheu. Das werden Sie vielleicht selbst noch feststellen können, wenn das so weitergeht. Mein Gott, was Sie alles nicht von mir wissen! Zum Beispiel: haben Sie gewußt, daß ich unter Schlaflosigkeit leide? Jawohl, mein Herr, ich leide unter Schlaflosigkeit«, sagte er und rieb sich schmerzvoll die Augen. »Seit Jahren habe ich nicht mehr geschlafen, sieben oder acht, seit ich Witwer bin. Als ich das letzte Mal geschlafen habe, habe ich von einem Rennauto geträumt.«

»Sie müssen sehr müde sein«, sagte Gregorio mitleidig.

»Nein, ich bin unermüdlich. Die Verantwortung läßt mich nicht schlafen, aber sie läßt mich auch nicht richtig arbeiten, so daß ich nie ganz müde, aber auch nie ganz ausgeruht bin. Da die Piñatablume möglicherweise gar nicht existiert, verlangt sie mir auch keine Arbeit ab, aber trotzdem muß ich hier sitzen und so tun, als suchte ich sie. Und das, mein Herr, kann einen, obwohl es keine Arbeit ist, ganz schön fertigmachen. Sie sehen also, ich ruhe mich aus und strenge mich dabei an. Wenn mir jemand gesagt hätte, daß ich so enden würde, wo es mir wie gestern vorkommt, daß ich Katzen auf der

Straße gejagt habe! Ich frage mich heute, was wird aus meinen Töchtern, besonders der Kleinen, wenn ich nicht mehr kann?« Er schlug seine Hände vors Gesicht.

Gregorio ging ein paar Schritte rückwärts.

»Dann sind Sie also kein Polizist?« fragte der andere aus der Dunkelheit.

»Nein.«

»Nun, weil Sie so aussehen. Und Sie suchen auch nichts? Ich meine, nichts Bestimmtes?«

»Eh, nein.«

»Und was machen Sie beruflich?«

»Ich bin Dichter.«

Der Fremde gähnte und griff wieder zur Kanne.

»Wenn ich Ihnen einen Rat geben darf, eröffnen Sie ein Reformhaus. Und wenn Sie das getan haben, tragen Sie Hosenträger und benutzen Sie einen Handstock mit Metallspitze. Dann werden Sie ein glücklicher Mensch.«

»Na ja, ich geh dann mal«, sagte Gregorio rückwärts gehend.

Als er von der Toilette kam, hörte er wieder das ›psst, psst‹, hielt aber nicht an, sondern beschleunigte seine Schritte noch und eilte in den Saal.

Durch seine Brille hindurch war die Finsternis beinah total. Obwohl das Gemurmel im Saal noch nicht ganz verklungen war, hatte der Redner wieder das Wort ergriffen. Gregorio hörte ihn salbadern, sah seinen Ring erglänzen und das blonde Haar der jungen Dame und wünschte langsam, es möge alles bald ein Ende nehmen. »Worüber spricht er?« fragte er den kleinen Mann mit dem Pennalergehabe. »Keine Ahnung, aber er beantwortet gerade eine Frage.« Gregorio schob sich den Hut in den Nacken und lehnte sich mit spöttischem Gesicht an den Pfeiler. Kurz darauf, als einzelne Gesichter kaum noch zu unterscheiden waren, kam ein Kellner feierlich zur Säule geschritten und zündete mit spitzen Fingern ein Lichtlein an, das sich zitternd der Attacken der Dämmerung erwehrte. Die Entfernungen stimmten jetzt wieder, doch bis auf die Zuhörer in den ersten Reihen wußte niemand mehr, um was es inhaltlich ging. Wieder wurde gefragt, wieder schweiften suchende Blicke und wurden leere Proteste laut, wieder flüsterte der Redner seinem Assistenten ins Ohr. Privates Gemurmel schwoll wieder an, der Professor pochte wieder mit dem Fingernagel, und seine Stimme erklang unüberwindlich. In diesem Augenblick erhob sich ein herkulisch gebauter junger

Mann, eine Art Wotan (dies war das Wort, das Gregorio einfiel, als er seinen gewaltigen Schatten bis zur Decke aufragen sah), und begann zu schreien, auf Latein offenbar, in irgendeiner Geheimsprache jedenfalls, und daraufhin brach allgemeiner Tumult aus. Damit man (die junge Dame vor allem) sein Schweigen nicht als Zeichen der Ignoranz oder Furchtsamkeit wertete, schrie auch Gregorio irgendwas: einen Wetteinsatz, ich verdopple, ein Schimpfwort. Und dann schrie er: »Was ist an mir, daß meine Freundschaft du erstrebst?«, und hinterher noch etwas, das wie »Vereinigung der Affen mit Nikkis« klang. Der kleine Mann wandte sich um und sah ihn verblüfft an. Gregorio stieß einen kunstvollen Rauchring aus und bedachte ihn mit einem mitleidigen Blick. Gleich darauf fand die Veranstaltung ihr Ende. Die meisten erhoben sich und zogen ihre Mäntel an. Der Assistent raffte die Papiere zusammen und half dem Meister in den Pelz. Irgendwo im Saalhintergrund wurde immer noch lauthals diskutiert, und man sah vage Bewegungen athletischer Körper und zyklopisches Gestikulieren von Rednern. Gregorio begab sich zum Ausgang. An der Tür traf er den großen Meister, der sich mit der Blonden und einigen anderen jungen Leuten unterhielt. Er zog sich den Hut in die Stirn, sog an seinem Glimmstengel und sagte: »Gute Arbeit, erlauben Sie?«, und wedelte mit jugendlichem Hüftschwung an ihnen vorbei.

Draußen regnete es. Die Veranstaltungsgäste und auch der Professor drängten unter die Markise. Plötzlich zuckte ein Blitz über die Dächer, und alle rannten wie auf ein Stichwort hin los, als ginge es um die Schlußszenc cines Stummfilms.

Vom schnellen Lauf erhitzt, Verkehrsampeln überlistend und später durch stillere Straßen wandernd, wußte Gregorio nicht, ob er glücklich oder unglücklich sein sollte. Zuerst dachte er, der Erfolg dieses Abends müsse ihn überall und auf ewig begleiten, denn wenn er mitbekommen hätte, über was gesprochen worden war, hätte er sich nicht nur an der Diskussion beteiligt, sondern die Gelegenheit ergriffen, einige seiner Gedichte vorzutragen, und war zutiefst überzeugt davon, daß das Publikum ihm ebenso, wenn nicht noch mehr, applaudiert hätte wie dem Professor. Am kommenden Samstag würde er daher zeitiger aufbrechen, einen der vordersten Plätze besetzen und sich bei erster Gelegenheit zu Wort melden. Er begann, sich eine Frage auszudenken, und obwohl er es als gegeben ansah, daß ihm keine einfallen würde, sollte sie dennoch brillant und zwingend sein. Was würden sie wohl sagen, wenn er ihnen erzählte, daß es einen

Kulturverein Faroni gab und daß er kein anderer als eben dieser Faroni war? Trunken vor Tatendrang eilte er weiter durch die Straßen und ließ alle Erwartungen und Befürchtungen hinter sich, daß Gil eines Tages anrufen und ihm das Datum seiner bevorstehenden Hochzeit mitteilen könnte. Doch dann verlangsamte sich sein Schritt, als er an die junge Dame und die anderen jungen Leute dachte und von einer unbestimmten Traurigkeit ergriffen wurde. Wußte er denn, über was dort diskutiert worden war? Hatte er, Gregorio Olías, eine Ahnung davon, was das Sein und das Seiende war? War er nicht nur ein Möchtegernpoet, mit nichts als einem Bündel Kindergedichte, einer Sonnenbrille und unter einer altmodischen Tracht versteckten dreiundvierzig Jahren? Was sollte er sagen, wenn er sich zu Wort meldete? Dann begann er die Worte des Redners und der Fragesteller zu idealisieren, da dies die wirklich magischen Worte sein mußten, und nicht seine, die aus Langeweile und Willkür entstanden. Seit mehr als zwanzig Jahren wurde dort diskutiert, denn so lange schon kannte Gil diese Einrichtung. Seit hundert Jahren oder seit Jahrhunderten vielleicht wurde dort über das Wesen der Dinge gesprochen. Und dann kam so ein Büroangestellter daher, um alles mit ein paar Kinderreimen zu entweihen, die er in einem Schuhkarton aufbewahrte. Konnte es etwas Absurderes geben?

Ein Regentropfen verfärbte seinen Blick. Er dachte an den Vater der drei Marias und fragte sich, ob es tatsächlich eine Piñatablume gab, oder ob damit nicht irgendeine Blume, wie zum Beispiel das Gänseblümchen, bezeichnet wurde. Düster, praktisch, sagte er sich, daß er unweigerlich in den Strudel des Unheils geriete, falls er wieder dem Kurs der Träumereien folge. Also entschied er sich, die Grenzen der Wirklichkeit nicht zu überschreiten und noch in derselben Nacht die Arbeit am epischen Gedicht wieder aufzunehmen, ohne sich von einem anderen Gedanken ablenken zu lassen. Zu Hause angekommen sagte er zu sich: »Handeln und nicht denken, das ist das Geheimnis der Glückseligkeit.«

»Wie siehst du denn aus!« rief Angelina, als er mitten im Wohnzimmer stand.

»Draußen gießt es wie aus Kübeln.«

Sie stand auf und ließ ihr Strickzeug auf dem Stuhl.

»Komm, zieh' dir die Sachen aus, damit sie trocknen können. Jetzt siehst du wirklich aus wie Aschenputtel.«

»In Wirklichkeit bin ich aber ein verwunschener Prinz.«

Sie sah ihn von oben bis unten an.

»Sieh dir diese Schuhe an. Ich möchte nur wissen, wo du gewesen bist.«

»Das habe ich dir doch gesagt, bei diesem Treffen«, antwortete Gregorio und zog seinen Mantel aus.

»Und worüber habt ihr gesprochen?«

Gregorio gab ihr auch seine Jacke und sein Halstuch und knöpfte seine Hose auf.

»Über die Seele.«

»Es lohnt jedenfalls nicht, über irgendwas zu reden, wenn man so naß dabei wird«, sagte Angelina und ging mit der Wäsche im Arm hinaus.

Sie aßen zusammen zu Abend, ohne daß ihnen ein Gesprächsthema einfiel, doch kaum waren sie fertig, fragte Angelina:

»Gehst du jetzt zu Bett?«

»Ich habe noch zu tun«, antwortete Gregorio mit Niemandsstimme.

»Um diese Zeit?«

»Dichter dichten immer nachts.«

»Du bist verrückt. Morgen siehst du wieder aus wie eine Eule.«

Als Angelina zu Bett gegangen war, setzte Gregorio sich ins Wohnzimmer und schnürte den Schuhkarton auf. In der Furcht, vielleicht die Gunst der Musen verloren zu haben oder – erdrückt von der Verantwortung und den Jahren – die Glut jugendlicher Leidenschaft nicht mehr vorzufinden, gewährte er sich einen kleinen Aufschub: er räumte den Couchtisch frei, füllte den Federhalter, spitzte den Bleistift, schob die Späne zu einem Häufchen zusammen, numerierte die Seiten seines Büchleins – ohne darauf zu verfallen, daß diese endlosen Vorbereitungen die gleichen waren, die Gil schon in seinen autodidaktischen Abiturnächten umgarnt hatten – und ergab sich dann ganz den Launen der Inspiration.

Das Poem war unterbrochen worden, als Alvar Núñez Cabeza de Vaca an der Küste Floridas strandet. Ob es draußen immer noch regnete? Nachdem er sich den Regen angeschaut hatte, kam er zurück und las das Geschriebene noch einmal durch. Es waren 52 Oktaven. Bis zu seinen 20 000 Versen fehlten also noch 2 448 Oktaven oder 19 584 Verse. In einer Ecke seines Büchleins rechnete er: vier Oktaven täglich, 612 Tage, zwei Jahre. Und bei acht Oktaven? Acht Oktaven, 306 Tage. Aber wie sollte er 64 Verse pro Tag schaffen? Er nahm ein leeres Blatt Papier zur Hand und stellte fest, daß bei einer Oktave täglich (denn er wollte sich keinesfalls mit zu großzügigen

Kalkulationen beschwindeln) insgesamt beinah sieben Jahre herauskamen. ›Dann bin ich über fünfzig‹, dachte er dumpf. Er schrieb zwei Blätter mit Dreisätzen voll, in denen er Verse dividierend und mit Jahren multiplizierend nach einem arithmetischen Wunder fahndete, welches ihm erlaubte, das Werk in einem kurzen Zeitraum zu vollenden. Doch im Unterschied zu den Wörtern besaßen die Zahlen keine Zauberkraft, und ihre Botschaft war stets niederschlagend. Er holte seine Enzyklopädie und fand, daß Espronceda mit vierzehn Jahren ein episches Gedicht geschrieben hatte und mit vierunddreißig Jahren berühmt und anerkannt gestorben war. Er suchte nach anderen Beispielen. Platon war mit zwanzig Jahren Schüler von Sokrates. Cervantes hingegen war fast sechzig, als er seinen Quijote begann. Und Shakespeare? Shakespeare hatte mit neunundzwanzig Jahren – das heißt, so alt wie Faroni jetzt war – bereits zwei epische Gedichte verfaßt. Und Garcilaso de la Vega? »Starb im Alter von fünfunddreißig Jahren, der Mistkerl«, sagte er, und klappte das Lexikon mit beiden Händen zu.

Er hatte nicht den Mut, die Suche fortzusetzen. Er schloß die Augen und sah sich vor einem Berg von 20 000 Versen. Wie beeindruckend war doch dieses Bild des Künstlers in der Einsamkeit der Nacht, während um ihn herum die Stadt in tiefem Schlummer lag. ›Selbst wenn ich nichts zu Papier brächte‹, dachte er, ›welche Größe liegt darin, hier zu sitzen und nach einem Ideal zu streben.‹ Dann fiel ihm auf, daß er sich ähnlich verhielt wie der Vater der drei Marias, der auf der Suche nach der Piñatablume wahrscheinlich immer noch im Café saß. Der Suggestivkraft der Formen sich mit einem leichten Erschauern entziehend, fand er wieder zur Wirklichkeit zurück.

Er konzentrierte sich auf das Mißlingen, bis ein Wort wie ein Wurm aus seinem Gedächtnis kroch: dröhnend. Er brachte weitere zusammen: knistern, Gewölbe, Entsetzen, kriegerisch, ächzend, stürmisch. Er schloß sie in einem Kreis ein. »Hirte ist der Künstler von Schafenworten«, sagte er, mit lauter Stimme die erste Frucht der Inspiration verkündend. Er begann zu schreiben. Es war eine Lust, Wörter zu versammeln und zu beobachten, wie sie sich aneinander rieben und zum nie gesehenen Kampf zwischen Tiger und Hai, zwischen Skorpion und Pik-As antraten oder schon erlagen, wenn sie vom Zauber einer stürmischen Liebe nur hörten. Langsam fühlte er das Bangen und die Rastlosigkeit seiner früheren Dichtertage zu neuem Leben erwachen. Er spürte wieder die lebendige Gegenwart der Wörter und das Wunder eines Satzes, der seine tatsächliche Verstandeskraft übertraf. Seufzend nahm er die Arbeit wieder auf und hatte schließlich zwei Verse auf dem Papier stehen: »Schon dröhnt das Gewölbe und dehnt sich / der ächzende Mantel seiner Schatten.« Am liebsten wäre er aufgesprungen, so zufrieden war er mit sich, denn jene Worte, jenes hehre Tun verliehen seinem Leben einen Sinn und eine innere Ruhe, wie er sie lange nicht mehr gekannt hatte. Doch gleich darauf verfiel er dem Trübsinn, als ihm klar wurde, daß er bald Vierundvierzig war und fast eine Stunde gebraucht hatte, um zwei Verse zu schreiben. Bei diesem Tempo würde er niemals fertig. Aber wenn er das epische Gedicht ließe und sich auf viertausend Verse beschränkte? Fünfhundert Oktaven, fünfhundert Tage: eineinhalb Jahre. Dann mußte man sich mit der Wirklichkeit eben auf andere Art versöhnen, mußte andere Möglichkeiten ergründen; man mußte einen Pakt mit seiner Aufgabe schließen oder in ihr nach einem Weg suchen, den Zahlen magische oder abstrakte Kräfte zu verleihen, so daß Verse nicht nach Oktaven und das Leben nicht nach Jahren und die Jahre nicht nach nie vollendeten Taten gemessen würden, sondern daß alles in der Gegenwart sich genügte und jeder Akt seinen Sinn fand im täglichen Eifer des Wollens. »Das Wollen muß ausreichen«, sagte er sich, lebhaft noch bei den ersten Silben und kleinlaut bei den letzten.

Klar, warum sollte er nicht einen Band mit den besten seiner bereits vorhandenen Gedichte zusammenstellen und ein paar neue dazuschreiben? Er könnte mit einem Gedicht für Gil beginnen. Und er schrieb in einem Zug:

> Mein lieber Dacio Gil Monroy,
> mit Versen möcht ich dich beglücken,
> denn einsam und verzagt, doch treu,
> brauch deine Freundschaft ich in allen Stücken.

Er besah sich prüfend seine alten Gedichte. Mindestens zwanzig davon waren brauchbar; überarbeitet und zusammen mit weiteren zwanzig, die er in den kommenden Monaten schreiben würde (in einem einzigen sogar, so inspiriert, wie er jetzt war), gäbe das ein Buch von sechzig bis siebzig Seiten ohne Vorwort, das den Titel *Gesammelte Gedichte eines Künstlerlebens* tragen würde. Er faßte Mut. Sein erstes Meisterwerk war so gut wie vollendet, und er sah schon das Buch vor sich, mit einem Segelschiff auf dem Umschlag, und Möwen, und in großen roten Buchstaben den Namen: Augusto

Faroni. Und was würde Gil wohl sagen, wenn er es in Händen hielt und vor allem, wenn er das Vorwort las, das er entweder von einer berühmten Persönlichkeit des wirklichen Lebens oder von Gregorio Olías, seinem Schüler und Biographen, schreiben lassen würde? Und da das Buch wirklich existierte, ebenso wie das Pseudonym, und da Dichtung darin bestand, die Dinge zu idealisieren, gäbe es keine Scham, sondern Stolz, keine relative Wahrheit, sondern nur die nackte Wahrheit: legitim und poetisch. Widmen würde er das Buch seinem Vater, dem Admiral, seinem Großvater, dem Notar, seiner armen Mutter und seinem Onkel Felix, Kardinal in Rom. Ach, wenn sein Onkel das noch erleben könnte; sein Name, und darüber der Titel: Eminenz! Und natürlich Gil: *Für Gil, meinen getreuen Freund in der Ferne.* Wenn er aus dem Haus ginge, würde er das Buch so in der Manteltasche tragen, daß man den Titel lesen könnte, und im Café würde er dem Professor ein Exemplar schenken und der jungen Dame eines. Wer weiß, ob der Professor, vom Vorwort und den Gedichten entzückt, das Buch nicht in seiner Rede erwähnte? Dann würde er, Faroni, vor das Publikum treten, sich neben die Säule stellen, und man würde ihm applaudieren, wie in seinem Traum.

Plötzlich kam ihm noch eine glänzende Idee. Hatte er nicht einmal daran gedacht, Gil zu sagen, sein gesamtes Werk sei von der Regierung verbrannt worden und nur einige wenige Fragmente hätten gerettet werden können? Diesen Umstand könnte er im Vorwort erwähnen, wo er das vernichtete Werk dann inventarisch aufführen und anhand einiger Originalfragmente kurz besprechen würde. Die Hypothese war keineswegs absonderlich, da es ihm mit dem nötigen Fleiß ein leichtes gewesen wäre, bedeutende Romane und Essays zu schreiben. Das einzig Unstimmige war, daß er es nicht getan hatte. Da er aber von seinem künstlerischen Talent zutiefst überzeugt war und da jeder Vers und jedes Wort ja bewies, daß es ausreichte, sie mittels Arbeit in großer Zahl herzustellen und unter einem Titel zu versammeln, um schon wieder ein Meisterwerk geschaffen zu haben, war die Tatsache, noch nicht einmal begonnen zu haben, ohne Bedeutung. Zu wissen, daß er die Aufgabe, wenn begonnen, auch mit Erfolg zu Ende geführt hätte, war ihm Befriedigung genug. Wie viele große Werke mochten im Verlauf der Jahrhunderte verlorengegangen sein, und wie viele gäbe es noch, von denen nichts anderes geblieben war als einige wenige Zeilen? Und ohne auf einen weiteren Gedanken zu warten, deklarierte er als geschrieben und verloren vier

Romane, drei Gedichtbände, ein episches Gedicht (von dem noch zweiundfünfzig Oktaven und zwei Verse existierten), zwei Essays, ein Reisebericht und ein Schauspiel. Außerdem würde er im Vorwort sagen, daß dieses enorme Werk konfisziert worden war und vermutlich in den Kellern irgendeines Ministeriums oder der finsteren Krypta eines Konvents schlummerte. Er nahm ein neues Blatt zur Hand, und nachdem er *Fragmente des verlorenen Werkes von Augusto Faroni* geschrieben hatte, überlegte er sich Handlungsstränge und Titel und auch, welche Teile der Bücherverbrennung entgangen waren.

Der erste Roman, mit dem Titel *Wildes Herz*, erzählte die Geschichte von Marcos, einem jungen Intellektuellen, der aus politischen Gründen von der Justiz verfolgt wird, sich nach Alaska einschifft und dort als Fallensteller lebt. Er baut sich ein Blockhaus und ernährt sich von Rentieren und Lachsen. Einmal im Jahr fährt er in die nächste Ansiedlung, wo er seine Pelze gegen Kaffee, Salz, Zucker, Munition und Whisky tauscht. Er kleidet sich in Bärenfelle, ist groß, schweigsam und scheu. Niemand kennt seinen richtigen Namen, und sie nennen ihn Stahl. Von der Polizei aufgespürt, flieht er in einer Vollmondnacht mit seinem Schlitten, ihm dicht auf der Spur ein Rudel Wölfe. Er erreicht die Küste und fährt als blinder Passagier zum Amazonas, wo er im Urwald lebt. Eines Tages wird er von einer Korallenschlange gebissen und von Eingeborenen gesundgepflegt. Die Eingeborenen nennen ihn Mainú, was soviel heißt wie »der niemals lacht«. Im Urwald trifft er eines Tages ein wunderschönes Mädchen, dem er mit einem einzigen Schuß das Leben rettet, als eine Anaconda sie gerade verschlingen will. Das Mädchen heißt Vicky und ist die Tochter eines amerikanischen Milliardärs, eines Automobilmagnaten. Während einer Vergnügungsreise ist ihr Flugzeug mitten im Dschungel abgestürzt, und sie hat als einzige überlebt. Die beiden verlieben sich ineinander. Sie bauen sich ein Baumhaus. Lange Liebesnächte. Doch die Polizei entdeckt ihre Spur, und sie fliehen in einem Kanu flußabwärts, ständig bedroht von Kaimanen. Sie erreichen das offene Meer und treiben einen Monat lang hilflos auf dem Ozean, bis sie an einer unbewohnten Insel stranden. In einer Höhle verbringen sie den Winter, leben von Fischen und wilden Früchten. Ein Schiff mit Kurs auf New York nimmt sie an Bord. In Amerika kennt die Freude des Vaters keine Grenzen. Marcos, der sich jetzt Luck Turner nennt, wird Direktor einer Autofabrik. Eines der dort gebauten Autos wird Vickytur genannt und trägt als Kühlerfigur ein

Herz. Doch wieder naht die Polizei. Es kommt zu einer Schießerei und zu einer Autoverfolgung. Marcos flieht zu seiner Insel. Dort lebt er einsam, traurig, den Blick unablässig auf den Horizont gerichtet. Eines Tages kommt ein Boot in Sicht. Es ist Vicky, die der Zivilisation entsagt hat und an Lucks Seite glücklich werden will. Am Strand laufen sie einander entgegen, fallen sich in die Arme, und mit der brüllenden Brandung im Hintergrund endet der Roman.

Er schaute auf die Uhr: zwei Uhr morgens. Unerschütterlich begann er das noch erhaltene Fragment der Geschichte zu schreiben: ›Still erstreckte sich die Nacht in der Endlosigkeit des arktischen Winters. Die Sterne glitzerten in der reinen, blauen Unendlichkeit, und das tiefe Geräusch des Waldes erfüllte die Seele mit Geheimnis, Schrecken und Frieden. In der Einsamkeit seiner Blockhütte saß ein junger Mann mit markanten, nostalgischen Zügen und las beim Schein einer Kerze Platon. Sein regloses Antlitz trug das Mal einer einzigartigen, schicksalhaften Bestimmung. In der Ferne heulten die Wölfe, und draußen zeigte das Thermometer eine Temperatur von achtzig Grad unter Null. Doch drinnen verzehrte sich das Herz des jungen Mannes im Feuer des Wissens, der Wehmut und des Schmerzes.‹

Er las den Absatz noch einmal durch, und er erschien ihm glaubhaft und künstlerisch gelungen. »Vielleicht bin ich ein Schreibtalent«, sagte er sich. Ohne Pause und die Inspiration über jede Vernunft hinaus strapazierend, schrieb er auch noch die Inhaltsangabe für das Schauspiel: Doña Gloria, eine ebenso wundervolle wie umfangreiche Frau mit gewaltigen Brüsten und Achselhöhlen, Traum aller Mechaniker und Milchmänner, begnadete Köchin und große Opernsangerin, verliebt sich unsterblich in einen eingebildeten Ordnungshüter, der sich seinerseits nach einer schlanken, blassen Jungfrau namens Tumbitorine verzehrt. Eines Nachts schläfert Doña Gloria ihre Rivalin mit Engelszungen und seraphischen Gesängen ein und geht an ihrer Stelle mit Dominguín, so heißt der städtische Ordnungsmann, den ein mächtiger Schnauzbart auszeichnet, in dunkler Septembernacht spazieren. Mit ihrem Lachen und dem frischen Duft ihrer Achseln betört sie ihn und macht ihn ganz verliebt. Als sie über einen beleuchteten Platz hinschreiten, bemerkt Dominguín die Täuschung und bleibt wie angewurzelt stehen. Doña Gloria hört nicht auf zu sprechen und zu lachen und geht weiter, bis sie sich in der Ferne verliert. Ein Drama in Versen, von denen im Augenblick nur vier vorhanden waren: ›Tumbitorine auf runden Kissen / in tiefem

Schlummer zu liegen schien / Doña Gloria sollt' genau'res wissen / denn Arm in Arm ging sie mit Dominguín.‹

Zögernd legte er den Füllfederhalter wie eine benutzte Gabel auf den Tisch, stand auf und trat auf den Flur. Wieder überkam ihn das faszinierende Gefühl des wachenden Dichters, und er stellte sich die schlafende Stadt als stürmische See vor, auf der er in einer Nußschale den Elementen trotzte. Er setzte sich wieder an den Tisch, korrigierte und erweiterte die dichterischen Bruchstücke des Dramas, und um Punkt drei ging er zu Bett.

Er fühlte sich müde und zufrieden. Er tüftelte an der Handlung des zweiten Romans, der ein Stadtroman über einen Straßenmusiker werden sollte, als er es vier schlagen hörte. Als das Wasser des Schlafs ihm schon bis zum Halse stand, fiel ihm der Name des Straßenmusikers ein, Elias Funkenflug, und er sann noch über den Anfang eines neuen Schauspiels nach, das etwas schlichter sein sollte, tragischer und realistisch, denn sein erstes befriedigte ihn nicht so ganz.

KAPITEL XIII

Vier Monate später hatte er zwölf Gedichte geschrieben und die illustre Zusammenfassung seines Gesamtwerks abgeschlossen. Gregorio würde nie jenen Dienstag im August vergessen, an dem Gil mit der Nachricht anrief, er habe gerade den Namen Faroni in der Zeitung gelesen.

»Ich habe ihn vor mir liegen!« rief er. »Ein Brief, in dem Sie in den höchsten Tönen gelobt werden. Und stellen Sie sich vor, ich werde auch darin erwähnt! Darum rufe ich auch außerhalb der Zeit an.«

»Ein Brief?« sagte Gregorio vorsichtig und lehnte sich in seinem Stuhl zurück.

»Ein Brief, ja. Stellen Sie sich vor, wie mir war, als ich ihn gelesen habe. Er trägt den Titel: ›Ein verkanntes Genie.‹ Als ich Ihren Namen darin las, ist mir schier die Luft weggeblieben. Mittlerweile habe ich ihn schon mehr als hundertmal gelesen und bin immer versucht, ihn auch den anderen Vertretern zu zeigen. Ich habe ihnen nämlich, auf sehr diskrete Weise natürlich, von Ihnen erzählt, und sie glauben nicht, daß Sie wirklich so berühmt sind, wie ich sage. Ach, wenn Sie wüßten, wie stolz ich bin! Und was würde mein Vater sagen, wenn er hier meinen Namen läse? Ich habe den Brief vor mir liegen, in der Zeitung. Haben Sie ihn nicht gelesen?«

»Nein, ich wußte nicht einmal, daß es einen Brief gibt.«

»Das wußten Sie nicht? So was nenne ich einen wahrhaft großen Menschen. Steht in der Zeitung und weiß nichts davon. Soll ich ihn Ihnen vorlesen? Ich kenne ihn fast auswendig.«

»Meinetwegen, mal hören, was da geschrieben wird«, sagte Gregorio ergeben.

»Nun, dann hören Sie gut zu, es ist ein wunderschöner Brief. Ich lese: Sehr geehrter Herr Direktor. An Ihren hohen Gerechtigkeitssinn appellierend, für den Sie weithin bekannt sind, schreibe ich Ihnen in der Hoffnung, die Aufmerksamkeit auf einen der größten und verkanntesten Männer unserer Zeit lenken zu können, den Neid, Unwissenheit und vielleicht auch Haß zu schimpflichstem Vergessen verurteilt haben. Ich meine, wie viele Ihrer Leser bereits erraten haben werden, Augusto Faroni. Ich bin mir wohl bewußt, daß die Zeit, diese große Richterin der Geschichte, einem jeden den Platz zuerkennt, der ihm gebührt, und daß niemand die Hilfe von Fürsprechern braucht, der ein Werk geschaffen hat, das ihn mehr als alles ausweist. Meine Pflicht als Biograph jenes großen Mannes, mein Gerechtigkeitsempfinden und mein empörtes Nationalgefühl zwingen mich jedoch, meine Stimme zu erheben und seinen Namen kundzutun, damit, wenn wir wieder einmal der Schmach erliegen, daß unsere Genies im Ausland eher gewürdigt werden als bei uns selbst, niemand sagen kann, er habe von nichts gewußt, und damit auch ein jeder schon jetzt die Schuld und Ehrlosigkeit ermessen kann, mit der er in Zukunft wird leben müssen. Ich bin mir auch sehr wohl bewußt, daß Faroni diesen Brief nicht gutheißen würde, da sein bescheidenes Wesen ihn jede Art von Öffentlichkeit ablehnen läßt. Gesellschaftlichem Glanz zieht er den Schatten seiner Künstlerklause vor und dem roten Teppich der Berühmtheit seinen verschwiegenen, beschwerlichen Pfad der Weisheit. Nur so ist auch zu erklären, daß er sein eigenes Vergessen fördert und allen Ehren entsagend eine bescheidene Bürotätigkeit ausübt, ohne je auch nur ein Wort des Grolls zu äußern. Das Werk dieses großen Meisters in wenigen Worten darstellen zu wollen, wäre vermessen, dennoch möchte ich, im Vertrauen auf Ihre redaktionelle Großzügigkeit, an dieser Stelle den Versuch wagen. Da ist einmal sein Wirken in den internationalen Gelehrtenvereinen zu nennen, in denen er eine herausragende Stellung einnimmt und jeder Wißbegierige seinen Vorträgen über die höchsten Fragen der Wissenschaft und Philosophie lauschen kann, aber auch seiner Poesie oder seinen aufwühlenden Reiseberichten, doch ebensogut mag er sich dem Zauber seiner Gelehrtheit und dem Wohllaut seiner Sprache hingeben. Mit seinen neunundzwanzig Jahren (obwohl das Alter ohne Bedeutung ist) hat er bereits vier Romane verfaßt, zwei Essays, zwei Reiseerzählungen, drei Gedichtbände und ein Schauspiel. Es würde ausufern, sie hier alle aufzählen zu wollen, aber wer könnte Romane wie *Ein Name für die Ewigkeit* oder *Ich warte auf dich in Stambul* vergessen, ganz zu schweigen von *Wildes Herz* oder *Tragödie eines Straßenmusikanten*, einen Roman, der das tragische Leben des Straßenmusikanten Elias Funkenflug schildert. Wer erinnerte sich nicht an seinen Gedichtband *Magische Vokabeln* oder *Der Student der Meere*, ganz zu schweigen von *Gesammelte Gedichte eines Künstlerlebens* oder von seinem Essay *Dasein und Existenz* sowie dem Schauspiel *Konvulsionen* und den Reiseerzählungen *Die Welt in einem Dorf* und *Ein Dichter in der Arktis*? Und wie könnte man, hochgeschätzter Herr Direktor, über einen Gedichtzyklus von 20 000 Versen mit dem Titel *Der fliegende Eroberer* schweigen, an dem er gerade schreibt? Doch trotz dieser außergewöhnlichen Verdienste möchte ich an dieser Stelle fragen: Wer hat in diesem Land (nicht in Rom oder Paris, wo er so überaus bewundert wird) schon einmal den Namen Faroni gehört? Wie ist es möglich, daß solch einem verdienstvollen Mann noch kein Sitz in der Königlichen Akademie angeboten worden ist, die dieser Magier der Worte so unendlich bereichern könnte? Die Zahl seiner Anhänger nimmt jedoch täglich zu. Clubs werden gegründet und Kulturzentren nach ihm benannt, im Ausland vor allem, aber auch hier wird demnächst einer seiner ergebensten Bewunderer und Schüler, Dacio Gil Monroy, einen ›Kulturverein Augusto Faroni‹ ins Leben rufen, der zweifellos viele Nachahmer finden wird. Zum Schluß möchte ich noch all jenen meinen Dank aussprechen, die Faroni als einen der größten und verkanntesten Dichter unseres Jahrhunderts erkannt haben. Und ich möchte rufen: Wie lange soll diese empörende Ignoranz noch dauern? Wie lange noch Neid und Unterschlagung? Ist unser gebenedeites Land dazu verdammt, seinen größten Männern zu Lebzeiten die Anerkennung zu versagen? Ich danke Ihnen, hochgeschätzter Herr Direktor, für den Abdruck dieses Briefes an Ihre Leser, danke Ihnen im Namen des Fortschritts und zeichne als Beauftragter des geisteswissenschaftlichen Zirkels im Café der Essayisten: *Gregorio Olías*.«

Lange Zeit sprach keiner von ihnen ein Wort.

»Señor Faroni«, unterbrach Gil schließlich die Stille, »ich hatte ja keine Ahnung, daß Sie so berühmt sind. Nachdem ich diesen Brief gelesen habe, traue ich mich kaum noch, das Wort an Sie zu richten. Das ist so, als würde ich mit Edison sprechen.«

»Dieser Gregorio Olías . . ., das hätte er nicht tun dürfen«, säuselte Gregorio.

»Nun, ich glaube, er mußte es tun. Damit die Menschen endlich erfahren, wer Sie sind.«

»Und wer du bist. Auch du wirst erwähnt«, sagte Gregorio immer noch flüsternd.

»Ja, das verstehe ich gar nicht. Wie ist das möglich?«

»Diese Biographen wissen alles«, antwortete Gregorio nüchtern. »Du kannst dir vorstellen, daß wir uns häufig sehen, und ich habe keine Geheimnisse vor ihm.«

»Verstehe schon. Aber was soll ich jetzt tun? In der Zeitung stehe ich als Dacio Gil Monroy, und hier kennen mich alle nur als Gil. Wie soll ich sie davon überzeugen, daß der in der Zeitung ich bin?«

»Sage ihnen die Wahrheit, daß es ein Pseudonym ist.«

»Das glaubt mir hier kein Mensch. Aber stellen Sie sich vor, wie stolz ich sein könnte, wenn ich ihnen die Zeitung zeigte und sagte: ›Ich kenne den großen Faroni, das größte Genie des Jahrhunderts, er ist mein Freund, und ich werde der Gründer dieses Kulturvereins sein, der seinen Namen trägt!‹ Ich würde auf mein Visitenkärtchen drucken lassen: *Gründer des Kulturvereins Augusto Faroni.* Und ich würde ihnen sagen: ›Diesen Namen hat mir der große Faroni gegeben, dessen Kulturverein ich leite.‹ Und dann wird niemand mehr an meinen Worten zweifeln können. Wissen Sie? Ich habe schon mit Socorrito über den Kulturverein gesprochen und überlegt, ob man nicht ein Gemälde an die Wand hängt, das den Leuchtturm am Meer darstellt, genau wie im Café, und auch ein Porträt von Ihnen. Was halten Sie davon?«

»Ein Porträt?« rief Gregorio erschrocken.

»Ein Bild von Ihnen.«

»Nun, um die Wahrheit zu sagen ... ich habe gar kein Bild von mir.«

»Aber man kann eins machen lassen, nicht?«

»Ich weiß nicht, das können wir ja noch sehen. Du weißt, daß ich Öffentlichkeit tunlichst meide, und außerdem könnte das gefährlich für mich werden.«

»Ja, aber stellen Sie sich vor, wie schön das aussähe. Ich habe auch noch daran gedacht, an den Wänden ein Museum Faroni einzurichten, mit Dingen von Ihnen, die Sie mir zuschicken könnten. Das wäre doch sehr schön, finden Sie nicht?«

»Um ehrlich zu sein, ich wüßte nicht, was ich Ihnen schicken sollte.«

»Na, irgendwelche persönlichen Dinge, die Sie so haben. Wie geht es denn mit dem ›fliegenden Eroberer‹ voran?«

Gregorio erklärte ihm, daß er nur langsam vorankam, da er gleichzeitig noch ein Buch mit alten und neuen Gedichten verfaßte, das den schon klassischen Titel *Gesammelte Gedichte eines Künstlerlebens* tragen sollte und daß die Zeit ihn so in Anspruch nehme, daß er kaum noch Gelegenheit fand, ins Café zu gehen. »Nicht einmal meinen Biographen sehe ich mehr«, sagte er, um sich ein Hintertürchen offenzuhalten, falls Gil tatsächlich Ernst machte mit der Einweihung des Kulturvereins. Dafür teilte er ihm aber mit, daß das neue Buch unter anderen auch seinem Freund Dacio Gil Monroy gewidmet sein würde.

»Mir? Das ist doch nicht möglich«, sagte Gil fassungslos.

»Damit du einmal siehst, daß ich dich weit höher schätze, als du denkst. Irgendwann im Dezember, wenn es erscheint, schicke ich dir ein Exemplar.«

Gil bedankte sich überschwenglich und legte wie immer unter Entschuldigungen und Gestammel auf.

Gregorio ließ seine Hand auf dem Hörer liegen, schloß die Augen und dachte an jene Nacht im Juli, als er, unfähig, auch nur eine Zeile der geretteten Fragmente seines Romans *Tragödie eines Straßenmusikanten* zu Papier zu bringen, plötzlich auf den Gedanken gekommen war, einen Brief an die Provinzzeitung zu schreiben, die Gil las und deren Anschrift er über die Telefonauskunft ermittelt hatte. Er ließ die Mühsal der literarischen Arbeit hinter sich und schrieb in drei Nächten hintereinander wohl zehn Entwürfe und dann die Endfassung des Briefes. Seine Skrupel bekämpfte er nicht so sehr mit dem Gedanken daran, daß er später, wenn er einen Namen hätte, das sich zuerkannte Werk nachholen konnte, sondern mit der Überzeugung, daß jenes Werk tatsächlich existieren könnte, wenn er es sich nur vorgenommen hätte. ›Mir hat es an Ausdauer gefehlt, nicht an Talent, und außerdem existiert das Werk in meinem Kopf‹, sagte er sich, denn er konnte sich Personen und Situationen seiner Geschichten in allen Einzelheiten vorstellen und verbrachte manchmal Stunden damit, sich neue Episoden auszudenken. Doch nachdem er den Brief aus Gils Mund vernommen hatte, wurde ihm in aller Deutlichkeit bewußt, daß die Farce einen gefährlich realen Anstrich bekam und er mehr denn je zu Lügen gezwungen war, denn jetzt, da er jeden Samstag ins Café ging, mußte er Gil plötzlich sagen, er gehe nicht, und es würde ihm wahrscheinlich niemals gelingen, seine Geschichte mit der Wirklichkeit in Übereinstimmung zu bringen. Es war wie ein ewiges Katz-und-Maus-Spiel oder sonst ein Spiel, dessen Ende stets der Anfang war. Montags und donnerstags für die Gespräche mit Gil und samstags für die Besuche im Café hielt Angelina ihm seine Festausstattung bereit, und mit dem Zeigefinger an die Hutkrempe tippend grüßte er die Nachbarn, wenn er das Haus verließ.

Tatsächlich kannten ihn, nach vier Monaten regelmäßiger Besuche, bereits einige im Café und begrüßten ihn mit unmerklichen Gesten des Erkennens. Obwohl er sich nie in die ersten Reihen setzte, die für die Veteranen unter den Teilnehmern reserviert zu sein schienen, sondern immer lieber seinen Späherposten an der Säule bezog und sich damit begnügte, gesehen zu werden und Anwesenheit zu demonstrieren, suchte er sich doch eines Tages einen Platz in der kompakten Masse der Stehenden. Jedoch auch von dort waren die Worte nur mit Mühe zu vernehmen, da die Menge, aufgrund des Drucks von hinten, der von den vorderen Zuhörern mit Zurückdrängen beantwortet wurde, stets zum Redner hin und wieder von ihm fort wogte; in diesem ständigen Hin und Her näherte und entfernte sich die Stimme ebenfalls, und man fing allenfalls Bruchstücke auf, die meist keinen Sinn ergaben. Hinzu kam, daß Gregorio weniger auf den Redner achtete als auf die junge Dame, die sich ab und zu umwandte – den Eindruck hatte Gregorio zumindest – und ihn anschaute. Wenn er nur an diesen Blick dachte, hüpften ihm die Knochen wie in einem Würfelbecher, und seine Därme veränderten in einem einzigen gemeinsamen Aufbäumen ihre Lage.

So erwartete er die Samstage schon bald so aufgeregt, daß es ihn an die Tage seiner ersten Liebe erinnerte, als die Fülle seiner Empfindungen ihn zu höchst widersprüchlichem Verhalten trieb und jeder Akt einen anderen auslöschte und es keinen Gedanken gab, der nicht im Dilemma endete. Er betrachtete fasziniert ihre Schultern oder die kecken Strähnen ihres Haars, das sich wie Fließsand über ihren Rükken ergoß, wenn sie es mit nachlässiger Kopfbewegung nach hinten warf und dabei ein flüchtiges Profil zeigte. Der kurze Anblick ihrer halbgeöffneten Lippen, ernst oder lächelnd, der verheißungsvoll entschwindende Bogen ihres Halses und der Blick ihrer Augen, die von einer so unendlichen, verborgenen und verzehrenden Sanftmut waren, spannten ihn auf eine gnadenlose Folter. Diese flüchtigen Blitze waren Nadeln, Dolche, Dornen, Schneepfeile, die sich tief in die offenen Wunden seines Verlangens bohrten. Das Schlimmste daran war, daß die unerreichbare Schönheit Faronis Ruf ins Wanken zu bringen drohte, für den die Liebe, wie Gregorio wußte, eine leichte Sache war. Und obwohl er versuchte, sie zu verachten und sich einzureden, sie sei gar nicht sein Typ oder sei nicht spirituell genug, habe kaum Brüste, oder sein hehres Künstlerdasein erfordere gleichsam mönchischen Verzicht und jene Frau sei für ihn, was die Sirenen für die Seefahrer waren, half alles nichts, denn die Erinnerung an sie verfolgte ihn wie ein unmerklicher Schmerz, der ab und zu unerwartet zustach. Er tat, was er konnte, um die Scham ob seiner willkürlich ausschweifenden Gedanken nicht übermächtig werden zu lassen, doch eines Samstags war er ihnen so hoffnungslos erlegen, daß er, dem Gezischel des Vaters der drei Marias ausweichend, zur Toilette ging und dort vor einem fleckigen Spiegel masturbierte, wobei er seine Stirn an das Glas drückte, um sich nicht ansehen zu müssen. Bei den letzten Schüben mischte sich ein schmerzendes Gefühl des Bedauerns mit der Ekstase und verwandelte die Reue in eine zweifelhafte Lustexplosion. Er wertete den Akt als einen weiteren Beweis seiner Unterwerfung unter die einfachen Gesetze der Wirklichkeit und begann nach diesem Ereignis einen behutsamen Eroberungsfeldzug der Liebe, auf dem Gewisses und Mögliches sich im Rahmen des Wahrscheinlichen miteinander vermengten. Auf diese Weise hoffte er, der Schande der bloßen Fiktion zu entgehen.

Da er sehr wohl wußte, was ein Dichter – mit einem veröffentlichten Buch und bemerkenswertem Äußeren – im Herzen einer Frau anzurichten vermag, nahm er zukünftige Verdienste als gegeben hin, schloß eines Nachts im Juli die Augen und sah den Umschlag seines Buches vor sich: oben sein Name in gezackten Schreckenslettern, dann der dunkle Himmel, der reglose Flug der Möwen, die geblähten Segel des Schiffes und darunter der auf den Wellen schaukelnde Titel. Und plötzlich wurde das Bild lebendig. Das Schiff neigte sich, und die Möwen schrien. Die schnellste flog aus dem Bild, und ihr folgend, gelangte die Kamera an die Pforten eines fernen Parks. Sie drang in das Dickicht ein und erreichte eine Lichtung, auf der Frauen in Abendkleidern und Herren mit Stehkrägen zu den Klängen eines Orchesters tanzten. Es gab dort ein Schwimmbecken unter Markisen, und auf dem Rasen standen Segeltuchstühle verlassen in der kühlen Nacht. Die Kamera verlor die Spur des Lachens auf einem Sandweg, dem sie bis zu einem kreisrunden Gärtchen folgte, in dessen Mitte von Efeu umrankte griechische Säulen standen. Und dort sah man ihn, Faroni, strahlend in seiner herrlichen Ausstattung, einer Schaukel Schwung gebend, in der in träumerischer Haltung eine Frau in luftig weißem Kleid sich wiegte und bei jedem Schwung ein perlendes Gelächter hören ließ; und so ging es eine ganze Weile, bis er mit einem Hüftschwung zu ihr in die Schaukel sprang, ein Etui aufschnappen ließ und ihr eine Zigarette anbot. Nachlässig rauchend und fröhlich lachend, ließen sie sich ausschwingen. Mit einer Drehung des Oberkörpers beugte er sich daraufhin über die Frau und sah ihr mit einem weltmännischen, aristokratischen, männlichen Lächeln in die Augen. Sie senkte den Kopf, und der Sandweg glitzerte in der Nacht. Mit der Rückseite eines Fingers hob er ihr Gesicht und zwang sie, ihn anzuschauen, und erst in diesem Augenblick erkannte er sie in unverwechselbarer Deutlichkeit.

»Ich bin Faroni«, sagte er in spöttischem Ton. Sie senkte wieder wie beschämt den Kopf, nickte melancholisch und antwortete: »Ich weiß, daß du Faroni bist, der Dichter; ich habe dein wundervolles Buch gelesen und weiß, daß du in der Arktis warst und ein Magier bist.« Er legte einen schützenden Arm um ihre Schultern, zog sie dicht an seine Brust und rezitierte mit seinen Lippen an ihrem Ohr das Lied des Seefahrers ohne Hoffnung. Mit dem letzten Vers brach aus der Stille das Gurgeln eines verborgenen Wassers hervor, im Dickicht vernahm man den machtvollen Ruf eines Vogels und aus der Ferne die Klänge des Tanzorchesters. Für einen Augenblick verwechselte er das Bummbumm des Schlagzeugs mit dem heftigen Wogen der Brust und dem stockenden Atem der jungen Dame, die ihm, mit dem stillen Erbeben »Faroni« auf den Lippen, nun fest in die Augen schaute, während er sein Halstuch lockerte und ihr einen Blick aufrichtiger Zärtlichkeit schenkte, der näher und näher kam, bis er mit einer plötzlichen Handbewegung seinen Hut in den Nacken schob, ihre Taille umschlang und, mit ihr auf die Rückenlehne sinkend, ihre strahlenden Lippen küßte, eingehüllt in den wundervollen Duft von frischen Limonen.

Die Zärtlichkeit, mit der er sich als Experte aufführte, verriet ihm auch den Augenblick, an dem die Liebe den Nachweis von Obszönität zu erfordern schien. Er tastete sich bereits blind durch die Knopfreihen ihres Kleides, als er plötzlich den Wunsch verspürte, ihren Namen auszusprechen. Anstatt des Mundes öffnete er jedoch die Augen und sah den Lichtschein eines vorbeifahrenden Autos über die Zimmerdecke huschen.

Da fiel ihm auf, daß er den Namen der Frau nicht kannte, und suchte gleich einen passenden. Er verwarf Vicky, Gudrun, Esther und Rosalinde und entschied sich für Teresa. Damit gelang es ihm, zwei Knöpfe aufzuknöpfen. Seine Finger ertasteten schon die intime Wärme ihrer Haut, als er ihren Namen aussprach und der Traum zerrann, beziehungsweise von indiskreten Spaziergängern unterbrochen wurde, die stets dieselben waren – der Professor mit seinem grauen Begleiter, Alicia und ihr Hund, Elicio mit seinem Grabkranz, der Vater der drei Marias mit einem nackten Blumenstengel in der Faust –

und ihn jedesmal zwangen, wieder in dem Augenblick zu beginnen, als er auf die Schaukel sprang, das Etui aufschnappen ließ und eine Zigarette anbot. Es war eine Sisyphusarbeit. Kaum war er wieder soweit, sich zwischen ihre Beine zu tasten, als Angelina im Schlaf hochfuhr und schrie:

»Ich besticke dein Chorhemd mit einer Stickerei, die so groß ist wie du bist!«

Völlig fertig schlief er ein.

Auch in anderen Nächten scheiterte er, denn der Name Teresa war falsch und paßte nicht zu der Aufrichtigkeit, die die Szene erforderte. Er brauchte reale Bezugspunkte, und dazu gehörte, daß er den Namen der jungen Dame kannte und daß sie seinen kannte, es sei denn, sie nannte ihn Luck Turner, was in einer Variante seines Traums auch schon vorgekommen war. Am Samstag darauf ging er also wieder ins Café, schob sich an den Zuhörern vorbei und drängte sich bis in die erste Reihe des stehenden Blocks. Aufmerksam geworden vielleicht durch die Proteste hinter sich, wandte die junge Dame den Kopf und sah ihn an. Gregorio gewährte ihr ein vertrauliches Kopfnicken. Wie sonst auch, verstand er so gut wie nichts (denn wo er stand, war man mehr als auf alles andere darauf bedacht, seinen Platz zu behaupten, und immer wurde irgendwo diskutiert, was alle zu unterbinden suchten, wobei die aber nur weitere Diskussionen und weitere Unterbindungsversuche hervorriefen), doch gegen Ende des Vortrags hörte er, daß die junge Dame Marilyn genannt wurde. Daraufhin ließ er einige von seinen Kärtchen fallen und schob sie mit dem Fuß nach vorn, in der Hoffnung, daß eines vielleicht Marilyn oder den Professor erreiche, so daß sie um die Existenz von Faroni schon wüßten, wenn im Dezember sein Buch erschien. Es klappte nicht, doch gelang es ihm, im Durcheinander des Aufbruchs ein halbes Dutzend Visitenkärtchen unter die Papiere des Professors zu schieben. Er sah ihn von Marilyn begleitet hinausgehen, sah seine Kärtchen am Boden mit Füßen getreten und schließlich von den Kellnern zusammengekehrt werden. Da fragte er einen Nachzügler:

»Wer ist diese junge Dame, die vorne beim Redner sitzt?«

»Das ist Marilyn.«

Danach fragte er einen Kellner:

»Wer ist Marilyn?«

»Die blonde Dame, die vorne beim Redner sitzt«, antwortete er. Gregorio gab ihm sein Visitenkärtchen.

»Warum geben Sie mir das?«

»Eine Gefälligkeit.«

Der Kellner las es und steckte es in seine Jacke.

»Ist mir eine Ehre«, sagte er mit einer knappen Verneigung.

In dieser Nacht setzte er seine amouröse Eroberung fort. Er folgte der Möwe, ging über den Sandweg und erreichte das runde Gärtchen. Er sah seine weißen Slipper um eine scharfe Ecke biegen und an den Säulen stehenbleiben. In der Hand hielt er eine dunkle, verwirrende Blume mit langem Stiel, die er unterwegs mit geschickter Lässigkeit gepflückt hatte und jetzt wie eine Peitsche oder eine kindliche Trophäe festhielt. Er ging noch ein paar Schritte weiter. Sein kurzes Voranschreiten auf der Erdrinde ahnend, den glühenden Puls des Gesteins unter seinen Füßen spürend, erreichte er die Schaukel, gab ihr Schwung unter den Sternen, sprang auf, ließ das Etui aufschnappen und bot seine Zigaretten an. Er hörte das Klicken des Feuerzeugs und das ferne Orchester. »Guten Abend, Marilyn«, hörte er sich sagen. Mit einem Blinzeln ihrer smaragdgrünen Augen antwortete sie: »Guten Abend, Faroni, mein weitgereister Dichter.« Kaum küßte er sie so, daß sie auf die Rückenlehne sank, da hatte er auch schon drei Knöpfe geöffnet, und als seine Hand sich in die verzehrende Nacktheit ihrer Beine senkte, drohte die Szene zu verschwimmen, und er nannte daraufhin noch einmal ihren Namen und sie den seinen, und er fügte hinzu, »laß uns nach Alaska fliehen«, und sie, seinen Zärtlichkeiten nicht länger widerstehend, antwortete, »wohin du willst, o Liebster« und streckte ihm ihre Hand hin, die er nahm und ohne Widerstand an die höchste Instanz seines Begehrens legte. Die ferne Tanzmusik schläferte ihn ein. Nach einer Weile erwachte er und suchte nach dem Schauplatz seines Traums, ohne die Augen zu öffnen. Marilyn schlief in der Schaukel, Arme und Beine hingestreckt wie die Überlebende eines mühseligen Untergangs. Das verrutschte Kleid, das wirre Haar, eine Hand, die im Fallen die Unordnung durchbrochen hatte, um halbgeöffnet im Nichts zu baumeln, das alles waren die deutlichen Zeichen einer kürzlich vollzogenen Liebe. In diesem Moment kreischte die Möwe in der Luft und kehrte auf den Buchumschlag zurück, und mit diesem Bild endete der Traum.

Als er aufstand, fand er Angelina in der Küche vor dem Kaffeetopf. Ihr vom Schein des Feuers erleuchtetes Profil verzog sich nicht, als Gregorio wie nebenbei erwähnte, sein Buch sei jetzt soweit, daß es im Dezember veröffentlicht werden könne.

»Das wird mein Weihnachtsgeschenk«, verkündete er, um der Sache einen Gefühlswert oder einen ganz alltäglichen Wert beizumessen.

»Und was soll das kosten?«

Gregorio hatte bei der Druckerei, die auch seine Kärtchen gedruckt hatte, bereits einen Kostenvoranschlag eingeholt und nannte einen annähernden Betrag.

»Das ist viel Geld«, sagte Angelina tonlos.

Gregorio folgte ihr ins Wohnzimmer und versuchte ihr die Finanzierungsgeheimnisse des Verlagswesens nahezubringen und sprach mit vollem Mund noch weiter, in dem Bestreben, sie mit seiner Begeisterung anzustecken und mit den Fallstricken des praktischen Denkens zu umgarnen.

»Erst mal schicke ich es auf alle Literaturwettbewerbe«, sagte er, mit der Kante der einen Hand in die Innenfläche der anderen schlagend, »und falls ich keinen gewinne, was ich nicht glaube, verkaufe ich es für vierzig oder fünfzig Prozent an die Buchläden, und wenn es erst einmal läuft, und es wird laufen, dann verdienen wir.«

»Zuerst dieser Geckenanzug und jetzt das Buch . . ., das ist Verschwendung.«

»Im Gegenteil«, sagte er und schob die Brotkrümel zusammen, als könne er mit ihnen einen Wall gegen den Einwand errichten, »das ist ein gutes Geschäft. Allein im Café kann ich zweihundert Exemplare verkaufen, die sind sozusagen schon versprochen. Einem Freund in der Provinz schicke ich weitere zweihundert, damit er sie dort unter die Leute bringt. Die nächsten Hundert verkaufen wir an Buchläden und in der Nachbarschaft. Wenn ich also fünfhundert drucken lasse, was für die Druckerei das Minimum ist und was mir mittlerweile schon wenig erscheint, so kann man sagen, daß sie praktisch so gut wie verkauft sind. Man kann es drehen und wenden, wie man will, wir verdienen daran. Sieh mal, das ist ganz einfach . . .«, und mit Hilfe des Frühstücksbestecks wiederholte er die kaufmännische Rechenaufgabe.

»Das sind Milchmädchenrechnungen«, sagte Angelina und räumte den Tisch ab.

»Lach' du nur. Weißt du, ob du nicht mit einem Genie sprichst?«

»Schönes Genie. Ein Genie wie Merlin, was?« sagte sie im Hinausgehen.

Gregorio folgte ihr in die Küche.

»Was hast du gesagt?«

»Ein Genie wie Merlin.«

»Ein schöner Name! Merlin! Wo hast du den her?«

»Ich weiß nicht, aus Kindergeschichten, die man mir erzählt hat.«

Gregorio überkam eine Anwandlung von Zärtlichkeit, und er trat hinter Angelina und küßte sie aufs Haar. Sie roch nach gestärkter Wäsche und eingeschlafenem Vogel. Ihre Haut hatte die müde Farbe von winterlichem Marmor, und ihr Haar, das man vielleicht als mittelblond bezeichnen konnte, hatte jeden Willen und jeden Glanz verloren und deutete nur noch auf die bewußtlose Ausübung von Sittsamkeit hin. Er hatte oft den Eindruck gehabt, sie seien zwei Fremde, die die Gelegenheit versäumt hätten, sich auf einen einzigen Fingerzeig des Gefühls hin kennenzulernen, gleich bei der ersten Begegnung, wie es ihm mit Marilyn ergangen war, die er, kaum daß er sie gesehen hatte, ein Leben lang zu kennen glaubte. Doch als er jetzt Angelina betrachtete, ihre bedächtigen, methodischen Bewegungen, ihre sanfte Hausfraulichkeit und die Verwüstungen der Zeit in ihrem Haar, da schien es ihm, als ob der Eindruck ein Trugbild der Gewohnheit sei. Ihm kam der Gedanke, daß ein absurdes Mißverhältnis bestand zwischen der Komplexität der menschlichen Existenz (mit ihrer ganzen Apparatur von Träumen, Plänen, Überzeugungen, Worten und Ängsten) und ihrer skandalösen Kürze, daß es ungerecht war, so widersprüchlich und zugleich vergänglich erschaffen worden zu sein und daß man sich wohl damit zufriedengeben mußte, seine Liebsten auf dieser Welt in ihrem Lächeln, ihren Gesten, Blicken, Gerüchen und Sternzeichen zu erkennen. Doch was hatte es im Vergleich zum althergebrachten Kennen mit dem plötzlichen Erkennen auf sich, mit der uralten Bekanntschaft, die in einem einzigen Blick aufflammt und uns einen winzigen Moment lang glauben läßt, ewig zu sein? Die Erinnerung an Kindergeschichten und den Zauberer Merlin veränderte nichts in ihr. Sie wusch wie immer das Geschirr ab, und die sanfte Ergebenheit, mit der sie es tat, schien Gregorio von so bescheidener Anmut ohne jede Selbstgefälligkeit, jedoch auch so geheim und ungewiß, daß sie jäh in einem Gefühl des Mitleids zerschmolz, als er sie küßte und sie, in einem Ton, der weder ablehnend noch zustimmend war, »laß doch die Albernheiten« sagte. Da drehte er ihren Kopf zu sich herum und schaute ihr in die Augen. Er suchte in ihnen die Schreckgespenster des Versagens und des Überdrusses, beschwor sie mit weisem Blick, fand jedoch nur die reine Gemütsruhe, ohne jede Beimischung von Ungewißheit. Einen Moment lang glaubte er, sie aus dem Traum des Lebens erwecken zu können, mit einem Kuß oder Zauberwort, wie im Märchen. Angesichts ihrer präzisen Bewegungen fragte er sich jedoch, ob nicht er der Schlafende war, ob es nicht irgendein verbotenes Wort gebe, wie Abrakadabra, das, zufällig ausgesprochen, die Welt in Illusion verwandle. Er erinnerte sich an ein Palindrom, ›Eber grub nah an Burgrebe‹, das er in seiner Jugend mühevoll erweitert hatte. Nachdem er einen ganzen Nachmittag lang Blätter vollgekritzelt hatte, während die Kollegen aus dem Büro einen Ausflug in die Berge unternahmen, war er schließlich aufgestanden und hatte mit lauter Stimme gesagt: »Ein Eber grub relativ nah an Madam, nah an vitaler Burgrebe nie« und hatte dabei das Gefühl gehabt, ein auserwählter Mann und als solcher für irgendeine große Aufgabe bestimmt zu sein.

Angelina drehte ihr Gesicht zur Seite und wandte sich wieder den Unerforschlichkeiten ihres Handwerks zu. Gregorio hätte sie gern um Verzeihung gebeten, doch nicht mit einem Wort, sondern mit einer Rede, in der die Entschuldigung zu einem Plädoyer und das Privileg des Mitleids somit auch ihm zugänglich würde. Im selben Augenblick jedoch trat die Mutter mit ihrem Papageien-Hausmantel und vom Schlaf zerzausten Haaren ein und hüllte sie beide in ein unendlich vorwurfsvolles Schweigen. Seit dem Abend, an dem Gregorio als Faroni verkleidet im Wohnzimmer erschienen war, hatte sie praktisch aufgehört zu reden und widmete sich nur noch ihren religiösen Verrichtungen. Sie betete zu jeder Stunde des Tages mit lauter Stimme. Sie hatte sich neue Gebete ausgedacht und eine strenge Heiligenhierarchie errichtet, innerhalb derer sie den Wundertätern Eigenschaften zusprach, die ihr passend schienen. Oben auf dem Altar, den sie auf ihrem Toilettentisch im Schlafzimmer aufgebaut hatte, thronte Sankt Georg, und seine Symbole waren ein Sporn und ein Hundezahn, der wie der Zahn eines Drachen aussah. Darunter fand der Heilige Antonius Maria Claret seinen Platz, der durch eine Wasserschüssel und eine Nähgarnrolle dargestellt wurde, der Heilige Franz von Assisi wurde durch einen Maulkorb und eine Lerchenfeder gekennzeichnet, und die Heilige Katharina schließlich war durch einen Palmzweig und ein Buch mit theologischen Streitfragen vertreten, in dessen Ermangelung ein schmuckloses Handbuch militärischer Vorschriften herhalten mußte. Sie erfand sogar einen Heiligen, der all jene Übel linderte, die aus Läßlichkeit oder Vergeßlichkeit über keine himmlischen Fürsprecher verfügten. Sie gab ihm den Namen Sankt Hahnensporn, und sein Zeichen war eine leere Puderdose, gefüllt mit einer Handvoll Sand.

Wie er sie dort sitzen sah, übertrieben leidend in ihrer Kaffeetasse rührend, vor ächzendem Schmerz fast vergehend, und wie sie hinterher hinausging, dicht gefolgt von dem bimmelnden Hündchen, da wurde Gregorio von einer Welle der Zärtlichkeit für diese beiden Frauen überschwemmt, die nicht mehr anboten, als sie hatten und nicht weniger, als sie geben konnten. Auf dem Weg zum Büro mußte er an seine ehernsten Überzeugungen appellieren, um nicht erneut den Lockungen der Reue zu erliegen.

So ging der Juli dahin, August kam, und Gregorio verbrachte Tag um Tag damit, seine Verse für das Buch zu komponieren und zu korrigieren, an seinem Gesamtwerk zu feilen und dabei ununterbrochen an Marilyn zu denken. Noch oft durchlebte er die Schaukelszene, und da er jetzt ihren Namen kannte und sie mit Sicherheit auch seinen, brachte er sie nicht nur häufig zu einem gebührenden Ende, sondern schmückte selbiges noch mit häuslichen Intimitäten aus, für die ein Dachkämmerlein herhalten mußte, das Nacht für Nacht und von Einzelheit zu Einzelheit ausgebaut wurde, bis er es in mikroskopischer, wirklichkeitsgetreuer Präzision vor sich sah.

Um sich nicht voreiligen Unterstellungen auszusetzen, nahm er sich vor, Gil nichts von seiner Eroberung zu erzählen, deren Begleiterscheinungen ihn mindestens ebenso beschämten, wie sie ihn zu vagen Hoffnungen drängten. Eines Morgens jedoch, der Sommer ging bereits seinem Ende zu, fand er im Büro einen Brief auf seinen Namen vor. Er war von Gil. Drinnen lag eine Fotografie, auf deren Rückseite eine handgeschriebene Widmung stand: *Für den größten Künstler des Jahrhunderts, Faroni, damit er die Verlobte seines größten Bewunderers und ergebensten Freundes, Dacio Gil Monroy, kennenlernt.* Und darunter als Nachtrag: *Das Foto wurde im Speisesaal der Pension aufgenommen. Würde er Ihnen als Örtlichkeit für den Kulturverein gefallen? Er ist frisch renoviert und ganz schön geworden, finden Sie nicht? Beachten Sie bitte das Gemälde, und sagen Sie mir mal, was Sie davon halten.*

Es war in der Tat ein recht großer Raum von den Ausmaßen eines Saals. An den Wänden prangten auf der frischen Malerweiße drei Gemälde: eines stellte eine Ackerlandschaft dar, eines das Letzte Abendmahl, und das dritte einen Leuchtturm auf vom Meer umtosten Klippen. Privates und Allgemeines lebte dort in friedlichem Miteinander. Auf der einen Seite erhob sich eine dunkle Anrichte mit einer Art ausgestopfter Ginsterkatze, die sich auf einem schrägen Baumstamm festkrallte. Auf der rechten Seite ragte das Schwungrad einer Nähmaschine ins Bild. Ansonsten sah man noch zwei Lampen, die an Glasstäben von der Decke mit den weißgetünchten Dachbalken hingen, und hier und dort ein paar Tische, verstreut wie die Steine eines abgebrochenen Damespiels, mit karierten Tischdecken darauf, und in der Mitte eines jeden Tisches eine kleine Urne mit blutleeren Plastikrosen. Vor einem der Fenster – durch ein freies Stück Fensterscheibe sah man das gerade verschwindende Hinterbein eines Reittiers – stand die Frau. Sie war robust und freudlos und auch freudlos gekleidet. Sie schaute plump in die Kamera, und um zu lachen, hatte sie schelmisch frivol eine Hand in die eingeknickte Hüfte stemmen müssen. Aber sie war freudlos, und das Lachen war an ihren Lippen festgebacken wie eingetrockneter Kinderbrei und machte die Haltung des im Dienst der Fröhlichkeit erhobenen Gesichts zu einer nutzlosen Geste. Unten kräuselte sich der kleine Finger in gezwungener Flamencolaune, und die andere Hand erhob sich über dem Kopf, wie um ein »olé« zu rufen oder auf eine Gefahr hinzuweisen. Man sah dem Bild an, daß sie bemüht war, jede Alltagsnatürlichkeit zu vermeiden und sich zu diesem Zweck in eine statuenhafte Pose und eine mißverständliche Jugendlichkeit geflüchtet hatte, und bestimmt befand sich jemand in ihrer Nähe, der über den Einfall lachte. Jene verrenkte Gestalt schien dazu einzuladen, sie sich mit hängenden Armen und bis zum Bauch herabgesunkenem Lachen vorzustellen, mit gesenktem Kopf und Alltagsmiene, und vielleicht kam es daher, daß Gregorio, als er sich am 4. Oktober an das Foto zu erinnern suchte, beide Bilder hintereinander sah und keines von beiden wirklich und endgültig war. Woran er sich hingegen deutlich erinnerte, war der Auftrag (zwölf Kisten Wein und achtzig Dosen Oliven), den Gil ihm am Montag darauf diktierte.

Danach kam er sofort auf die Fotografie zu sprechen.

»Was halten Sie von der Örtlichkeit?«

»Gut. Groß und gemütlich.«

»Und das Bild, wie finden Sie das Bild? Ich habe einen Maler von hier damit beauftragt. Ich habe ihm das Motiv vorgegeben.«

»Es steht dem im Café so gut wie in nichts nach.«

»Na ja, man tut, was man kann«, sagte Gil, seinen Stolz unterdrückend. »Ich habe mir gedacht, für die Treffen des Kulturvereins könnten wir Pulte aus der Schule holen und noch ein paar Bänke dazustellen, der Laden wird bestimmt voll. Die werden Sie alle sehen wollen, soviel wie ich von Ihnen erzählt habe.«

Gregorio rückte seine Brille zurecht und schluckte.

»Ein Podium fehlt noch.«

»Das kann ich besorgen. Aus der Schule oder das von der Musikkapelle.«

Gregorio dachte an das graue Männlein und sagte, ganz gleich, ob er komme oder sein Biograph, sie bräuchten auf jeden Fall einen Assistenten.

»Einen Assistenten?«

»Ja, jemand, der sich um die Papiere kümmert und für Ruhe sorgt.«

»Das kann ich doch machen«, sagte Gil. »Wenn Sie nichts dagegen haben und mir diese Ehre erweisen wollen, werde ich Ihr Assistent sein.«

Gregorio war einverstanden. Die Schwierigkeiten der Stille erahnend, die ihren letzten Worten gefolgt war, zeichnete er flink einen Vogel und eine Blume. Er wartete aber nicht auf Gils nächste Frage, sondern sagte:

»Du hast eine ganz reizende Verlobte.«

»Wirklich? Gefällt sie Ihnen?«

Gregorio lobte ihr Aussehen und ihren Charakter, und Gil fügte ergänzend hinzu, daß sie sehr arbeitsam und äußerst geschäftstüchtig sei.

»Wie alt schätzen Sie sie?« fragte er.

»Nun, ich weiß nicht, sie sieht noch jung aus«, log Gregorio.

»Wie alt?«

»Ich weiß nicht, auf Fotografien täuscht man sich leicht . . .«

»Sie ist fünfundvierzig, zwei Jahre älter als ich, aber sie hält sich so gut, daß die Leute sie meistens auf vierzig schätzen.«

»Alter ist relativ.«

»Ja, das stimmt«, sagte Gil betrübt. »Aber sie ist häßlich; ich weiß, daß Sie sie häßlich finden und es mir nur nicht sagen wollen. Ich habe es Ihrer Stimme genau angehört.«

»Aber bestimmt nicht«, widersprach Gregorio.

»Und dick.«

»Aber . . .»

»Und alt.«

»Komm, Dacio, sei nicht albern. Ich finde wirklich, daß sie eine ganz reizende Frau ist. Außerdem bist du es doch, der sie heiraten will, oder?«

»Aber Ihnen gefällt sie nicht. Sie ist alt und häßlich.«

»Fängst du schon wieder an?«

»Sicher leben Sie mit einer wunderschönen jungen Frau zusammen, und darum gefällt Ihnen meine Socorrito nicht.«

»Hör' auf, Dacio. Du machst mich noch ärgerlich.«

»Leben Sie etwa nicht mit einer schönen Frau zusammen?«

Gregorio malte den Stiel einer Blume.

»Ja«, sagte er ergeben.

»Und sicher ist sie blond?«

»Ja«, und er malte ein Blütenblatt.

»Und ihre Augen sind blau.«

»Grün.«

»Grün, wer hätte das gedacht. Und wie alt ist sie?«

»Zwanzig Jahre«, sagte er und malte das dritte Blütenblatt.

»Zwanzig Jahre. Sehen Sie? Ich habe es gewußt. Es konnte gar nicht anders sein. Studentin, stimmt's?«

»Ja, aber . . .«

»Ich wußte es, ich wußte es! Das war ganz leicht zu folgern. Und wie heißt sie?«

»Marilyn.«

»Marilyn! Sehen Sie nur. Wenn Sie wüßten, wie ich Sie beneide!«

»Die Liebe ist das einzige, was zählt«, sagte Gregorio und vollendete die Blume mit einem letzten Strich.

»Genau, darum ja«, erhob Gil seine Stimme zu nasalem Protest. »Wirklich geliebt habe ich Mari, meine Verlobte in jungen Jahren. Aber wenn ich ehrlich sein soll, jetzt, wo ich mir die Señorita Marilyn vorstelle, schäme ich mich Socorritos wegen, die nicht gebildet, nicht modern, nicht jung und nichts ist. Ich weiß schon, daß Sie das nicht so einfach verstehen können. Sie feiern Triumphe in den Cafés, stehen in der Zeitung, haben Bücher geschrieben, sind berühmt, sind jung, leben mit der blonden Marilyn zusammen, haben Bewunderer und wissen gar nicht, was es heißt, in der Provinz zu leben. Ich werde langsam alt, das viele Herumlaufen ermüdet mich, und ich stehe ganz allein auf der Welt. Morgens, wenn ich aufstehe, sage ich zu mir: ›Armer Gil, sieh nur den neuen Tag da draußen, zieh' deine Schuhe an, nimm deinen Koffer in die Hand und biete dem Leben die Stirn.‹ Und samstags, wenn ich abends manchmal auf dunklen Wegen nach Hause gehe, dann sage ich zu mir: ›Jetzt spricht Señor Faroni im Café, und vielleicht führt just in diesem Augenblick ein Erfinder seine Erfindung vor oder ein Philosoph erläutert seine neuesten Gedanken, und alle sitzen da schön warm und sehen dem Fortschritt aus der Nähe zu, und du, Gil, sieh dich an, wo du herumläufst, in welcher

Wildnis, auf dem Weg in ein Pensionszimmer, todmüde und ohne einen Menschen, mit dem du dich unterhalten kannst.‹ Und wenn ich dann in meinem Zimmer sitze, nehme ich den kleinen Spiegel zur Hand, den meine Verlobte mir geschenkt hat, und das Messer meines Vaters, und dann denke ich an vergangene Zeiten. Ach, Señor Faroni«, und seine Stimme begann bedenklich zu flattern, »ich bin ein Versager, wie es keinen zweiten auf der Welt gibt, ein armer Narr und viel zu dumm, als daß ich Ihr Assistent oder Ihr Freund oder sonst was sein könnte. Jetzt wissen Sie's, und jetzt können Sie mich meinetwegen verachten, denn was anderes habe ich nicht verdient«, sagte er mit tränenerstickter Stimme.

Gregorio hörte ihn von ferne krampfhaft schluchzen, und er selbst hätte am liebsten auch losgeheult und ihn angeschrien, daß alles nur eine einzige Lüge war und sein vierundvierzigjähriges Leben wahrscheinlich viel bedauernswerter sei als seines und daß sie für die Zukunft einen Pakt der Freundschaft schließen wollten, der so rein und aufrichtig sein sollte, wie es noch keinen zuvor auf der Welt gegeben hatte, und daß sie beide ganz allein, ohne fremde Hilfe, mit ihrem Elend und ihren Hoffnungen, mit schmerzenden Füßen der eine und in dem Geruch von feuchten Hühnern der andere, gemeinsam einen Weg zum Glück suchen würden. Einen richtigen Weg, strahlend wie ein Sommertag in der Kindheit. Vagabunden würden sie werden und unter freiem Himmel dahinziehen, sich an Feuern wärmen und Kartoffeln an Stöcken braten und über all die kleinen Dinge des Lebens sprechen und sich bei ihren richtigen Namen nennen. Aber nichts davon sprach er aus. Er nahm seine Brille ab und flüsterte: »Komm, Dacio.«

»Nein«, sagte Gil trotzig und stammelte vom Schluckauf unterbrochen, »nein, da gibt es nichts zu beschönigen, ich bin ein Niemand, ein Nichts, gerade noch gut genug, Oliven zu verkaufen, aber den Namen Dacio habe ich nicht verdient. Eine einzige Katastrophe, jawohl eine Katastrophe . . .«

Da schrie Gregorio ihn an:

»Gil, halt' den Mund!«

Und Gil hielt den Mund. Er schneuzte sich und sagte: »Ich bin schon still, Señor Faroni. Verzeihen Sie.«

Gregorio wartete, bis er sich beruhigt hatte.

»Also«, sagte Gregorio und versuchte sachlich zu klingen. »Warum hörst du nicht mit deinem Gejammer auf und wirst tatsächlich ein Denker?«

»Ich bin dreiundvierzig Jahre alt«, hielt Gil ihm entgegen.

»Es ist niemals zu spät, wenn das Glück es gut mit einem meint. Sieh mal, ich werde dir von jetzt an regelmäßig Zeitschriften, Bücher und andere Dinge schicken. Dann wirst du sehen, wie du, mit meiner Hilfe, da draußen mindestens soviel wenn nicht noch mehr lernst als in der Stadt. Und was Socorrito angeht ...«

»Ein lächerlicher Name ist das.«

»Na, dann ändere ihn doch.«

»Ihn ändern?«

»Ja. Nenne sie Aurora, oder Alicia oder Vicky.«

»Nein, nein, das wird sie nicht wollen. Das geht nicht.«

»Dann nennst du sie einfach für dich so. Don Quijote zum Beispiel hat den Namen seiner Liebsten auch geändert und sie Dulcinea genannt.«

»Ja, aber ich kann so was nicht tun. Sie bleibt deshalb doch dieselbe, und ich bleibe auch derselbe. Nein, nein, mein Leben ist eine Katastrophe.«

»Du bist ungerecht zu dir selbst. Gründest du etwa nicht einen Kulturverein, und kannst du dich dabei etwa nicht auf meine Hilfe berufen?«

»Das schon.«

»Also hör auf, dich zu beklagen. Anderen Menschen geht es bedeutend schlechter. Denke nur an die Analphabeten oder die Hungernden oder an solche mit körperlichen Gebrechen.«

»Was gäbe ich darum, Sie einmal im Café reden zu hören!« sagte Gil, ohne auf die Argumente einzugehen. »Ich sage mir: ›Gil, du wirst das Zeitliche segnen, ohne je eine solche Veranstaltung besucht zu haben.‹ Wenn ich nur einmal ein bißchen davon hören könnte, nur einmal reinhorchen, das würde mir schon genügen. Ich bitte Sie, Señor Faroni, Sie sind ein großer Mann, fällt Ihnen nichts ein?«

»Tja, was sollen wir da tun?« sagte Gregorio zögernd.

»Keine Ahnung, das müssen Sie wissen.«

»Ich?«

»Na ja, ich weiß nicht.«

Plötzlich hatte Gregorio einen Geistesblitz. Er zeichnete eine Wolke aufs Papier.

»Warum rufst du mich nicht am Samstag im Café an?«

»Ja, das wäre großartig«, rief Gil begeistert.

»Notiere dir die Nummer«, sagte er und gab ihm die Telefonnummer des Cafés. »Rufe um Punkt acht Uhr abends an und sage: ›Ich möchte den Dichter Faroni sprechen, ich bin einer seiner Schüler.‹ Kein Wort mehr und kein Wort weniger.«

Gil versprach, die Anweisung genau zu befolgen und legte Danksagungen stammelnd auf.

Noch am selben Abend ging Gregorio ins Café, suchte den Kellner, dem er vor einigen Wochen sein Kärtchen zugesteckt hatte und fragte ihn:

»Erinnern Sie sich noch an mich?«

»Im Moment nicht so ganz.«

»Sie erinnern sich nicht an Faroni, den Dichter?«

»Faroni? Faroni?«

»Ich bin Faroni, und am kommenden Samstag wird man mich während der Versammlung um Punkt acht Uhr hier anrufen. Es handelt sich um einen dringenden Anruf, und darum habe ich die Telefonnummer des Cafés angegeben. Würden Sie so freundlich sein, ein bißchen darauf zu achten und mir Bescheid zu geben?«, und dabei ließ er einen Geldschein in seine Jackentasche gleiten, wie er es in seinen Kriminalfilmen gesehen hatte.

»Faroni«, murmelte der Kellner dienstbeflissen.

»Der Dichter Faroni, der von einem seiner Schüler verlangt wird«, korrigierte Gregorio und gab ihm noch eine von seinen Visitenkarten. »Wenn Sie das alles diskret erledigen, werde ich mich erkenntlich zu zeigen wissen.«

Am Samstag ging er schon um sieben ins Café, hielt den Kellner an und erinnerte ihn an ihr Abkommen. Er trank zwei Gläschen Anis, und sobald der Professor mit seinem Gefolge eintrat, schloß er sich ihnen an, bahnte sich – selbstsicher, lebhaft, mit blitzenden Augen, schmalen Lippen und vorgeschobener Schulter – einen Weg durch die Wartenden, »Entschuldigung, Entschuldigung«, und Proteste und Verwünschungen hinter sich lassend, gelangte er bis ganz nach vorn. Marilyn schaute zu ihm herüber. Gregorio legte einen Finger an den Hutrand und weitete seinen Gruß zum Professor hin aus, der sich gerade aus seinem Sommerfell schälte.

Man sprach über die Seele, hatte Gregorio den Eindruck. Die Menge begann zu schwanken, irgendwo entbrannte plötzlich ein Streit, und zwei der Zuhörer rollten unter den Flüchen der Umstehenden ineinander verkeilt über den Boden. Sie rangen schweigsam, emsig und bescheiden, und Gregorio sah sie in Richtung Toiletten davonkugeln. Der graue Assistent war aufgestanden, sah nach, was vor sich ging, und kam zurück, um dem Professor zu berichten. Der nickte mit dem Kopf und machte ein ernstes Gesicht. Gregorio hatte nur Augen für das Telefon und die Uhr. Daß diese beiden Apparaturen jemals einen Ton von sich geben sollten, schien ihm genau so unwahrscheinlich, wie daß ein Hund plötzlich zu sprechen begann. Inmitten der Menschen war ihm fürchterlich heiß. Der Vortrag nahm unerbittlich seinen Lauf, und Gregorio, geschwächt von plötzlich aufsteigender Furcht, verlor an Boden. Die Uhr zeigte Viertel nach, zeigte halb. Es wurde allmählich dunkel. Durch den Qualm und die dunkle Brille sah er, wie der Professor mit Daumen und Zeigefinger kleine Kreise in die Luft setzte oder Hühnerschnäbel formte, wenn er ein Argument von der Größe eines Daumennagels aufpickte, und Berghütten, wenn er die Finger freundschaftlich aneinanderlegte; aber er sah ihn auch ein unsichtbares Kartenspiel mischen, die Glaskugel einer Wahrsagerin streicheln, Biskuits probieren und Schrauben lösen, schwere Gewichte in die Höhe heben, mit beiden Händen Federn oder Münzen hochwerfen, verführerische Angebote ablehnen, Haufen von Getreide und Wolle auftürmen, absurde Ideen zurückweisen, ferne Inseln entdecken, auf Gipfel und Abgründe deuten, die Hände wie eine schlafende Blume zusammenlegen und sie mit fleischfressender Langsamkeit entfalten, Spinnen abschütteln, Flachs zupfen, Reis aussäen, Gras abmähen, die besten Äpfel auswählen, Kerzenleuchter gegen Keramikfiguren eintauschen, an einem Seil ziehen und eine Herde auf die Weide treiben, Vögel in die Freiheit entlassen, und mit den Fingern zeichnete er Schnörkel in die Luft, Spiralen und ganze Lehrsätze, Landkarten mit Straßen und Provinzen, mit trägen Flüssen und quirligen Wildbächen, mit Gebirgszügen, Wasserfällen, Isobaren, Buchten und Binnenseen, und seine Hände beschworen den Sturm und die Windstille, und so phantastisch war das alles, daß Gregorio wie geblendet zusah und sich nicht vorstellen konnte, welche Worte derlei Zauberwerk zu tragen vermochten. Die Stimme schwoll an und wieder ab, erholte sich von einem Flüstern und verzerrte sich, daß sie wie das Rauschen einer Brandung klang. Die Gruppe wogte vor und zurück, wurde in einem Spiegel sichtbar und verschwand wieder aus dem Spiegel, der ob des unaufhörlichen Ansturms schon völlig aus dem Häuschen war. Bei einem Rückschwenk drang Gregorio in die ruhende Mitte vor und hielt seinen Blick starr auf das Telefon gerichtet. Da klingelte es.

Die Uhr zeigte Punkt acht. Niemand nahm ab. Schließlich ging ein Rentner an den Apparat, und man sah ihn schwerhörig fuchtelnd hineinsprechen. Danach schlurfte er zu einem der Kellner. Der Kellner gab die Nachricht an andere Kellner weiter, bis Gregorio schließlich seinen Komplizen vortreten und mit dem Finger auf ihn zeigen sah. Er vertiefte sich in sein Büchlein und gab sich geistesabwesend. Die das Zeichen gesehen hatten, suchten nach der Person, der es gegolten haben mochte, und teilten dem Kellner unter Zeichen mit, er möge genauer zeigen, wen er meine. Er hob den Arm mit dem ausgestreckten Zeigefinger, wies, deutete zweimal nach, schüttelte den Finger, wenn jemand seinerseits auf einen zeigte, und irgendwann zeigten fast alle mit den Fingern aufeinander, einige sogar auf sich selbst, tippten sich mit dem Finger auf die Brust und machten ein fragendes Gesicht, bis schließlich der Redner verstummte, es totenstill wurde und der Kellner ein paar Schritte näherkam und mit deutlicher, düsterer, hohler Stimme sagte:

»Telefon für den Dichter Faroni, ein Schüler von ihm am Apparat.«

Gregorio lief ein kalter Schauer über den Rücken.

»Das bin ich«, sagte er, einen Finger hebend.

Alle drehten sich zu ihm um und sahen ihn an, einige verdutzt, andere grinsend, wieder andere ausdruckslos, und auch Marilyn drehte sich um und zog die Augenbrauen hoch. Gregorio warf ihr einen profilierten Seitenblick zu, und sie schenkte ihm das letzte Glimmen eines Lächelns, hatte Gregorio den Eindruck, während er mit herausgestrecktem Adamsapfel – »Verzeihung, Verzeihung« – dem Telefon zustrebte.

Viele Augenpaare folgten ihm. Der Redner zögerte noch, mit dem Vortrag fortzufahren, und stand unschlüssig neben seiner Säule. Gregorio lehnte sich mit dem Rücken an die Wand, kreuzte die Füße voreinander und schrie fast ins Telefon: »Faroni am Apparat!«

Der Vortrag wurde jetzt fortgesetzt, aber einige sahen immer noch unverwandt zu ihm herüber, und andere drehten ab und zu die Köpfe, wie um sich zu vergewissern, ob er noch am Telefon stand und sprach.

Ganz weit entfernt hörte man ein Stimmchen: »Ich bin's, Gil.« »Sprich lauter«, sagte Gregorio. »Ich bin's, Gil.« »Wo bist du jetzt?« »Ich, eh, in Socorritos Pension.« Gregorio suchte die Intimität der Wand. »Nun, wir sind hier im Café. Im Augenblick spricht gerade ein Professor über die Seele. Willst du mal hören?« »Ja, das würde ich gern.« »Paß auf«, und er hielt ihm den Telefonhörer in den Saal. Einige schauten verwundert zu ihm herüber, und er tat, als suche er etwas in seinen Taschen.

»Und? Hast du was gehört?« »Man hört Stimmen.« »Und hast du

nicht eine Stimme gehört, die lauter war als die andern?« »Ja.« »Das war der Professor. Er heißt Santos Merlín.« »Und Sie halten heute keinen Vortrag?« »Danach.« »Was?« »Danach!« »Ja. Und sind viele Zuhörer da?« »Ja, es ist voll.« »Und Señorita Marilyn, ist sie auch da?« »Ja, ich kann sie von hier aus in der ersten Reihe sehen.« »Sagen Sie ihr einen Gruß von mir.« »Wem?« »Der Señorita Marilyn!« Sie schwiegen und wußten nicht, was sie noch sagen sollten. »Willst du noch einmal hören?« »Ja, bitte.« Wieder suchte er in den Taschen und hielt den Hörer in den Saal. Die Diskussion hatte begonnen, und man hörte Gemurmel und laute Unmutsäußerungen. Am andern Ende der Leitung hörte man Gil ebenfalls mit energischen ›psst, psst‹ auf Ruhe dringen. Eine Frauenstimme rief in den Hörer: »Hallo, Señor Faroni!« »Das war Socorrito«, sagte Gil. »Richten Sie ihr meine Grüße aus.« Auf beiden Seiten der Leitung herrschte jetzt konfuses Stimmengewirr.

»Tja, so ist das hier«, sagte Gregorio schließlich. »Danke, Señor Faroni, das hat mir viel bedeutet, denn, glauben Sie mir, wenn es auch nur wenig war, so war es doch etwas Reales«, sagte Gil überschwenglich. »Gut, gut, wir sprechen am Montag darüber.« »Schönen Gruß an alle«, hörte er noch, bevor er auflegte.

An den Pfeiler gelehnt, wartete er, ohne die neugierigen Blicke zu beachten, auf das Ende der Veranstaltung. Er vermied jedes Wort, das seine verschwommenen Empfindungen hätte verwirren können, stellte sich Erschöpfung als eine Blockhütte auf der anderen Seite eines Flusses vor und stellte fest, daß er gerade noch soviel Kraft hatte, einen Schemel umzustoßen, sich mit der Betrachtung des kommenden Regens zu begnügen oder die Hoffnung auf ein Transportmittel aufzugeben, auf ein Motorrad zum Beispiel. Er dachte an eine Expedition zu den Quellen eines Flusses, an jemand, der ihm mit einem Besen auf der Schulter entgegenkam, und an einen Maurer, der sich seine blaue Mütze in die Stirn zog, bevor er losging. »Maurer bleib in deinen Mauern«, sagte er, und sein Gesicht betastend, wollte er sich gerade in weitere Wortgebilde flüchten, als man Applaus und vereinzelte Pfiffe vernahm. Mit gekrümmtem Rücken und vorgestrecktem Kinn erwartete er den Durchzug des Professors und seines Gefolges. Er sah, wie sie sich entfernten und in einem Spiegel verschwanden. Die anderen folgten ihnen. Die Kellner räumten die Stühle zur Seite und streuten Sägemehl. Sie weckten die Rentner aus ihrem Halbschlaf, und plötzlich – wie im Märchen – war alles in eine Atmosphäre friedlichster Unwirklichkeit getaucht.

Gregorio lehnte immer noch an seiner Säule. »Zimmermann geh in dein Zimmer, Schuster bleib bei deinem Husten, Boxer geh zu deinen Ochsen, Sünder leben gern gesünder«, zählte er auf, hoffnungslos und dennoch unverzagt.

Bevor er seinen Komplizen, den Kellner, bezahlte, stellte er sich ein Kind vor, das mit einem Aal als Bogen Geige spielte, und er sah einen Weg vor sich, auf dem ein zerbrochener Milchkrug lag. Dann ging er hinaus, schlug den Mantelkragen hoch und verlor sich in der Menge.

KAPITEL XIV

Der Winter war rauh, mit tiefhängenden Wolken und frostigen Pfützen, mit zugigen Hauseingängen und einem Nordwind, der um die Ecken pfiff. Gefühllos gegen alle Witterungen, arbeitete Gregorio an seinem Buch und unternahm an den Nachmittagen weite Streifzüge über die Grenzen seines Viertels hinaus, um nach den Andenken zu suchen, die er Gil versprochen hatte.

Zuerst fand er das Admiralsfernrohr seines Vaters. Es folgte die Brille des Richters, der glücklicherweise arg verblichene Kardinalshut seines Onkels, Marilyns Baskenmütze aus Pariser Zeiten und die Matrosenkappe, die er selbst als Schiffsjunge getragen hatte. Mit unauffälligen, aber regelmäßigen Entnahmen aus dem Binsenkörbchen finanzierte er Zeitschriften und Ansichtskarten aus aller Welt, die er an Zeitungsständen und in Antiquariaten erwarb, sowie Gegenstände, die seine großartige Vergangenheit belegten: einen Faschingspanamahut, den Kompaß seiner Arktisexpedition, den Pokal, den ihm ein König auf dem Dichterwettstreit von Paris überreicht hatte und in den die Worte DEM GROSSEN AUGUSTO FARONI, SIEGER DES INTERNATIONALEN DICHTERPREISES eingraviert waren, und noch weitere Dinge, die aufs trefflichste die verschiedenen Phasen seiner imaginären Existenz illustrierten. Wenn er mit den Trophäen nach Hause kam, versteckte er sie in einer Rumpelkammer im Keller, und während er die Treppen hinaufstieg, fragte er sich, wo dieses widrige oder glückliche Mißverständnis einmal enden sollte, und ob er die Kraft und die Überzeugung aufbringen würde, das hohe Bild Faronis aufrechtzuhalten, dessen Identität er ebenso schnell annehmen wie unabhängig von außen betrachten konnte: als die eines aus dem Ehrgeiz und dem Elend zweier Träumer geschaffenen Dritten. Doch kaum, daß solche Gedanken Gestalt annahmen, überließ er sich seinen nächtlichen Traumbildern, und die Welt wurde zu einem phantastischen Karussell wahrer und erfundener Dinge, die sich in wirbelndem Rausch übereinanderlegten. In solchen Augenblicken wurde ihm klar, wie sehr ihn jede Art von Träumerei abstieß, die nicht irgendeinen handfesten Bezug zur Wirklichkeit besaß.

Jene Gegenstände zeigten ihm seine fiktive Vergangenheit im Licht einer trügerischen Wahrhaftigkeit, und er verbrachte Stunden und Tage damit, neue Einzelheiten hinzuzufügen oder gegen andere auszutauschen, die seinem Temperament oder der Logik des Möglichen widersprachen. Seine Vergangenheit war somit beispielhaft, und er hatte ein umfangreiches Werk mit seinen Wirklichkeitsbezügen und seiner fragmentarischen Dichte vorzuweisen, in dem selbst die Lagunen des Vergessens berücksichtigt worden waren. Verwirrt, erleuchtet, lebhaft oder erschöpft – der aufblitzenden Ahnung von Gefahr und drohender Schmach entzog er sich dadurch, daß er sich einredete, für Gil ein gutes Werk zu tun – schickte er zwei Monate lang pünktlich seine Beutestücke auf den Weg, bis eine stattliche Sammlung beisammen war.

Gil empfing die Reliquien voller Entzücken. Da sein Vertreterdasein es ihm aber nicht erlaubte, sie ständig bei sich zu tragen, mietete er in Socorritos Pension ein eigenes Zimmer für sie, beschriftete jedes einzelne Teil und bewunderte in seinen freien Stunden und an Feiertagen die Beredsamkeit jener Symbole, die den Geist des Fortschritts und die historische Identität des Jahrhunderts verkörperten. Gregorio hatte ihm geraten, die Erbstücke, um sie vor Dieben und Ungläubigen zu bewahren, vorerst keinem Menschen zu zeigen und das provisorische Museum bis zur Einweihung des Kulturvereins verschlossen zu halten.

Er schickte ihm auch die versprochenen Bücher oder empfahl sie ihm. Gil besaß nur noch ein paar alte Handbücher aus der Heimstudienzeit sowie die Biographie von Mr. Edison. Außer diesen Büchern las er kaum etwas, und wenn er es versuchte, kamen ihm stets heftige Zweifel, ob das Buch, das er gewählt hatte, ihm wirklich von Nutzen war. »Sie könnten mich bei der Auswahl der wesentlichen Bücher beraten, mich anleiten«, hatte er mehr als einmal gefleht. Gregorio entstaubte seine alten Schulbücher und schickte oder empfahl ihm Platons *Dialoge*, die *Poetik* des Aristoteles, die *Theologische Summe* des Thomas von Aquin, Kants *Kritik der reinen Vernunft*, Hegels *Wissenschaft der Logik*, und bei der Literatur begannen sie mit *Mahabharata* und *Ramayana*, um sich später nach und nach bis zu den zeitgenössischen Meisterwerken vorzuarbeiten.

Von den angegebenen Büchern, ausgenommen jene, die Gregorio ihm schickte, fand Gil die meisten nicht, und die er fand, verstand er nicht.

»Ich bin darauf nicht vorbereitet«, jammerte er. »Außerdem muß man so was als Kind schon lesen. Wie mein Vater zu sagen pflegte: ›Ein alter Papagei lernt das Sprechen nicht mehr.‹«

Seine Begeisterung kannte jedoch keine Grenzen, als Gregorio ihm in großen Größen und mit wohlüberlegten Gebrauchsspuren seine gesamte Faroniausstattung von den Schuhen bis zum Hut einschließlich Sonnenbrille zukommen ließ. Beunruhigt stellte er fest, daß die Farce nunmehr eine solche Eigendynamik entwickelt hatte, daß ihre Logik ihn buchstäblich mitriß und keinerlei Erfindung mehr vonnöten war. Und als Gil eines Montags anrief und ihm mitteilte, er habe nun eine maßgeschneiderte Faroniausstattung samt Sonnenbrille und allem in Auftrag gegeben, erkannte Gregorio mit banger Gewißheit, daß es jetzt definitiv kein Zurück mehr gab und er der Gefahr einer Demaskierung nur dadurch entgehen konnte, daß er furchtlos in das tiefste Dickicht der Fiktion vordrang. Als er eines Tages durch die Altstadt schlenderte und in einem Schaufenster das Bild entdeckte, zweifelte er daher nicht eine Sekunde.

Es war das Porträt eines jungen Mannes mit vom Wind zerzausten Haaren, einem schmerzvollen, in die Ferne gerichteten Blick und einem lose geschlungenen Seidentuch unter den Revers eines lässig um die Schultern gehängten Rocks. Eine schicksalhafte Wehmut lag in seinen Augen, als sehe er am Horizont die offenbarten Schrecken seines eigenen Lebens, und der alleszerzausende Wind schien den finsteren Tiefen seiner Gedanken zu entspringen. »Das muß Faroni sein«, war sein erster Gedanke, und im tiefsten Innern seiner Seele erkannte er darin unfehlbar und arglos sich selbst. Er schaute nach oben und sah das Schild eines Antiquariats über einer Holztür mit hellklingendem Glöckchen, auf deren Läuten hin ein alter Mann aus dem Hinterzimmer kam, der sich eine Brille aufsetzte.

Gregorio deutete mit dem Daumen hinter sich.

»Wer ist das da, auf dem Bild?«

Der alte Mann tat ein paar vorsichtige Pantoffelschritte nach vorn: »Ein Dichter«, flüsterte er andächtig.

»Und weiter?«

»Ein romantischer Dichter.«

»Wann hat er gelebt?«

»Vor langer Zeit. Vor mehr als hundert Jahren.«

»Und wo?«

»In England.«

»Ein Engländer vor mehr als hundert Jahren«, überlegte Gregorio und dachte an die möglichen Vorteile dieser Konstellation. »Ich könnte sagen, es handle sich um ein idealisierendes Gemälde, oder es sei bewußt verfälscht, um es vor politischen Nachstellungen zu schützen.« Und was die unzeitgemäße Kleidung betraf, sagte er sich, daß zwar der Rock aus der Mode war, nicht aber der Anachronismus als solcher, wie er im Café gesehen hatte, wo man Umhänge, orientalische Gewänder, Fellmäntel und andere mehr oder weniger altertümliche Sachen trug, so daß Altes keineswegs unpassend war. Er verschickte es gleich am nächsten Tag mit Widmung und Unterschrift, und am Donnerstag darauf klingelte das Telefon mit aufgeregter Dringlichkeit.

»Ich habe Ihr Bild erhalten!« schrie Gil durch die Leitung. »Sie sind ein wunderschöner Mensch. Sie sehen aus, wie soll ich sagen, wie ein rebellischer Engel.«

»Nun, tatsächlich ist es so«, sagte Gregorio, die Dinge wieder an ihren Platz rückend, »daß der Maler, der ein Freund von mir ist, sich bemüht hat, vor allem den Geist zu erfassen.«

»Ja, er hat ihn wunderbar erfaßt.«

»Eben, denn was allein zählt, ist der Geist, alles andere ist zweitrangig.«

»Nicht ganz«, murmelte Gil.

»Doch, denke nur, daß es einarmige und hinkende Schriftsteller gegeben hat, zwergwüchsige Eroberer, bucklige Philosophen, und dennoch war ihr Geist groß und makellos. Wenn du sie malen müßtest, würdest du dann ihren Buckel und Gliederstummel malen, oder ihren Geist?«

»Ihren Geist.«

»Na eben, denn das ist es, was zählt: der Geist. Und tatsächlich«, hatte er plötzlich einen Einfall, »trägt dieses Bild den Titel: *geistiges Porträt des Dichters Faroni*, weil man insgesamt mehr mein geistiges Wesen sieht als mein körperliches.«

»Aber es heißt doch immer, das Gesicht sei der Spiegel der Seele.«

»Das ist relativ. Platon war zum Beispiel sehr häßlich, aber welch ein Philosoph! Cervantes hatte keine Zähne mehr im Mund. Solcher Beispiele gibt es viele.«

»Das Leben ist ein Mysterium«, staunte Gil.

Das Leben war in der Tat ein Mysterium. Als Gil zu Weihnachten erstmals seine neue Kleidung trug und anrief, dachte Gregorio, der am anderen Ende der Leitung genauso angezogen war, daß er eine solche Situation nie für möglich gehalten hätte. Ja, das Leben war ein Mysterium, ein Traum, eine Handvoll Sand in einer Puderdose. Andererseits hatte er die Wirklichkeit mittlerweile soweit bezwungen, daß er sich gar nicht mehr wunderte, als er eines Samstags am Ausgang des Cafés mit Marilyn zusammenstieß und all seinen Mut zusammennehmend sagte: »Hallo, Marilyn«, und sie ihm antwortete, »Wie geht's, Faroni?«. Um dem geringsten Anzeichen von Spott zuvorzukommen, um, falls solcher ihre Absicht gewesen war, ihre Dreistigkeit zu strafen, trieb er sich zu größerer Eile bei der Arbeit an seinem Buch.

Die Erstausgabe wurde bis ins letzte Detail durchgeplant. Sie würde aus dreiundvierzig seiner frühen und zwölf neuen Gedichten bestehen, sowie aus zwei Prologen (einem mit biographischen Daten gespickten von Gregorio Olías, und einem zweiten, den er von einer berühmten Persönlichkeit aus dem Ausland schreiben zu lassen gedachte) und einem Sonett oder einer Dezime von Santos Merlín an Faroni. Sieben Nächte lang arbeitete er unermüdlich. Zuerst schrieb er die Widmung: *Für meine Eltern und Großeltern. Für meinen Onkel, Seine Eminenz Felix de Olías. Für Angelina. Für meinen Freund Dacio Gil Monroy, den Chemiker und Denker. Für Gregorio Olías, meinen Cousin und Biographen.* Wer noch? Er dachte an Elicio, an Alicia, an Marilyn, an Angelinas Mutter und den einen oder anderen Nachbarn, doch um nichts zu übertreiben, beschränkte er sich schließlich auf den Zusatz: *Für meine Freunde auf der ganzen Welt.* Das schien ihm eine elegante, maßvolle Widmung zu sein, die sogar eine Spur von Rätselhaftigkeit besaß.

Dann ging er die Prologe an. Die biographischen Daten entsprachen dem, was er Gil erzählt hatte und enthielten die Aufzählung seines Gesamtwerks mit einigen ausgewählten Beispielen. Das ging schnell. Aber wer sollte ihm das zweite Vorwort schreiben? Ein imaginärer Dr. Sprummer oder eine Persönlichkeit des wirklichen Lebens, die jeder kannte? Früher hätte er sich vielleicht für ersteren entschieden, doch jetzt war sein Hunger nach Tatsachen so groß geworden, daß ihn allzu ätherische Erfindungen nur noch abstießen und er jene Phantasiegestalt verwarf, als handle es sich bei ihr um etwas höchst Anrüchiges. Er würde also eine real existierende Person wählen.

Er konzentrierte sich auf berühmte Namen. Die seines Landes

verwarf er aus naheliegenden Gründen, und nachdem er die wenigen ausländischen Berühmtheiten, die er kannte, abgehakt hatte, entschied er sich am Ende – und es war ihm wie eine Erleuchtung – für Ernest Hemingway, dessen Namen er einmal in der Zeitung gelesen hatte und den er für nicht allzu berühmt hielt. Da er außerdem schon tot war, konnte keiner kommen und sein Vorwort für falsch erklären.

Er dachte sich eine Geschichte aus, die von einem Hotel in Bagdad handelte, dem Hotel zum Halbmond, von zwei Gläsern Whisky, einer heißen Juninacht und einem hitzigen Disput über Platon, von einem bewaffneten Aufstand und davon, wie Hemingway und Faroni auf einem Kamel durch die Wüste flohen. Sechs Tage und Nächte irrten sie, von Durst und Fata Morganen gequält, durch das Sandmeer. Am siebten Tag erreichten sie eine Oase und teilten einen Zweig Datteln und einen Streifen gedörrten Ziegenfleisches miteinander. Damit war dem Erfindungsgeist Genüge getan. Er fügte noch ein paar realistische Einzelheiten hinzu und machte sich nun daran, den Prolog niederzuschreiben. Stilistische und sprachliche Vorbehalte tat er mit dem Gedanken ab, die Unterschrift allein werde genügen, jeden Argwohn zu zerstreuen. Er zog einen Federstrich durch die Luft und schrieb:

»Mein Freund Faroni, dem ich soviel verdanke – unser Leben draußen in Bagdad, um nur ein Beispiel zu nennen –, bittet mich um ein Vorwort zu einer Sammlung seiner frühen Gedichte, und ich muß gestehen, daß ich es nicht als Pflicht auffasse, sondern im Gegenteil als große Ehre. Und dennoch, welch ein Blättern im nächtlichen Archiv der Inspiration, um über Faroni zu berichten! Denn einerseits machen ihn sein künstlerisches Schaffen und sein zutiefst menschliches Streben zu einer der bewegendsten Gestalten unserer Zeit . . .«

Hier hielt er inne, überlegte lange und verbesserte dann die letzte Zeile:

». . . zu einer der bewegendsten und lichtesten Gestalten unserer Zeit, doch andererseits: Wer ist diese friedlose Seele, dieses geheimnisvolle Wesen, von dem kein Mensch etwas weiß, mit Ausnahme einiger Auserwählter, unter denen sein braver, nicht minder ruheloser Biograph Gregorio Olías besonders hervorzuheben ist? Was kann man von einem Menschen berichten, den Schmähungen nicht verletzen und der keiner Huldigung zugänglich ist? Faroni ist die magische Brise eines goldenen Ideals. Rauch und Gold ist sein Werk, das von gedungenen Mördern konfisziert und finsteren Verliesen überantwortet wurde. Doch keine Sorge! Weder wir, noch kommende Generationen werden die Hoffnung je begraben, dieses Werk aus der Gefangenschaft herausführen zu können, wie im Mittelalter die Christen ihr Jerusalem.«

Nicht ohne Bedauern strich er den historischen Hinweis und fuhr fort:

»Doch selbst wenn wir versagten, wenn das Unterfangen in der stürmischen Brandung der Verhängnisse scheitern sollte oder der schwarze Schleier des Vergessens uns mit seiner düsteren, unbarmherzigen Robe für immer umfinge, blieben uns doch jene, der Zukunft mit der unschuldigen Hand eines Banditen dargereichten Fragmente, deren Glanz allein schon ausreicht, die ungeheure Größe dieses Autors vor uns erstrahlen zu lassen. Und selbst wenn nichts übrigbliebe, nicht eine Zeile, genügte uns das Wissen um seine Existenz, um seiner ewig zu gedenken. Keine noch so infame Widrigkeit, keine niederträchtige Verschwörung wird je imstande sein, den zeitlosen Zauber von seines Namens Klang zu brechen.«

Überwältigt las er den letzten Absatz noch einmal durch. Welcher unglaubliche Glücksfall hatte ihm das Privileg solch hoher Worte gewährt? Dem Diktat welchen Odems hatte, unschuldig und zur rechten Zeit, des Banditen Hand gehorcht? War er vielleicht wirklich ein Genius im Rohzustand, wie jenes lodernde Gefunkel verhieß? »Die Hoffnung ist zart wie ein Vogel«, improvisierte er mit lauter Stimme, »wie die Rose im Juni. Geben wir sie nicht in ungläubige Hände.« Doch dann gewann er den Eindruck, sich auf einer Sprachebene zu verirren, die sich weit über das hinaushob, was die Situation erforderte. »Suchen wir Nährwörter ohne jedes Naschwerk«, dachte er, »das Erbsenwort, das sättigende Mahl, das rülpsen läßt, den Schinken eines Entwurfs, die Blutwurst eines Reims«, und aus Furcht, sich in der Aufzählung zu verheddern, fügte er hinzu: »die Fotze der Voraussetzung, der Arsch der Definition, der Schwanz des Gedankens« und hatte nun, durch diesen Exorzismus geläutert, das Gefühl, zu einem liebenswürdigeren Ton zurückfinden zu können. Er begann einen neuen Absatz, und knapp zwei Stunden später hatte er das Vorwort glücklich zu Ende gebracht:

»Ihr erinnert Euch, liebe Leser, an jene Stelle aus der Bibel, wo einer der Apostel Christus bat, den Finger in seine Wunde legen zu dürfen, damit er an ihn glauben könne. Auf die gleiche Weise werden allein jene, deren Glaube an die Kunst grenzenlos ist, an Faroni glauben, ohne die Notwendigkeit zu verspüren, sein Werk zu kennen. Für die Ungläubigen jedoch, die ihren Finger in die Wunde legen, oder, wie der Dichter selbst es ausdrücken würde: die zarte Rose des Sommers berühren müssen, für die liegt jetzt dieses Buch mit einigen seiner frühen Gedichte vor.

Sei nun bereit, Leser, die geheimnisvolle Schwelle zu überschreiten und in die Welt der magischen Wörter einzutreten, denn in Faronis Versen steht das Wort an einem neuen Anfang. So leset denn:

Eilig perlt der Amsel Gesang
dahin wie der Lauf des Wassers im Bach,
eiliger meinem Herzen die Träne entsprang,
wenn deine Liebe ich mißte vielhundertfach ...

Lies diese Zeilen Wort für Wort, schmecke ihren Klang, schließe deine Augen, Leser, und du wirst sehen, wie der Amsel Federn und Gezwitscher wachsen und das Wasser kristallklar perlend durch deine Ohren plätschert. Das ist das Werk seines Talents. Darin liegt seine Größe, für den, der sie sich zu verdienen weiß. Angesichts dieser frühen Jugendgedichte fragt man sich, welche Wunder sein übriges Werk noch bergen mag.

Leser, lege nicht deinen Finger in die Wunde des Meisters. Und du, Faroni, mein Freund, wo immer du gerade bist, sei aufrichtig umarmt von deinem Weggefährten und Bewunderer

Ernest Hemingway«

In der fünften und sechsten Nacht komponierte er die Dezime, die Santos Merlín ihm gewidmet hatte, gleich in doppelter Länge:

Es gibt keinen Zweifel, wenn ich es recht besehe,
an dem, was ich euch zu berichten weiß,
ebensowenig jedoch verheiß'
ich großer Neuigkeiten Mühe,
denn niemand wird wohl sagen wehe,
wenn, was ich weiß, ich einfach sag,
mit lauter Stimme sagen mag:

daß es unter all den Artisten,
dort bei den Essayisten
und in jedem andern Gelehrtenverschlag,
einen gibt (jeder wird's erraten haben),
der von allen dort glühend heiß
bewundert wird, und wer's noch nicht weiß,
dem verkünde ich nun seinen Namen:
zwar ist er Künstler und hat auch Examen,
doch ist er weder Leuchtturm noch Symbol,
er ist der Morgenstern, ist unser Pol,
er weist uns die Richtung in finsterer Nacht,
über uns er in Unendlichkeit wacht:
nun, wen meine ich wohl?

Santos Merlín

Als er am Morgen des siebten Tages mit gebändigter Begeisterung und beim fernen Klang der ersten Hornsignale zu Bett ging, schloß er die Augen, dachte an nichts und fühlte, wie die Müdigkeit aus seinem Körper rann und ihn in einen hilflosen Schwebezustand versetzte. Es war ein Dienstag im Januar.

Am Mittwoch ließ er sich in einem Atelier für das Bild auf der Rückseite des Buches fotografieren. Er posierte für ein Brustbild im Profil, maskiert mit in die Stirn gezogenem Hut, hochgeschlagenem Mantelkragen, Sonnenbrille, einer qualmenden Zigarette im Mundwinkel und eingehüllt schließlich in einem von Technik und Retusche erzeugten diesigen Licht, das die Umrisse verschwimmen ließ und ihm den Hauch eines *film noir*-Schauspielers verlieh. So sah der Held aus, der zu sein er als Jüngling immer geträumt hatte. Er prüfte den rätselhaften Gesichtsausdruck ohne Ort und Datum, die heimliche Dominanz der Leidenschaft, die privilegierte Melancholie seiner Körperhaltung, und erkannte unfehlbar den romantischen Dichter aus England, der jetzt, ein Jahrhundert später, und nachdem er alle Wandlungen durchlaufen hatte, die die Jahre und die Moden ihm abverlangten, noch immer wie gebannt in dieselbe ferne Leere schaute. Da kam ihm ein Gedanke. In dem Atelier standen ein paar gemalte Fotohintergründe herum, und er bat den Fotografen, ihn davor abzulichten. Ihm war die Idee gekommen, das Buch zu illustrieren und ihm dadurch gewissermaßen den Charakter einer lyrischen Dokumentation zu geben. Von den vorhandenen wählte er einen weißen Hintergrund, eine Schiffssilhouette, einen maurischen Säulengang und einen Urwald. Er ließ sich vor jedem Hintergrund vom Gürtel aufwärts und im Profil porträtieren und ordnete an, den Hintergrund verschwimmen zu lassen, damit die Künstlichkeit nicht auffiel. Der Fotograf hatte auch die passende Kleidung zur Hand. Für den weißen Hintergrund akzeptierte Gregorio eine Biberfellmütze, einen Tropenhelm und ein Gewehr für den Urwald und eine Kapitänsmütze für das Schiff; doch von seinem Mantel ließ er nicht, und auch nur für das letzte Bild lockerte er sein Halstuch und ließ es, mit Hilfe eines Ventilators, vor einem tropischen Palmenhintergrund im Wind flattern. Zu Hause schrieb er unter die Fotos: *Faroni am Südpol, Faroni im Amazonasdschungel, Faroni in Bagdad, Faroni in der Südsee.* Wie er sich da anschaute, kam er sich so unwirklich und zugleich so wunderbar wirklich vor, daß er nicht wußte, ob er sich gedemütigt oder stolz fühlen sollte in diesem einen großen Mißverständnis, in dem die Risiken sich bis zur Unkenntlichkeit mit den Vorteilen vermischten.

Am nächsten Tag brachte er das Manuskript in die Druckerei. Möglichen Fragen kam er zuvor, indem er erklärte, er sei ein Freund des Autors, Faroni sei sein in Paris lebender Cousin, er selbst heiße Gregorio Olías und sei der Biograph des Dichters – und als er seinen Namen nannte, hatte er ein wenig das Gefühl, zu lügen, und er freute sich, daß eine solche Empfindung schon möglich war. Er wählte einen Leineneinband und ein Folioformat, beschrieb das Bild für den Umschlag und besiegelte den Pakt, ohne zu feilschen, indem er ein Drittel des Gesamtpreises anzahlte.

Er wartete zwei Monate und zehn Tage. Anfangs ging er noch zur Druckerei, die sich hinter einer kleinen Eisentür in einem Kellerraum befand, zu dem drei Zementstufen hinabführten. Er traute sich aber nicht, hineinzugehen. Er spähte durch ein schmutziges Fliegengitterfensterchen und ergötzte sich an dem Geruch von Papier, Druckerschwärze und Schmierfett. Schon bald verdroß ihn die Warterei, und er suchte nach geeigneteren Formen, die Zeit herumzubringen. Zuerst versuchte er es damit, zwei Dinge gleichzeitig zu tun, weil er sich überlegte, daß Augenblicke wie Behältnisse waren, die sich um so schneller füllten, je größer die Aktionsmenge war. Wenn er die Zeitung las (auf der Suche nach Nachrichten über Hemingway, Bagdad, Rom, der Arktis und andere Städte, Gegenden und Ereignisse, die seine hypothetische Existenz bestätigten), mußte er gleichzeitig pfeifen oder sich die Fingernägel polieren; betrachtete er die Wolken, so mußte er sich auf die Erinnerung an einen vorherigen Blick konzentrieren. Er rasierte sich kämmend, aß singend, sprach schreibend, und in Augenblicken höchster Inspiration ließ er seine fünf Sinne und die drei Seelenkräfte zusammenwirken: er roch an einem Blatt, während er einem Vogel zuschaute, ein Eisen mit der Hand betastete, einen Grashalm probierte, eine Uhr schlagen hörte, über Platon nachdachte, sich an eine Begebenheit aus seiner Kindheit erinnerte und sich ein mittelalterliches Ritterturnier vorstellte, ganz wie ein akrobatischer Balancekünstler im Zirkus.

Er dachte sich noch weitere Tricks aus, um die Zeit zu überlisten, wie zum Beispiel den Tag in so kurze Zeiträume zu unterteilen, daß sie gar nicht mehr zur Geltung kamen. »Jetzt gehe ich die Treppe hinunter«, sagte er sich, und tatsächlich war er bereits unten, bevor er noch zu Ende gedacht hatte. Und wieder setzte er sich ein Ziel, das sich vorzunehmen länger dauerte, als es zu erreichen. So wurde das Warten zu einer Abfolge von strahlenden Siegen. Er kam sogar dahin, zwischen Donnerstag und Freitag einen zusätzlichen Tag einzuschieben, den er Saturnius nannte, so daß er am Samstag verblüfft feststellen mußte, daß bereits Sonntag war. Sein Wunsch, die Zeit zu überlisten, hatte nur zur Folge, daß er sie auf diese Weise unendlich intensiv erlebte.

Doch dann kam der Frühling so früh, daß Gregorio bereits Ende Februar, an einem Saturnius genau, die ersten blühenden Mandelbäume sah. Als Gil anrief, war das erste, was er ihm sagte, daß das Leben wunderbar und lebenswert sei, und sei es nur für den Zweck, die Blumen zu bewundern und auf den Balkon hinauszutreten und die neue Luft einzuatmen.

»Trotzdem zöge ich«, sagte Gil, »ein verrauchtes Café vor.«

Der eine schwärmte für das einfache Leben in der freien Natur, der andere für die Wunder des Fortschritts, und beider Sehnsucht war so aufrichtig, daß ihre geteilte Meinung sich sogleich in Verbundenheit verwandelte.

»Jeder sehnt sich nach dem, was er nicht hat«, sagte Gil.

»Kann sein. Aber manchmal ist das vollkommene Glück so nah, daß wir es gar nicht bemerken und uns auf der Suche danach immer weiter entfernen.«

»Ich glaube, daß man sich sein Glück verdienen muß, daß es einer Schatzsuche ähnelt. Und Schätze liegen immer nur in fernen Gegenden, nicht wahr?«

»Nun ja, vielleicht sind wir schon in weiter Ferne und wissen es nur nicht«, sagte Gregorio.

Was war das, mit dem in weiter Ferne oder nächster Nähe sein?

Und in bezug auf was? Gregorio wußte es nicht, aber er war glücklich. Die Sendungen aus der Vergangenheit waren abgeschickt, und in Kürze würde sein Buch herauskommen. Daher war der Frühling so etwas wie eine Frist voller Hoffnung und Frieden. »Das Warten macht mich glücklich«, dachte er und betete, nicht wissend, zu wem, daß dieses Warten sich noch lange Zeit hinziehen möge, denn jetzt, da er den Wert der Gewohnheiten kannte, das schlichte, unentwirrbare Geflecht irgendeines anonymen Lebens, war er glücklich und empfand die Zukunft als eine Bedrohung, vor der er im Moment noch sicher zu sein schien.

Doch als er ein paar Tage später in der Druckerei stand und das gedruckte Buch sah, den Umschlag mit dem Schiff und den Möwen und seinen Namen in flammenden Buchstaben, und alles genau wie in seinen Träumen war, da fühlte er sich von einem sanften Sog kraftvoll in die Höhe gehoben und auf der anderen Seite von Furcht und Bedrohung wieder zu Boden gesetzt. Die Fotos, die Gedichte, der Zauber allein der Namen (Faroni, Gregorio, Hemingway, Santos Merlín, Dacio Gil Monroy, Angelina, Felix de Olías), und auch der Geruch von Leim und Papier, alles war von einer unabweisbaren, blendenden Realität. Es war wie im Märchen, wenn die gute Fee den Kürbis und die Mäuse in eine Kutsche mit Pferden verwandelt, die Fischerhütte in einen glanzvollen Palast und das Brot der Armen in reines Gold. So war die Welt, so subtil verlief die Grenze zwischen Sein und Schein: eine Katze und ein schwarzgekleideter Mann, ein gläserner Schuh, der um eine Nummer zu klein dich nicht zur Königin macht, ein Wort, das aufgrund einer verwechselten Silbe die strotzende Schatzhöhle zur Gruft werden läßt. »So ist das Leben«, sagte er sich, während er wohlgemut die restlichen zwei Drittel des vereinbarten Preises bezahlte. »Dies ist das große Mysterium des gedruckten Wortes, der Bilder und Fotografien.« Wer würde jetzt noch zu behaupten wagen, er sei ein Hochstapler und Betrüger? Welcher Beweis könnte vor dem Buch bestehen, das er in seinen Händen hielt und in dem alle Namen dazu ausersehen schienen, die Meinungen der Sterblichen um vieles zu überdauern? In ihm hatte er Wörter zusammengetragen, die das Gut aller waren und ihm allein gehörten. Sie würden ihn vor der Unwirtlichkeit des Lebens in Schutz nehmen. Dies war nun tatsächlich seine Insel, fühlbar und echt. Und die Möwen dort, auch sie waren Kinder seiner Erfindungskraft, waren sein. Wer könnte sie fortnehmen? Fast mit Dankestränen in den Augen unterzeichnete er einen Beleg, schüttelte er eine Hand.

Es waren fünfzehn Packen. Er mietete einen Lieferwagen und setzte sich hinten zu seinen Paketen, wurde durchgeschüttelt und klammerte sich an den Streben fest, bis sie vor seinem Haus anhielten. Kaum hatte er die Last nach oben geschafft, öffnete er einen Packen und gab Angelina eines der Bücher.

»Das ist sehr hübsch.«

»Schau mal das Schiff und die Möwen und die Wellen. Und hier, das bin ich.«

Sie lasen die Widmung.

»Siehst du? Ich habe es auch dir gewidmet. Und dieser Dacio Gil Monroy ist der Freund, von dem ich dir erzählt habe. Er wohnt in einem Dorf und heiratet bald eine Frau, die Socorrito heißt. Und meinen Onkel nenne ich Eminenz, weil man in der Dichtung die Toten so anredet.«

Die Köpfe zusammengesteckt, lasen sie das Vorwort von Gregorio Olías.

»Das ist auch sehr dichterisch«, kam Gregorio Angelinas Verwunderung zuvor. »Das machen viele Autoren. Der mit dem Pseudonym gilt als Autor, und der wirkliche Autor hält die Lobrede. Ein Scherz, verstehst du?«

»Aber das ist gelogen, Gregorio. Dein Vater war kein Admiral, dein Großvater war kein Richter, dein Onkel war kein Kardinal, und du bist nie in Paris gewesen und auch in der Arktis nicht und nirgends von dem, was da steht.«

»Was weißt du davon?« sagte Gregorio. »Was weißt du von Kunst? Weißt du nicht, daß Dichtung immer Lüge ist? Hier, sieh mal die Stelle, ›der Mond nimmt ein Bad im dunklen Fluß‹. Das ist auch gelogen, denn der Mond badet nicht. Das ist wie im Kino. Warte«, und er stöberte nach einem Buch.

Er kam mit dem *Don Quijote* zurück und zeigte ihr die Prologe.

»Siehst du? Das ist alles erfunden. Davon hast du nur keine Ahnung. Alle Kunst ist Lüge, wie im Kino. Oder sind deine Kitschgeschichten, die du im Radio hörst, etwa wahr?«

»Und der, wer ist das?«

»Das ist Hemingway. Den kenne ich aus dem Café. Ein Amerikaner. So ein Kleiner, macht nicht viel her, ist aber ein guter Dichter und auch ein großer Redner. Manchmal kommt er in einer Tunika mit Lorbeerkranz, wie die alten Römer. Ich habe ihm mein Buch gezeigt, und es hat ihm so gut gefallen, daß er, na, du siehst ja, was er über mich schreibt. Ist das nicht schön? Und dieser Santos Merlín, sieh mal, der hat mir ein Gedicht gewidmet. Der kommt auch immer ins Café. Er heißt genau wie der Zauberer aus deinen Kindermärchen.«

»Aber du bist kein Genie, Gregorio.«

»Was weißt du denn davon, ob ich ein Genie bin? Hier steht, daß ich es bin, nicht? Und wenn diese Leute es sagen, wird es wohl stimmen. Und warum, bitte schön, soll ich kein Genie sein? Hm? Warum nicht?«

»Und diese Fotos.«

»Zur Illustration der Gedichte. Sag mal, verstehst du denn gar nichts? Hier heißt ein Gedicht *Ewiges Eis*, also steht daneben ein Foto mit Schnee, das die Arktis darstellen soll, damit der Leser sich ein besseres Bild von dem Gedicht und dem Dichter machen kann.«

Angelina schüttelte den Kopf und sah ihn mit herabhängenden Armen mitleidig an:

»Du bist ein Schwindler, Gregorio.«

»Ich?« Gregorio schaute sich um. »Ich ein Schwindler? Aber siehst du denn nicht, daß alles nur ein Scherz ist? Der einzige wirkliche Schwindler ist das Buch.«

»Du wirst noch im Gefängnis enden, Gregorio, oder in der Irrenanstalt. Sie werden dich einsperren, und was wird dann aus uns?«

Gregorio setzte ihr noch einmal die illusorische Natur der Kunst auseinander und dehnte seine Beispiele auf den Bereich des wirklichen Lebens aus, wo wir den Fall der Mutter haben, die sich einen Heiligen und einen heiligen Ehegatten und sogar den Herrgott höchstselbst ersonnen hat, dessen Existenz immerhin fragwürdig ist wie jede Existenz.

»Oder existieren wir etwa wirklich?« schrie er herumwirbelnd. »Wer sagt mir denn, daß du nicht eine Fata Morgana bist, oder wer sagt dir, daß es wirklich Mandrille gibt (das sind die Affen mit bunten Gesichtern), wenn du noch nie einen gesehen hast?«

Und er schrie weiter auf sie ein, er habe die Nase voll von so einer grauen Maus, die nichts anderes kannte, als immer nur sticken, stikken, sticken, die nie den Mund aufmachte, aber jetzt plötzlich gesprächig wurde, und mit nachäffender Stimme sagte er: »dies existiert nicht, das existiert wohl, du bist kein Genie, du warst nie im Urwald, sie werden dich einsperren«, und was ihm sonst noch an Wildheiten in den Sinn kam. Und das ihm! Ausgerechnet ihm, der dichtend die Nächte in sich hineinfraß, sich einer hehren Aufgabe verschrieben hatte, manchmal mit Erfolg, manchmal, meistens, ohne

Erfolg, jedenfalls immer im Einsatz und auf der Suche nach einem Lichtlein im geheimnisvollen Dunkel des Lebens, nach etwas, das dem Universum einen Sinn gäbe, einem Licht, das Rettung verhieß und Antwort auf all die schrecklichen Fragen, während sie, die graue Maus, weder dachte, noch las, noch ins Theater gehen wollte, sondern immer nur sticken, sticken, sticken und dann plötzlich alles, was er in schlaflosen Nächten geschaffen hatte, niedermachte, und das mit keiner anderen Autorität als ihrem blöden, laaaangweiligen gesunden Menschenverstand. Und das eine sollte sie sich hinter die Ohren schreiben:

»Es ist mir ganz egal, ob ich in der Arktis war oder nicht; den Urwald, den stecke ich mir sonstwo hin, und mein Onkel war Kardinal, weil ich will, daß er Kardinal war, und ich, ich bin Faroni, weil ich dies hier geschrieben habe«, dabei fuchtelte er mit dem Buch herum, »dies hier, und hier auf dem Umschlag steht, da kannst du es lesen, Fa-ro-ni, und weil ich lieber ein halber Faroni bin als so eine ganze Angelina. Und ich will in diesem Haus nicht mehr hören, daß es dieses oder jenes gibt oder nicht gibt! Kapiere endlich, daß es auch dieses Buch nicht gibt, und mich nicht und dich nicht und diese verdammte Scheißarktis auch nicht!«

Er trat ans Fenster und schaute auf die Straße. »Das Leben ist schön«, dachte er unwillkürlich und ebenso gewohnheitsmäßig und sachlich, wie ein Bankangestellter gesagt hätte: »Gehen Sie bitte zu Schalter fünf.« Er beruhigte sich wieder und sprach weiter zu ihr, denn sie war die legitime Tochter der Gewohnheit. Weiß blieb für sie alle Zeit weiß. Sie war nur einer einzigen Farbe treu. Hatte sie jemals eine Krise gehabt, wie er sie gehabt hatte, als er nicht sprechen und nicht essen wollte? Nein. Und glaubte sie, daß seine Krise eine Laune gewesen war oder auch eine Lüge? Dieser Faroni, der für sie so zum Lachen war, hatte im Begriff gestanden, seinem Leben ein Ende zu bereiten. Nicht Gregorio, der nur in Angelinas krankem Hirn existierte, sondern Faroni, der Autor des Buches, der einmal jung gewesen war, der Dichter, den anzuerkennen sie sich weigerte.

»Du kennst mich gar nicht und deswegen glaubst du, ich lüge, weil du immer nur den Büroangestellten Gregorio siehst und nicht den Dichter Faroni.«

Doch diese Dinge würde sie vielleicht nie verstehen. Er lebte in der Welt der Kunst, sie lebte in der Welt der Stickerei. Sie stickte Schwäne und den einen oder anderen Drachen.

»Also, ich will dir mal ein Beispiel nennen, damit du siehst, was ich meine. Deine Schwäne sind ebenso gelogen wie meine Reisen oder mein Vater der Admiral. Habe ich je zu dir gesagt, ›Angelina, was du da stickst, ist eine einzige Lüge, du bemühst dich vergebens, denn es gibt keine Drachen, und man wird dich einsperren, ins Irrenhaus werden sie dich stecken oder ins Gefängnis‹? Nein, denn auch deine Stickerei ist Dichtung, ist Poesie, und alle Menschen auf der Welt sind in gewisser Weise Dichter.«

Ob Angelina nun das Geschrei zu viel geworden, oder ob sie der Beredsamkeit seines Beispiels erlegen war, jedenfalls begriff sie jetzt.

»Verzeih mir, Gregorio«, sagte sie.

Gregorio faßte sie an den Schultern und setzte sich mit ihr aufs Sofa. Sie schlugen das Buch auf und lasen das erste Gedicht, das ihnen vor Augen kam, und es war just jenes vom ewigen Eis.

»Es ist sehr schön«, sagte Angelina.

»Ich habe es geschrieben, während du schliefst«, sagte Gregorio mit raunender Stimme, »und als ich es schrieb, habe ich an dich gedacht.«

Angelina senkte den Kopf, und er verirrte sich mit seinem Kuß auf ihren Nacken.

»Die Poesie ist wie die Religion. Darum hat der Herr auch so viele Namen: Jesus, Christus, Jesuchristo, Jahwe, der Erlöser, der Messias, das Lamm, der Hirte, das Wort, der Nazarener, Sohn Gottes und noch andere, die mir jetzt nicht einfallen. Genauso ist es mit allen Dingen. Wenn du es dir recht überlegst, sind die Dinge, die mehrere Namen haben, immer magisch, und was wir Dichter tun, ist nichts anderes, als den Dingen neue Namen zu geben, um sie geheimnisvoll zu machen.«

Er enthüllte ihr noch weitere Geheimnisse der Kunst, vermied es jedoch, die Rede auf den finanziellen Aspekt des Buches zu bringen. Er hatte von Anfang an gewußt, daß er es nicht auf Literaturwettbewerbe schicken konnte, da es unmöglich war, all die Ungereimtheiten zu erklären, besonders in bezug auf Hemingway und auf die Titel und Fragmente, die im Gesamtwerk genannt wurden. Aus demselben Grund kamen auch die Buchläden nicht in Frage. Er würde den Kreis seiner Leser also einschränken. Noch in derselben Nacht richtete er vier Pakete her: drei Exemplare für den Professor, drei für Marilyn, fünfzig für Gil, die er im Kulturverein verkaufen konnte, und ein Exemplar für den hilfsbereiten Kellner. Was geschah aber mit den vierhundertdreiundvierzig Büchern, die übrigblieben?

Sieben Monate später, am 4. Oktober, erinnerte sich Gregorio, daß die Bücher danach an den ungewöhnlichsten Stellen auftauchten: unter den Schränken, in der Speisekammer, in Blumentöpfen, beim Zurückschlagen einer Decke, beim Aufschlagen des Tischtuchs, in einem Topf, in der Drehorgel, unter einer Matratze, im Backofen und in den Taschen aller Anzüge, Mäntel, Schürzen und Schlafanzüge. Als Angelina eines Tages einen Einbauschrank aufschloß, kam ihr eine Lawine von Büchern entgegen, und in der Rumpelkammer fand sie weitere, von Mäusen halb zerfressen. Sie ertranken, erstickten, versanken, erstarben in einem Meer von gedruckten Worten. Angelinas Mutter sprach von einer göttlichen Strafe, und das Hündchen sprang kläffend um jedes Buch herum, das ihm in die Quere kam. Da zudem die Fotos schlecht eingeheftet waren, reichte der geringste Luftzug, um eine Wolke von losen Blättern aufzuwirbeln und als Faroni in der Arktis, Faroni im Urwald, Faroni in Bagdad und Faroni in der Südsee herabregnen zu lassen, und es war schier unmöglich, dem Zorn dieser wahrhaft biblischen Plage zu entgehen.

Gregorio hatte inzwischen jedoch einige bemerkenswerte Erfolge erzielt. Nachdem Gil keine Worte, seine Bewunderung auszudrükken, gefunden, jedoch bekundet hatte, Hemingway zwar nicht zu kennen, aber andere Vertreter nach ihm befragt und wahre Wunderdinge von diesem genialen Amerikaner gehört zu haben, berichtete er, daß mit den vielen Büchern, die zu den Reliquien dazugekommen waren, das Pensionszimmer zu klein geworden war für all diese bewahrenswerten Dinge, und er deshalb ein ebenerdiges Zimmer in einem halbverfallenen Haus gemietet und über der Tür ein Schild mit den Worten KULTURVEREIN AUGUSTO FARONI angebracht hatte. Er berichtete auch, sich mit Socorrito überworfen zu haben, die gesagt hatte, er lade ihr das Haus mit Trödelkram voll, und ihm die Wahl zwischen ihr und den Erinnerungsstücken gelassen hatte. Und da sie eine Frau war, die kein Blatt vor den Mund nahm, hatte sie ihm auch noch gesagt, wenn er sich weiterhin so lächerlich anziehe, mit dem Hut und der Sonnenbrille, dann brauche er ihr nicht mehr unter die Augen zu treten.

»Und ich, Señor Faroni«, sagte er mit vor Stolz ganz wackeliger Stimme, »habe mich für Ihre Erinnerungsstücke entschieden. Darum habe ich auch das Erdgeschoßzimmer gemietet, das zwar früher ein Stall war, aber jetzt ganz ordentlich geworden ist. Ich habe den Fußboden mit Zement ausgegossen, und auf die Futterkrippe habe ich ein Regal für die Bücher gestellt. Die Wände habe ich blau angestrichen, und jetzt baue ich noch ein Podium, damit alles fertig ist, wenn Sie zur Eröffnung kommen. Leider passen da nicht mehr als zwanzig Personen hinein, wenn überhaupt, für Sie jedenfalls viel zu wenig. Und darum«, fuhr er mit neuerwachter Begeisterung fort, »will ich auch nicht mehr heiraten. Denn auch ich, mein lieber Faroni, und gestatten Sie, daß ich Sie so nenne, erlauben Sie, mir diese Freiheit zu nehmen, denn auch ich glaube nicht mehr an die Ehe. Ich glaube nur noch an die Wissenschaft, an die Kunst und an den Fortschritt, wie Sie. Als ich Ihr Buch gelesen habe, ist mir einiges klar geworden. Ich habe mir gedacht: ›Den Seinen gibt's der Herr im Schlaf.‹ Und das ohne Neid, das wissen Sie. Im Gegenteil, ich habe wohl tausendmal die Widmung gelesen und mir gesagt: ›Da stehst du, armer Gil, verewigt, ohne etwas dafür getan zu haben. Du bist fünfundvierzig Jahre alt und wirst irgendwann sterben, ohne das geringste vollbracht zu haben, und in ferner Zukunft einmal wird jemand das Buch lesen und sagen: Dieser Dacio Gil Monroy muß ein großer Mann gewesen sein.‹ Und da habe ich mir gedacht: ›Vielleicht kannst du doch noch etwas tun. Nichts Großes, aber etwas Beispielhaftes, etwas, das aus deinem Leben mehr macht als eine einzige Katastrophe.‹ Und dann habe ich es sehr klar vor mir gesehen. Ich habe mir gesagt: ›Du brauchst einen Plan, auf den du deine ganzen dir noch verbleibenden Kräfte richten kannst.‹ Ich bin nämlich noch sehr kräftig. Lachen Sie nicht. Manchmal habe ich das Gefühl, einen wilden Stier in mir zu haben, und weiß nicht, gegen wen ich ihn richten soll. Und wozu ist all die überschüssige Kraft dann gut? Um zu verbittern, zu sonst nichts. Habe ich recht?«

Gregorio antwortete, ja, genau, das sei das Geheimnis der Glückseligkeit, und fügte in Gedanken an die Ratschläge seines Großvaters hinzu: »Und sei nicht bescheiden in deinen Wünschen. Je schwieriger der Plan auszuführen ist, desto stolzer kannst du auf ihn sein, und wenn er unmöglich durchzuführen ist, noch besser, denn auch im Scheitern liegt großer Ruhm.«

»Dann meinen Sie also, ich sollte etwas Grandioses planen?«

»Etwas Grandioses oder auch was Kleines, ich weiß nicht. Das hängt von den Idealen ab, die ein Mensch hat.«

»Dann, Señor Faroni, werde ich mir etwas ausdenken, das vielleicht ganz unmöglich ist. In gewisser Weise habe ich nämlich schon einen Plan.«

»Schon? Welchen denn?«

»Na ja, darüber möchte ich jetzt noch nicht reden. Wenn ich Ihnen davon erzählte, würden Sie mich nur auslachen. Außerdem ist es blanker Unsinn, wissen Sie?«

Gregorio dachte, ein Mensch wie Gil sei zu nicht viel mehr imstande, als so bescheidene Projekte wie das mit dem Stall durchzuführen, und nahm an, daß die Einweihung des Kulturvereins bevorstand. Aber er hatte jetzt das Buch und kannte Faronis Leben und Schaffen in all seinen Zwischenstufen, Nebenwegen und Notausgängen, daß ihn die Gefahr einer Demaskierung nicht mehr schrecken konnte. Zur Sicherheit begann er aber noch in derselben Nacht mit der Ausarbeitung einer langen Rede über Faroni, mit Gedichtzitaten, ausgewählten Fragmenten sowie einigen Erinnerungen an seine Reisen und Abenteuer. Durch diese Beschäftigung hob sich seine Stimmung, denn er ahnte vage, daß nach der Fertigstellung des Buches nicht mehr viel zu erfinden und der ganzen Geschichte kaum noch etwas hinzuzufügen war.

Mit dem Buch konnte er nun auch seinen alten Traum verwirklichen, wie Faroni gekleidet aus dem Haus zu gehen und den Buchtitel *Gesammelte Gedichte eines Künstlerlebens* aus der Manteltasche hervorlugen zu lassen. Am ersten Samstag schenkte er dem Kellner ein Exemplar. Die Furcht vor Spott oder Gleichgültigkeit jedoch, die sich ein wenig in das Wonnegefühl mischte, mit dem er sich bereits in der Verblüffung sonnte, die die Lektüre hervorrufen würde, hielt ihn davon ab, die Bücher für den Professor und Marilyn auszuhändigen. Er dachte sogar daran, sich in der Diskussionsrunde als Gregorio Olías, der Sprecher Faronis, vorzustellen und den geschmälerten Triumph zu kosten, Marilyn sich in das hypothetische Wesen verlieben zu sehen, dem auch Gil verfallen war. Doch die Verwirrung über jene neuerliche Verdoppelung zügelte seine Verwegenheit. Als er schließlich hörte, daß die Zusammenkünfte von Ende Juni bis September ausgesetzt würden, verschob er die Übergabe auf den letzten Samstag, damit sowohl Marilyn als auch der Professor sich während des Sommers mit dem Rätsel befassen konnten und er genügend Zeit hatte, sich gegen den Zugriff der Wirklichkeit zu wappnen.

Nun, der Juni kam näher, und Gregorio sah seine Pläne zunehmend von einer düsteren Ahnung überschattet. Fest stand, daß Marilyn und der Professor sich nicht so leicht beeindrucken lassen würden wie Gil, bei dem die Grenzen zwischen Gutgläubigkeit und nostalgischen Wünschen fließend waren. Vielleicht würde das Buch das genaue Gegenteil von dem bewirken, was er sich erhoffte. Vielleicht würde er statt Bewunderung nur bitteren Spott und Mitleid in ihren Augen lesen, müßte beschämt entfliehen und dem Café auf immer entsagen. Er war über diesen Gedanken so entsetzt, daß er bei nächster Gelegenheit von dem Kellner das Buch mit der Begründung zurückforderte, wichtige Korrekturen vornehmen zu müssen. Drei Wochen lang blieb er dem Café fern, in der vierten stand er wieder an seinen Pfeiler gelehnt, verschwand jedoch vor Schluß. Er glaubte gesehen zu haben, daß einige der Zuhörer ihm hinterhältige Blicke zugeworfen hatten, und kein Geflüster gab es, das nicht ihm gegolten, und keinen Blick, der nicht den Hochstapler mit der dunklen Brille entlarvt hätte. Er war jedoch nicht bereit, die Niederlage hinzunehmen. Am letzten Samstag im Juni nahm er all seinen hohen Mut zusammen und trug die sechs gewidmeten Bücher ins Café. Er ließ sich in den ersten Reihen sehen, und als der Vortrag beendet war und die Diskussion begann, ging er zu dem Kellner, beauftragte ihn mit der Übergabe der Bücher und verschwand in dem konfusen Bewußtsein, jener Akt zeuge von Verzicht, von Schneid, von Demut.

Im Juli war die Stadt wie ausgestorben, und Gregorio verbrachte seine freie Zeit damit, sich seiner Bücher zu entledigen. Jeden Tag verließ er das Haus mit einer prallen Korbtasche, und wenn er zurückkam, trug er sie flach unter dem Arm. Er steckte die Bücher in Briefkästen, stellte sie in die Regale von Buchläden und Bibliotheken (nicht ohne die entsprechende Karteikarte, auf der auch sein Gesamtwerk aufgelistet war, mit einzuordnen), ließ sie in Kinos liegen, auf Parkbänken und Kaffeehaustischen. Angelina erzählte er, er trage sie zu den Verlagen, und sie zeigte nicht die geringsten Anzeichen von Zweifel, Kleinmut oder Niedergeschlagenheit, noch verlor sie jemals wieder ein Wort über sie.

Im selben Tempo verlor Gregorio nun auch den Spaß an der Farce und sah sich in eine gähnende Leere gezogen, die ihm schon reichlich bekannt vorkam. Er wußte nicht, ob er sich glücklich oder elend fühlen sollte. Er wußte weder, ob dieses Erschlaffen einen Anfang oder ein Ende ankündigte, noch an welchem Punkt seines Daseins er sich genau befand, ob im wiedergefundenen Land seines Ursprungs oder unwiderruflich verloren in einer Steppe ohne Wiederkehr. Gil hingegen schien von Mal zu Mal mehr Herr seiner verhaltenen Begeisterung, die er gern mit melancholischem Schweigen umhüllte.

»Woran denkst du, Dacio?« fragte Gregorio so schmeichelnd, daß nur ein Seufzer die angemessene Antwort hätte sein können.

»Ich? An nichts. Woran soll ich denken?«

»Ich weiß nicht, vielleicht an deinen Plan.«

»Ich, einen Plan? Ach was! Ich habe nur den Störchen zugeschaut.«

Gregorio versuchte, ihm das Geheimnis zu entlocken, doch Gil war der Meinung, daß man Geheimnisse nicht verriet, weil es sonst keine Geheimnisse mehr waren. Wer wußte, ob er ihm nicht einen Triumphzug mit Blaskapelle und fähnchenschwenkenden Schulkindern organisierte. Wer wußte schon, ob er nicht sogar imstande war, ein Kino zu mieten oder eine Stierkampfarena oder ihm ein Denkmal zu errichten, auf seidenem Kissen vielleicht die Schlüssel einer Stadt zu übergeben. Wer wußte, ob er ihn nicht durchschaut hatte und heimliche Rachepläne schmiedete. Obwohl die Eröffnungsrede bereits geschrieben war – die Einweihung hatte er sich stets an einem kleinen, verschwiegenen Ort vorgestellt, mit wenigen ausgesuchten Gästen, Freunden von Gil, nicht mehr als neun oder zehn –, begann er sich nun Vorwände auszudenken, die seine doppelte Anwesenheit als Biograph und Biographierter erklären sollten. Denn hatte Gregorio früher Gils Ungläubigkeit gefürchtet, so fürchtete er jetzt, da dieser die Initiative ergriffen hatte, noch mehr seinen Fanatismus. Um Zeit zu gewinnen und sein Selbstvertrauen wiederzufinden, teilte er Gil mit, daß er im August, während der Ferien, eine Reise durch die Vereinigten Staaten von Amerika unternehme.

»Nach Amerika! Wie beneide ich Sie, mein lieber Faroni, gestatten Sie mir das Wort. Und Sie sagen das so, als gingen Sie nur mal eben Zigaretten kaufen! Nach Amerika! Das große Amerika! Und fährt Señorita Marilyn mit Ihnen?«

Gregorio sagte, nicht nur sie, sondern auch Santos Merlín und die anderen Wissenschaftler und Künstler aus dem Café. »Wir sind eine Art Kulturkomitee. Du weißt ja, alle zehn Jahre findet ein internationales Treffen aller Gelehrtenvereine statt«, fügte er hinzu.

»Was mag man da alles zu hören bekommen! Über was da wohl alles gesprochen wird!« sagte Gil mit leiser Stimme, in der mehr Trübsal als Begeisterung schwang. »Was gäbe ich darum, mir das anhören zu können, selbst wenn ich mich dazu unter einen Tisch kauern müßte wie eine Katze. Statt dessen sitze ich hier und schaue den Störchen zu!«

»Wenn ich zurück bin«, sagte Gregorio, auf der Flucht vor tröstenden Worten, »können wir ja über die Einweihung des Kulturvereins sprechen. Du weißt, wie sehr ich den einfachen Dingen zugetan bin, und daher würde es mir gut gefallen, wenn sie in diesem ebenerdigen Raum stattfände, mit wenigen Leuten, wie die ersten Christen. Ein intimer Kreis. Vier, fünf, neun Personen.«

»Sie haben mehr verdient«, protestierte Gil. »Viel mehr. Das fehlte noch, daß Sie aus Amerika zurückkommen und in einem Stall vor einem halben Dutzend Leute sprechen!«

»Aber das stört mich nicht. Du weißt zur Genüge, daß ich ein einsamer, schüchterner Mensch bin, ein Eigenbrötler sozusagen. Und da es eine heimliche und daher gefährliche Veranstaltung sein wird, ist ein Stall genau der richtige Ort.«

»Nein, Señor Faroni, das ist unmöglich. Ich kann nicht zulassen, daß Sie Ihren Fuß da hineinsetzen. Eine Schande wäre das.«

»Also gut, mal sehen, hat dein Plan etwas mit meinem Besuch zu tun?«

»Entschuldigen Sie, aber ich habe keinen Plan.«

Gregorios Stimme wurde hart:

»Ich habe für deine kindische Heimlichtuerei nichts übrig.«

Er hoffte, Gil mit dem drohenden Ton einzuschüchtern, doch verschlug es ihm selbst die Sprache, als er Gils nasalen Aufschrei hörte:

»Ich verlange, daß Sie mich entschuldigen!«, und beide schwiegen erschrocken über diese Worte.

Gleich darauf schlug Gil wieder seinen Klageton an.

»Ich . . . verzeihen Sie, seien Sie mir nicht böse, ich bitte Sie. Denken Sie bitte nichts Schlechtes von mir. Aber einen Plan habe ich wirklich nicht! Und wenn ich einen hätte und würde mit Ihnen darüber sprechen, dann würden Sie mich nur auslachen. Und was hätten wir dann davon? Ich bin nur ein unbedeutender Mensch, und darum müssen Sie mich verstehen und mir verzeihen. Bitte, sagen Sie, daß Sie mir verzeihen!«

Und Gregorio, der keinen anderen Ausweg sah, antwortete ihm:

»Ja, Gil, ich verzeihe dir«, und darauf wußten beide nichts mehr zu sagen.

Ende Juli erhielt er eine Postüberweisung über den Erlös aus dem Verkauf von sechsundzwanzig Büchern, die Gil auf Extrareisen losgeschlagen hatte, und eine Woche später verabschiedeten sie sich bis September. Gil bat ihn, ihm aus Amerika zu schreiben. »Und vergessen Sie mich nicht, und kommen Sie wieder«, sagte er, »denn was wäre ich ohne Sie?« Gregorio, den seine Worte tief berührten, versprach ihm, zu schreiben und ihm hinterher alles Nennenswerte zu berichten.

»Adiós, Señor Faroni, eine gute Reise, und grüßen Sie das Komitee von mir«, waren seine letzten Worte.

KAPITEL XV

August war ein eintöniger, friedvoller Monat. Gregorio und Angelina gingen ins Kino und im Viertel spazieren wie während ihrer Verlobungszeit. Sie vergaßen nie, der Mutter Süßigkeiten mitzubringen, die sie in ihrem Zimmer verschlang, wobei sie mit vollem Mund über die schlechten Zeiten klagte. Abends stellte Gregorio die Uhr um sechs Stunden zurück, schlug den Atlas auf und reiste mit Hilfe eines Rotstifts durch Nordamerika, wobei er täglich Entfernungen zurücklegte, die sich stets im Rahmen des Wahrscheinlichen hielten. In der Botschaft und in Reisebüros deckte er sich mit Prospekten und Fahrplänen ein, und an sie hielt er sich strikt. Er besorgte sich auch Ansichtskarten von den Niagarafällen, den Wolkenkratzern von New York, vom Pentagon und einer über die Prärie donnernden Büffelherde, die er mit einer Notiz seines Biographen versehen an Gil schickte: *Diese Postkarten hat Faroni für Sie geschickt. Aus Sicherheitsgründen hat er Ihnen nicht direkt geschrieben. Was macht der Kulturverein? Herzliche Grüße, G. Olías.* Er beschrieb darauf Landschaften und Volksbräuche, berichtete von wunderbaren Apparaten, die Lügen aufspüren und die geheime Sprache der Blumen übersetzen konnten, von Lichtern und Türen, die auf Ansprache reagierten, und von Automobilen, die allein mit der Kraft der Gedanken gelenkt wurden. Er berichtete, wie er (»begeistert und unverdient«) von den nordamerikanischen Künstlern empfangen worden war, von den Ehrungen und den Reden und dem Angebot, das er vielleicht annehmen werde, die Hauptrolle in einem Film über sein Leben zu spielen, mit einem bekannten Hollywoodstar in der Rolle der Marilyn. Auf einer Ansichtskarte hatten auch die anderen Mitglieder des Kulturkomitees kurze Grüße an Gil geschrieben, jeder in der ihm eigenen Handschrift: ›*Auch im August sind unsere Gedanken bei Dir, Dacio. Vergiß uns nicht. Marilyn.*‹ ›*Hello, Dacio! How do you do? I am*

Mark. I know by Faroni. And the Culturecircle? Goodbye, friendly Dacio. Mark Sperman.‹ ›Sehr geehrter Herr Gil Monroy: Augusto hat mir viel von Ihnen erzählt. Ich bin gespannt auf weitere Gedanken von Ihnen und rufe Ihnen zu: Kopf hoch, junger Freund! Vertrauen Sie auf die Nachwelt. Herzlichst, Santos Merlín.‹

Gregorio verhehlte ihm nicht seine wahren Gefühle: er war trotz allem betrübt, einerseits, weil er sich nach der Einsamkeit seines Künstlerdaseins zurücksehnte, andererseits, »weil ich wohl langsam alt werde«, schrieb er, und dachte ernsthaft darüber nach, ob er sich auf der Suche nach wahrem Frieden nicht aufs Land zurückziehen sollte. »Ich beneide Dich, Dacio, denn der Fortschritt ist nichts als eitler Schein; der Ruhm, ein Häuflein Asche, und das Leben ein bedeutungsloser Traum.« Tief im Grunde waren seine Briefe aufrichtig und bescheiden, und in einem riskierte er sogar den Satz: »Manchmal glaube ich, der Einbildung meines Biographen zu entspringen.« Ohne Gil, ohne die Abwechslung des Cafés, sein Buch veröffentlicht, das Werk vollendet und die Briefe aus Amerika abgeschickt, konnte Gregorio sich nicht des Verdachts erwehren, die Farce könne nun an ihr Ende gekommen sein. Er glaubte nicht, daß seine Kräfte ausreichten, sie im Herbst wieder aufzunehmen, und die wenigen, die er noch besaß, würde er brauchen, um den Schluß in Szene zu setzen, das Publikum zu grüßen und den Vorhang zu senken.

In einem solchen Gemütszustand befand er sich, als Gil am 2. September anrief. Er hatte die Ansichtskarten erhalten, auch die mit den Grüßen des Komitees, und war ganz benommen von soviel Aufmerksamkeit und wohlmeinenden Worten. Das war auch das erste, was er sagte:

»Wie kann ich dafür danken, daß solche berühmten Persönlichkeiten einem armen Vertreter wie mir Grüße aus Amerika schicken? Das habe ich doch gar nicht verdient. Ich habe mir daher die Freiheit genommen, Ihnen ein paar Aufmerksamkeiten zu schicken. Für die Señorita Marilyn eine Puppe in der volkstümlichen Tracht dieser Gegend, dem Señor Merlín ein Paket mit geräucherten Würsten von hier, die sehr lecker sind, dasselbe für Señor Sperman, damit er sie mal probiert, und für Sie habe ich lange überlegt, was ich schicken soll, und habe Ihnen dann etwas ganz Kindisches geschickt, was für mich aber das Beste ist, was ich verschenken kann. Es ist das Taschenmesser meines Vaters. Etwas Besseres ist mir nicht eingefallen, um Ihnen meinen Dank auszudrücken. Und lieber mache ich mich lächerlich, als mich für undankbar halten zu lassen.«

Ob dieser bescheidenen Lektion in Sachen treuer Ergebenheit stammelte Gregorio kleinlaut ein paar Worte im Namen des Komitees. Gleich darauf sprachen sie von den Wundern der Reise. Gregorio antwortete auf Gils Fragen mehr pflichtschuldig als eifrig, und der lakonische Ton in seiner Stimme wurde gönnerhaft, als er nach einer Gesprächspause fragte:

»Und wie steht es um deinen Plan?«

»Mein Plan? Ach, ich weiß nicht, schlecht nehme ich an«, antwortete Gil traurig.

»Du weißt es nicht?«

»Nein, weil es wohl nichts damit wird, warten Sie's nur ab«, sagte er düster.

»Nun, vielleicht kann ich dir helfen, wenn du mir erzählst, um was es geht.«

»Nein, nein, ich will Sie damit nicht belästigen. Tut mir leid.«

»Aber Dacio. Seit wann haben wir Geheimnisse voreinander? Habe ich dir nicht alles von mir erzählt; Dinge, die ich keinem anderen Menschen je erzählt habe?«

»Ja, ich weiß, Señor Faroni, darum bitte ich Sie auch, verzeihen Sie. Verzeihen Sie mir, obwohl ich es nicht verdient habe?«

Und er bat so sehr um Verzeihung, und wiederholte immer wieder, daß er sie nicht verdiene, obwohl er unablässig darauf beharrte, verziehen zu bekommen, daß Gregorio ihm verzieh, ohne zu wissen, was und wofür.

Er wußte auch nicht genau, warum ihre Gespräche von nun an so geheimnisvoll wurden. Den ganzen September über sprachen sie von Amerika und den Gelehrtenvereinen dort, doch plötzlich gerieten ihre Gespräche ins Stocken, als dümpelten sie im Bann einer irgendwie beredten Stille. Sie sprachen über etwas, und mit einemmal schwiegen sie, als ständen sie beide unter Hypnose. Gregorio wußte nicht, ob er diese hirnlosen Flauten auf ihre langjährige Vertrautheit schieben sollte, die sie zur glücklichen Langeweile eines alten Ehepaars verdammte, das keiner Worte mehr bedurfte, um sich zu verstehen, oder ob Gils Geschenke auf seinem Gewissen lasteten und ihm die Freude an der Fiktion genommen hatten und damit die Meisterschaft ihrer Handhabung. Vor allem das Taschenmesser brachte ihn in Gewissensnot. Es war ein billiges Messer mit Griffschalen aus gelbem Plastik und einer rostigen Klinge voller Scharten, die nach Fisch roch. Er betrachtete es jedoch als einen Schatz, den er nach jahrelanger Jagd erbeutet hatte. Die anderen Geschenke gehörten ihm allerdings nicht. Das war ihm klar. Darum erwachte er auch eines Morgens mit der absurden, doch korrekten Überzeugung, sie ihren rechtmäßigen Empfängern übergeben zu müssen. Er kam nicht einmal auf den Gedanken, daß seine guten Absichten ein Vorwand sein könnten, um wieder ins Café zu gehen. Er fürchtete in der Tat, sich mit dem Buch eine Blöße gegeben zu haben und zum Gegenstand des Spotts zu werden. Er hörte schon, wie sie ihn nach Hemingway, nach der Arktis und nach dem Dschungel fragten. Nun, die Folklorepuppe und die Würste setzten ihn vielleicht in die Lage, ihrem Spott mit noch subtilerem Spott oder gar Sarkasmus zu begegnen.

Diese Hoffnung war ihm ein dumpfer Ansporn. Am zweiten Samstag im September postierte er sich mit den Paketen unter dem Arm an einer Straßenecke und beobachtete von dort aus die Ankunft des Professors, Marilyns und der übrigen Gefolgschaft, traute sich jedoch nicht hineinzugehen und weniger noch, sie anzusprechen. Er fühlte sich in die Enge getrieben und wußte nicht, was er tun sollte. Er lief vor dem Café auf und ab, spähte durch die Fenster (so vorsichtig, daß er nichts sah), entschloß sich, zu gehen, kehrte wieder um, postierte sich erneut an der Straßenecke, bezähmte seine Kühnheit mit Furcht und seine Furcht mit Kühnheit, bis es ihm gelang, beide Empfindungen zusammenzuführen. Da schob er sich den Hut ins Gesicht, betrat das Café und verzog sich im Krebsgang hinter einen Pfeiler. Mit spähenden Gangsterblicken erhaschte er den Glanz von Marilyns Haar und die schöpferischen, ätherischen Hände des Professors. Kurz darauf hörte er Gelächter und wußte sogleich, daß von ihm gesprochen wurde.

»Über wen sprechen sie?« raunte er einem jungen Mann ins Ohr, der auf der anderen Seite am Pfeiler lehnte.

»Über Gedichte.«

›Da haben wir's‹, sagte er sich und hielt nach einem Fluchtweg Ausschau. Ein Eisesschauer lief ihm über den Rücken und machte ihm jede Flucht unmöglich. In einem Winkel seines grenzenlosen Entsetzens sah er die Möwe vom Umschlag des Buches auf sich zufliegen und immer größer werden. Er schloß die Augen und hörte ihr Geschrei in seinem Kopf, und ihr Schreien vermischte sich mit den Rufen und Lachen der Zuhörer. Mein Gott! Und wenn sie ihn entdeckten und nach vorn riefen? »He, Faroni, komm doch mal her und erzähl uns die Geschichte von Bagdad und von den Verfolgern!« Kraftlos gegen den Pfeiler gelehnt, sah er so flüchtig, hell und vollständig wie ein Wetterleuchten das Panorama seines Lebens aufblitzen, das aber nicht wie ein Film ablief, sondern wie die Bildfolge eines Comic strip vor ihm stand, in der er insgesamt auch das Abbild des friedlichen, vernunftbegabten Menschen erkannte. Sogleich identifizierte er sich mit ihm und empfand Mitleid mit dem anderen, schämte sich seiner, wie man sich des schwarzen Schafs in der Familie schämt. Als er gerade alle seine Kräfte für die Flucht mobilisierte (wobei er sich selbst wie einen Stier durch die Menge hindurch nach draußen stürmen, zugleich aber auch wie einen Teufel vor dem Weihwasser des Exorzisten zurückweichen sah, in beiden Fällen jedoch ein heilloses Durcheinander von Beschimpfungen und Würsten hinterlassend), schaute der junge Mann von der anderen Seite des Pfeilers herüber und sagte:

»Ich glaube, von Petrarca.«

Im selben Moment war die Veranstaltung beendet. Da sich die schreckliche Furcht vor tiefer Schmach nun als unbegründet erwiesen hatte und als Ausgleich vielleicht sogar ein unerwarteter Erfolg bevorstand, schritt er erhobenen Hauptes hinaus und wartete draußen unter der Markise. Als der Professor und Marilyn, gefolgt von einer Traube junger Leute, auf die Straße traten, stellte Gregorio sich ihnen in den Weg und tippte ihm mit dem Finger auf die Brust.

»Maestro«, sagte er, »haben Sie das Buch von Faroni gelesen?«

»Faroni?« Er drehte sich zu seinem Gefolge um und erntete sogleich einen Blick solidarischer Ratlosigkeit.

»Ja, das Buch mit den Gedichten, das der Kellner Ihnen gegeben hat. Es trägt den Titel *Gesammelte Gedichte eines Künstlerlebens*. Wissen Sie, Faroni konnte es Ihnen nicht persönlich überreichen, weil er sich zu der Zeit in Nordamerika aufhielt.«

Der Professor überlegte einen Augenblick, und ein Schatten legte sich auf seine Stirn wie eine hypnotisierende Hand, die sich vor leicht geschlossenen Augen bewegt.

»Ah, jetzt erinnere ich mich!« sagte er, und seine Aussprache war so perlend und voller Wohlklang, daß Gregorio an einen Bergquell denken mußte. »Ein sehr schönes Buch. Gewagt. Naiv oder eigenwillig, ich bin mir da nicht ganz sicher.«

Er legte die Finger der geöffneten Hände aneinander, hielt die Daumen gegen das Brustbein gedrückt und die Fingerspitzen unter das Kinn geklemmt, senkte den Kopf und dachte intensiv nach. Alle sahen ihn erwartungsvoll an, sogar ein paar Passanten waren neugierig stehengeblieben und schauten den Umstehenden auf Zehenspitzen über die Schulter. Und dennoch geschah alles in Bruchteilen von Sekunden. Dann sog er die Luft so tief ein, daß man den Eindruck hatte, er müsse gleich zu schweben beginnen, hob den Kopf, öffnete die Augen und sagte:

»Ein merkwürdiges, affektiertes Stück parodischer Volkskunst.«

Gregorio starrte ihn verblüfft an.

»Es hat Ihnen tatsächlich gefallen?«

»Ein bemerkenswertes Buch. Eigenwillig. Spielerisch. Bubenhaft.« Er schaute in die Runde, und sein Lächeln ließ die Gesichter der Umstehenden leuchten.

Gregorio drückte ihm wieder seinen Finger auf die Brust.

»Wissen Sie was?« sagte er. »Ich, ich bin Faroni«, obwohl er ursprünglich hatte sagen wollen: ›Wissen Sie, ich bin Gregorio Olías, Faronis Biograph.‹

Sein Gegenüber hob anerkennend die Augenbrauen, und Gregorio zeigte ohne zu zaudern seine Päckchen vor.

»Ein Bewunderer hat mir dies für Sie gegeben. Er heißt Dacio Gil Monroy und ist Chemiker und Denker. Nur eine Kleinigkeit, ich bitte Sie, es anzunehmen«, und noch bevor sie die Geschenke öffnen konnten, klopfte er dem Professor auf die Schulter und zwinkerte Marilyn durch seine dunklen Brillengläser zu. Dann tippte er mit zwei Fingern an die Hutkrempe, grüßte die Umstehenden und machte, daß er davonkam.

Abends lag er kaum im Bett, da sagte er zu Angelina:

»Weißt du noch, wie du gelacht hast bei dem Gedanken, ich könnte ein guter Dichter sein?«

»Laß uns nicht davon anfangen.«

»Du kannst ruhig weiter darüber lachen, aber heute haben sie im Café von mir gesprochen. Der Professor hat gesagt, ich sei so etwas wie ein Genie. Eine Persönlichkeit der Volkskunst hat er mich genannt.«

Angelina murmelte in der Dunkelheit etwas vor sich hin.

»Was sagst du?« fragte Gregorio.

»Nichts, ich bete.«

»Keiner war überraschter als ich selbst. Nicht, daß ich an mir zweifelte, aber, klar, stell dir vor, was es heißt, so was aus dem Mund des Professors zu hören. Er hat mir gesagt, das Buch sei wunderschön, eines der besten, die er gelesen habe. ›Tatsächlich?‹ habe ich ihn gefragt, und er: ›Jawohl, mein Herr, ein wundervolles Buch‹, und alle andern waren mit ihm einer Meinung«, und er sprach so aufrichtig, daß es ihm selbst ungewohnt war.

»In Wirklichkeit lachen sie über dich, und du merkst es nicht«, sagte Angelina in demselben Tonfall, in dem sie ihr Nachtgebet herunterleierte.

»Ist das alles, was dir dazu einfällt?« brummte Gregorio bitter. »Nicht umsonst heißt es, daß der Prophet im eigenen Land nichts zählt. Und außerdem, selbst wenn sie über mich lachen, na und? Immer noch besser, verlacht als überhaupt nicht zur Kenntnis genommen zu werden.«

»Dummes Zeug.«

»Er hat mir auch gesagt, ich solle weitere Bücher schreiben und mir bloß nicht einfallen lassen, das Schreiben aufzugeben.«

»Und mit welchem Geld?«

»Keine Ahnung. Wir können sie auf Literaturwettbewerbe schikken. Diesmal gewinnen sie bestimmt.«

»Das hast du beim letzten Mal auch gesagt.«

»Aber diesmal ist es was anderes. Der Anfang ist immer am schwierigsten. Außerdem schreibe ich als nächstes einen Roman. Unter meinem richtigen Namen, Gregorio Olías. Einen Titel habe ich mir schon ausgedacht. Er wird einfach nur *Faroni* heißen und von einem verkannten Künstler handeln«, und er fühlte plötzlich eine solche Schaffenskraft in sich, daß er mit einem Mal den Roman in seiner ganzen Herrlichkeit vor Augen sah, realistisch in allen Einzelheiten des Stils, der Handlung und der Personen.

»Er ist schon so gut wie geschrieben«, sagte er überwältigt und mit so sanfter Stimme, als spreche ein Geist aus ihm.

Angelina wußte darauf keine Antwort. Sie bekreuzigte sich, löschte das Licht und sagte erst eine Weile später: »So ein Unsinn«, und auch ihre Stimme klang so fremd, wie Gregorio sie noch nie gehört hatte.

Am Montag, dem 29. September, erwachte Gregorio nach einem Sonntag voller Unbehagen und plötzlicher Begeisterungsschübe in bedauernswert unruhiger Verfassung. Trotz des kürzlichen Erfolgs, der seinem Ehrgeiz für Momente Flügel zu verleihen schien, wurde sein Optimismus schon bald von dem Verdacht getrübt, man könne tatsächlich über ihn gelacht haben oder das Lob sei vielleicht nichts weiter als eine umstandsbedingte Artigkeit gewesen. Und wieder empfand er die Zukunft als eine unausweichliche Bedrohung. Er mußte Ordnung in sein Leben bringen, mußte den Gleichgewichtspunkt finden, der ihm gestattete, Wahrheit und Schein zusammenzuführen und in einer endgültigen Identität zur Ruhe zu kommen.

Beim Rasieren verfiel er plötzlich auf die Idee, seine einzige Rettung sei, Gil ein Ultimatum für die Einweihung des Kulturvereins zu stellen. Es war die einzige Möglichkeit, der in einem Sumpf von Wiederholungen festgefahrenen Situation eine neue Richtung zu geben. Vielleicht würde er sich sogar selbst dazu durchringen, die Farce zu tilgen und Argumente dafür anzubringen, die er sich schon noch ausdenken würde, und damit endlich ein Spektakel zu Ende bringen, das schon weithin einem Alptraum glich. Und um die Entscheidung unwiderruflich zu machen, schrieb er das Datum in sein Büchlein: *29. Oktober.* Den Kurs eines glücklichen Gedankens beibehaltend, legte er den kommenden Donnerstag fest, um Gil mitzuteilen, die Eröffnung könne nur noch im Oktober stattfinden, danach nicht mehr. Zuvor wollte er es Angelina mitteilen, damit er festgelegt war und Gils Bitten und Einwänden nicht mehr nachgeben konnte. Zu Hause verkündete er Angelina sogleich, er müsse bald auf Geschäftsreise gehen.

»Zu einer Weinauktion«, fügte er hinzu und verschwand im Bad.

Nach einer Weile fragte Angelina aus dem anderen Zimmer:

»Wird die Geschäftsreise auch bezahlt?«

»Ich weiß nicht, vielleicht!« sah er sich im Spiegel rufen.

»Und wohin fährst du?«

»In ein Dorf, den Namen habe ich vergessen, ich glaube Quinola oder so ähnlich.«

»Quinola?«

»Ja, ein Ort mit Landwirtschaft, draußen in der Wildnis.«

»Und fährst du allein?«

»Mit einem der Chefs. Don Crispín Pallavoy, ein blaublütiger Typ, Herzog oder so was«, und er warf sich, stolz auf seine guten Reaktionen, einen bewundernden Blick zu.

»Was gibt es jetzt wieder?« rief die Mutter aus ihrem Zimmer.

»Gregorio muß verreisen!«

»Wozu?«

»Er sagt, um Wein einzukaufen!«

»Um Wein zu kaufen? Dreckige Lüge! Er will sich eine schöne Zeit machen oder wer weiß, was er sonst vorhat!«

Gregorio wartete im Badezimmer, bis er sich seiner Fähigkeit zu Mitleid und Verachtung sicher glaubte. Dann kam er pfeifend heraus und setzte sich betont ungezwungen zum Zeitunglesen.

»Und diese Reise, wann soll die sein?«

»Ich weiß nicht, am neunundzwanzigsten ist die Auktion, da werden wir wohl am achtundzwanzigsten oder siebenundzwanzigsten losfahren, nicht?«

»Na, das mußt du wissen. Was sollst du da überhaupt tun?«

»Menschenskinder, ich muß die Listen führen und das Verladen überwachen, nicht?«

»Ich weiß nicht, das klingt alles so merkwürdig.«

Hin und her ging das fruchtlose Ringen, ohne daß es ihnen gelang, diesem Kreis ungläubiger Fragen und leichter, präziser Antworten (zu leicht zu glauben, um wahr zu sein, und zu präzise, um spontan zu sein) zu entkommen, bis Gregorio sich wieder daran erinnerte, daß eine Lüge nur dann glaubhaft klingt, wenn etwas Verwickeltes, Unbegreifliches in ihr liegt, so wie im Leben selbst. Doch die Vorstellung, etwas erfinden zu müssen, das dazu angetan war, die Harmonie seines Plans zu zerstören und ihn auf beschwerlichen Nebenwegen versickern zu lassen, nahm ihm alle Kraft, bis ihm fast übel davon wurde. Daraufhin flüchtete er sich in Vorwürfe. Er sprach von Geschäftsleuten und Direktoren, die mit nichts als einem ledernen Aktenköfferchen und einem Kulturbeutel durch die Welt reisten. Er sang ein Loblied auf diesen Lebensstil und behauptete am Ende, genau das habe er auch immer gewollt: »Ich hätte in den Urwald gehen und dich wählen lassen sollen zwischen mir und dem Dschungel und deiner Mutter und der Stickerei«, sagte er bitter. »Aber deinetwegen bin ich geblieben, deinetwegen habe ich mir eine Büroarbeit gesucht«, seine Stimme wurde immer lauter, »und jetzt, was ist aus mir geworden? Ein fast kahlköpfiger Mann, der Gedichte schreibt. Das ist die Geschichte meines Lebens; seht, welch ein Mensch. Ich habe es dir immer gesagt, und sage du nicht, daß es nicht stimmt. Ich habe zu dir gesagt, ›laß uns zum Amazonas fahren‹, und du, ›hier geht es uns doch gut, hier geht es uns doch gut‹. Hier, mit dem Hündchen, mit dem Nähzeug und all den Bildern von Papilein. Hier, alle schön wohlig beieinander. Und du hast zu mir gesagt: ›Komm, Gregorio, repariere die Uhr, das kannst du doch.‹ Und ich habe mein Leben damit verbracht, diese verdammte Uhr zu reparieren! Ich habe mein Leben zwischen Uhr und Rosenkränzen verbracht«, und er wollte eigentlich hinzufügen, ›und bin darüber ein Trauerkloß geworden‹, sagte statt dessen aber: »und bin ein trauriger Schwanz geworden.« Er war entsetzt über seine Worte. Aber er bereute sie nicht. Er schleuderte die Zeitung in die Luft und schrie mit der ganzen Kraft seiner Lungen:

»Ich scheiße auf dein Nähen, auf das Militär und auf alle Heiligen in diesem verdammten Haus!!«, und mit der Energie seines Aufschreis gelangte er bis zu Angelina und legte ihr seine Hand auf die Schulter.

»Ich habe das nicht sagen wollen!! Verzeihe mir!!« brüllte er.

»Ja, ich weiß. Das rutscht einem so heraus.«

Von oben sah er sie mit zusammengepreßten Knien und einer Spange im Haar.

»Ich will nicht, daß du leidest!!« rief er, unfähig, mit dem Schreien aufzuhören.

»Ich leide ja nicht«, flüsterte Angelina.

»Das mit dem Urwald ist gelogen und alles andere auch!!«

»Ja, ich weiß.«

»Aber das mit dem Dorf ist wahr, verstehst du?!! Ich muß hinfahren, ob ich will oder nicht!! Darum bin ich auch wütend geworden!! Auf der einen Seite der Chef, auf der anderen Seite du, und jeder sagt mir was anderes!!«

»Verzeih', das wußte ich nicht. Nimm es mir nicht übel.«

»Ja, ich weiß, ich nehme es dir nicht übel!!«

Er küßte sie aufs Haar, wurde von ihrem Geruch umfangen und konnte in der Nacht kaum schlafen, weil ihn heftige Anwandlungen von Reue und Zärtlichkeit immer wieder aufschreckten.

Am Donnerstag, dem 1. Oktober, war Gregorio den ganzen Tag über in Gedanken an die bevorstehende Reise versunken, als er plötzlich feststellte, daß es bereits Zeit war zu gehen, und daß Gil nicht angerufen hatte. ›Was mag passiert sein?‹ dachte er. Er ging über den Sandweg, trat durch das Gartentor auf die Straße und blieb dort wie angewurzelt stehen. Er rieb sich die Nasenwurzel und fragte sich: »Was mag mit Gil passiert sein?« Um Angelinas Fragen nicht beantworten zu müssen, schützte er schreckliche Zahnschmerzen vor. Angelina bereitete ihm eine klare Brühe, die er, kummervoll nickend und jeden Löffel bepustend, in sich hineinschlürfte. Er spielte seine Rolle so ernsthaft, daß er, als er zu Bett ging und das Licht löschte, immer noch mit einer Hand seine Wange hielt und feststellen mußte, daß die Mühen des Anscheins ein leichtes, doch nicht zu leugnendes Unwohlsein hervorgerufen hatten. Um Mitternacht erhob er sich, um die Eröffnungsansprache einzuüben und einen Entwurf des Romans über Faroni zu Papier zu bringen. Doch kaum hatte er den Titel niedergeschrieben, überfiel ihn wieder der angebliche (oder tatsächliche, das konnte er nicht mehr unterscheiden) Schmerz in seinen Zähnen. Er stand auf, ging zum Fenster, fixierte den Lichtkreis einer

Straßenlaterne und sagte sich: »Was mag mit Gil passiert sein?« Seine Stimme klang feierlich, und der Zahnschmerz war noch nicht in das Reich der Einbildung zurückgekehrt.

Am Freitag erwachte er ohne Vorahnungen. Er hatte beschlossen, daß Gil Angina hatte und daß seine Mutmaßungen vom Vortag so unbegründet waren wie die Besorgnis um den imaginären Zahnschmerz: »Dichterphantasien.« Er ging pfeifend aus dem Haus und kehrte abends pfeifend heim, und während des ganzen Tages kämpfte er gegen die Versuchung einer düsteren, unerklärlichen Furcht. Er mußte diesen Kampf wohl gewonnen haben, denn am andern Morgen schlug er die Augen auf und stellte fest, daß er ein glücklicher Mensch und mit seinem Gewissen im reinen war. »Alles in Ordnung«, sagte er vor dem Spiegel zu sich.

Als er an seinem Schreibtisch saß, spürte er sogleich die meisterhafte Schlichtheit des Lebens, die Fülle der alltäglichen Wonnen, das stets sich erfüllende und immer neue Versprechen eines jeden Augenblicks. Er verschnürte Pakete, band Knoten, handhabte virtuos Schere, Finger, Kordel und Bleistift, beherrschte Feuer und Schrift, und jeder Gegenstand, den er benutzte, kehrte an seinen Platz zurück. »Die Wonnen der Ordnung«, dachte er. Hin und wieder kratzte er sich die Handflächen und danach die Knöchel. Die Spirituslampe warf die Schatten an die Wand, und dort fand das gemächliche Wunder der Ordnung noch einmal statt. Um sich des süßen Geheimnisses zu vergewissern, formte Gregorio mit Händen und Fingern den Schattenriß des bösen Wolfes und sah ihn eine ganze Weile an der Wand fressen und bellen.

Um zehn zog er die Uhr auf und begann die Paketanschriften auf der Schreibmaschine zu tippen. Ohne Gefahr sich abzulenken, dachte er an Weihnachten, an Marzipan, an Butterkringel und Schellentrommeln. Er dachte an den Frühling und sah eine blühende Wiese und einen Bach mit Kaulquappen darin.

Gegen elf gönnte er sich eine Pause und verspürte eine leichte Müdigkeit. »April, April, der macht, was er will«, dachte er. Er schloß die Augen, und im Geiste oder im Traum sah er einen Eukalyptusbaum und einen kleinen Hund. Er sah wieder das Haus seiner Kindheit, das in der Erinnerung nun endgültig zum Haus seiner durchwachten Nächte geworden war. Hinter den hohen Fenstern des Turms sah er den Schatten einer Frau und hörte, wie man ihm ins Ohr flüsterte: »Gregorio, Gregorio, eile geschwind nach Hause, der Mond geht auf.« Dann ging er zur Tür, stellte sich auf die Zehenspitzen (er war nämlich noch ein Kind und trug einen Kommunionanzug, allerdings mit Gangsterschlapphut und Sonnenbrille) und drückte auf die Klingel. Das Schrillen ließ ihn von seinem Stuhl auffahren. Er rieb sich die Augen und schaute auf die Uhr: zwanzig vor zwölf.

Aber was war das? Träumte er noch immer? Die Klingel des Traums hatte nämlich nicht aufgehört zu schrillen. Er schaute sich um und versuchte zu verstehen, in welchem Labyrinth der Wirklichkeit er sich verlaufen hatte, bis sein Blick auf den Schreibtisch fiel: das Telefon klingelte so aufgeregt, daß er den Hörer auf der Gabel hüpfen zu sehen glaubte, wie in den *Comic strips*. Er konnte gerade noch denken, daß das Telefon vierzehn Jahre lang nicht ein einziges Mal an einem Samstag geklingelt hatte, als ihn eine Vorahnung überfiel, von der er nichts anderes wahrnahm als ihr finsteres, bedrohliches Wesen. Er sah seinen Schatten an der Wand den Telefonhörer abnehmen und sich zurücklehnen. Er sagte nichts, und sein Profil blieb ungerührt, als er das Geschrei am anderen Ende der Leitung vernahm:

»Señor Faroni! Hören Sie mich! Ich bin es, Dacio! Ich komme in die Stadt! Morgen schon fahre ich in die Stadt! Hören Sie mich, Señor Faroni? Können Sie mich hören?«

Am nächsten Tag, dem 4. Oktober, erinnerte sich Gregorio nicht ohne Stolz, wie er mit dumpfer Stimme geantwortet hatte: »Faroni ist nicht da. Er ist fort.«, und wie er den Hörer aufgelegt hatte, ohne Hast, ohne ein Wort zu sagen, und wie Gils entfesseltes Geschrei immer ferner geklungen hatte.

Dunkel ahnte er, daß er in seiner Furcht ein solches Ende immer vorausgesehen hatte. Er war weder erstaunt noch verwirrt. Er schaute nicht nach draußen und zündete sich auch keine Zigarette an. Er gönnte sich nicht einen einzigen Augenblick der Panik oder der Ratlosigkeit. Im Gegenteil: eine Art erleuchteter Schicksalsfügung trieb ihn zur Tat. Als führe er mit unfehlbaren Bewegungen einen seit langem vorbereiteten Plan aus, ordnete er die Pakete, verwahrte Schreibgerät und Büromaterial in der Schublade und wischte den Schreibtisch ab, nahm Papier und Bleistift zur Hand, bekreuzigte sich und schrieb:

»Sehr geehrte Herren, aufgrund dringender Familienangelegenheiten sehe ich mich gezwungen, die Stadt unverzüglich zu verlassen. Ich weiß nicht, wie lange ich fortbleiben werde, doch bei meiner Rückkehr werde ich Ihnen die Gründe für meine überstürzte Abreise erklären, die Sie dann hoffentlich verstehen werden. Ich hätte mich gern persönlich von Ihnen verabschiedet, doch mein Zug fährt in einer halben Stunde, und so bleibt mir nur noch Zeit, Sie um Entschuldigung zu bitten. Ich wäre Ihnen auch zu großem Dank verpflichtet, wenn Sie mir meinen Arbeitsplatz bis zu meiner Rückkehr freihalten könnten. Hochachtungsvoll,

Olías«

Er legte die Nachricht auf die Geschäftsbriefe, die zur Post gingen. Dann stand er auf, verrückte das Blatt noch zweimal, um es auf dem Briefstapel möglichst auffällig zu plazieren, blies die Spirituslampe aus, schlug den Mantelkragen hoch, warf einen letzten Blick über die Schulter, und mit wenigen Schritten – hingerissen und beinah schwerelos in der Vorstellung, lautlos und scharf im Profil zu schleichen – hatte er den Sandweg hinter sich gebracht und stand auf der Straße. »Pinguin in Sicherheit!« rief er aus und beschleunigte, dicht an den Hauswänden entlanggehend, seine Schritte.

Zu Hause setzte er sich hin und wartete auf ein Zeichen. Es war seltsam: er verspürte keinerlei Furcht. Sosehr er sein Unglück auch herbeiredete und zu sich sagte, »siehst du nun, in welche Lage du dich gebracht hast, du Einfaltspinsel?, was soll aus dir werden, du armer Hund?«, und sich noch viele weitere Vorhaltungen machte, doch nichts anderes erreichte, als sich in der willkürlichen Präzision seiner Akte zu bestätigen. Nachdem er mit mehr gutem Willen als Appetit gegessen hatte, holte er die Einzelteile der Uhr hervor und machte sich wie in jungen Jahren daran, sie zusammenzusetzen. So mächtig war sein Wille und die geduldige Kraft seiner Finger, daß es ihm nach zwei Stunden gelang, sie zum erstenmal seit vierundzwanzig Jahren zum Ticken zu bringen. War dies das Zeichen, auf das er wartete? Angelina, die undeutlich im Winkel ihrer herbstlichen Idylle saß und nähte, hob den Blick und sagte: »Du hast es geschafft, Gregorio, siehst du? Wenn du willst, ist es eine solche Freude mit dir als Ehemann.« Sie lauschten gebannt dem zaghaften Ticktack, und als es nach einigen Minuten aufhörte, vernahmen sie das Platschen der ersten Regentropfen. »Es fängt an zu regnen«, sagte einer von ihnen, und dann nahm die Zeit wieder ihren gewohnten Lauf.

Gregorio schloß die Augen und begann schon wieder sein Unglück zu hofieren, als ihm bewußt wurde, daß er dabei war, einzuschlafen. Viele Jahre waren vergangen, und nun saß er wieder in seinem Sessel, in Sicherheit wieder vor allen Gefahren dieser Welt. »Solange ich schlafe, habe ich nichts zu befürchten«, sagte er sich. Er kuschelte sich glücklich zusammen, und sein Verstand begann schon zu zerfließen, als er vom Gebimmel des Hündchens geweckt wurde. Die Dunkelheit war hereingebrochen, und aus der Küche hörte man das Fett in der Pfanne prasseln, was draußen vom prasselnden Regen nachgeahmt wurde. In diesem Augenblick enthüllte sich ihm die Wirklichkeit in ihrer ganzen herrlichen Größe. In diesem Augenblick wurde ihm klar, daß er seit Gils Anruf den ganzen Tag lang die Verzweiflung mit Besinnungslosigkeit bekämpft hatte und daß das Unheil deswegen mit solcher Verspätung kam. Er hatte sogar unbewußte Pläne geschmiedet, die er jetzt undeutlich vor sich sah.

Unbewußt hatte er schon der Schande ins Auge gesehen, vor Gil hinzutreten (und er sah sich selbst: klein, häßlich, alt, zynisch, ein Jedermann) und ihm zu sagen: »Ich bin Faroni, der Ingenieur gewesen wäre, Verschwörer, Dichter, Weltreisender, wunderschön und jung wie auf dem Bild, sprachengewandter Flüchtling, und dieses hier ist der Gelehrtenverein des Cafés der Essayisten, dies ist Marilyn und dieser hier ist Gil, Dacio Gil, der Chemiker der Wildnis, der die Fabel vom Raben und dem Fuchs korrigierte, meine Damen und Herren, Applaus bitte.«

Wie sollte er nur den Zorn, den maßlosen, ungläubigen Zorn des verhöhnten Mannes ertragen, der durch die billigen Taschenspielertricks eines ordinären Schwindlers aus der sicheren Bahn seines Lebens geworfen worden war? Im Unterbewußtsein verwarf er die Möglichkeit, als Gregorio Olías aufzutreten, denn es gab keinen einzigen Umstand, der seiner Biographenexistenz einen Sinn gegeben hätte. Sollte er also den Kelch leeren, um Verzeihung bitten und in Schimpf und Schande alt werden? Eine nach der andern hatte er alle möglichen Lösungen verworfen, die einfachsten ebenso wie die komplizierten und die absurden, doch die ganze Zeit hatte er eine im Hinterkopf gewälzt, die eine Mischung aus diesen drei Qualitäten war, und dabei hatte er seine Schritte beschleunigt, ganz benommen von der Erkenntnis, daß dies zwar eine verzweifelte, aber auch die einzig mögliche Lösung war. So kam er nach Hause und sagte sich, da er zu keiner Entscheidung fähig war, »Sollen die Dinge für mich entscheiden!« und setzte sich hin, um auf ein Zeichen zu warten.

Und jetzt war es Nacht geworden, der Regen hatte aufgehört, ein Zeichen hatte es nicht gegeben. Jetzt endlich hatten sich die verstreuten Teile seines Bewußtseins gesammelt, und der Moment war gekommen, sich zu fragen: »Was fange ich nun an? Was wird aus mir?« Aber entweder hatte er das ganze Ausmaß des Unheils nicht erkannt, oder sein Überlebensinstinkt war immer noch nicht ganz erwacht. Er empfand nur Bitterkeit, fühlte sich gestaltlos wie ein Tier mit amputierten Läufen und nannte sich wieder Pinguin, da er zu einem Fremden in seinem eigenen Leben geworden war.

Beim Abendessen stellten sie das Radio an und hörten die Nationalhymne. Sie aßen schweigend, bewegten nur ihre Ellenbogen, und über ihnen hatte jemand angefangen, Möbel zu verrücken, und wußte jetzt nicht mehr weiter.

»Wie lange ist der Krieg vorbei?« fragte Angelinas Mutter. Aber niemand antwortete ihr, da sie selbst schon sagte: »Morgen wäre er achtzig geworden«, und dabei eine halbe Tomate im Mund wälzte, die sie erst eine ganze Weile später bekümmert weiterkaute.

Angelina fragte, ohne aufzublicken:

»Und du, kommst du nun mit oder nicht?«

»Ich? Wohin?« fragte Gregorio bestürzt.

»Wohin schon? Den General sehen. Das sage ich dir jetzt zum dritten Mal.«

»N . . . nein«, stotterte Gregorio. »Ich bin müde, und ich habe Zahnschmerzen.«

»Dem Mann tut aber auch immer was weh!« rief die Mutter so ironisch, daß der moralische Vorwurf in ihrer Stimme nicht mehr zur Geltung kam.

Gregorio gab keine Antwort: er war ohne Zweifel sehr müde. So müde, daß er nicht mehr die Kraft besaß, die Nähe des Unheils zu spüren: »Bis morgen ist noch viel Zeit, eine Ewigkeit«, sagte er sich und war überzeugt, daß nur ein kurzer Augenblick vonnöten war, um sein Leben zu entscheiden.

Um Mitternacht erwachte er in einem Gespinst von Alpträumen. Er urinierte lange und lauschte dem Rumoren seiner Därme. Bevor er wieder einschlief, verspürte er noch den Hauch der Widrigkeit, der ihn auch im Schlaf noch umwehte und die verschiedensten Gestalten mit sich führte, die ihm etwas sagen wollten, doch nicht konnten, weil ihnen, kaum daß sie den Mund öffneten, die Worte wie in einer irdenen Schale zerschellten und die Silben sich hinterher zu absurden Botschaften zusammenfügten. »Lommt den Schmürdel nächters«, »schanze die Hand im Zobalt«, »nimm den Glatz der Kordel im Mond«, besagten sie, rieten sie ihm. Am frühen Morgen wurde ihm kalt, er versuchte aufzuwachen, und das war der Augenblick, in dem er zu träumen glaubte, ein Bote stecke den Kopf durch die Tür und verkünde ihm, endlich sei der Tag des Unglücks gekommen: »Steh' auf, Pinguin, man hört schon die Trommeln!« sagte er.

Jetzt war es zwei Uhr am Nachmittag, und das kleine Mädchen war auf seinem Thronstühlchen eingeschlafen. Der Mann in Schwarz schaute, auf die Balkonbrüstung gelehnt, nach unten auf die Straße. Plötzlich wurde es still. Jemand sagte leise: »Da kommt der Caudillo.« Man vernahm den majestätischen Klang einer Posaune. Eine Klarinette antwortete eine Oktave höher. In der Ferne grollte dumpfer Donner. Auf einem der Balkone verlor jemand ein paar Münzen, die auf die Straße sprangen. ›Er ist schon da‹, hörte man wieder. Da zog der Kapellmeister seine Uniformjacke stramm, warf das Kinn hoch, hob die Arme und hielt sie endlos lange und drohend in der Schwebe. Dann warf er sie nach unten, wobei er sich tief verbeugte und nicht mit einer tosenden Hymne im Gefolge wieder auftauchte, sondern mit dem Geheul von Sirenen, durch das von fern das dünne Gesäusel der Musik drang. Gregorio sah flackernde Lichter vorüberhuschen. Darauf folgte wie in einem Traum, als breche ein rauschender Wasserstrahl inmitten des Getöses hervor, der Motorradverband, dahinter die Kolonne der schwarzen Limousinen, und zum Abschluß eine Schwadron berittener Ulanen, deren wippende Federbüsche immer kleiner wurden, bis sie sich in der Ferne verloren.

Die Menge stand wie gebannt von der Schnelligkeit und der Intensität, mit der alles vorübergegangen war. Oben auf dem Balkon war der schwarzgekleidete Mann verschwunden. In der allgemeinen Unentschlossenheit bahnte Gregorio sich einen Weg zu einem gemauerten Durchgang, an dem er stehenblieb, ohne zu wissen, was er weiter unternehmen sollte. Er sah zwei Hunde, die sich vor dem Eingang eines Stadtpalais paarten und beide mit rückwärts gewandten Köpfen und mit dem gleichen Ausdruck flehentlicher Besorgnis im Blick hinter sich schauten. An ihnen vorbeigehend, beschleunigte er seine Schritte, und sein Gesicht wurde immer finsterer. Ziellos irrte er, wie auf der Flucht vor einem bösen Omen, durch abgelegene Straßen, vermied die festlich gestimmte Menge, und als er zu Hause ankam, war es bereits später Nachmittag.

Und wieder saß er im häuslichen Zwielicht, exakt im Mittelpunkt eines Labyrinths, von dem er nicht wußte, ob er es als Zuflucht oder als Gefängnis betrachten sollte.

»Wo bist du gewesen?« fragte Angelina.

Gregorio gab keine Antwort.

»Also hast du wieder Zahnschmerzen?«

»Die Zahnhälse schmerzen etwas«, sagte Gregorio und begriff, daß diese Antwort seine letzte Bastion gegen die unmittelbar bevorstehende Verzweiflung war.

»Jetzt ist Gil bereits in der Stadt«, dachte er, »vielleicht fragt er in diesem Augenblick im Café nach mir und versucht herauszufinden, wo ich wohne.«

Er kniff die Augen zusammen, um dem Entsetzen zu entrinnen. In seiner Erinnerung hörte er wieder das Klirren von Gürtelschnallen und dachte, »sechsundvierzig Jahre«, als könnte er damit seine Schuld abbüßen. Weitere Erinnerungen sprangen aus der Zeit hervor und machten sich auf den Weg in die Gegenwart wie hungrige Hunde, die sich anschickten, die große Wunde eines Ochsen zu lecken. Eine der Frauen seufzte, und für einen Augenblick hatte er das Gefühl, das Gewissen streife mit seinem Fuchsschwanz über sein Gesicht. »Ich habe noch Zeit, mich auszuruhen«, sagte er sich, doch kaum hatte er sich in seinem Sessel zurückgelehnt, dachte er: »Gil kommt hierher, ich höre ihn schon auf der Treppe, und jetzt klingelt er. Mein Gott, die Zeit ist abgelaufen! Was tue ich jetzt?« Im selben Moment, und zur gleichen Zeit, als er erkannte, welch erbärmlichen Platz auf dieser Welt er einnahm, rief jemand unten auf der Straße: »Künstliche Gebisse! Gebisse, fast wie neu!«, und die Uhr begann achtmal zu schlagen. »Das Zeichen!« dachte Gregorio laut. Er stand auf und täuschte – selbst jetzt noch – unendliche Müdigkeit vor.

Er ging ins Schlafzimmer, stopfte hastig ein paar Kleidungsstücke in eine Tasche, ergriff ohne hinzusehen eine Handvoll Geldscheine, klemmte sich den Schuhkarton unter den Arm und warf sich im Spiegel ein aufmunterndes Grinsen zu, bevor er ging. Als er schon auf dem Korridor stand, sagte er: »Ich hole mir eben Zigaretten.« Dann war er an der Tür, öffnete sie leise, zählte bis vier, schnitt die Grimasse der Beschwörung, schlug den Mantelkragen hoch, bekreuzigte sich und verschwand mit hochgezogenen Schultern im Treppenhaus.

DRITTER TEIL

KAPITEL XVI

»Und wie lange gedenken Sie zu bleiben?«

Gregorio hatte nicht den geringsten Zweifel: »Einen oder zwei Monate, vielleicht weniger«, und diesmal war ihm rückhaltlos klar, daß jene Aussage weder das Zufallsprodukt seiner kühnen Phantasie noch einer schnell verblassenden Erleuchtung war, sondern das Ergebnis eines unbewußt gereiften Fluchtvorhabens.

Es war eine spontane, jedoch nicht unerwartete Enthüllung. »Ich komme zurück«, hatte er sich auf der Treppe immer wieder gesagt, und auch noch, als er aus der Tür trat, und als er den Weg in eine Gegend einschlug, von der ihm noch Schilder einfacher Pensionen in Erinnerung waren. Die neue Situation schien ihn jedoch gleich so verunsichert zu haben, daß er in dem wolkenbruchartigen Regen durch die Gassen seines Viertels irrte, ohne sich für eine bestimmte Richtung entscheiden zu können. Es gab Augenblicke, da wartete er auf den deutlichen Befehl des Schicksals, entweder zu fliehen oder zurückzukehren, und dann wieder überlegte er, welche Umstände seiner Lage angemessen wären, um an der Grenze beider Entscheidungen zu leben, obwohl er sich nicht vorstellen konnte, wie eine solche Gegend aussehen sollte, und er sie schließlich als ein Eiland in der Unendlichkeit des Ozeans akzeptierte. Es war unvermeidlich: er hörte seine vom Echo in Gängen und Höfen verdoppelten Schritte, und wieder brachten sie ihm seine alten Ängste zurück. Vergebens hatte er sich um einen denkwürdigen Ausspruch bemüht, an den er sich in dieser Stunde hätte halten können. Er dachte an die Worte des Herrn am Kreuz, an den Ausspruch Julius Caesars, als er einen Fluß überquerte, an den des Diogenes vor einem König und den von Francisco Pizarro, als er eine Linie zog und damit die Welt in zwei Hälften teilte. Geglückte Bemerkungen, die ein ganzes Leben rechtfertigten und erhellten.

Und was fiel ihm ein? Was hatte er vom Podest seines Unglücks herab zu sagen? Er lief im Regen durch einsame Straßen und überlegte, ob er für eine Flucht genügend Unterhosen und Geld eingepackt hatte, und zur gleichen Zeit, das war das Unbegreifliche, dachte er an Inseln und Sinnsprüche. Dreimal kam er zur Haustür zurück, dreimal lief er durch den Park, und dreimal zählte er sein Geld, zählte jeden einzelnen Schein, in der ungewissen Hoffnung, das Neue in Gewohnheit zu verwandeln. Doch die Wiederholungen brachten ihm nicht den Geistesfrieden, den er gebraucht hätte, um eine Entscheidung zu treffen, die längst getroffen und – das wußte er zur Genüge – unentschuldbar war. Als er den Weg zum vierten Mal zurückging, als er an der Grenze des Widerstands angelangt war und Regen und Zeit fast nicht mehr voneinander zu unterscheiden waren, da zog plötzlich ein Schrei über sein Gesicht, und er blieb abrupt stehen: er hatte, ohne recht zu wissen wo, eine Gestalt gesehen (unverwechselbar mit dem ins Gesicht gezogenen Hut, dem hochgeschlagenen Mantelkragen und der Sonnenbrille), die ihn einen Moment lang erschreckt und bestürzt anstarrte. »Das ist Gil«, dachte er und drückte sich an eine Hauswand. Er drehte sich um und war kaum hinter der nächsten Straßenecke verschwunden, als er seine Schritte beschleunigte und durch immer finsterere Straßen hastete. Erst als er sich im Laufen einen Blick zurückzuwerfen traute, kam ihm der Verdacht, sein eigenes Spiegelbild in einem Schaufenster oder einer Regenpfütze gesehen zu haben. Doch jetzt war er schon weit fort, und alles war egal, denn der Anblick war eine deutliche Warnung gewesen, und Gregorio war sich jetzt absolut sicher, daß jeder Weg besser war als der Rückweg und dieser ihm zweifellos auch verwehrt war.

Mit derselben Entschlußkraft bog er in schmale, hohlklingende Gassen ein, verlor sich in ihnen, mit ausgreifenden Schritten und mit hochgezogenen Schultern hartnäckig dem Wolkenbruch trotzend. Dieselbe Kraft bewog ihn auch, vor einem Schild anzuhalten, das sich weder in Schlichtheit noch in Größe von anderen unterschied, ihm jedoch geeignet schien, die momentanen Ansprüche seiner Phantasie zu befriedigen. PENSION DOÑA GLORIA, stand da, und darunter: »Zimmer für männl. Dauergäste, 1. li.«.

Ohne einen weiteren Gedanken darüber zu verlieren, trat er in den Torweg, durchquerte einen zementierten Innenhof voller Fässer und Kisten, in den von einer geborstenen Dachrinne das Wasser platschte. Er stieg eine Treppe willfähriger Stufen hinauf, die sich ohne Zweifel den Eigenarten und Tücken schon vieler Generationen von Gästen anbequemt hatten, und war, oben angekommen, ganz und gar Herr seiner Handlungen. Allmählich nahmen die Einzelheiten des Plans, den er während der letzten Tage unbewußt geschmiedet hatte, Gestalt an. Einen Moment lang war er vor Glück wie benommen darüber, wie exakt alle Teile paßten, wie harmonisch sich das Ganze gestaltete und auch wie einfach es zu bewerkstelligen war. Aber die Furcht, sich übertrieben optimistisch zu geben, um der Panik zu entgehen, brachte ihn sogleich wieder dazu, sich unüberwindliche Schwierigkeiten vorzustellen und schon im voraus vor den Folgen einer gräßlichen Niederlage zu zittern. Doch jetzt war nicht der Zeitpunkt, sich in müßigen Grübeleien zu verlieren. Er biß die Zähne zusammen, rückte seine Brille gerade und drückte auf die Klingel.

Man vernahm in der Ferne einen musikalischen Klang und kurz darauf Schritte, die aus der Stille näherkamen.

Aus dem Guckloch drang eine wohlwollend fragende Frauenstimme:

»Sie wünschen?«

Gregorio antwortete: »Ein Zimmer.« Da ihm aber sofort klar wurde, daß jeder Bitte ein zweifelhafter, ja sogar zweideutiger Ton anhängt, den nur der gehobene Anspruch zerstreut, fügte er hinzu:

»Ein kleines, ruhiges Zimmer.«

Riegel wurden zurückgezogen, und wieder einmal sah Gregorio sich einem finsteren Korridor gegenüber. Kaum war er eingetreten, kam hinter der Tür eine zwergenhaft kleine Frau mit dummdreistem Gesicht zum Vorschein, schob die Riegel wieder vor und verschwand dann, die Hände in den Schürzentaschen, im dunklen Flur.

»Doña Gloria, ein Herr!« rief sie.

Von irgendwoher ertönte eine bestürzte, leidende Stimme:

»Um diese Zeit? Um diese Zeit ein Herr? Kommen Sie, kommen Sie herein.«

Gregorio sah sich um, wußte aber nicht, wohin er gehen sollte. Es gab kein Licht, und man hörte nichts außer gedämpftem Geschirrklappern am anderen Ende der Wohnung und so weit entfernt, daß man nicht wußte, ob es nicht das Geräusch des Regens war. Ein mattes Schimmern an den Wänden deutete Entfernung an, und überall roch es nach Menschen, die zu Abend gegessen hatten, nach Obstresten und nach wütendem, offen mit seiner legitimen Kriegsbeute prunkendem Hausputz. Es roch nach Pedanterie im Belagerungszustand, nach schäbigem Urin, nach altem Fleisch im Schlafanzug.

»Señora?« sagte er und tastete sich ein paar Schritte in die Dunkelheit vor.

Seine Stimme, die ungewohnt laut und tief klang, dröhnte durch den Korridor. Man hörte purzelnde Huster und Seufzer, das Knarren einer Matratze, und jemand in Träumen versuchte etwas zu sagen. Gleich darauf fiel ein rosiger Lichtstreif auf den Flur.

»Ist da jemand?« fragte dieselbe wehleidige Stimme wie zuvor.

»Ich möchte ein Zimmer«, sagte Gregorio erschrocken und beinah stolz auf die Macht seiner Stimme.

»Mein Gott, bin ich tief eingeschlafen! Warten Sie schon lange? Kommen Sie, kommen Sie herein und setzen Sie sich.«

Doña Gloria saß in einem Ohrensessel, hatte sich ein langes Schultertuch umgeschlagen und war von der Hüfte bis zu den Füßen in eine weiße Decke gewickelt. Sie war eine rüstige, vornehm wirkende alte Dame. Sie hatte wäßrigblaue Augen, und ihr Haar war von einem ehrwürdigen Weiß. Sie trug eine Nickelbrille am Samtband, und ihre rechte Hand ruhte auf dem silbernen Knauf eines Gehstocks. Das Zimmer bestätigte den ersten Eindruck einer süßlichen Altertümlichkeit. Die Möbel waren seriös und von einem gebrechlichen Glanz, der sie von der Zeit unabhängig machte und sie ihrer eigentlichen Bestimmung zu entheben schien. Sie ließen sich so eben noch von dem Schein einer pergamentenen Schirmlampe mit Troddeln beleuchten, die wie eine in Unterwäsche ertappte verwelkte Matrone in der Ecke stand. In einem Schrank stand hinter Glas eine Porzellanskulptur mit Drachen und Paradiesvögeln, und an den Wänden hingen bis zur Decke hinauf Bilder, die alle einen Dorfplatz mit Esel zeigten. Den Esel sah man trinkend, schreiend, mit Brennholz beladen, mit Melonen oder mit Stroh, kommend oder gehend, unaufgezäumt oder mit Packsattel, mit Reiter oder ohne, des Tags oder bei Nacht, bei Sonne oder bei Regen, in allen Stellungen, Ansichten und Kombinationen, die man sich nur vorstellen konnte. Der Platz hatte einen Turm, ein Rathaus mit Balkon und in der Mitte einen Brunnen, an dem manchmal eine Frau mit einem Krug zu sehen war. Je nach Perspektive sah man, oder auch nicht, einen alten Mann auf einem Stuhl (der offenbar immer dasaß und schlief oder nur den Kopf gesenkt hielt), einen Hund mit eingekniffenem Schwanz, und über der grellen Fassade eines Friseurgeschäfts ein Reklameschild von ›Nitrato de Chile‹. Es war ein ganz unbegreiflicher Raum, und allein der kleine runde Tisch mit den Kugelfüßen und dem Wachstuch mit portugiesischen Hähnen, auf dem ein Kofferradio, ein Nähkörbchen und eine Kasserolle mit Brechbohnen stand, verlieh ihm das grundsätzliche Aussehen eines alltäglichen Zimmers.

»Kommen Sie, kommen Sie herein und setzen Sie sich«, sagte Doña Gloria, zog ein Taschentuch aus dem Ärmel und tupfte sich die Schlafreste aus den Augenwinkeln. »Sie sind ja völlig durchnäßt.«

Gregorio nahm die Einladung mit einem erschöpften, doch dankbaren Lächeln an. Der Schuhkarton war eine einzige Pampe, in der Hutkrempe stand Wasser, und seine Füße schienen immer noch im Regen zu gehen.

»Na ja«, sagte er in einem Ton, als müsse er einen Bubenstreich rechtfertigen, »ich bin fremd hier und laufe den ganzen Tag auf der Suche nach einer Pension herum.«

Doña Gloria nickte im Abgrund des Unvermeidlichen.

»Das ist kein Wunder«, sagte sie sanft und selbstvergessen, als halte sie einen Vortrag vor dem Publikum ihrer eigenen Gewißheit. »Es war ein reichlich verrückter Tag. Wären Sie etwas früher gekommen, hätte ich Sie gar nicht aufnehmen können. Wir hatten gestern Nacht elf Herren von ich weiß nicht welcher Getreidegewerkschaft hier. Sie waren groß wie Türme und haben sich die ganze liebe Nacht lang die Türklinken in die Hand gegeben, das Licht ein- und ausgeschaltet und einander immerzu gefragt, wie spät es ist. Ein Wahnsinn«, und sie machte eine Pause, um die bittere Offenkundigkeit ihrer Worte wirken zu lassen. »Aber jetzt sind sie fort. Wir haben nur noch drei Dauergäste da, die schon vor einer Weile schlafen gegangen sind. Sie sind sicher auch zu den Feierlichkeiten in die Stadt gekommen, nicht?«

»Nein, nein«, wehrte Gregorio die Frage mit den Händen ab, »ich bin geschäftlich hier.«

Doña Gloria seufzte:

»Und wie lange gedenken Sie zu bleiben?«

»Einen oder zwei Monate, vielleicht weniger«, und da wußte er, daß dies die Frist war, die sein Plan ohne die Unterstützung von Inspiration oder Verwegenheit beanspruchen würde.

Gregorio hatte sich ein paar Worte zurechtgelegt, Bruchstücke einer verworrenen Geschichte, deren Wert weniger im Inhalt als im Pathos ihres Vortrags lag. Etwas, das nicht so sehr sein Verhalten rechtfertigte, als im voraus den verständlichen Argwohn zerstreute, den seine späte Ankunft hervorrufen konnte. Er kürzte die Formalitäten jedoch ab, indem er auf seine Tasche zeigte und erklärte, beim Verlassen des Zuges habe man ihm den Koffer gestohlen, in dem sich auch seine Brieftasche mit allen Papieren befunden hatte. »Ich war bei der Polizei, und sie wollen mir neue Papiere ausstellen«, sagte er und fuhr sich nach diesen Worten mit der Hand von oben nach unten über das Gesicht und zog die Haut so lang, daß er danach wie der byzantinische Christus aussah. »Ich bin todmüde«, fügte er hinzu.

»Das war ein reichlich verrückter Tag«, bestätigte Doña Gloria.

Sie überlegte einen Augenblick mit in sich gekehrtem Blick und begann dann, im Sessel hin und her zu rutschen, bis sie auf der Kante saß und, sich mit den Ellenbogen von der Lehne abdrückend, auf die Beine kam.

»Die Formalitäten müssen Sie mit Paquita regeln, das ist meine Nichte, die kümmert sich um die geschäftlichen Dinge. Jetzt kommen Sie erst einmal mit, ich zeige Ihnen Ihr Zimmer. Aber leise!«

Im Stehen wirkte sie noch rüstiger. Sie war groß, und obwohl sie sehr gebeugt ging, den Stock weit vorgestreckt und mit der anderen Hand die Decke im Schoß zusammenhaltend, war ihr Gang der einer gebrechlichen Königinmutter.

»Sie werden sich hier wohlfühlen. Dies ist ein Haus für ehrenwerte Herren, und es ist das sauberste und am besten desinfizierte Haus, das Sie finden können. Obwohl natürlich«, und dabei deutete sie mit ergebenem Achselzucken auf ihre Decke, »die Mikroben überall sind. Ich schütze mich so gut es geht vor ihnen, indem ich mich vor allem unten herum bedeckt halte, weil sie immer von unten an den Menschen heraufsteigen. Wie schon mein seliger Bruder zu sagen pflegte: ›Die Politik und die Mikroben sind die ärgsten Feinde des Menschen.‹ Sie sind doch wohl nicht krank?«

»Nein, Señora.«

»Kranke Menschen bringen nämlich Mikroben herein, und wenn sie erst einmal im Haus sind, hat man seine Last mit ihnen. Na ja, Kaufmann sagten Sie, sind Sie?« fragte sie, als sie auf den Flur hinaustrat.

»Nein, nein, ich bin Reisender für Wein und Oliven«, antwortete er in gönnerhaftem Ton und trat hinter ihr auf den Flur. »Das heißt, Reisender und Künstler. Schriftsteller, um genau zu sein.«

»Künstler sind früher an Schwindsucht gestorben. Aber mit dem ganzen Fortschritt heutzutage werden sie älter, da sehen Sie mal, wie sich alles verändert. In diesem Stockwerk ja nicht, aber in den anderen dürften noch Mikroben aus dem letzten Jahrhundert sitzen, von den Romantikern. Hier, schätze ich, sind die ältesten aus der

Zeit der Republik. Manche werden groß wie Läuse, und nachts hört man sie herauskommen.«

Und ohne in ihrem mühsamen Gehen innezuhalten, berichtete sie ihm, daß ihre Großmutter – auch eine Doña Gloria – die Pension gegründet hatte, als die Caballeros noch gelbe Westen trugen und sich duellierten, und daß sie schon damals für ihre Sauberkeit und Ehrbarkeit berühmt war. Als sie an einer Tür vorbeikamen, hörte man ein Husten, was Doña Gloria zum Anlaß nahm, ihm mitzuteilen, daß die drei Herren bereits seit zwanzig Jahren bei ihr wohnten. Sie waren alle drei pensionierte Finanzbeamte, ledig, kurzsichtig, alle aus Kastilien, Freunde der Zarzuela und große Salatesser. Jetzt verließen sie ihre Zimmer nur noch selten. Ab und zu gingen sie ins Theater oder unternahmen Spaziergänge im Park, aber nie gemeinsam.

»Es sind nette Menschen, aber sie haben sich nie richtig verstanden. Sie wissen ja, wie so was ist.«

Sie teilte ihm noch mit, daß die Unterkunft mit Vollpension sei. »Wollen Sie auch im Haus essen?« »Nein, erst einmal nicht«, antwortete Gregorio und fügte hinzu: »Ich erwarte Nachricht über ein Buch und über verschiedene Aufträge, ich weiß nicht, wie lange das dauern wird.«

»Mein Bruder«, fuhr Doña Gloria fort, »war auch Künstler. Alle Bilder hier im Haus sind von ihm. Er hieß Cabrera, Aurelio Cabrera, und hatte den Spitznamen ›der Grübler‹. Vielleicht haben Sie von ihm gehört, in jungen Jahren war er Hofmaler des Königs. Dann hatte er diesen Traum. Er träumte von einem Dorfplatz und einem Esel und war danach so besessen von dem Bild, daß er nichts anderes mehr malen konnte. Hundertmal und mehr hat er es gemalt und hat immer gesagt: ›Nein, es ist noch nicht so, wie ich es gesehen habe‹, und wieder auf ein neues. Er glaubte, es sei das Dorf, in dem er in einem früheren Leben gewohnt hatte, und einmal hat er sogar gemeint, er sei in dem früheren Leben vielleicht ein Esel gewesen. Er hat allen Bildern«, und dabei blieb sie stehen und zeigte mit ihrem Stock auf die Wände des Korridors, »den Titel *Die freien Kinder* gegeben. Und Sie sehen ja, auf keinem einzigen ist ein Kind zu sehen. Immer ein Esel, manchmal eine Frau, ein alter Mann und ein Hund, aber niemals Kinder. Ein höchst merkwürdiger Mensch. Und Sie, haben Sie auch einen Fimmel?«

»Nein, Señora, ich bin ganz normal.«

»Und was für Bücher schreiben Sie?«

»Gedichte, mal einen Roman, ab und zu einen Essay. Wie es so kommt!« sagte er mit einem kleinen Schrei verhaltenen Jubels.

Doña Gloria bog in ihrem unsicheren, schmerzgebeugten Gang um eine Ecke des Korridors. Sie gingen im Dunkeln, und Gregorio erahnte so eben noch den toten Glanz der Bilder an den Wänden.

»Mein Bruder hat sehr gern gelesen. Gelesen und gegrübelt. Er hatte viele Bücher, und er konnte sie am Geruch unterscheiden. Wenn er ein Buch zum zweiten Mal lesen wollte, roch er daran. Er schloß die Augen, hielt sich das Buch an die Nase, und mit dem Geruch kam ihm die ganze Geschichte mit allen Einzelheiten wieder in Erinnerung. Ich selbst«, sie blieb stehen und senkte vertraulich die Stimme, »lese überhaupt nicht und bewege mich nur soviel wie eben nötig, um mich zu schonen. Ich bin jetzt siebenundachtzig Jahre alt, und wenn ich mich weiterhin schone und mir die Mikroben vom Leib halten kann, hoffe ich, hundert zu werden. Heute allerdings habe ich mich nicht sehr geschont. Wenn alle Tage so wären wie heute, würde ich kein Jahr mehr leben. Aber bitte«, sagte sie, als sie eine Tür öffnete, »dies hier ist Ihr Zimmer.«

Darin stand ein großes, hohes Bett aus Holz, ein dreitüriger Kleiderschrank mit einer gedrechselten Krone, ein Tisch und ein einfacher Stuhl. An den Wänden hingen wieder Bilder von dem Platz und dem Esel, der Fußboden bestand aus grünen Schlackenfliesen, und von der Decke hing eine Glühbirne in einer gläsernen Tulpe. Ein schmales, einflügeliges Fenster mit geblümtem Rollo ging auf einen Innenhof.

»Sagt es Ihnen zu?«

»Ja, so ähnlich hatte ich es mir vorgestellt«, lächelte Gregorio.

»Nun, dann lasse ich Sie jetzt allein, es ist ja schon spät. Morgen früh sprechen Sie mit meiner Nichte. Das Bad ist am Ende des Flurs, dort, auf der Seite. Wenn Sie etwas brauchen, sagen Sie nur meiner Nichte Bescheid. Ich wünsche Ihnen eine gute Nacht.«

Als Gregorio allein war, zog er den Mantel aus, nahm Hut und Brille ab, stellte den Schuhkarton auf den Tisch, nahm Stift und Papier zur Hand und schrieb: »Liebe Angelina.« Er hielt inne und betrachtete aus einiger Entfernung den Schriftzug. Seine Hände zitterten nicht. Sein Ausdruck mußte undurchdringlich sein, sein Blick kalt und berechnend. Die Tischschublade, die er nur öffnete, um sich an der Präzision seiner Bewegungen zu erfreuen und sich der Virtuosität seiner Handgriffe zu versichern, war mit einer vergilbten Zeitungsseite voller Todesanzeigen ausgeschlagen. Er spitzte die Ohren:

das einzige, was man außer dem Regen hörte, war das aus der undichten Dachrinne in den Hof platschende Wasser. Er betrachtete das Bett: die Tagesdecke war himmelblau und zeigte einen verblichenen Wald mit einem Kreis tanzender Nymphen, auf dem sein Mantel, so schwer wie Erde und nach aufgebrühten Federn riechend, die Form einer Leidensgestalt angenommen hatte. Er wartete noch ein wenig länger, weil er überzeugt war, daß, wenn er diese Augenblicke der Panik überstand, wenn er ihr ins Auge sehen konnte, ohne schwach zu werden und ohne daß seine Hände zu zittern begannen, er von ihren Attacken so lange verschont bleiben würde, bis er seinen Plan in die Tat umgesetzt hätte. Dann würde die Furcht vor den Erfordernissen der Tat zurückweichen. Er wartete also, und als er sich nach einer Weile seiner ruhenden Willenskraft sicher war, griff er wieder zum Stift:

»Liebe Angelina, ich schreibe Dir von einem geheimen Ort, den ich Dir jetzt noch nicht nennen kann. Ich werde Dir alles in Ruhe erklären. Vertraue mir und tue genau, was ich Dir sage, befolge meine Anweisungen aufs Wort, selbst wenn sie Dir absurd scheinen, denn davon hängt mein Leben ab und vielleicht auch Deines. Der Tag ist gekommen, da ich Dir die Wahrheit sagen muß. Du mußt wissen, daß ich schon seit langer Zeit politisch aktiv bin, es schon war, bevor wir uns kennenlernten, und Dir nie etwas davon gesagt habe, um Dich nicht zu beunruhigen und in Gefahr zu bringen. Es war das große Geheimnis meines Lebens. Wenn ich in das Café ging, von dem ich Dir erzählt habe, dann nicht nur, um Gedichte vorzutragen, sondern auch, um mich mit denen von der Partei zu treffen (mehr kann ich im Moment nicht sagen, aber Du kannst Dir sicher denken, was ich meine). Ich war einer der Vorsitzenden und stand schon seit geraumer Zeit unter polizeilicher Beobachtung. Darum habe ich mir auch ein Pseudonym zugelegt und Hut und Sonnenbrille getragen. Verstehst Du jetzt?

Jedenfalls, als ich nach unten ging, um Zigaretten zu kaufen, nahm ich, wie es seit Jahren schon meine Angewohnheit ist, ein bißchen Geld und Wäsche mit, für den Fall, daß ich plötzlich fliehen müßte. Und kaum war ich auf der Straße, versuchten zwei Männer, die mir aufgelauert hatten, mich zu verhaften. Du hast es sicher gehört. ›Faroni, gib auf!‹ haben sie gerufen. Ich rannte davon, und sie schossen mir von hinten in die Schulter. Aber Du brauchst dir keine Sorgen zu machen, es war ein glatter Durchschuß, und ich fühle mich schon wieder besser. Jetzt bin ich, wie gesagt, in einem unterirdischen Geheimversteck, in dem ich einen oder zwei Monate bleiben werde, ich glaube aber nicht, daß es zwei werden, bis sich die Wogen etwas geglättet haben. Aber jetzt kommt das Wichtigste. Morgen oder übermorgen oder wenn Du es am wenigsten erwartest, wird Gil Dich aufsuchen, von dem ich Dir schon erzählt habe, der mehr oder weniger genauso angezogen ist wie ich, und der sich vielleicht als Dacio Gil Monroy vorstellt. Er wird Dir erzählen, daß er bei Belson arbeitet und gerade aus der Provinz in die Stadt gekommen ist. Aber was immer er Dir erzählt, glaube ihm kein Wort. Er ist in Wirklichkeit Polizist und versucht, Beweise gegen mich in die Hand zu bekommen. Er wird versuchen, Dich auszuhorchen. Er wird Dir erzählen, er sei ein Freund von mir und kenne mich schon seit Jahren. Glaube ihm kein Wort, der Mann ist skrupellos. Sage ihm nur, Faroni sei ins Ausland gefahren. Zeige ihm auf keinen Fall ein Foto von mir, sage ihm auch nicht, wie ich in Wirklichkeit heiße und wie alt ich bin, gib ihm keine Beschreibung von mir und sage ihm nicht, daß Du meine Frau bist und auch nicht, daß ich dort wohne. Sage ihm nur, Du hättest gehört, Faroni sei aus politischen Gründen ins Ausland geflohen und daß ich eine Kugel in die Schulter gekriegt hätte, aber schwerverletzt fliehen konnte und kein Wort mehr. Wenn er nach dem Café fragt, sage ihm, Deines Wissens seien alle verhaftet worden, es habe jetzt einen anderen Namen und die Treffen fänden auch nicht mehr statt. Wenn er Dich nach einer gewissen Marilyn fragt, sage ihm, Du wüßtest von nichts, oder daß sie vielleicht auch ins Ausland gegangen sei. Und wenn er Dich nach Gregorio Olías fragt (die glauben nämlich, daß Faroni und Gregorio Olías zwei verschiedene Personen sind, ich erkläre Dir das alles später), dann sagst Du ihm ebenfalls, daß Du nichts weißt, aber daß er möglicherweise im Gefängnis sitzt oder sich verborgen hält. Und wenn er fragt, wer Du bist, dann sage ihm, daß Du eine Bewunderin Faronis bist. Sage ihm, wenn er wirklich Dacio Gil sei, finde Faroni sicher einen Weg, sich mit ihm in Verbindung zu setzen, und wenn er noch weitere Fragen stellt, wirfst Du ihn aus dem Haus. Merke Dir alles gut und verpatze die Sache nicht. Nicht daß ich deinetwegen wirklich ins Ausland oder ins Gefängnis muß. Morgen, am 5., gehst Du so gegen zehn im Park spazieren, da, wo der Platz mit dem Denkmal ist. Da treffe ich Dich und kann Dir alles erzählen. Bringe mir Sachen zum Anziehen mit und sieh zu, daß Dir dieser Gil nicht folgt. Vertraue mir. Es liebt Dich mehr denn je G.«

Der Brief schien ihm von einer schlichten, meisterhaften Wirklichkeitsnähe: damit würde er nicht nur Angelinas Gunst zurückgewinnen, sondern sie auch zur Komplizin in seinem Kampf gegen Gil machen. Eine Gefahr war somit gebannt. Aber – und hier stand er mit finsterer Miene auf und begann sich auszuziehen – es gab noch andere, die nicht so einfach aus dem Weg zu räumen waren. Vor allem mußte er verhindern, daß Gil am nächsten Samstag das Café betrat. Und nichts fiel ihm ein. Alles, was ihm in den Sinn kam, war, den Kellner zu bestechen, damit er sich als Bote Faronis ausgab, Gil vor der Tür abfing und ihm zuflüsterte, das Lokal sei voller Polizisten, alle als Künstler getarnt, und er riskiere sein Leben, wenn er nicht sofort fliehe. Aber vielleicht wäre dem Kellner ein solcher Auftrag zu riskant. Oder Gil stürzte in die Veranstaltung, um sich dort mit dem Ruf: »Es lebe Faroni! Tod den Verfolgern!« im Namen des Fortschritts selbst zu opfern. Nein, nein, er mußte unbedingt einen Weg finden, mit Gil zu sprechen und ihn im Namen des Fortschritts, der Partei und der Sicherheit der Gäste aufzufordern, das Café vorerst nicht zu betreten. Vor dem Spiegel blieb er stehen: »Mit deiner Ankunft hast du alle verraten. Prächtige Menschen waten durch Morast. Gelehrte Männer kauen Kräuter. Berühmte Akademiker in Viehwaggons getrieben. Philosophen ohne Brillengläser. Ein Biologe in Bastschuhen. Dramatiker in Unterhosen. Sprachwissenschaftler mundtot gemacht. Und alles dein Werk, armer Dacio. Der Chemiker kam, und die Welt ging unter.«

Er sah sich in Unterhosen, als wäre der im Spiegel Gil, und von der anderen Seite betrachtete er ihn mit dem triumphierenden Mitleid der Verachtung. Er drohte ihm mit dem Finger: »Oh, Gil Gil Gil! Welcher grünäugige Gott soll deine Vermessenheit bestrafen?« Mit den ausladenden Bewegungen eines Redners trat er einen Schritt zurück, um in übertrieben statuenhafter Geste seine vielversprechende Sprachgewalt zu verewigen. Und Gil wäre beschämt ob der Schuld, die er auf sich geladen hatte und würde, dem Schicksal gehorchend, aus der Stadt entfliehen, genau wie sein Plan es vorgesehen hatte. Dann könnte er nach Hause zurückkehren, seine Arbeit wieder aufnehmen, und die Schmach wäre abgewaschen.

Von dieser Aussicht angeregt, zog er seinen Pyjama an und löschte das Licht. Die zwölf Schläge einer nahen Kirchturmuhr hinterließen in der nächtlichen Stille ein düsteres Echo. Da wagte Gregorio einen endlos eindringlichen Augenblick lang, sich vorzustellen, wie tief seine Angst tatsächlich saß, die er sich wie eine vom Horn des Stiers gerissene Wunde ausmalte, und fragte sich, ob in ihr – in Form von Lumpen und Kartons – die Jahre Platz fänden, die er noch zu leben hatte. Er ließ sein Leben im Geiste vorüberziehen; all die Tätigkeiten und Gelegenheiten, die ihn in diese Lage gebracht hatten, die Sünden, die er hätte begehen können, um sich nach all den Jahren in einer Sonntagnacht an diesem Ort wiederzufinden, fern von zu Hause und eine Luft atmend, die nicht die seine war, und mit Unbekannten sein immergleiches Schweigen teilend. Da hörte er hinter sich die hecheln-de Meute des schwarzen Unheils, und um ihr zu entkommen, dachte er an einen Sommertag in seiner Kinderzeit. Vielleicht könnte er eines Tages unauslöschlich klare Worte an ein junges Publikum richten. »Ein Sommer am Ende des Jahrhunderts, auf einer Aue mit Ochsen und Krähen.«

Er sah die jungen Leute singend zur Aue ziehen. Ohne sich von dem Stein zu erheben, auf dem er ruhte, schwenkte er seinen Stock, und als sie ihn sahen, warfen sie wie Vogelscheuchen die Arme hoch und winkten ihm so lebhaft zu, daß die Krähen aufflogen. Kruak, kruak, hörte er sie krächzen, ehe er einschlief.

KAPITEL XVII

Anderntags verließ Gregorio die Pension schon früh am Morgen und trat, an Ritter, Tod und Teufel denkend, auf die Straße.

Er befand sich in einem Viertel mit schmalen Gassen, das er flüchtig kannte. Die Sonne schien, und die Stadt zeigte ihr schönstes Alltagsgesicht. Da gingen welche mit der Leiter oder dem Werkzeugkasten auf der Schulter, der Praktikant mit seinem Köfferchen und die Hausfrauen mit Korbtaschen voller Mangold; jener dort im Anzug eilte mit geschmeidigen Schritten geschwind aufs Amt, und dieser da kam mit dem Schlüsselbund in der Hand daher und schlug es sich anspornend gegen die Schenkel, der Kaufmann tastete mit finsterem Blick grübelnd nach dem Bleistift hinter seinem Ohr, der Rentner spazierte mit verträumtem Gehstock in eine unbeholfene Richtung, ein Lärmbündel von Stimmen drang jäh an sein Ohr, und der Friseur trat, mit der Schere in der Luft schnippend, aus seiner Tür; der Herr Stadtrat schritt gut gefrühstückt eine abschüssige Straße hinunter, umging stutzend und hochmütig eine Gruppe von Arbeitern, die mit Taschenmessern aus Henkelmännern essend um ein Holzfeuer saßen, und alles sah nach fleißiger, gutbürgerlicher Gemeinde aus, nach didaktischer Wandmalerei, nach vorbildlichem Geschnörkel.

Gregorio schritt – mit verbeultem Hut, hochgeschlagenem Mantelkragen und undurchdringlichem Gesicht – rüstig aus. Die Furcht, Gil könne den Tag frei bekommen haben, um in der Stadt eine Unterkunft zu finden, und träfe noch vor ihm zu Hause ein, oder Angelina könnte ihn als vermißt melden, ließ ihn hastigen Schritts vorwärts eilen, stets im Schatten der Hauswände und den Blick am Boden. Es gab keinen Geruch und keine Form an diesem Morgen, die nicht zum Orakel wurden, und kein Orakel, das nicht zugleich Hoffnung und Katastrophe verkündete. Der leiseste Lufthauch, die kleinste verirrte Wolke am Himmel, der Schlafzimmergeruch aus halbgeöffneten Fenstern oder die ersten wärmenden Sonnenstrahlen an den Straßenecken, alles kündete von einer Welt, die Zufall und Chaos war. Als er jedoch in seine Straße kam und auf dem Balkon eines seiner Hemden zum Trocknen aufgehängt sah, glaubte er wieder an die Möglichkeit einer Welt in Harmonie. Das Hemd flatterte, als habe es ihn erkannt und rufe um Hilfe. Gregorio war ergriffen und dachte unwillkürlich an Schneiderlein, an Drachen und Prinzessinnen.

Ohne zu überlegen, ging er über die Straße, trat ins Haus, stieg widerwillig die Treppen hinauf und klingelte an der Wohnungstür. Sobald er Schritte vernahm, legte er den Brief auf die Fußmatte und lief auf Zehenspitzen, mit hochgezogenen Schultern und unbeholfen mit den Armen flatternd ins nächste Stockwerk hinunter. Dort hielt er inne und wartete, mit einer Hand auf dem Treppengeländer, falls eine überstürzte Flucht nötig sein sollte, bis Angelina zweimal »Ist da wer?« gerufen hatte und nach einer nachdenklichen Pause, die entsetzlich lang wurde, die Tür wieder schloß. Im selben Moment sah er seinen Schatten an der Wand vier Treppenabsätze hinaufeilen und den Hals strecken: der Brief war verschwunden. Er hastete zurück auf die Straße, im Ohr das immer näher kommende Kriegsgetümmel um Ritter, Tod und Teufel, und schlug erneut die Richtung seines Exils ein.

In der Nähe der Pension ging er in eine kleine Eckbar und setzte sich an einen der hinteren Tische. Er bestellte einen Kaffee mit Krapfen, schlug sein Notizbuch auf und schrieb auf eine leere Seite oben das Datum und darunter: *Der Krieg ums Vaterland*. Denn seit er am Morgen aufgestanden war, dachte Gregorio an nichts anderes als an kämpfende Ritter, an den Tod und die maurischen Teufel. Zuerst war es das ungewohnte Gefühl und die Panik, an einem Montag nicht zu arbeiten, nicht zu Hause und nicht bei der Arbeit zu sein, und dann noch Gil in der Stadt zu wissen, die nicht nur die Stadt war, sondern ein Reich, das er sich lautlos wie eine Schlange widerrechtlich angeeignet hatte. Später auf der Straße hatte er das Gefühl, daß auch er von seiner letzten Bastion aus einen Feldzug zur Rückeroberung der Heimaterde führte, dessen Ziel es war, den Eindringling dorthin zurückzutreiben, woher er gekommen war. Diese Sicht der Dinge war zwar recht frei und mehr als fragwürdig, wie er in einem lichten Moment sehr wohl erahnte, doch gab sie ihm einen Platz in der Welt, gab ihm eine gerechte Sache an die Hand und ein energisches Verständnis vom Zusammenhang der Dinge. Das erfüllte ihn mit Mut, Scharfsinn und Tatkraft.

Er unterstrich den Titel und schaute auf die Uhr: zwanzig vor neun. Direkt an der Eingangstür der Bar, die eher eine Spelunke war, hing ein Käfig mit Rebhühnern, die hohe Theke war aus unverputztem Zement, und an den Wänden hingen Fußball- und Stierkampfplakate. Im Hintergrund standen ein paar Tische mit karierten Tischdekken und Öl- und Essig-Ständern, und oben an der Wand ein alles beherrschender Fernseher neben einem Stierkopf mit heraushängender Zunge. Dort hatte Gregorio, direkt an der Wand, seinen Platz eingenommen. Ein Mann mit großen, zögernden Händen brachte ihm Kaffee und Krapfen, und er aß hastig und geistesabwesend mit großem Appetit. Danach wandte er sich wieder seinem Büchlein zu. Er zeichnete vier Spalten auf, die er mit *Dacio Gil, Gregorio Faroni, Café Hispano der Essayisten* und *Angelina Marina* überschrieb, dann hektisch vollkritzelte und mit Pfeilen, Klammern, Randbemerkungen und irgendwelchen Querverweisen zueinander in Beziehung setzte. Um zweiundzwanzig Minuten nach neun war sein Plangebilde ein undurchdringliches, verheißungsvolles Dickicht von Hinweisen und Perspektiven. Es überzeugte ihn davon, noch immer wer zu sein, einer, der noch immer ein Blatt Papier mit Zeichen zu füllen wußte, die zwar keine glänzende, doch wenigstens dem schlichten Garten Eden vergleichbare Zukunft verhießen, aus dem man ihn verstoßen hatte. Er erinnerte sich, in seiner Jugend einmal ein romantisches Gedicht der Suche nach dem Paradies gewidmet und darin gefragt zu haben, ob es in der Vergangenheit oder der Zukunft existierte, ob es ein weit zurückliegender, für immer verlorener Garten war oder eine Stadt mit polysportiven Einrichtungen und Luftalleen, und ob man daher zur Hoffnung oder zur Sehnsucht verdammt war. »Wir sind der fragende junge Mann und der alte Mann, der Antwort gibt oder schweigt«, schrieb er auf und hatte vielleicht gerade jetzt, da er um den Erhalt eines erbärmlichen Arbeitsplatzes kämpfte, um eine Frau, die er wahrscheinlich nicht einmal liebte, und um die Ehre einer Geisterexistenz, der zu entsagen er sich nicht durchringen konnte, eine Antwort für jenen wißbegierigen jungen Mann. Er grübelte noch über die Antwort nach, die eigentlich mehr ein Hohn auf seine eigene Frage sein sollte, als er hinter seinem Rücken eine Stimme vernahm:

»Ein paar Glückslose gefällig?«

Gregorio wandte sich ungläubig blinzelnd um. Vor ihm stand ein kleiner dicker Mann von ungefähr sechzig Jahren und verwirrendem oder absurdem Aussehen. Er trug einen Regenmantel aus schwarzem Wachstuch, der von einem Gürtel zusammengehalten wurde und ihm beinah bis an die Füße reichte. Mit Sicherheitsnadeln hatte er sich Zehntellose der Lotterie an die Revers geheftet. Er trug eine vergilbte Scheitelperücke, die wie ein Strohwisch aussah, Gummistiefel, bei deren Anblick man kalte Füße bekam, eine schwarze Brille, die ihm das Aussehen eines blinden Troubadours verlieh, und das Oberlippenbärtchen eines Experten in Sachen Gewerkschaftsrecht. Er ließ sich vergnügt betrachten, neigte dann mit einer halben Drehung des Halses den Kopf und fragte dienstfertig:

»Ein Glückslos?«

Er sprach so ernsthaft, daß seine Stimme verzerrt aus dem Gaumen seines Schnapsrachens drang, in dem man grünlichfaule Zahnstummel sah.

»Ich habe kein Glück«, sagte Gregorio mit einem Lächeln.

Der andere ging kopfschüttelnd um den Stuhl herum. In dem Regenmantel wirkte er unbeholfen und steif, und die kleinste Bewegung erfaßte seinen ganzen Körper.

»Gestatten Sie bitte, daß ich mich vorstelle: Antón Requejo. Ich habe Sie hier noch nie gesehen, ich meine, ich habe mir da gleich gesagt: Adel verpflichtet. Das heißt, daß ich Sie ganz meiner Ergebenheit und Achtung versichern möchte. Sind Sie auf der Durchreise?« fragte er mit theatralischer Förmlichkeit.

Gregorio klappte sein Büchlein zu.

»Ja, ich komme aus dem Ausland.«

»Ich sag Ihnen. Von weit her?«

»Aus Paris.«

»Stadt des Lichts. Erlauben Sie mir, mich einen Moment zu Ihnen zu setzen?«

Er sprach die Worte mit Nachdruck, in einem Ton professoraler Affektiertheit, fast deklamierend.

»Selbstverständlich«, sagte Gregorio, hochzufrieden, daß ihm das Schicksal in diesen einsamen Stunden die Gunst einer Freundschaft erwies.

»Wenn Sie die Frage gestatten, ich meine, haben Sie zu Ende geschrieben?« sagte Antón, auf das Notizbuch deutend.

»Für heute ja«, antwortete Gregorio, bereit, bei der nächsten sich bietenden Gelegenheit zu verkünden, daß er Künstler sei.

»Wissen Sie«, sagte der andere mit leidvoller Unbestimmtheit, als bedauere er, die Gründe für seine Rede von soweit her holen zu müssen, »ich bin ein Mann der Intuition. Ich meine, ich sage das Geschlecht von Ungeborenen voraus, lese die Namen von den Gesichtern ab (falls die Namen wirklich der Natur entsprechend gegeben worden sind), sage Regen und Kriege voraus, vor allem aber erkenne ich auf einen Blick jeden, der an Liebeskummer krankt. Das ist meine Spezialität. Gestatten Sie mir einen kleinen Zwischeneinschub; ein Liebesbrief?«, dabei wies er auf das Notizbuch.

»Geschäftsbrief«, antwortete Gregorio in freundlich ironischem Ton.

»Wer hätte das gedacht. Ich habe Sie beobachtet, nehmen Sie es mir bitte nicht übel, und Ihrem Gesicht und Ihrer Haltung nach zu urteilen, kam für mich nur Liebesbrief oder Abschiedsbrief in Frage. Allerhöchstens noch Gedichte.«

»Nun«, entgegnete Gregorio und raffte sich zu Vertraulichkeiten auf, »so falsch haben Sie gar nicht gelegen. Ich bin tatsächlich Dichter.«

»Sie schreiben Gedichte?« rief der andere begeistert. »Dann habe ich mich nicht geirrt?«

»Gedichte und Prosa. Dichter und Romancier.«

»Nun, ich könnte Ihnen Romangeschichten erzählen, die eines Dante würdig wären. Gefühlvolle und wahre Geschichten aus anderen Zeiten. Zum Weinen habe ich die Leute damit gebracht. Was ich noch sagen wollte, sind Sie verheiratet?«

»Ja«, sagte Gregorio zögernd.

»Ich auch. Verheiratet und gehörnt. Aber ich schäme mich dafür nicht.« Er zeigte mit dem Finger auf ihn. »Ich habe meine Ehre verloren, wie andere ihre Gesundheit oder ihr Vermögen verlieren. Wie andere sagen, ich bin Elektriker oder Diabetiker, sage ich, ich bin gehörnter Ehemann. Ich kann Ihnen eine Geschichte erzählen, die meine chronische Heiserkeit gerade noch erlaubt. Vor Zeiten habe ich sie nur gegen eine Räucherwurst und eine Flasche Glühwein erzählt. Aber mißverstehen Sie mich nicht. Sie dürfen nicht glauben, daß ich Sie beim Mitgefühl packen will. Wie gesagt. Ich bin von einem Ideal erfüllt, ich arbeite für eine Doktrin wie die Missionare. Ich bin sofort zur Stelle, wenn ich bei den geneigten Gästen Anzeichen dafür entdecke, daß mein Eingreifen erforderlich wird wie in diesem Fall. Mein Betätigungsfeld sind im Augenblick die Lokale in diesem Stadtteil. Hier kennen mich alle. Fragen Sie nach mir, und man wird Ihnen sagen: ›Antón? Ein Vorbild, ein Prophet.‹ Ich verbreite meine Geschichte wie die Apostel das Wort Gottes. Jeden Tag erzähle ich sie zwei-, drei-, bis zu fünfmal«, sagte er und lächelte wie ein Teufel. »Das ist meine Mission auf dieser Welt.«

Gregorio, für seinen Teil, sah ihn verständnisvoll und friedlich lächelnd an.

»Haben Sie eine halbe Stunde Zeit für meine Worte, ja?« fragte er, durch Gregorios lächelnde Miene ermuntert. »So lange dauert meine Geschichte. Fünfundzwanzig Minuten. Ich kenne sie auf den Millimeter. Vor zehn Jahren noch habe ich acht Stunden und mehr gebraucht, je nach Inspiration. Aber ich habe daran gefeilt und gefeilt, ganz im Geist der neuen Zeit, und ich schätze, daß ich sie in einigen Jahren in vier oder fünf Minütchen vortragen kann. Wie gesagt. Die Erzählung besteht aus einem Exkurs oder einer Vorrede, einem Hauptteil und einer Theorie als Nachtisch sozusagen. Ich erzähle sie Ihnen anhand dieser vier Photographien«, dabei zog er ein schmutziges Stück rosafarbenes Seidenpapier hervor und entfaltete es unbeholfen, »die meine Geschichte illustrieren, ebenso wie einige Objekte, die ich Ihnen zu gegebener Zeit zeigen werde. Ich nenne sie meine Museumsgeschichte. Wie gesagt. In der heutigen Zeit sind es die Augen, die arbeiten müssen, und eine Geschichte, die man nicht sehen kann, wird von den Leuten nicht geglaubt. Machen Sie es sich also bequem, verehrter Freund, als wären Sie in einem Kino. Zu Beginn sehen Sie sich einmal dies hier an«, und er zeigte ihm seine Hand, die nur noch den Zeigefinger und den kleinen Finger besaß. »Seien Sie bitte nicht beleidigt. Sie brauchen aber auch kein Mitgefühl zu zeigen. Dieser Unfall erlaubte es mir in jungen Jahren, als Artist in Zirkus und Varieté aufzutreten. Und vorher habe ich Ziegen gehütet. Hier sehen Sie«, und er zeigte das erste Photo.

Auf felsigem Gestein stand da plötzlich ein breit grinsender, zerlumpter Junge mit einem Stock, einem Ziegenfell und einem Hund zwischen den Beinen. »Ein durchreisender Händler hat mich photographiert, als Gegenleistung für ein paar Puteneier, die ich ihm gegeben habe. Sehen Sie die Landschaft? Ich bin da draußen geboren, in diesen Tälern, wo es noch wie in alten Zeiten zuging. Oh, das waren die unwiederbringlichen Zeiten«, rief er und warf theatralisch den Kopf zurück, begleitete seine emphatischen Worte mit wiegendem Oberkörper und ebensolchen Gesten wie ein italienisch herausgeputzter Tenor, der eine Romanze zum besten gibt, »als die Eulen noch in die Häuser flogen, um das Öl aus den Lampen zu trinken, als die Schlangen die Vögel noch mit Blicken bannten und liebeskranke

Kater sich aufmachten, den Duft des Flieders zu schnuppern, als die Leute noch in Versen sprachen und die Wanderer sich mit Kürbislaternen leuchteten! Es war die Zeit der weisen Füchse, als die Fabeln in den Bergen noch Wirklichkeit wurden, als die Tiere sich noch mit Worten bekriegten und große Versammlungen abhielten. Die Horoskope wurden in jenen Zeiten von den Schmetterlingen nach eigenem Instinkt gestellt. Glauben Sie mir. Der Mantelfink genannte Vogel warnte vor dem Skorpion, der Bienenfresser und der Flußeisvogel sangen gemeinsam ihr Lied. Ach, waren das Zeiten, als die Esel mit dem Hintern ertranken und man auf den Pfaden noch einen goldenen Ring finden konnte! Weder Fortschritt noch Industrie waren bis in jene Täler vorgedrungen, und man lebte dort wie im Altertum. Ich bin einer der wenigen Menschen der Antike, die es noch gibt. Einmal habe ich hier an dieser Stelle einem Geschichtsprofessor erzählt, welchen Weg ich zurückgelegt habe, um aus jenen Tälern bis hierher in die Stadt zu gelangen, und er hat mir, vor Zeugen, eine mindestens fünfhundertjährige Erfahrung bescheinigt. Und nachdem er meine Theorie vernommen hatte und wußte, daß ich der Gründer einer Sekte bin, hat er mich halb im Scherz und halb im Ernst den Häresiarchen Requejano genannt. Sehen Sie auf dem Photo meine beiden Hände mit all ihren Fingern? Sie werden wissen wollen, was passiert ist. Also passen Sie auf. Eines Tages tastete ich in dem hohlen Stamm einer Steineiche herum, weil ich darin ein Geräusch gehört hatte, das, wie sich bald herausstellte, von einem Fuchs herrührte, der mir diese drei Finger abbiß, als ich ihn herauszog. Und jetzt begebe ich mich auf einen kleinen Abweg in die Geschichte, um Ihnen zu erzählen, wie gesagt, daß es früher Schnurren in den Häusern gab. Das waren, grob gesagt, zahme Tiere. Sie lebten mit den Katzen zusammen, kamen und gingen durch die Schlafzimmer, wedelten mit dem Schwanz und bissen und kratzten keinen Menschen. Aber Sie wissen ja, wie das geht. Heutzutage hält niemand mehr Schnurren. Nur noch im Zoo gibt es ein paar ausgesetzte. Ihre Dienste sind nicht mehr gefragt. Schnurren, Katzen und Mäuse, sie sind alle aus der Mode gekommen. Aber früher, da brauchte man sich nur die kleinste Verletzung zuzuziehen, schon kam eine Schnurre, um die Wunde zu lecken. Zu mir ist damals eine gekommen und hat gesagt: ›Ein Unglück kann auch ein Glück sein.‹ Da habe ich dann, da ich ja für das Landwirtschaftsleben nicht mehr tauglich war, den Fuchs genommen und bin mit ihm durch die Welt gezogen, bis er mir vor ungefähr fünfzehn Jahren eingegangen ist. Ich transportierte ihn in einer Kiste und zeigte ihn auf Märkten, wobei ich die Geschichte erzählte, die ich selbst in Reime gefaßt und mit Schmerzlichkeiten ausgeschmückt hatte. Wenn man erst weiß, wie ein Schmerz ist, dann sprießt die Phantasie wie das Unkraut auf dem Mist. Hier, sehen Sie«, und aus seinen Taschen zog er einen Fuchsschwanz und zwei Reißzähne. »Das ist mir von ihm geblieben. Und jetzt sehen Sie sich das an«, dabei hielt er Gregorio das zweite Photo hin.

Man sah den Erzähler in bäuerlicher Tracht inmitten einer kleinen Schar Neugieriger. Die verkrüppelte Hand hielt er in die Höhe, und mit der anderen zeigte er auf die Kiste, aus der der Fuchs seine Schnauze steckte.

»So habe ich neun oder zehn Jahre gelebt, und es ging mir nicht schlecht. Doch nun weiter, denn wir kommen jetzt zum Hauptteil der Geschichte. Ich fasse mich kurz. Irgendwann lernte ich auf meinen Wanderungen eine Frau kennen, Künstlerin wie ich. Das Leben ist ein Krug auf dem Weg zum Brunnen. Wir lernten uns kennen, verstanden uns, traten zusammen auf, und nachdem ein Jahr vergangen war, führte ich sie als Jungfrau zum Altar. Sie sang und tanzte, und ich begleitete sie mit diesen beiden freistehenden Fingern auf einer kleinen Gitarre. Wir legten uns auch Künstlernamen zu. Wie gesagt. Sie war die Carmencita des Großen Südens, und ich und der Fuchs waren der Gute Hirte und das Biest. Und jetzt hören Sie, denn meine Geschichte ist nicht nur mit Gegenständen illustriert, sondern hat auch Musik, genau wie im Kino«, und mit den Fingerknöcheln klopfte er den Rhythmus auf die Tischplatte, suchte mit einem wehen Laut in der Stimme nach der richtigen Tonlage und sang dann leise in Flamencoweise:

> Carmencita des Großen Südens,
> der Gute Hirte mit dem Biest,
> dantesk ist unser Theater
> mit Tanz, Gesang und Herzeleid.

Mit dem Zipfel seines Taschentuchs wischte er sich eine sentimentale Träne aus dem Augenwinkel, bevor er fortfuhr.

»Hier, sehen Sie«, und er zeigte ein Perlmuttkästchen vor, in dem in Watte gebettet ein Ehering lag. »Echtes Gold. Glauben Sie mir. Es war eine Zeit des Wohlstands und des Glücks. Ja, bestimmt. Wir hatten ein Radio und einen Lieferwagen. Der Ziegenjunge aus den Tälern parfümierte sich jetzt mit Kölnisch Wasser, besaß ein Gasfeuerzeug, trug spitze Schuhe, und der Hosenstall war mit Reißverschluß. Meine Zähne waren vollständig, und einer war sogar aus Gold. Und damit nicht genug, hatte der Arzt mir sogar gesagt, er wolle mir eine Brille zum Lesen verschreiben, und ich hatte mir beim Optiker schon ein Modell mit Silberrand ausgesucht und dazu ein Etui, ganz wie ein hohes Tier. Und meiner Carmencita, die etwas schwerhörig war, hatte er ein Sonitron verschrieben, und sie sagte (es bricht mir das Herz, wenn ich daran denke), daß sie dann ja auch den Führerschein machen könnte. Und wie sie dabei gelacht hat, dieses Miststück! Sogar der Fuchs steckte seinen Kopf aus der Kiste und machte mit den Zähnen tschak, tschak, weil er von ihrer Fröhlichkeit angesteckt worden war. Doch wir wollen nicht abschweifen. Schauen Sie sich das dritte Bild an, das zum Mittelteil der Geschichte gehört.«

Man sah die beiden vor dem Lieferwagen stehen. Sie im Rüschenkleid, fett und dreist, mit der winzigen Gitarre im Arm; Antón im weißen Anzug und spitzen Schuhen, einen Fuß vorgestellt und mit ausgestrecktem Arm auf sie deutend, als präsentiere er sie auf der Bühne. Zu ihren Füßen sah man den Fuchs scheu aus seiner Kiste hervorwittern.

»Sehen Sie den da?« fragte Antón und deutete auf eine verschwommene Gestalt am Rand der Photographie. »Der war ein herumziehender Honigverkäufer, den wir an dem Tag am Straßenrand aufgelesen hatten. Ein Laffe, ein Vielschwätzer und Geschicklichkeitsspieler. Aber ich will es kurz machen. Zwei Monate lang trafen wir ihn in jedem Dorf, in das wir kamen. ›Du auch hier, Rufino‹, sagte ich zu ihm. Und er antwortete mir, die Welt ist ein Dorf. Kurz und gut, eines Tages passierte dann, was passieren mußte. Als ich in der Schenke aufwache, sehe ich einen wahren Kronleuchter von blauen Schmetterlingen über mir. Damals umschwirrten die blauen Schmetterlinge den Gehörnten in dem Augenblick, in dem er seine Ehre verlor. Sie drückten ihm damit ihr Beileid aus. Ich rannte ans Fenster, und es wurde gerade hell. Ich sah einen Weg, der sich durch die Ebene dahinschlängelte, und in der Ferne sah ich einen schwarzen Punkt, der schnell kleiner wurde. Es war der Lieferwagen. Meine Carmencita des Großen Südens, verehrter Freund, war mit dem Laffen durchgebrannt! Und ich blieb mit den Schmetterlingen, dem Fuchs und meiner Lesebrille zurück. Alles andere hatten die beiden mitgenommen. Geld, Kleider, alles.«

Er senkte den Kopf und schob das letzte Foto mit dem Finger zu

Gregorio hinüber. Man sah Antón, jetzt schon zeitgemäßer gekleidet, mit dem Gehörn eines Widders in einer Hand und einem offenen Messer in der anderen.

»So begann ich mein Priesteramt«, sagte er. »Ich ließ mich so photographieren, um nie zu vergessen, wer ich bin und was ich auf dieser Welt tue. Ich war damals noch jung und wußte nicht, was heute ja auf vielfältigste Weise belegt ist, daß Frauen von Natur aus potentielle Huren sind. Darin sind wir uns doch einig, oder? Ist das eine allgemeingültige Wahrheit oder nicht?« fragte er und beugte sich mit einem halb drohenden, halb flehenden Gesichtsausdruck vor.

Gregorio, der mit willfährigem Ernst zugehört hatte und sich fragte, ob dieser Mann ein Prophet oder ein Scharlatan war, lächelte versöhnlich:

»Nun, möglich ist alles.«

»Ich will Ihnen was sagen«, entgegnete der andere. »Ihre Frau ausgenommen, die bestimmt eine Heilige ist, sind alle anderen Huren; stillschweigend oder erklärtermaßen. Erlauben Sie, aber das ist bewiesen. Alle, sowohl früher als auch heute. Tätlich oder in Gedanken. Oder haben sie's nicht alle an der gleichen Stelle? Seien wir doch realistisch. Das liegt in der Natur. Das steht in der Bibel, das kann man beim Heiligen Augustinus und bei den Kirchenvätern nachlesen. Ich habe eingehende Studien betrieben. Schon im Altertum, bei den Weisen der Antike, da gab es keinen Philosophen und keinen Erzpriester, der das nicht bestätigt hätte. Sie werden mit Gänsen und mit Schlangen verglichen; ganz gleich, ob Königinnen oder Scheuerfrauen. Alle stecken ihr Haar hoch, rasieren die Achselhöhlen, seifen sich die Titten ein, und wenn sie lachen, sieht man immer ihr Zäpfchen. Stimmt das, oder nicht?«

Seine Stimme war zu einem eindringlichen Flüstern herabgesunken. Sein Atem stank, und er hielt Gregorios Arm mit eiserner Faust umklammert, um ihn sicherer im Überredungsbann seines Gemurmels zu halten.

»Sie sind die illegitimen Töchter des Schreis und die legitimen Töchter des Geflüsters«, zischelte er. »Von der Taille abwärts verdichten sich bei ihnen alle Nebel. Ihr Herz liegt dort in Essigtunke. Feucht zu sein ist ihre Natur. Selbst die frömmsten Betschwestern kommen nicht ohne Höschen aus. Es gibt sie in Weiß und Schwarz und in allen Farben, mehr als der Regenbogen hat. Sie ziehen sie an und ziehen sie aus. Sauber oder unsauber. Erst heben sie das eine

Bein, dann das andere Bein, und dann zupfen sie sie zurecht, bis sie fest im Schritt sitzen. Sogar Nonnen. Alle. Und das seit Jahrhunderten. Bei dem Gedanken läuft es einem doch kalt über den Rücken, oder? Stellen Sie sich nur vor, verehrter Freund, die Königin mit dem Stallmeister, der Abt mit der Näherin, die Marquise mit der Dogge, die Friseuse mit dem Fräser, oben und unten, an und aus und immer so weiter. Die Tatsachen werden Sie kaum leugnen wollen. Schauen Sie«, und er griff mit beiden Händen in seine Taschen. »Sehen Sie sich das an«, und mit diesen Worten legte er nebeneinander vor sich hin: einen Tischtennisball, drei Haselnüsse, vier Haarspangen, einen Lippenstift, zwei Wäscheklammern und ein welkes Unterhöschen. »Das ist alles, was sie im Wirtshaus zurückgelassen hat. Sehen Sie? Es riecht noch«, sagte er und hielt es Gregorio unter die Nase.

Er klaubte die Gegenstände auf dem Tisch mit beiden Händen zusammen und starrte sie kopfschüttelnd an.

»Zehn Jahre lang war ich ihr auf den Fersen, um Gerechtigkeit an ihr zu üben. Ich habe sie aber nicht gefunden. Und jetzt sitze ich hier vor Ihnen, ein entehrter Mann. Dies hier ist der letzte Gegenstand meiner Geschichte«, und mit diesen Worten zog er ein Klappmesser hervor und ließ die Klinge aufblitzen. »Wenn ich ihr begegne, das können Sie mir glauben, weiß ich genau, wo ich es ihr hineinstoße. Eine glühende Kohle, wie die Bücher sagen, die Höhle des unersättlichen Aals. Nicht einmal ein Orang-Utan könnte sie befriedigen. Mein Freund, die Ehre ist nur wiederherzustellen, indem man den Aal tötet. Und hier endet mein Bericht. Fünfundzwanzig Minuten sind vergangen. Ich bin ein Mann, der sein Wort hält. Und jetzt sagen Sie, edler Freund, dieser Brief; das war kein Liebesbrief?«

Gregorio, dem, während er Antón zuhörte, bei einem ebenso undeutlichen wie glänzenden Gedanken ganz mulmig geworden war, antwortete mit einer unbestimmten Geste. »Ich bin ein Mann der Intuition«, fuhr Antón fort, die Handbewegung im Flug ergreifend. »Ein Idealist. Darum habe ich Ihnen auch meine Geschichte erzählt«, und wieder umklammerte er seinen Arm, hielt ihn fest im Bann seiner Stimme.

»Ich habe große Pläne. Wir Gehörnten sind eine Weltmacht. Wir müssen uns nur organisieren, einen Club oder eine Bruderschaft gründen, wie den Kuckucksklan. Nachts ziehen wir mit Fackeln los, Fotzen versengen. Überall werden Sekten gegründet. Es gibt politische Sekten, religiöse Sekten, Arbeitersekten, von allem. Sogar die Schwulen und die Nutten haben eigene Niederlassungen. Nur wir

Gehörnten laufen unsolidarisch durch die Welt; als wäre uns mit der Ehre auch der Mut abhanden gekommen. Und da wir sind, was wir sind, nämlich Opfer eines Naturgesetzes, sollten wir keine geheime Sekte, sondern ein Königliches Kollegium gründen. Wir müssen an den Grundfesten der Welt rütteln, von den kleinsten Tierchen lernen. Ihre Bescheidenheit soll uns lehren, mit dem Stolz einer Plage vorzugehen. Ich will Ihnen noch was sagen: jeder Mann wird betrogen. Selbst der, der es nie für möglich halten würde, kommt einmal in die Lage, und sei es nur in Gedanken. Es gibt Entehrte des Himmels und der Erde. Leben heißt, unterwegs sein. Sogar die Ledigen und der Klerus stehen in Waffen, als Reservearmee. Ich spreche zu Ihnen als ein Mann von altem Schrot und Korn. Einer zieht in den Krieg, verliert einen Arm und bekommt dafür einen Orden. Warum soll es uns anders ergehen. Wir Entehrten haben den Lorbeer ebenso verdient. Wir sollten unser Geweih ebenso stolz tragen wie andere ihre Prothese, als ein Zeichen des Ruhms. Stellen Sie sich eine Armee der Entehrten vor. Ein weltweiter Angriff der Gehörten hätte die verheerende Wirkung einer Atombombe. Er würde den Lauf der Geschichte ändern, wie das auch bei anderen Sekten schon der Fall war, bei den Freimaurern und den Sozialisten. Sehen Sie sich das hier an«, er zog eine kleine Peitsche mit Bleikugeln an den Enden hervor. »Lassen Sie Ihre Phantasie spielen! Welche Armee könnte größer sein als unsere? Die Armee der Gehörnten!«

Er zog den Belagerungsring seiner Stimme noch enger.

»Im Augenblick sind wir drei. Drei Soldaten, und wir treffen uns jeden Samstag nach Mitternacht. Aber, das sage ich Ihnen: Allein in diesem Viertel habe ich mehr als vierhundert potentielle Rekruten auf meiner Liste. Sie haben Angst, sich zu blamieren. Sie haben noch nicht begriffen, welch große Ehre diese naturgegebene Unseligkeit bedeutet. Unsere Vorgänger waren Kaiser, Prinzen, Heilige, Päpste und große Gelehrte. Ein Stammbaum, der uns zu Aristokraten macht. Wir haben eine eigene Fahne, zwei rote Streifen auf weißem Grund, und bald werden wir auch eine Hymne haben. Mein Freund, wenn Sie eines Tages in Unehre fallen oder schon gefallen sind, kommen Sie zu uns. Sie finden mich hier jeden Abend ab neun Uhr. Sagen Sie es weiter. Unser Wahlspruch lautet: ›Ehre in Flammen!‹«

Er stand auf und schlug die Hacken zusammen.

»Antón Requejo, zu Diensten! Sie wissen, wo Sie mich finden.«

Er ging zur Theke, bestellte einen Schnaps, kippte ihn in einem Zug hinunter und trat auf die Straße.

»Glückslose! Morgen ist Ziehung!« hörte man seine Stimme sich entfernen.

Gregorio war verwirrt und gedankenverloren und brauchte eine Zeit, bis er den Faden seiner Beunruhigung wiederfand. Während er im Stehen irgendwo aß, noch ganz benommen von der Geschichte dieses ungewöhnlichen Mannes, ging er seinen Plan noch einmal durch, den er an diesem Abend in die Tat umzusetzen gedachte, und prüfte die Möglichkeit, die ihm während der Erzählung in den Sinn gekommen war, Antón daran zu beteiligen. »Vielleicht kommt mir die Vorsehung zu Hilfe«, dachte er. Noch konnte er allerdings nicht erraten, welche Rolle Antón bei seinem Vorhaben spielen sollte. Er erinnerte sich, daß die Wirklichkeit sich oft des Zufalls bedient, um mit unbarmherziger Logik zuzuschlagen, aber daß es auch häufig genug vorkommt, daß das eigene Unglück hoffnungshungrig alles Zufällige zu seinem Vorteil interpretiert und Zusammenhänge von Verhängnis und Glück herstellt, die es in Wirklichkeit gar nicht gibt.

Doch bevor er sich wieder in nichtige Antithesen verfing, konzentrierte er sich lieber auf seine nächsten Schritte. Das hieß, als erstes mußte er Gil daran hindern, das Café zu betreten. War es auch Montag, war er dennoch sicher, daß er am Abend dort auftauchen und nach Faroni fragen würde, und im Falle seiner Abwesenheit nach Gregorio Olías oder Marilyn. Er würde nach dem Bild mit dem Leuchtturm und anderen Einzelheiten, die er ihm beschrieben hatte, Ausschau halten, und wenn er feststellte, daß sie nicht existierten, würde ihm aufgehen, daß er das Opfer eines Betrugs geworden war. Und was noch schlimmer war: falls Gil sein Vertrauen in Faroni verlor, würde er unmöglich dazu zu bewegen sein, die Stadt zu verlassen. »Im Gegenteil«, dachte er, »er wird mich zur Rede stellen, ich könnte nicht nach Hause zurück und würde meine Arbeit verlieren«, denn für einen Monat Abwesenheit, dachte er, würden sie ihn noch nicht entlassen. Es ging schließlich um vierzehn Jahre Firmentreue, und er würde eine ausreichend dramatische und wahrhaftige Geschichte zu erzählen wissen, um sein plötzliches Verschwinden zu rechtfertigen. Wenn es zum Äußersten kam, konnte er den Monat sogar gegen seinen Ferienmonat aufrechnen. Ja, so einfach war das. Die einzige Schwierigkeit bestand darin, Gil dazu zu bringen, die Stadt zu verlassen. Das Problem war ganz allein eine Glaubensfrage. Wenn Gil an ihn glaubte, würde er gehorchen. Das, und nichts anderes, war der Knoten des Konflikts.

Den ganzen Tag lang wälzte er diese Fragen im Kopf herum, während er durch die Straßen lief und die Stunde erwartete, zu der Gil vermutlich das Café aufsuchen würde. »Dieses baufällige Haus muß dringend abgestützt werden«, sagte er sich, »ich muß handeln, bevor Gil den Betrug bemerkt, denn sonst weiß ich nicht, was aus mir werden soll«, und der Blick in seine Zukunft erfüllte ihn mit Entsetzen.

Nachdem er alle Einzelheiten seines Plans wieder und wieder durchgegangen war, stand er um halb sieben vor dem Café. Er wartete an der Straßenecke, bis die Luft rein war, trat dann unauffällig ein und versteckte sich zwischen den Gästen an der Theke. Er suchte nach einem stillen Plätzchen, winkte mit verhaltener, gebieterischer Geste dem Kellner seines Vertrauens und traf sich mit ihm hinter einem Pfeiler.

»Wissen Sie noch, wer ich bin?«

»Im Moment . . .«

»Ich bin Faroni.«

»Señor Faroni.«

»Genau. Hören Sie«, fuhr er fort und versuchte möglichst unbefangen zu wirken, »gegen halb acht wird hier so ein kleiner Mann auftauchen, angezogen wie ich, der Dacio heißt, Dacio Gil Monroy oder so ähnlich. Ich sage Ihnen Bescheid, wenn er da ist. Er wird nach mir oder nach einem gewissen Gregorio Olías fragen. Es handelt sich dabei um eine Wette, oder besser gesagt, um einen Scherz, bei dem es darum geht, daß dieser Dacio nicht das Café betritt. Wenn es ihm gelingt, habe ich verloren, und dabei steht meine Ehre auf dem Spiel, verstehen Sie?«

Der Kellner nickte vage.

»Sie sollen ihn fragen: ›Bist du Dacio, der Freund von Faroni?‹ Er wird ›ja‹ sagen, und dann sagen Sie zu ihm: ›Faroni ist im Ausland, ich glaube in Chicago.‹ Und sagen Sie ihm: ›Gib mir deine Telefonnummer, damit er dich anrufen kann, und unternimm nichts, bevor er sich nicht bei dir meldet. Und jetzt geh zu deinem eigenen Besten sofort wieder nach Hause, denn die Polizei hat das ganze Lokal besetzt.‹ Und sagen Sie ihm auch: ›Siehst du nicht, daß sie sogar unseren Namen geändert haben?‹ Der Name des Cafés ist damit gemeint. Und falls er sich widersetzen will, sagen Sie zu Ihm: ›Das ist ein Befehl von Faroni.‹ Sonst nichts. Und sagen Sie ihm bloß nicht, daß ich hier drinnen bin, denn dann haben wir unsere Wette verloren. Haben Sie alles verstanden?«

»Im Ausland.«

»Ja, in Chicago.«

»Daß man unseren Namen geändert hat.«

»Genau, und verlangen Sie die Telefonnummer.«

»Das hat doch nichts mit Politik zu tun?« fragte er und sah ihn schief an.

»Wenn Sie wollen, gebe ich Ihnen meinen Ausweis als Pfand«, und er griff mit einer Hand in seine Brusttasche.

Der Kellner hielt ihn mit einer Handbewegung zurück, als schwöre er vor Gericht:

»Ihr Wort genügt mir.«

»Es handelt sich um eine Künstlerwette«, beruhigte ihn Gregorio. Er steckte ihm ein paar Geldscheine zu. »Wenn ich die Wette gewinne, bekommen Sie noch mehr«, sagte er, und seine Flüsterstimme erinnerte ihn an Antón. Der andere verabschiedete sich mit dem knappen Kopfnicken eines schwermütigen Zeremonienmeisters und ging.

Hinter dem Pfeiler beobachtete Gregorio die Tür in einem Spiegel und sondierte das Terrain für den Fall, daß er überstürzt würde fliehen müssen. Er hatte Sand im Mund und ein trockenes Grasbüschel im Hals. Er wollte schlucken und konnte es nicht, und die Anstrengung verursachte ihm einen Eisenschmerz im Kiefer. Im Café saßen Rentner und Studenten, und das Gewirr ihrer Stimmen verzerrte die Luft und die Perspektiven. Er stellte sich Gils Überraschung vor, wenn er den Namen des Cafés las und das Stilleben mit Früchten und Fasanen sah, und er sagte sich, daß seine Lügen, die eigentlich Ungenauigkeiten genannt werden mußten, soviel Strafe nicht verdienten. Er hatte gehandelt wie ein Künstler, der er ja auch war, und die Dinge verändert, um sie zu verbessern und zu verschönern, wie Platon es auch getan hatte und viele andere noch. Aber klar, Gil würde Vernunftgründen nicht zugänglich sein. Gil verwechselte Kunst und sogar die eigene Kultur mit Religion und machte aus einem Spiel eine Glaubensfrage. Er wollte unter allen Umständen seine Seele retten und ins Paradies eintreten, das er auf dieser Welt vermutete. Und er ging dabei mit derselben naiven Beharrlichkeit zu Werke wie all jene, für die es nichts Höheres gab, als in den Himmel zu kommen. Es war tatsächlich eine Glaubensfrage, und allein über den Glauben konnte er Gil in seine Provinzhölle zurückstoßen.

Er betrachtete sich im Spiegel. Er hatte einen schmutzigen Gesichtsausdruck, schlaffe Haut und noch andere Mißlichkeiten des Alters und des Geistes, die einer ausführlicheren Betrachtung enthoben wurden, denn gerade jetzt schlug die Uhr halb acht. Gregorio drückte sich an den Pfeiler, und alle Gespenster des Wartens verflüchtigten sich auf einen Schlag. Keinen Schatten und keine Gestalt gab es, die ihn nicht mit Schrecken erfüllte. Mit jedem Blinzeln präsentierten sie sich in einer neuen Kombination wie in einem Kaleidoskop. Die Drehtür war eine ununterbrochene Folge von ununterscheidbaren Neuigkeiten, und da der Spiegel sich zudem noch in anderen Spiegeln spiegelte, verlor Gregorio bald jeden Entfernungsbegriff und überhaupt jede Orientierungsfähigkeit. Er stellte sich auf Zehenspitzen, bückte sich, lehnte sich zur Seite, und wußte nicht mehr, wohin er schauen sollte. Doch plötzlich bemerkte er mitten in einer seiner Verrenkungen unter all den vielen Gestalten eine, die unverkennbar war. Er erkannte sie zuerst mit der Erinnerung und dann mit den Augen. Eine kleine Gestalt, mit Hut, Regenmantel und Sonnenbrille, stand anderen vor der Tür im Weg herum, unschlüssig, ob sie eintreten sollte.

Sein Blick suchte sofort den Kellner, er warf den Arm hoch, schnalzte warnend mit den Fingern und deutete mit dem Kopf zur Tür. Der Kellner antwortete mit einem tiefen Eulenlidschlag, zog ohne jede Hast würdevoll sein Jackett glatt und kam zum Pfeiler. »Dort steht er«, sagte Gregorio, ohne die Lippen zu bewegen. »Der Kleine da, mit Hut und Sonnenbrille. Beeilen Sie sich, sonst kommt er herein.« Der andere zupfte sich am Ohr. »Die Sache gefällt mir nicht.« »Wollen Sie meinen Ausweis?« wisperte Gregorio drängend. »Also gut, aber wenn es Ärger gibt, gehe ich sofort zurück«, sagte er, und machte sich auf den Weg zur Tür.

Im Spiegel beobachtete Gregorio, wie die hohe Gestalt an die kleine Gestalt herantrat und mit ihr sprach. Die kleine Gestalt sah hoch und hörte zu. Gleich darauf – Gregorio schlug eine Hand vor den Mund, um sich nicht vor Angst zu übergeben – sah er, wie beide nach oben schauten, wo die Leuchtbuchstaben des Cafés waren, und wie die kleine Gestalt ungläubig die Arme hob und dann Papier und Bleistift zückte und etwas aufschrieb. Der Kellner nahm das Papier sogleich an sich, machte auf dem Absatz kehrt und kam zum Pfeiler zurück.

»Wie ist es gegangen?« fragte Gregorio, ohne den Blick vom Spiegel abzuwenden.

»Gut. Ich habe ihm gesagt, was Sie mir aufgetragen haben. Daß Sie im Ausland sind, daß die Polizei hier drinnen ist und daß sie uns den Namen geändert haben.«

»Und was hat er gesagt?«

»Nichts. Er ist nur blaß geworden. Hier haben Sie die Telefonnummer.«

Die kleine Gestalt stand noch immer draußen vor. Ohne sie aus den Augen zu lassen, steckte Gregorio den Zettel ein und gab dem Kellner einen Schein. »Danke«, sagte er.

Eine Zeitlang sah er Gils Schatten vor den Fenstern des Cafés hin- und herschwimmen und manchmal innehalten, um hineinzuspähen. Schließlich verschwand er. Gregorio folgte ihm mit heruntergeschlagenem Mantelkragen und dem Hut in der Hand.

Hinter Fußgängern verborgen, sah er Gil eine Straße überqueren, etwas ungelenk, behindert durch den Mantel, der neu war und zu lang, und der seine Bewegungen automatenhaft eckig aussehen ließ. Auf der anderen Straßenseite drehte er sich um und warf einen Blick zurück auf das Café. Gregorio, der diesseits auf Grün wartete, wirbelte zur gleichen Zeit herum und verbarg sich hinter der Ampel. Zwischen den Fußgängern hindurch sah er Gil vor dem Ansturm zurückweichen, mit einer Hand seinen Hut haltend und den Blick starr auf das Café gerichtet. Er folgte ihm in einiger Entfernung, wobei er sich alle Beschattungskünste eines gewieften Geheimagenten zunutze machte. Gil ging wie willenlos, die Schultern etwas hochgezogen, mal hastend, mal schlendernd mit hängenden Armen. Dann wieder blieb er plötzlich stehen, als habe er eine Erscheinung, und es schien, als wolle er zurückweichen, doch derselbe Impuls, der für diese kleine Entscheidung nötig gewesen wäre, ließ ihn noch einen Augenblick länger in dem Schwebezustand verharren, und mit der unberechenbaren Kraft des Zweifels setzte er dann, nicht elegant und auch nicht steif, seinen Weg fort. An einer Straßenecke drückte er sich an die Wand, um seine Schuhe zuzubinden. Gregorio sprang in einen Hauseingang. Als er um die Mauerecke lugte, sah er Gil am Boden knien, die Falten seines Regenmantels hingegossen auf dem Gehweg.

In diesem Augenblick fuhr ein Feuerwehrauto mit blinkenden Lichtern und heulender Sirene vorbei. Gil eilte zur Bordsteinkante, um ihm hinterherzuschauen, und folgte ihm mit den Blicken, bis die Sirene verklungen war. Dann kniete er an Ort und Stelle nieder, um seine Schnürsenkel zu Ende zu binden. Und weiter ging es, mal gemächlich, mal erwartungsvoll auf eine Menschentraube zueilend, die einen Straßenverkäufer umringte. Gregorio stellte sich auf Zehenspitzen, um Gil nicht aus den Augen zu verlieren, der ebenfalls auf

Zehenspitzen stand, um den Leuten über die Schulter schauen zu können. Gregorio näherte sich der Gruppe. Ein Mann mit fettig glänzendem Kraushaar pries lauthals magnetische Kreuze als Allheilmittel an. Er sprach ohne Punkt und Komma und demonstrierte die Wirkungsweise seines Produkts an einem Frosch. Er legte seine Hinterbeine auf ein Stück Blech, hielt das Magnetkreuz an den Rand, und schon begannen die Froschbeine zu zucken, als versuche er, hastig davonzuschwimmen.

»Das ist der Beweis!« schrie er. »Ohne Tricks und doppelten Boden! Das Wunder der unsichtbaren Magnetkraft! Die neueste Erkenntnis auf dem Gebiet der magnetischen Wissenschaften! Kunst und Wissenschaft vereint in diesem praktischen, wunderschönen Schmuckstück, das hier so gut wie verschenkt wird!«

Er folgte Gil, verlor ihn aus den Augen, erblickte ihn von neuem, aber nicht Gil, sondern den Hut, den er immer wieder zwischen den Fußgängern hochhüpfen sah. Und dasselbe bei ihm: zwei hüpfende Hüte bis Gott weiß wohin. Etwas später, als die Fußgänger auf den Straßen weniger wurden, dachte er daran, ihn anzusprechen. Wenn er sich als Gregorio Olías oder sonst ein Emmissär Faronis vorstellte, hoffte er, ihn dazu bewegen zu können, im Namen des Fortschritts das denkwürdige Opfer zu bringen und die Stadt zu verlassen. Doch fürchtete er sich, ihm von Angesicht zu Angesicht gegenüberzutreten, und war auch nicht sicher, ob Gils Glaube, durch das Fehlen all der angepriesenen Wunder möglicherweise schon geschwächt, einer solchen Belastung noch standhalten würde. »Erst der Glaube, dann das Opfer«, sagte er sich. Und sogleich, wie um die Anwandlung schnell wieder vergessen zu machen, kam ihm die Idee, allen Dingen auf Gils Weg einen Namen zu geben: Café der Spiegelungen, Ecke zum Guten Schnürriemen, Bordsteinkante des Grauens, Erker des Elixiers. Mit diesen Erfindungen suchte er die Bitterkeit zu vertreiben, die ihn für Momente zu überwältigen drohte. Einer hinter dem andern schritten sie unter dem markisenüberdachten Eingang eines Nachtclubs dahin, und beide verlangsamten ihre Schritte an derselben Stelle, um einen Blick in das rote Zwielicht und die vielsagende Stille der Plüschvorhänge zu werfen.

Etwas weiter hielt Gil vor einer Kirche an, zögerte kurz und ging hinein. Die Tür stand offen, und Gregorio sah ihn den Hut abnehmen, Weihwasser nehmen, sich bekreuzigen und zum Hochaltar gehen. In einer der vorderen Bänke kniete er nieder. Aus dem Dämmerlicht des hinteren Teils sah Gregorio ihn vorne beten, die Hände aneinandergelegt wie ein Kind beim Nachtgebet. Danach ging er zu einem Seitenaltar, an dem eine alte Frau kniete, die ihre Arme wie ein Kreuz vor die Brust geschlagen hielt. Gil küßte den Mantel der Muttergottes, und bevor er hinausging, warf er noch eine Münze in den Opferstock. Gregorio sah ihn an sich vorbeigehen, den Hut mit beiden Händen an die Brust gedrückt, und erkannte, oder ahnte wohl mehr in der Dunkelheit, ein zerknirschtes, in Falten gelegtes Gesicht.

Ein Stück die Straße hinauf, blieb Gil umständlich und feierlich an einer Bushaltestelle stehen. Er fragte den neben ihm Stehenden etwas, zählte ein paar Münzen ab, hielt sie fest in der Hand und wartete. Wie er ihn da stehen sah, die geschlossene Hand ans Bein gepreßt und die Schultern leicht nach oben gezogen, fragte sich Gregorio wieder, ob er seinem Plan treu bleiben oder Gil jetzt gleich und ein für allemal mit der rückhaltlosen Beichte aller seiner Lügen zerschmettern sollte.

Er beherrschte sich aber. »Das ist also Gil«, dachte er. Er sah ihn den Hut absetzen und sich mit dem Unterarm das gelichtete Haar glattstreichen. »Er ist etwas kleiner als ich, ein winziges bißchen kleiner.« Und da er als junger Mann bei seinen detektivischen Verfolgungen gelernt hatte, Gesichter und selbst Charaktermerkmale an den Hinterköpfen abzulesen – die auf grotesk zutreffende Weise das abgewandte Gesicht erkennen ließen, so wie man von der Webseite eines Teppichs auf sein Muster schließen konnte –, gelangte er zu dem Schluß, daß Gil ein Negativtypus mit verzagten, wenig anziehenden Gesichtszügen war. »Armer Gil«, dachte er, »arme, häßliche Hyäne.« Da stand er, einsam und verloren in einer Stadt, deren Wunder er niemals würde entdecken können. Keine Pyramiden, keine Zikkurat, keine Heißluftballons, kein Fluß mit Schiffen, keine Roboter, keine Gelehrtenvereine und keine Musikkapellen. Wo fließt denn nun der große Strom des Fortschritts? würde er sich gefragt haben. Und dann würde er sich gesagt haben (»glauben Sie mir, Señor Faroni, ich weiß es«), daß das Schicksal gegen ihn und er dazu verdammt sei, beim Bankett stets außen vor zu bleiben, als lebe er nicht in, sondern neben seiner Zeit.

»Das ist also Gil«, sagte er sich noch einmal und schloß in einem Anfall von Mitleid die Augen. Und plötzlich, ohne daß er es wollte, wurde die düstere Landschaft seines Gewissens von einem gleißenden Licht erhellt, und er sah sich selbst als einen strahlenden jungen Mann von männlicher, stürmischer Schönheit, genau wie der romantische englische Dichter auf dem Bild. Er sah sich lächelnd, berauschend und mit wehendem Haar auf Gil zugehen und zu ihm sagen (oh, welch ein herrlich junges Lächeln!, welch sprühender Blick!, welch liebreizende Zärtlichkeit!): »Dacio, mein Freund, kleiner Bruder meines Herzens, folge mir, denn die Stadt hat ihre Tore für dich aufgetan.«

Einen Arm um seine Schultern gelegt, wie, um ihn vor einer Fata Morgana zu bewahren, führte er Gil ins Café der Essayisten, wo sich alle Anwesenden, als sie ihn eintreten sahen, ehrfurchtsvoll erhoben. Er sah ihn in den Kreis der wartenden Gäste treten und ihren Beifall mit den unaufhörlichen Verbeugungen eines chinesischen Gastgebers beantworten. Die tiefste Verbeugung galt einem Roboter, der ihm einen Strauß Rosen überreichte und mit nasaler, stockender Robotstimme eine kleine Lobrede hielt. Marilyn küßte ihn, und der Professor, den er von früher kannte, nahm – für die Überreichung eines solch ausgesuchten Geschenks um Ruhe bittend – mit einer schnellen Handbewegung sein goldenes Gebiß aus dem Mund und überreichte es ihm mit feierlicher Geste, dabei eine Umarmung andeutend, wie sie bei der Initiierung junger Matadore üblich war. Danach ergriff er, Faroni, das Wort und stellte ihm die illustren Herrschaften vor: »Schau, Dacio, dies ist Señor Fausto Cienfuentes, der große Chemiker und Erfinder der Gefühlsenergie, hier Don Feliciano Ballesteros Matamoros, der berühmte Architekt unterirdischer Wolkenkratzer, dies ist Octavio Friso, einer unserer berühmtesten Philosophen, und dies Mark Sperman«, und Gil verneigte sich vor jedem aufs chinesischste und sagte: »Entzückt, Señor Cienfuentes; eine große Ehre, Señor Matamoros; das habe ich nicht verdient, Mr. Sperman«, und ab und zu warf er Faroni einen Blick zu, in dem es von Tränen schimmerte. Danach hörte er ihn auf Wunsch des Publikums über den Raben sprechen. Und er hörte, wie jemand fragte: »Wer ist das?«, und ein anderer antwortete: »Das ist Dacio Gil Monroy, die Hyäne der Wildnis.«

Unter neuem Applaus sah er sich und Gil auf die Straße treten, wo ein Heißluftballon wartete. Sie stiegen in den Korb und schwebten unter Hochrufen, dem Tusch einer Musikkapelle, wehenden Taschentüchern und krachenden Feuerwerkskörpern gen Himmel. Mit Fliegerbrillen und zerzausten Haaren trieben sie zwischen Wolkenfetzen dahin, und unter ihnen erstrahlte in endloser Weite die Stadt. »Da liegt dir die Stadt deiner Träume zu Füßen. Sieh nur da, der Fluß und die Pyramiden, schau genau hin, mein lieber Dacio, denn heute sitzt du bei einem Jahrhundertbankett auf dem Ehrenplatz.« Traurig lächelnd öffnete er die Augen. Er fand jedoch keine Zeit, der Wehmut seines Tagtraums länger nachzuhängen. Es schlug halb neun, und aus seinem dunklen Portal heraus sah er Gil in den Bus steigen und, mit hochgestrecktem Arm den Haltegriff umklammernd, davonfahren.

Gregorio wandte sich ab. »Du bist ein hundsgemeiner Schuft«, sagte er sich und schloß die Augen, um die Selbstverachtung tief in sich einsickern zu lassen.

KAPITEL XVIII

Es war halb neun. Für das verabredete Treffen mit Angelina war es noch zu früh, und es galt auf jeden Fall, nicht nachzudenken, der Furcht nicht ins Auge zu sehen, die Ruhe zu bewahren und sich davon zu überzeugen, daß er im Moment längst nicht so besorgt war, wie er befürchtet hatte, ach wo, höchstens ein Luftbläschen hin und wieder, das in seinem Magen zerplatzte und ihn einen Luftschwall erbrechen ließ, gefolgt von einem Stoßgebet: Kreuznägel Christi steht mir bei, in dieser Phase meines erzwungenen Lebens. Und sollte das nicht helfen, dann daran denken, in zwanzig oder dreißig Jahren ist alles vorbei, sich all die schrumpfenden Leiber im Umkreis ansehen, die da auf der Rinde des Planeten umherspazierten, die Kugel ihrer Tage mit kaum größerem Eifer vor sich her wälzend als die seine der Mistkäfer, der sich vor Korken und Mauren fürchtet, ihr Streben nach Ruhm, Kühen und Gemüse, selbst Platon und Marilyn, und alle miteinander kahl, in wenigen Jahrzehnten schon. Also, gemach, sich nicht aufregen, die Wasser der Zeit nicht durcheinanderbringen, in den natürlichen Rhythmus der Dinge übergehen, des Regens, der Sonne, des eigenen Blutes, des Windes, der Blumen, in eine Seerose beispielsweise. Sich darauf konzentrieren, auf die Seerose, jedesmal an sie denken, wenn der Angstgeruch in die Nase stiege. Seerose, Regen, Blut. Nichts würde passieren. Zwanzig, dreißig Jahre, dann werdet ihr schon sehen. Alle ratzekahl und kalt. Ruhe, Rückgrat, Seerose. Im Innern der Höhle mit dem Rücken zum Licht bleiben, sich an Worten berauschen und weder an Gil denken noch an seinen Schildkrötenhinterkopf. Nicht armer Gil sagen, nicht ach sagen, nicht sagen, armer Hund, nicht Hyäne, nicht Mitleid. Nicht denken. Oder an Sterne denken. Er selbst, aber bleicher und dünner, mit spitzem Astronomenhut auf dem Kopf und in einer Tunika mit goldenen Drachen auf einem runden Turm. Ach, andere Zeiten, andere Sorgen. Ach, vielleicht zöge in einer der Straßen plötzlich der einsame Mond herauf, der alte Kuppler, und er fände den Mut, mit der Skrotumironie eines ältlichen Verführers zu ihm hinaufzuschauen, gefaßt und verständnisvoll, beide gemeinsam unter der vertraulichen Krempe seines Hutes. Ja, sie waren schön, die Sterne, verdammt noch mal, und er blieb vor dem Eingang einer Bankfiliale stehen. Also, nicht denken; oder in fremden Gedanken denken, denke dran, daß dir in deinen Kindertagen einmal jemand erzählt hat, ein zahnloser, verpinkelter Alter, daß es unter den vielen Winden, die durch die Welt wehen und Gerüche und Ahnungen mit sich bringen, einen gibt, der die Erinnerungen stiehlt. Und da er sie manchmal an Orte schafft, die weit von denen entfernt liegen, an denen er sie gestohlen hat, kann es passieren, daß jemand, der sie findet, sich an Dinge erinnert, die nicht zu seiner Vergangenheit passen und die er einem früheren Leben zuschreibt. Findet jemand viele, so wird er verrückt, wird zu einem anderen Menschen, und wer sie wieder verliert, wird unweigerlich blöd. Daher ist es ratsam, an windigen Tagen wie diesem nicht zu denken. Nicht denken. Früher oder später alles kahl, ratzekahl denken. Auch Hunde ratzekahl, genau, das ist es, zähmen, bezwingen, was da im Köpfchen herumspukt, an die Krankheiten denken, die bestimmt nicht mehr lange auf sich warten lassen, denn das Alter legt Wert auf kleine Abschreckungen, und du kannst sicher schon bald dein Köfferchen fürs Krankenhaus packen, dasselbe Köfferchen, mit dem du auf Hochzeitsreise gefahren bist. Du erinnerst dich noch an den geliebten Anzug, den du dir nach der Mode kauftest, ohne zu ahnen, daß dieses sorgsam ausgewählte Kleidungsstück dir einmal als Totenhemd dienen würde und du ein schlanker, eleganter Leichnam nach der neuesten Mode sein würdest; der Verkäufer im Laden sagte dir ja schon, daß dir das Hemd besonders gut stehe und dich sogar jünger mache. Ja, alles kahl, auch Marilyn und die andern. Napoleon kahl, Hemingway kahl, die jungen Leute mit den langen Schals, alle kahl und warm eingemummelt. Ja, da fühlte er sich gleich besser. An solche Dinge zu denken war sehr tröstlich. Er ging jetzt langsamer und sah die anderen Fußgänger als das, was sie wirklich waren: künftige Tote in modischen Leichenhemden. Und auch, ach, der arme Gil, ein Toter mit offenen Schuhbändern. Und dann besitzt du verdammter Scheißkerl die Stirn, ihn zu vertreiben, diesen armen Flachschädel bis zuletzt zu täuschen? Nun ja, er würde schon noch Zeit finden, sein Gewissen zu erforschen. Ach, armer Gil, arme, häßliche Hyäne. Doch halt, war es nicht Gil gewesen, der ihn um seinen Arbeitsplatz gebracht hatte? Was zum Teufel hatte dieser schwule Bastard von Gil überhaupt in der Stadt verloren und hinter ihm herzulaufen wie hinter einem Verbrecher? Ah, nicht denken, doch, natürlich! Schluß jetzt mit den Einfühlsamkeiten! Das Leben bedeutete Kampf, natürliche Auslese! Ein Mensch ist des andern Wolf! Sein oder Nichtsein, das ist die Frage! Gebt mir einen festen Punkt, und ich hebe die Welt aus den Angeln! Am Anfang war das Wort! Ich kam, sah und siegte! Ich denke, also bin ich! Sicher, sein Gewissen regte sich, weil er diesen hilflosen Menschen betrogen hatte, aber er selbst stand der Welt ebenso hilflos gegenüber. Sogar Faroni (so illusorisch dieses herrliche Geschöpf auch sein mochte, die Inspiration dazu war ihm doch aus den Träumen seiner eigenen Jugend erwachsen, und solange noch ein kleiner Rest davon in ihm glimmte, war er Faroni mit allen Konsequenzen) befand sich im Exil und war verwundet. Und außerdem, zum Teufel auch, hatte Gil keine Familie, war fremd in der Stadt und hatte gar nicht soviel zu verlieren! Dabei war noch nicht berücksichtigt, daß er zwar alles aufdecken würde, wenn er bliebe und, sich als Opfer eines Scherzes erkennend, für den Rest seines Lebens untröstlich wäre; wenn er aber die Stadt verließ, nähme er mit der Untröstlichkeit auch das Recht mit, weiterhin hoffen oder glauben zu dürfen. Also, keine Gewissensbisse! Krieg dem Eindringling! Konzentration auf den Plan! Mut, Glück und auf zur Tat! Er schlug seinen Mantelkragen hoch, biß die Zähne aufeinander und ging mit beschleunigtem Schritt in Richtung Park.

An der vereinbarten Stelle saß Angelina auf der Kante einer Bank und wartete. Sie saß still und aufrecht, als warte sie auf den Zug, und hielt mit beiden Händen ein Bündel im Schoß. Während er einen Arm aus dem Jackenärmel zog und in die Schlinge legte, die er sich aus seinem Halstuch geknotet hatte, mußte Gregorio daran denken, daß dieser Tag der Schattenbilder und halben Worte das exakte Abbild seiner bisherigen Existenz war: ein Leben in der Höhle, und mit dem Rücken zum Licht die vorüberziehenden Schatten betrachtend. Überzeugt davon, daß die Welt eine einzige Illusion war, verließ er hinkend das Buschwerk und trat mit einem Seufzer auf die mondhelle Lichtung. Auf der anderen Seite erhob sich Angelina und blieb regungslos stehen, das Bündel an die Brust gedrückt, die Knie zusammen und die Füße zusammen, als vollende sich stufenweise nach unten hin der Einsturz ihrer herabhängenden Schultern. Ihre Körperhaltung drückte etwas aus, von dem Gregorio nicht wußte, ob es Staunen oder Stumpfsinn war. Er hielt sich jedoch nicht damit auf, es herauszufinden. Hinkend, aber entschlossen, ging er zu ihr, ergriff ihren Arm und drängte sie in die Abgelegenheit der Sträucher.

»Ist dir jemand gefolgt?« fragte er mit drohender Flüsterstimme.

Angelina schüttelte den Kopf.

»Hast du den Brief bekommen? War die Polizei bei dir?«

Angelina nickte krampfhaft.

»Und, was hat er gesagt? Berichte mir Wort für Wort. Mach schon, es ist spät, und wir sind hier nicht mehr lange sicher.«

Sie schaute ihm in die Augen, als sie fragte: »Was ist denn nur passiert? Was ist das für ein Wirrwarr mit der Polizei, was soll das Ganze?« Um ihren Blick nicht ertragen zu müssen, preßte er ihren Arm und schob sie noch etwas tiefer ins Gebüsch.

»War er da?« fragte er hart.

»Ja, als wir gerade beim Essen saßen«, antwortete Angelina mit dünner, taumelnder Stimme.

»Und dann?«

»Nichts.«

»Wie sah er aus?«

»Klein, von deiner Größe, auch so närrisch angezogen.«

»War er höflich?«

»Ja, er machte einen wohlerzogenen Eindruck.«

»So ein Halunke!« murmelte Gregorio, als könne er solch eine Unverschämtheit nicht glauben. »Er gibt sich höflich, um das Vertrauen der Leute zu gewinnen und zieht sich an wie ich, damit man glaubt, er sei einer von uns.«

Er preßte wieder ihren Arm:

»Du mußt dich vor ihm in acht nehmen. Wenn man ihn so sieht, macht er einen harmlosen Eindruck, aber in Wirklichkeit ist er ein eiskalter Mensch ohne Gefühle, eine richtige Hyäne. Hast du ihm gesagt, daß ich im Ausland bin?«

»Ja.«

»Wo?«

»Nun, im Ausland.«

»Sehr gut. Hat er nach einer gewissen Marilyn gefragt?«

»Ja.«

»Und was hast du ihm gesagt?«

»Daß sie auch im Ausland ist.«

»Und hat er auch nach Gregorio Olías gefragt?«

»Ja. Ich habe ihm gesagt, daß er vielleicht im Gefängnis sitzt. Aber Gregorio, was ist das alles für ein Durcheinander mit den Namen und ins Ausland und ins Gefängnis gehen?« fragte Angelina ungehalten.

»Das kann ich dir alles erklären«, unterbrach Gregorio sie. »Wie hat er sich vorgestellt?«

»Als Dacio Gil Monroy.«

»Und hat er dich gefragt, wer du bist?«

»Ja.«

»Und?«

»Eine Bewunderin Faronis, habe ich gesagt. Aber, was geht denn hier eigentlich vor?« rief Angelina verärgert. »Was ist das für ein Schwachsinn?«

»Und dann?« fragte Gregorio hart und unnachgiebig.

»Nichts. Er hat sich verabschiedet und ist gegangen.«

»Hat er dir etwas von sich erzählt?«

»Er hat gesagt, daß er in derselben Firma arbeitet wie du, daß er gerade erst angekommen ist und dich unbedingt sprechen muß.«

»Und was hast du gesagt?«

»Ich? Daß ich von nichts weiß und keinen Ärger haben will. Er hat dann noch nach einem Santos Merlín gefragt. Ich habe ihm einfach gesagt, daß der auch im Gefängnis sitzt. Aber was ist denn nun mit deiner Arbeit? Um Gottes willen, Gregorio, jetzt sage mir doch bitte, was das alles soll«, flehte sie.

Gregorio hinkte aus dem Gebüsch und sah sich vorsichtig um.

»Niemand zu sehen. Komm, wir setzen uns auf die Bank.«

Als sie sich setzten, griff Gregorio sich an den linken Arm und verzog schmerzhaft das Gesicht.

»Tut es sehr weh?«

»Was?«

»Dein Arm?«

»Sie hätten mich beinahe umgebracht, diese Schweine«, murmelte er bitter.

»Du mußt zu einem Arzt, Gregorio. Das entzündet sich sonst.«

»Es war schon ein Arzt bei mir«, grunzte Gregorio. »Er hat mir eine Flasche Cognac zu trinken gegeben und die Kugel mit einem Messer herausgeholt. Er meinte, es würde kaum eine Narbe zurückbleiben und ich sei nur um ein Haar mit dem Leben davongekommen.«

Angelina sah ihm jetzt so bestürzt und eindringlich in die Augen, daß Gregorio sich der hilflosen und schamlosen Nacktheit seines Gesichts bewußt wurde und, um sich nicht die Blöße einer pathetischen Miene zu geben, den Blick senkte und sich mit einem männlich betretenen Lächeln aus der Affäre zu ziehen suchte.

Angelina schüttelte ungläubig den Kopf.

»Ich verstehe das alles nicht. Wer sollte denn auf dich schießen? Was hast du angestellt?«

»Was ich dir in dem Brief geschrieben habe. Es war mein Geheimnis. Verzeihe mir«, und sein Lächeln wurde mitleidsvoll verträumt. »Ich wollte nicht, daß du dir meinetwegen Sorgen machst. Ich bin schon seit vielen Jahren, schon bevor wir uns kennenlernten, in der Partei.«

»In welcher Partei denn?«

Gregorio spähte mißtrauisch in die Runde.

»Na, in welcher Partei wohl?« flüsterte er ungeduldig. »In der Kommunistischen Partei!«

»Du ein Kommunist? Gregorio, du hast sie ja nicht alle. Du bist krank im Kopf.«

»Pssst!« drohte Gregorio, sich wieder nach allen Seiten umschauend. Dann senkte er die Stimme: »Das ist nicht so einfach zu erklären, und wir haben jetzt keine Zeit. Es ist nicht in Wirklichkeit die Kommunistische Partei. Es ist etwas Ähnliches. Ich bin einer der Gründer. Wir nennen uns Weltliga der Vereinigten Denkerzirkel. Das ist aber nur ein Deckname. Ja, wenn ich nur verrückt wäre, wie du sagst!«, und seine Stimme nahm einen verzweifelt sarkastischen Ton an. »Das wäre schön. Lieber säße ich in der Irrenanstalt als im Gefängnis.«

»Also dann«, fragte Angelina jetzt mit ihrer gewohnten ruhigen Stimme, »arbeitest du nicht mehr, oder wie ist das?«

Gregorio wurde wütend.

»Aber, siehst du denn nicht, daß ich verwundet bin?« schrie er. »Daß man auf mich geschossen hat und hinter mir her ist? Falls du es noch nicht weißt, kann ich dir sagen, daß ich im Radio gewesen bin und daß bald die ganze Stadt mit Steckbriefen von mir gepflastert sein wird. Und dir fällt nichts anderes ein, als nach der Arbeit zu fragen! Was interessiert diese blöde Arbeit, wenn das Leben auf dem Spiel steht?«, und er fühlte sich aufrichtig empört über solche Ungerechtigkeit.

Angelina sah ihn geduldig an.

»Dann hast du deine Arbeit also verloren?«

Gregorio brauchte den gequälten Ton in seiner Stimme diesmal nicht vorzutäuschen:

»Ich weiß es nicht. Möglicherweise kann ich wieder anfangen, ziemlich sicher sogar, wenn ich in ein, zwei Monaten, vielleicht auch schon in einer Woche, zurückkomme. Falls nicht, suche ich mir eben eine neue Stelle, wenn alles vorbei ist.«

»Was für eine Stelle denn, mit sechsundvierzig Jahren? Mein Gott, ich begreife das alles nicht.«

»Es gibt wichtigere Dinge als eine Arbeitsstelle.«

»Was denn?«

»Gerechtigkeit, Stolz, Freiheit.«

»Das ist doch Unsinn. Außerdem, was hat deine Arbeit mit alldem zu tun?«

»Fängst du schon wieder an? Begreifst du nicht, daß ich verfolgt werde?«

»Aber dieser Gil Monroy arbeitet doch auch bei Belson. Wie kann er dann von der Polizei sein?«

»Weil Belson ein Rattennest ist«, öffnete Gregorio ihr die Augen. »Sie haben mich eingestellt, um mich unter Kontrolle zu haben. Verstehst du? Sie wußten, daß ich in der Partei bin. Sie haben diesen Gil auf mich angesetzt, damit er mich ausspioniert.«

Angelina saß regungslos neben ihm, hielt das Bündel auf ihren Knien und starrte geradeaus.

»So ein Wirrwarr. Lügst du mich auch nicht an, Gregorio? Solche Dinge passieren doch nicht wirklich.«

»Ich, lügen?« fragte Gregorio erstaunt und deutete mit beiden Zeigefingern auf seine Brust. »Aber bist du denn blind, siehst du nicht, daß ich verwundet bin, in einem Kellerloch lebe, ohne Arbeit, verschmutzt und hungrig bin? Was sollte ich für ein Interesse daran haben, zu lügen? Warum sollte ich von zu Hause fortgehen?«

»Ich weiß nicht«, Angelina senkte den Kopf. »Vielleicht ist ja diese Marilyn die Frau von diesem Gil Monroy, und vielleicht ist diese Marilyn deine Geliebte und der Mann hat deshalb auf dich geschossen und verfolgt dich jetzt. Du brauchst nicht zu glauben, daß ich daran nicht gedacht hätte.«

»Marilyn meine Geliebte?« sagte Gregorio verwundert und ein kleines bißchen stolz, daß Angelina einen solchen Verdacht hegen konnte. Er spürte, daß das Gespräch eine vorteilhafte Wendung zu nehmen begann. »Ganz und gar nicht, Angelina, das ist doch absurd. Hat Gil dir nicht selbst erzählt, er sei gerade erst in der Stadt angekommen? Und außerdem ist Marilyn doch die Frau Faronis!«

»Aber, bist du denn nicht Faroni?«

»Ja und nein. Also paß' auf. Das ist so. Ich benutze das Pseudonym

Faroni, der ein Mensch ist, den es wirklich gibt. Ein großer Künstler, ohne Frage, ein Genie, wie es sie nur wenige gibt. Und Faroni trägt als Pseudonym meinen Namen. Wir haben unsere Namen getauscht, um die Polizei zum Narren zu halten. Und Marilyn ist die Frau von Faroni. Aber Gil glaubt natürlich, daß sie meine Frau ist, weil er mich für Faroni hält, und daß du die Frau von Faroni bist, den er mit Gregorio Olías verwechselt. Verstehst du jetzt?«

»Da komme ich nicht mehr mit.«

»So ist das mit allen Dingen in der Partei«, stöhnte Gregorio. »Siehst du jetzt, wie absurd es ist, Marilyn für meine Geliebte zu halten? Ist dir das jetzt klar?«

Angelina gab keine Antwort. Sie stellte das Bündel zwischen ihnen beiden auf die Bank, band es auf und holte ein Eßgeschirr und ein halbes Brot heraus.

»Ich habe dir was zu essen mitgebracht.«

»Du hast schon gegessen?« fragte Gregorio händereibend.

»Ich ja. Iß du nur, damit du nicht noch krank wirst.«

Es gab Tortilla mit viel Zwiebel und Schafskäse. Gregorio legte den Hut auf die Bank und machte sich mit der gesunden Hand über die Tortilla her.

»Warum hast du dich überhaupt auf Politik eingelassen? Politik ist schlecht.«

»Weil ich ein idealistischer Mensch bin«, antwortete Gregorio mit vollem Mund. »Ich kämpfe für eine bessere, saubere und freie Gesellschaft. Aber das verstehst du wahrscheinlich nicht.«

»Und wovon sollen wir inzwischen leben?«

»Keine Ahnung. Wenn nötig, hungern wir.«

So saßen die beiden auf der einsamen Lichtung im Park scheu auf der Bank und sprachen leise miteinander. Der eisige Wind bewegte die Bäume und trug in Böen die fernen Geräusche der Stadt heran.

»Ich komme bald zurück, du wirst schon sehen«, sagte Gregorio. »Dann fahren wir wieder ans Meer. Wir kaufen uns ein Auto.«

»Warum ergibst du dich nicht?« fragte Angelina. »Du gehst zur Polizei und sagst, du hast von nichts gewußt, du bist nur ein kleiner Angestellter, und man hat dich übertölpelt. Sag ihnen, daß es dir leid tut. Dann tun sie dir nichts, du wirst sehen.«

»Du bist wohl verrückt«, sagte Gregorio kauend. »Man wird mich lebenslang einsperren, foltern werden sie mich, um mich zum Reden zu bringen, und dann wahrscheinlich erschießen. Außerdem bin ich nicht nur ein kleiner Angestellter. Ich bin Idealist. Ich kämpfe für ein Ideal. Wann begreifst du das endlich?«

»Jeder muß für sich selbst sorgen. Andere schenken einem nichts.«

»Wenn alle so denken würden, lebten wir heute noch in Höhlen. Eine Gesellschaft braucht Träumer, um sich fortzuentwickeln. Wenn es sein muß, werde ich an Hunger und Kälte zugrunde gehen, aber ich werde niemals meine Ideale verraten. Niemals!« flüsterte er, und das Wort kam aus den geheimsten Tiefen seiner rastlosen Seele.

»Du bist verrückt.«

»Nein, das ist der Preis, der für den Fortschritt zu zahlen ist. Eines Tages wird man nicht mehr arbeiten müssen, um zu essen. Das werden alles Maschinen erledigen. Es wird keine Reichen und keine Armen mehr geben, keine Diebe und Polizisten, keine Regierungen, nichts mehr«, und er sprach mit einer Überzeugung, die er für zutiefst aufrichtig hielt. »Ich habe recht«, dachte er. »Vielleicht stimmen die Einzelheiten nicht ganz, aber es sind edle Worte, die mich ehren und die aus der Tiefe meines Herzens kommen. Ach, hätte mir das Leben doch nur Gelegenheit gegeben, mich für ein Ideal zu opfern!«

»Wir werden weder Hunger leiden noch frieren müssen«, fuhr er fort und schnitt ein Stück vom Käse ab. »Alles wird wunderbar. Man wird Zeit haben, in der Natur spazierenzugehen, miteinander zu sprechen, Gedichte zu schreiben und Drachen steigen zu lassen. Es wird keine Soldaten mehr geben, und jeder wird ein eigenes kleines Düsenflugzeug haben, mit dem er durch die Welt fliegen kann. Jedes Haus wird einen Garten haben, und man braucht bloß einen Knopf zu drücken, und es wird keine Fliegen mehr geben.«

»Ja, und alles, weil du es sagst. Meine Mutter sagt, und da hat sie recht, daß du eine taube Nuß bist. Du magst nur nicht arbeiten.«

»Ich habe immer gearbeitet«, sagte Gregorio und wischte sich mit bitterer Miene die Hände ab. »Ich habe im Büro gearbeitet und später zu Hause, wenn ich geschrieben und nachgedacht habe. Und dann noch im Café, eigentlich immer. Ich habe mehr gearbeitet, als du glaubst.«

»Ich weiß nicht«, sagte sie.

Er ergriff ihre Schultern und zwang sie, ihn anzuschauen. Es war schon spät, und er brauchte eine Notversöhnung.

»Antworte mir: hättest du mich geheiratet, wenn du gewußt hättest, daß ich in der Partei bin?«

»Ich weiß nicht.«

»Hättest du mich geheiratet?«

»Wenn du ein guter Mensch gewesen wärst, warum nicht.«
»Und bin ich ein guter Mensch?«
»Ja.«
»Also, wirst du mir helfen, oder soll ich lieber gehen?«
»Wohin?«
»Ins Ausland oder ins Gefängnis.«
»Was kann ich denn tun?«
»Auf mich warten. Das ist so, als wäre ich im Krieg. Willst du auf mich warten?«
»Ja.«
Bald darauf waren sie übereingekommen, sich zweimal wöchentlich an derselben Stelle und zur selben Zeit zu treffen. Gregorio würde seine schmutzige Wäsche mitbringen und saubere wieder mitnehmen, dazu ein paar Lebensmittel und ein bißchen Geld.
»Deiner Mutter sagst du, ich müßte für die Firma auswärts arbeiten. Im Ausland meinetwegen. Und wenn Gil noch einmal auftaucht, öffnest du ihm nicht. Und daß er dir vor allem nicht folgt, wenn du hierher kommst.«
»Gregorio, ich weiß nicht, was aus uns werden soll«, sagte Angelina, als sie sich von ihm verabschiedete.
Sie waren aufgestanden und ein paar Schritte gegangen und standen jetzt beide still und deutlich abgegrenzt vom mondlichten Weitblick eines Reiterdenkmals. Angelina trug einen von vielen Wintern weise gewordenen Mantel mit Tupfen, der mit den Gedanken noch halb bei seinem Kleiderbügel war, flache, adrette Schühchen, die brav zur Schule zu gehen schienen, und das Haar ordentlich mit Spangen festgesteckt. In allem erkannte Gregorio die schrecklichen Merkmale einer Welt, die ihm vielleicht für immer abhanden gekommen war.
»Wir werden wieder ans Meer fahren«, sagte er, bevor er ging.
Als er zu seiner Pension kam, war es schon spät, und die männlichen Dauergäste hatten sich bereits in ihre Zimmer zurückgezogen. »Ja, ist ja schon gut!« hörte er die Dummdreiste sagen, die ihm die Tür geöffnet hatte. Gregorio hätte den Tag gern mit ein paar freundlichen, unbekümmerten Worten beschlossen, doch die Frau hatte sich schon entfernt, und das Zimmer von Doña Gloria war dunkel, und man hörte in ihm nichts als das Ticken der Uhr. Er tastete sich zu seinem Zimmer. Das Bett war gemacht, und auf der Überdecke lag ein Anmeldeformular sowie ein Zettel, auf dem in ungelenken Großbuchstaben stand: ERSTE ZAHLUNG BEI ANMELDUNG.

Er überschlug im Geiste seine Finanzen und kam zu dem Schluß, daß sein Geld gerade für die erste Woche reichen würde. Ohne weiter darüber nachzudenken, zog er sich aus, löschte das Licht und schloß mit kindlichem Ungestüm die Augen. Erst dann erinnerte er sich an den Zettel, den der Kellner ihm gegeben und den er achtlos eingesteckt hatte. Vielleicht hatte sein Unglücksinstinkt ihn, ohne daß er es wußte, vor der Gefahr einer üblen Entdeckung zurückgehalten. Er knipste das Licht wieder an. Ihn wunderte nicht einmal, daß er sich nicht wunderte, als er die Telefonnummer las und feststellte, daß es dieselbe war, die Gil neun Jahre lang gewählt hatte. Er wartete, bis er im Bett lag, wieder im Dunkeln, ehe er sich fragte, was Gil an seinem Arbeitsplatz tat und ob er vielleicht die Anrufe seines eigenen Nachfolgers in der Provinz entgegennahm. Doch wieder einmal eilte ihm die Müdigkeit zu Hilfe, und bevor er einschlief, sah er sich in sportlicher Kleidung am Meer neben einem Auto mit Klappverdeck stehen, dessen Marke, Lincoln Cabriolet, sich ihm offenbarte, als er schon eingeschlafen war.

KAPITEL XIX

Mit Anbruch des Tages setzte langsam die geheime Symphonie des Hauses ein. Nach einer kurzen Probe, bei der jeder Solist sein Instrument stimmte (zum Teil klangen diese Angriffe auf die noch herrschende Stille auch nach militärischem Aufbruch, nach scharrenden Pferdehufen, Hornsignalen, Rufen eintreffender Boten und Stallgeräuschen), wehte von ferne die klagende Melodie einer Mundharmonika heran. Die Musik schwoll an und wieder ab, als käme sie durch die Gänge eines Labyrinths, bis sie sich als das entpuppte, was sie wirklich war: das Sirren eines elektrischen Rasierapparats, das im Halbschlaf die Erinnerung an eine vor vielen Jahren einmal gehörte und wieder vergessene Melodie wachrief. Gleich darauf setzte mit vereinten Kräften das Orchester ein. Bettengeknarre, Schritte auf dem Korridor, Türenschlagen, das Rauschen eines Wasserhahns oder der Toilettenspülung, das Ächzen der Möbel, Hupen, Glocken, Rufe, Husten und erbebende Glasscheiben: eine Symphonie, die sich in Gregorios Ohren mit den vielen anderen Klängen vermischte, die in seiner Erinnerung aufbewahrt waren; und er dachte, daß jeder Mensch ein wenig die Geschichte der Zimmer ist, die ihn beherbergt haben, und auch der Geräusche, die er zu hören gewohnt ist. Dann könnte das Leben vielleicht in Quadratmetern bemessen und beschrieben werden, dachte er, oder nach der Lautstärke der Geräusche, die der Ehegemahl von sich gibt, nach der industriellen Betriebsamkeit, die ein Stadtteil entfaltet, nach dem Glück oder dem Pech, einen Philosophen oder einen Tänzer über sich wohnen zu haben, und vielleicht entschied sich das Schicksal eines Tages in eben jenem Moment, in dem man aufwacht und die Geräusche der Welt um sich herum hört, die, einmal als solche erkannt, man annimmt oder ablehnt, je nach dem, wie sie angekündigt wurden . . .

Wie auch immer, jeder geubte Hörer hätte sogleich bemerkt, daß die Solisten ein paar Varianten in die Partitur jenes Dienstags im

Oktober eingeführt hatten, und selbst Gregorio stellte fest, daß der Übergang vom Schlaf zum Erwachen an diesem Morgen weniger schmerzlich war als sonst. Einmal im Monat stand Großreinemachen auf dem Plan. Und dieser Tag kündigte sich durch eine unbestimmte Betriebsamkeit an, die sich schon wieder in Einbildung auflösen zu wollen schien, als plötzlich der Korridor vom mißtönenden Geschrei einer burlesken Stimme widerhallte: »Klarmachen zum Gefecht! Krieg den Mikroben! Geschwader antreten!« Es war Doña Glorias Nichte Paquita, die die Gäste weckte und sie aus ihren Zimmern trieb.

Sie hielt auch vor Gregorios Tür.

»Auf, auf, Caballero mit der Feder am Hut, die Feuerwehr ist da!«

Sie war klein und kräftig, hatte strohgelbes Haar und übernächtigten Lippenstift an Mund und Schnurrbart. Sie sah aus wie ein als Chorknabe verkleideter Rekrut, fiel Gregorio bei ihrem Anblick ein, als er den Kopf durch die Tür steckte. Sie trug Gummistiefel, Gummihandschuhe und ein kurzes Rüschenkleid, das ihr einen Stulphintern und kräftige Schenkel machte und zwei harte, holprige, frisch gekochte Knie zum Vorschein brachte.

»Keine Gnade den Mikroben!«, sie blieb vor Gregorio stehen, als sie zurückkam. »Vorwärts, Soldaten! Rührt Euch! Wenn Sie jetzt nicht herauskommen, müssen Sie bis drei drinnen bleiben!«, sie sah ihn mit wippender Hüfte von oben bis unten an. »Und bevor Sie gehen, geben Sie mir noch den ausgefüllten Zettel und das Bare!«

Mit einem varietéreifen Hüftschwung warf sie ihren Hintern herum, als müsse sie ihn vor den dreisten Zugriffen eines Lustgreises in Sicherheit bringen, und marschierte, weiterhin ihre kriegerischen Parolen kreischend, durch den Korridor davon.

Gregorio zog sich hastig an, füllte schnell das Formular aus und zählte das Geld ab. Vielleicht konnte er die allgemeine Hektik für sich nutzen. Plangemäß schrieb er als Namen Augusto Faroni, in seiner richtigen Handschrift, damit man ihn nicht irgendwann als Schwindler ertappte; unter Stand schrieb er »led.«, und darunter – das war das wichtigste, denn er mußte unbedingt als Fremder durchgehen –, geboren in Villapanuco, einem Dorf, von dem er nicht wußte, ob er es gerade erfunden oder den Namen in irgendeinem Roman gelesen hatte. Bei der Altersangabe zögerte er auch nicht lange. Er machte sich acht Jahre jünger, trug allerdings das korrekte Geburtsdatum ein. Zum Schluß wählte er noch den Beruf des Schriftstellers und Verkaufsberaters. Dann trat er auf den Flur hinaus und ging zu Paquita, die ihm vom anderen Ende her zurief: »Aaachtung, Feldmarschall von Rübenkraut! Aaaugen rechts! Keine Vorkommnisse im Bataillon!«

Gregorio trat mit dem belustigten Lächeln eines nachsichtigen Galans zu ihr: »Ich ergebe mich«, sagte er und hob die Hände. Er lehnte sich an die Wand, und noch ehe Paquita das Anmeldeformular entziffern konnte, sagte er mit vor Ernst umflorter Stimme: »Doña Gloria wird Ihnen ja bereits gesagt haben, daß man mir die Papiere gestohlen hat. Anzeige ist erstattet, und die Ermittlungen sind aufgenommen. Aber wenn Sie ein Dokument brauchen, kann Ihnen das hier weiterhelfen«, und damit überreichte er ihr sein Buch. »Darin finden Sie alle meine persönlichen Daten.« Paquita drehte das Buch in den Händen, als verstehe sie den Mechanismus nicht, bis sie auf der Rückseite das Photo sah. »Und das sind Sie?« fragte sie mit einer Art erstaunter Geringschätzung. Gregorio zündete sich eine Zigarette an, ließ das Feuerzeug mit einer eleganten Kreisbewegung in der Jackentasche verschwinden und drehte den Kopf zu Seite, um den Rauch auszublasen. »In Person«, sagte er dann. Die Frau blätterte in dem Buch. »Und hier sind Sie auf einem Schiff?« »In der Karibik.« »Und das hier?« »Da befinde ich mich, um es genau zu sagen, auf dem achtzigsten Grad nördlicher Breite, das heißt, am Pol.« »Sie?« »In Person«, und er lächelte geduldig, weltgewandt, verführerisch. »Und das haben Sie geschrieben?« »Das und noch mehr. Romane, Gedichte, Erzählungen, zehn oder zwölf Bücher insgesamt.« »Sie?« Gregorio klemmte sich die Zigarette zwischen die Lippen, senkte den Kopf und lächelte ergeben. Als Paquita ihm das Buch zurückgeben wollte, wehrte er mit der Hand ab. »Nein, nein, behalte es, das ist ein Geschenk und kann dir außerdem als Pfand dienen.«

Sie klemmte es sich unter die Achsel und zählte mit kreischender Stimme das Geld.

»Ich sag's ja immer, Alter schützt vor Torheit nicht!« krähte sie dann, nahm den Schrubber auf die Schulter und marschierte in die Küche.

Gregorio trat, sehr zufrieden damit, wie er die Angelegenheit fürs erste geregelt hatte, den Rückzug an. Auf der einen Seite des Flurs sah er Doña Gloria, bis zu den Füßen in ihre Decke gehüllt, in einem Sessel sitzen. Er nickte ihr im Vorbeigehen zu, ohne daß sie Zeit gefunden hätte, ihn zu erkennen. Auf der anderen Seite erhaschte er durch eine angelehnte Tür einen flüchtigen Blick auf die drei Dauergäste. Die Herren saßen nebeneinander an einem Tisch, alle dunkel gekleidet und ernst vor sich hin starrend, als trügen sie schwer an ihrer Achtbarkeit. Sie schienen gerade ihr Frühstück beendet zu haben, denn vor jedem stand ein großer Kump, und zwei von ihnen hatten noch die Serviette um den Hals gebunden.

Gregorio eilte hastig weiter, als versuche er, aus einem brennenden Haus ins Freie zu gelangen. Erst als er die Haustür schon geöffnet hatte, fühlte er sich in Sicherheit und drehte sich noch einmal um. Am anderen Ende des Korridors stand Paquita und schrie unter schallendem Gelächter, »Wasser, marsch!«, »Wasser, marsch, marsch, marsch!«, »Und noch mehr Wasser!«, wobei sie eimerweise Wasser marsch und Wasser marsch, marsch, marsch und noch mehr Wasser in den Flur kippte. Und Doña Gloria sagte aus ihrem Zimmer: »Zeig es ihnen«, »mehr in die Ecken«, »sollen sie alle ersaufen«.

Gregorio trat mit dem bedrückenden Gefühl auf die Straße hinaus, an diesem Morgen müsse sich sein Schicksal erfüllen. Seinen Plänen nach mußte er sich heute morgen als Nick Porter ausgeben, einen Schüler und Freund Faronis, um als solcher Gil auszuhorchen und sein Vertrauen auf die Probe zu stellen, vor allem aber zu verhindern, daß er Rechenschaft über all die verheißenen Wunder verlangte. In letzter Minute jedoch, als er die Nummer schon gewählt hatte und auf die Verbindung wartete, entschloß er sich, die Dinge zu beschleunigen und sich direkt als Faroni zu melden. »Von Feiglingen spricht niemand«, dachte er und fühlte sich seiner Konzeption so sicher, daß er keine Sekunde schwankte, als er von fern Gils nasale Stimme vernahm:

»Hallo. Hier Requena und Belson. Gil am Apparat.«

Mit einer Münze klopfte und kratzte Gregorio auf der Sprechmuschel des Telefonhörers herum, während er mit der kaum vernehmbaren, weit entfernten Stimme einer gelehrten Elster hineinplapperte:

»*Hello! That's of Spain? That's of Belson?*«

»Señor Faroni!« schrie Gil. »Sind Sie das?«

»*Who's there? Listen!*« sagte er mit seiner normalen Stimme, die er dadurch entstellte, daß er den Hörer weit von sich hielt.

»Ja! Hören Sie? Ich bin's, Señor Faroni, ich bin's, Gil! Hören Sie!«

»*Thats's of Belson?*« brabbelte die Elster wieder. »*Is Daisio Mounro?*«

»Ja, hier Dacio Gil Monroy!«

»*Moment please!*« krächzte die Leitung. »*Here Chicago! Mister Faroni speaking!*«

»Hören Sie? Ist da Dacio?«

»Ja, ich bin's, Dacio am Apparat!«

Immer noch leicht mit der Münze über die Sprechmuschel kratzend und mit einem Taschentuch vor dem Mund, um die Stimme in weite Ferne zu rücken, gelang es Gregorio, Gil mitzuteilen, daß er aus Chicago anrief. Gleich darauf waren die Störungen aus der Leitung verschwunden.

»Der Kellner hat es mir schon gesagt!« rief Gil vertraulich. »Und daß Sie verwundet sind. Das hat die Frau mir gesagt. Gut, daß Sie anrufen! Wie geht es Ihnen?«

»Auf dem Weg der Besserung«, berichtete Gregorio. »Sie haben mir in den Rücken geschossen, und ich muß das Bett hüten.«

»Großer Gott, so was! Man hat mir auch gesagt, daß all Ihre Freunde fliehen mußten, und auch Señorita Marilyn, und daß Gregorio Olías im Gefängnis sitzt.«

»So ist es.« Er hielt den Hörer mal weiter, mal näher, so daß das Helldunkel seiner Stimme wie ein Blinklicht in der Nacht heranwogte und wieder versickerte. »Wir sind aufgeflogen, alle sind Hals über Kopf geflohen. Marilyn ist, glaube ich, in Indien, genau weiß ich es nicht. Jeder hat sich so gut er konnte, in Sicherheit gebracht. Zwei sind getötet worden.«

»Getötet, sagen Sie?«

»Ja«, entgegnete er mit brüchiger Stimme. »Sie wurden von Kugeln förmlich durchsiebt. Ein Physiker und ein Dramatiker.«

»Aber das ist ja furchtbar . . .«

»Eine Tragödie.«

In der Stille, die diesen Worten folgte, stellte er sich einen gramgebeugten Gil vor, der nicht wußte, was er sagen sollte, und nicht wagte, eine Frage zu stellen, sich jedoch fragte, welcher Anteil an Schuld an dieser Katastrophe wohl auf ihn entfiel.

»Und wie geht es dir?«

»Mir? Schlecht natürlich, wie sonst? Als ich aus dem Zug stieg, bin ich gestürzt und habe mir zwei Zähne ausgeschlagen. Jetzt rutschen mir die Worte zwischen der Zahnlücke durch. Und wenn ich ehrlich sein soll, verstopft bin ich auch. Ich war schon zwei Wochen nicht mehr. Aber was soll's, das ist ja nicht wichtig. Viel schlimmer ist das, was mit Ihnen passiert ist. Soviel Schicksal auf einmal! Stellen Sie sich vor, ich war bei einer Adresse, die ich hier im Büro gefunden habe. Ich dachte, das sei Ihre. Ich habe da mit einer Frau gesprochen, die mir sagte, Sie wohnten da nicht, Sie seien im Ausland und seien verwundet.«

»Ja, das war eine Tarnadresse, um die Polizei zu täuschen«, schwankte die Stimme. »Die Frau heißt, glaube ich, Lucinda oder so ähnlich, nicht sehr zuverlässig. Laß dich da also auf keinen Fall wieder blicken.«

»Ja, das war alles sehr seltsam. Sie sagte mir, Gregorio Olías sei ein guter und anständiger Mensch. Er habe den Kopf voller Flausen und sei in schlechte Gesellschaft geraten. Sie bat mich, nachsichtig mit ihm zu sein, er sei wie ein Kind, und die wahren Schuldigen seien die aus dem Café. Ich hatte den Eindruck, daß sie mich aushorchen wollte.«

»Könnte sein.«

»Da war auch noch eine ältere Frau, die zeterte und wissen wollte, wer da gekommen war, und die Frau sagte, der von der Steuer. Ich weiß nicht, das schien mir so seltsam.«

»Nun, vielleicht hat die Frau geglaubt, du wärst von der Polizei.«

»Ich?«

»Ja, es laufen so viele Wölfe im Schafspelz herum, und in letzter Zeit ist soviel passiert, daß kein Mensch mehr weiß, wem er noch trauen kann. Als ich zum Beispiel deine Telefonnummer erhielt«, sagte er, und seine Stimme erstarb in der Leitung, »da habe ich mich gewundert, daß du auf meinem Platz im Büro sitzt. Manch einer fragt sich da: hat Gil vielleicht gewußt, daß dieser Platz frei wird?«

»Ich . . . Ich schwöre Ihnen, nein, Señor Faroni!« protestierte Gil. »Ich schwöre es bei Gott! Ich habe von nichts gewußt. Ich bin als Verkäufer gekommen, weil der aus der Stadt in der Lotterie gewonnen hat. Das war mein Geheimnis, von dem ich Ihnen nichts gesagt habe, weil ich mich geschämt habe, daß ich ja nun den Kulturverein nicht mehr gründen kann. Aber da Sie gegangen waren und die Stelle des Schreibers besetzt werden mußte, hat man sie mir gegeben. Ich habe selbst erst gestern davon erfahren, Sie können sich denken, wie überrascht ich war.«

»Und im Büro, ist da nicht über mich oder meine Flucht gesprochen worden?«

»Ich habe nichts gehört. Man hat mir das alles schriftlich mitgeteilt.«

»Bist du allein? Kann dich jemand hören?« fragte Gregorio vorsichtig.

»Nein, ich glaube nicht.«

»Dann hör zu. Ich habe denen im Büro gesagt, daß ich aus familiären Gründen fortbleiben muß, aber ich würde mich nicht wundern, wenn sie dich eines Tages über mich ausfragten. Du sagst kein Wort. Wenn sie dich fragen, weißt du von nichts. Sage auf keinen Fall, daß du mich kennst. Verstanden?«

»Seien Sie unbesorgt, Señor Faroni, ich sage nichts. Ich schwöre es Ihnen. Aber was ist eigentlich genau passiert? Warum sind Sie alle auf einmal geflohen?«

In diesem Augenblick gab es wieder Störungen in der Leitung, man hörte etwas, das wie Rattennest klang, und wieder plärrte die Elster: *»Hello, Mr. Faroni! That's of Belson?«*

Als die Verbindung wiederhergestellt war, hörte man Gregorio am anderen Ende mit müder, schmerzvoller Stimme sagen:

»Da siehst du, Gil, was du damit angerichtet hast, in die Stadt zu kommen.«

»Ich?« stammelte Gil. »Das verstehe ich nicht. Ich weiß doch gar nicht, was los ist. Ich schwöre Ihnen, ich habe keine Ahnung.«

»Du weißt nichts, Gil, und du wirst nie etwas wissen«, sagte Gregorio mit bitterer Ironie. »Ich habe dir gesagt, meine Freundschaft könnte dir gefährlich werden. Ich habe dich gewarnt, erinnerst du dich? Aber du mit deinem ewigen Gejammer hast dich schon daran gewöhnt, immer der arme Unschuldige zu sein. Aber ich will es dir in wenigen Worten erklären. Die Polizei hat dich schon eine ganze Weile beobachtet, vor allem, als sie erfahren haben, daß du den Kulturverein gründen willst und dir ein Pseudonym zugelegt hast. Als du dann in die Stadt gekommen bist, haben sie gedacht, jetzt bricht gleich eine lange geplante Verschwörung los, und um einen Volksaufstand zu verhindern, haben sie beschlossen, die Partei auszuheben. Sie haben das Café gestürmt. Zwei haben sie erschossen, einige verhaftet, und wir übrigen konnten fliehen. Jetzt weißt du, was passiert ist, und kannst dich fragen, ob dich auch ein Stück Schuld trifft.«

»Señor Faroni«, sagte Gil feierlich mit kaum hörbarer Stimme, »ich schwöre Ihnen, daß ich in gutem Glauben gehandelt habe. Wie hätte ich an so etwas denken können!«

»Nun, man hat mir auch berichtet, daß die Ordnungskräfte in zwei Tagen unsere ganze Arbeit zerstört haben. Das Werk vieler Jahre in zwei Tagen vernichtet! Die geheime Stadt, die wir errichtet hatten!« Ihm versagte die Stimme. »Es ist, als hätte man aus einem Zimmer die Möbel herausgestellt. Sogar der Name des Cafés soll nicht mehr derselbe sein.«

»Es heißt jetzt wie früher, Hispano Express«, seufzte Gil. »Gestern war ich dort, um es mir anzusehen und nach Ihnen zu fragen, da kam ein Kellner heraus und warnte mich davor, hineinzugehen. Er sagte, der Name sei abgeändert worden und drinnen sitze die Polizei.«

»Ja, der Kellner war Esquivel Dorantes, einer unserer zuverlässigsten Männer. Ich brauche dir wohl nicht zu sagen, daß du ihn auf keinen Fall noch einmal ansprichst. Du könntest ihn kompromittieren, und du hast schon genug Schaden angerichtet, indem du in die Stadt gekommen bist.«

»Señor Faroni, ich schwöre bei Gott ...«, begann Gil wieder.

»Es ist zu spät«, unterbrach ihn Gregorio hart. »Wir können jetzt nur noch retten, was zu retten ist, und auf den Trümmern neu beginnen.«

»Und ich, was kann ich dabei tun?« rief Gil flehentlich.

»Es tut mir leid, dir das sagen zu müssen, aber gemessen an dem Schaden, den du angerichtet hast, kann es nur eine Lösung geben: du mußt die Stadt verlassen.« Er bekreuzigte sich im Geiste.

»Ich? Die Stadt verlassen? Nein, das verstehe ich nicht.«

»Denke nach, Dacio, überlege, meditiere, analysiere ganz sachlich die Fakten!« rief Gregorio verzweifelt. »Die Polizei ist hinter dir her. Sie beschattet dich. Du siehst sie nicht, aber sie sind da und liegen auf der Lauer. Sie warten darauf, daß du sie zu den geheimen Schlupfwinkeln der Partei führst. Sie werden dich in die Enge treiben und dich zwingen, sie um Hilfe zu bitten, und wenn das nicht funktioniert, werden sie dich einsperren. Und du weißt ja, was dann passiert, Dacio. Weißt du das?«

»Nein, Señor Faroni, ich weiß nichts.«

»Sie werden dich foltern. Sie werden dir Bambussplitter unter die Fingernägel treiben. Sie werden dich mit glühenden Eisen martern. Sie werden dir einen Käfig vor den Bauch schnallen, und in diesem Käfig wird eine ausgehungerte Ratte sein. Du wirst ihnen alles sagen müssen, was du weißt. Und du wirst es ihnen sagen, oh, mein Gott, ja, du wirst es ihnen sagen! Du wirst ihnen sagen, daß der Intellektuellentreff im Café der Partei nur als Tarnung gedient hat. Du wirst ihnen sagen, wer ich wirklich bin und wo ich gearbeitet habe. Du wirst Lucinda verraten und Esquivel Dorantes. Du wirst alles gestehen, was du über Gregorio Olías weißt, du wirst ihnen sagen, daß er mein Biograph ist, und du wirst wahrscheinlich sogar Dinge erfinden, um deine Haut zu retten. Verstehst du jetzt, warum du die Stadt verlassen mußt? Um der Liebe Jesu Christi willen, verstehst du das?«

»Aber wohin soll ich gehen?«

»Wo du hergekommen bist, oder ins Ausland, egal.«

»Aber dann würde ich meine Arbeit verlieren. Was würde aus mir?«

»Was würde andernfalls aus uns allen, aus der Partei, aus dem Zirkel? Schau, Dacio, besser man verliert seine Arbeit als seine Ehre oder sein Leben. Opfere nicht auch noch uns übrige. Setze nicht die Zukunft unseres Landes aufs Spiel.«

Das Telefonhäuschen stand direkt neben einem Schulhof, und mehrere Kinder mit Schulschürzen klammerten sich an die Umzäunung und streckten Gregorio die Zunge heraus. Gregorio, der das Notizbuch mit den Stichworten seines Plans vor sich liegen hatte, drehte sich um und schaute zur anderen Seite. Jetzt sah er auf die Rücken einiger Arbeiter, die einen Graben aushoben. Auf der Sprechmuschel scharrend, wartete er, bis seine Worte ganz in Schweigen getaucht waren und ihr zerstörerisches Werk im Gewissen des Feindes vollbrachten. »Es muß sein«, versuchte er sich zu rechtfertigen, »er oder ich, eine andere Möglichkeit gibt es nicht.« Doch plötzlich erhob sich Gils Stimme, als entstiege sie siegreich und feierlich ihrer eigenen Asche:

»Señor Faroni, eines möchte ich Ihnen sagen. Machen Sie sich um mich bitte keine Gedanken. Ich weiß, ich bin immer ein Feigling gewesen. Aber jetzt ist die Zeit gekommen, der Welt den Wolf in mir zu zeigen. Ich versichere Ihnen, daß ich kein Sterbenswörtchen sagen werde. Das können Sie auch allen anderen ausrichten. Selbst wenn man mich bei lebendigem Leib verbrennen oder mir eine Ratte auf den Bauch setzen würde, käme kein Wort über meine Lippen. Wenn sie mich töten, sterbe ich in dem stolzen Gefühl, den Heldentod gestorben zu sein, nachdem ich ein Leben lang als Feigling gelebt habe. Das ist die große Gelegenheit für mich, mein Leben zu retten, und ganz gewiß hat Gott mir diese Prüfung auferlegt, um mich durch sie zu erlösen. Wenn ich flöhe, wäre das mein Ende. Dann wäre ich für immer der Feigling, der ich vielleicht gar nicht bin. Señor Faroni, bitte geben Sie mir diese eine Chance!«

Die Arbeiter wühlten immer noch in ihrem Loch. Er drehte sich um. Die Kinder, die nur auf diesen Moment gewartet hatten, streckten ihm sofort die Zungen heraus. Gregorio wedelte lächelnd mit den Fingern.

»Hören Sie mich, Señor Faroni?«

Gregorio, über Gils Reaktion bestürzt, sagte:

»Na, na.«

»Wie ich sage. Ich sehe es ganz deutlich. Das ist Schicksal. Ich sehe es genau! Immer habe ich zu Gott gebetet, er möge mir eine Chance geben, bevor ich sterbe. Als Kind wollte ich, bevor ich Journalist werden wollte, immer Märtyrer werden. Und jetzt gehen diese verrückten Kinderwünsche vielleicht in Erfüllung. Wer ein so trauriges Leben führt wie ich, für den ist ein heldenhafter Tod alles, worauf er noch hoffen kann. Vielleicht spricht man eines Tages in den Cafés von Dacio Gil Monroy, der sich für ein Ideal geopfert hat«, seine Stimme hatte jetzt einen übernatürlichen Klang angenommen. »Man ist entweder Henker oder Opfer, und zum Henker tauge ich nicht.«

Gregorio klappte sein Notizbuch zu, kratzte über die Sprechmuschel und zündete sich eine Zigarette an.

»Ich glaube, du hast mich nicht verstanden.«

»Doch, ich habe Sie verstanden«, entgegnete Gil, ohne zu zögern. »Ich höre Stimmen. Zwei Stimmen. Eine gehört dem Teufel, und sie sagt: ›Fliehe, rette deine Haut, Gil!‹, die andere ist die Stimme Gottes, und sie sagt: ›Bleib und stirb, Dacio!‹ Señor Faroni, mir ist, als wäre ich erleuchtet!«

»Na, na.«

»Und darum sage ich Ihnen: Haben Sie um mich keine Angst! Ich werde mich wie ein Mann zu verhalten wissen! Ich werde beispielhaft für die kommenden Generationen unseres Landes sein. Sie sind im Ausland und sind berühmt in Ihrem Exil. Ja, berühmt. Und ich bin hier, ein kleiner Angestellter, in der Höhle des Löwen. Aber Sie werden stolz auf mich sein können, vergessen Sie das nicht! Sagen Sie es allen! Sagen Sie ihnen, daß ich am Samstag ins Café gehen werde, auch wenn die Polizei da ist. Und sagen Sie ihnen auch, daß ich Señor Esquivel nicht kompromittieren werde. Ich kenne keinen Menschen. Ich werde ihm nicht mal einen Blick zuwerfen! Ich höre Stimmen in mir, ich höre sie, und ich bin bereit zu sterben!«

»Es geht nicht um deine Rettung, es geht darum, die Partei zu retten«, sagte Gregorio, jede einzelne Silbe betonend. »Wir arbeiten für die Freiheit eines Volkes, für Gerechtigkeit. Niemand hat das Recht, nur sich allein zu retten oder sich für den eigenen Nutzen zu opfern. Das wäre ein selbstsüchtiges, fruchtloses Opfer. Dacio, wenn du einer der Unseren sein willst, dann mußt du die Befehle des Komitees befolgen.«

»Señor Faroni, ich bitte nur um diese eine Chance. Wenn ich schon kein Chemiker und Denker bin, lassen Sie mich wenigstens ein Märtyrer des Fortschritts sein. Verstehen Sie doch, ich komme in die Stadt, und die Stadt läuft sozusagen vor mir fort, und damit sie zurückkommt, muß ich die Stadt verlassen. Halten Sie das für ein beneidenswertes Schicksal? Wohin ich komme, finde ich nur noch die Überreste vor. Ich komme immer und überall zu spät. Darum flehe ich Sie an, größeren Schaden als den, den ich unfreiwillig angerichtet habe, kann ich doch gar nicht mehr anrichten.«

Gregorio wußte wirklich nicht, was er angesichts dieser heroischen Halsstarrigkeit sagen sollte.

»Geben Sie mir irgendeinen Befehl, der nicht lautet, die Stadt zu verlassen. Sagen Sie mir, was Sie wollen, ich werde es tun.«

Gregorio, von der bedrohlichen Vision seiner nächsten Zukunft abgelenkt, fiel nichts anderes ein, als ihn aus Gründen der Vorsicht aufzufordern, einen anderen Namen anzunehmen. Gil antwortete, daß er zwar im Grunde seiner Seele immer Dacio bleiben werde, jedoch bereit sei, den zu akzeptieren, den das Komitee ihm zuweise. Und obwohl er einen Namen mit etwas mehr Substanz vorgezogen hätte, akzeptierte er, in Zukunft X-63 zu heißen, aber nur, wenn Faroni X-1 sei.

»Trotzdem«, sagte Gregorio, »wird letztlich das Komitee entscheiden, ob du in der Stadt bleiben kannst oder nicht. Ich werde dich in den nächsten Tagen wieder anrufen und dich informieren, aber gewöhne dich an den Gedanken, daß du unsere Anweisungen zu befolgen hast, wenn du einer der Unseren sein willst.«

Und wieder fing Gil an, seine Gründe darzulegen und von Gott und dem Teufel zu sprechen, doch Gregorio, verwirrt und mit den Gedanken ganz woanders, täuschte transozeanische Störungen vor, ließ die Elster ein Machtwort sprechen und legte auf.

Wie ein zu einem dringenden nächtlichen Treff gerufener Verschwörer machte sich Gregorio, mit verbissenem Gesicht und finsteren Gedanken, schnellen Schritts und ohne ein bestimmtes Ziel auf den Weg. Zerstreut betrat er einen Lebensmittelladen und kaufte Brot, Wurst und eine Dose Anschovis. Unvermittelt, ohne es sich vorgenommen zu haben und ohne zu zögern, suchte er sich im nächsten Park die abgelegenste Bank und ließ sich mit dem ganzen verdrängten Gewicht seines rabenschwarzen Unglücks darauf niedersinken. Kaum, daß er einen kurzen Blick in die Runde warf, stellte er das Paket neben sich auf die Bank, legte den Hut darüber, schlug sein Notizbuch auf und nahm hastig ein paar Eintragungen vor. Dann hielt er nachdenklich inne, pochte mit dem Stift gegen seine Zähne und nickte mit dem Kopf zum Rhythmus seiner Gedanken. Wie unbedacht war er gewesen. Er hatte nicht damit gerechnet, daß

Gils Schwäche in Heldenmut umschlagen konnte und daß alles, was er sich ausgedacht hatte, um ihn zum Verlassen der Stadt zu bewegen, ebensogut eine Aufforderung zum Durchhalten und zum Glauben gewesen war. Was für ein unbedachter Einfaltspinsel war er doch gewesen. Er hatte an Gils Glauben gezweifelt, hatte aber nicht seine Exzesse bedacht. Er las in seinem Büchlein: »Der Eindringling will nicht weichen, und dem Ansässigen geht der Proviant aus.« Denn nach dem, was er dem Kellner gegeben und in der Pension bezahlt hatte, blieb ihm kaum noch genügend Geld, um die nächsten Tage zu überleben. Und wie der Ansässige aussah! Er hatte sein jämmerliches Äußeres in den Glasscheiben der Telefonkabine gesehen: alt und schmutzig sah er aus, und sein seit vier Tagen unrasiertes Gesicht erinnerte ihn an eine undatierte Todesanzeige; seine Schuhe waren voller Lehm, seine Zunge lag pelzig im Mund, die Fingernägel hatten schwarze Ränder, und sein Hemdkragen klebte am Hals. »So muß Faroni in Paris herumgelaufen sein«, dachte er und versuchte einen Moment lang die Großartigkeit eines Bohèmelebens zu erfassen. Ach was, schüttelte er den Kopf, er sah nicht wie ein darbender Künstler aus, sondern wie ein verwahrloster Bettler; und er war nicht mehr in dem Alter und hatte auch nicht mehr die Erwartungen, um solch ein dürftiges Leben durchhalten zu können.

Die Vorstellung von einer einsamen, erbärmlichen Zukunft erfüllte ihn mit Schrecken. Er dachte an zu Hause, an seinen Rasierpinsel, an den nie zu weich gekochten Reis, an seine wohlgefälligen Pantoffeln, an den Geruch gebügelten Flanells, an das schwüle Zwielicht der Schlafzimmer an Regentagen, und die Aufzählung verzog ihm den Mund zu einer bitteren Grimasse. Er hatte jetzt gar nichts. Nicht einmal ein Kästchen mit Nähgarn und Knöpfen, keinen eigenen Spiegel, keine Dose für Bleistifte, nichts.

Wörter waren das einzige, was er besaß. Ein paar Worte für den persönlichen Gebrauch, ein paar Namen, die man geben und wieder nehmen konnte. Das war alles. Er dachte an die Zeiten zurück, da die Liebe und die Poesie ihn zum Herrn der Welt gemacht hatten, an jene glückliche, unwahrscheinliche Zeit, als er die Dinge nur bei ihren geheimen Namen zu rufen oder sie zu reimen brauchte, um ihrer Herr zu werden. Mit einem Stöckchen malte er Zeichen in den Sand. Danach verwischte er sie wieder. So war sein Leben, kurz und nichtig. Er bückte sich, um einen Grashalm aufzuheben, und als er sich aufrichtete, gewahrte er im Schattenspiel der Sträucher einen Pulk von Läufern in Trainingsanzügen, die auf ihn zutrieben. Mühelos wie im Traum sprangen sie dahin, und ihre Arme baumelten wie Marionettenarme herab. Sie waren jung, hübsch und hochgewachsen. Einige trugen Stirnbänder, und alle sahen ernst aus, den Blick am eigenen Horizont verloren und einem Glück hingegeben, das überirdisch schien. Mißmutig, als erfülle er eine unangenehme Pflicht, sank Gregorio in sich zusammen, schob seinen Hut nach hinten, holte eine Münze hervor und warf sie in die Luft. Bei jedem Hochfliegen hob er den Blick und sah sie über die Lichtflecken näherkommen, und beim Herunterfallen senkte er ihn und vernahm dann jedesmal näher das Prasseln ihrer Schritte auf dem Kies. Er erwartete sie in aller Ruhe, übertrieb sein Alter, seine Erbärmlichkeit und seinen Schmutz, und als sie an seiner Bank vorbeiliefen, hielt er ihnen das zynische, herausfordernde und obszöne Grinsen eines Alten entgegen, der sich mit jugendlicher Großspurigkeit weiß Gott auskennt, und als sie vorüber waren, saß er da mit leerem Blick und suchte nach einer Möglichkeit, die Münzwerferei auf anständige Weise zu beenden, und ohne zu wissen, was er mit seinem verächtlichen Grinsen weiter anstellen sollte.

Nein, das Vagabundenleben war nichts für ihn, sagte er sich, während er aß. Diesem Alptraum mußte um jeden Preis ein Ende bereitet werden, und wenn es nötig sein sollte, würde er seinen ganzen Stolz dafür verpfänden: alles, nur nicht für immer mittellos und bedürftig sein. Ihm kam der Gedanke, daß er wenigstens zum Essen und zum Schlafen nach Hause gehen könnte, bis er Gil dazu gebracht haben würde, die Stadt zu verlassen. Warum war ihm das nicht schon früher eingefallen? Wenn Gil ihm vertraute, und er wischte mit dem Brot die Anschovisdose aus, war schließlich noch nichts verloren. Es war nur eine Frage der Zeit. Außerdem verfügte er über eine Geheimwaffe, die tödlich sein konnte, und was seinen Arbeitsplatz betraf, so würde er noch heute damit beginnen, ihn sich zurückzuerobern. Ja, ganz klar: in zwei oder drei Wochen würde er endgültig wieder zu Hause sein, und er würde ein ganz neues Leben beginnen. Er würde ein vorbildlicher Mensch und guter Ehemann sein. Er streckte sich auf der Bank aus und gönnte sich ein Schläfchen unter der freundlichen Herbstsonne.

Ein vorbildlicher Mensch, genau. Er würde nie mehr seine Stimme erheben. Er würde gerecht sein, selbst in den geringsten und unscheinbarsten Alltagsdingen. Er würde sich stets alles gut überlegen. Man würde ihn achten. Er würde maßvoll essen und stets daran denken, daß es zwar wichtigere Dinge gab als essen, aber daß essen gesund und notwendig war für jemanden, der fleißig und anständig gearbeitet hatte. Er würde das Rauchen aufgeben. Er würde sich Kenntnisse in Wirtschaft und Recht aneignen und bestens über alles informiert sein. Vielleicht sollte er Pfeife rauchen. Beim Sprechen würde er dann mit ihr gestikulieren und herumspielen, wie er es einmal in einem Film gesehen hatte. Wie wenig hatte er überhaupt seine Gestik kultiviert! Und er erinnerte sich, daß er sich in Alicia hauptsächlich ihrer Hände wegen verliebt hatte, daß es beim schwarzgekleideten Mann die Hände waren, denen die Autorität entströmte, daß der Professor im Café seine Zuhörer ebenso, wenn nicht noch mehr, mit den Händen wie mit Worten verzauberte und daß auch Elicio ihn mit der wissenden Weltläufigkeit seiner Gesten hypnotisiert hatte. Ja, in Zukunft, wenn er wieder ein Heim sein eigen nennen konnte, würden seine Gesten gemessen sein, subtil, überzeugend. Nichts mehr da mit hirnlosem Gefuchtel! Langsame, wohlüberlegte Handbewegungen, die eine Meinung enthielten, eine Haltung ausdrückten. Saubere Hände mit gepflegten Fingernägeln. Und dann die Blicke. Augenbrauen heben, die Augen erstaunt oder belustigt zukneifen, sie gewitzt oder mißtrauisch zu Schlitzen verengen, und das alles mit einer Fingerkuppe auf besorgt zusammengepreßte Lippen gelegt, mit zwei Fingern in die Wange gebohrt, mit drei Fingern das Kinn abgestützt oder mit vier Fingern einen Schirm über die nachdenklich gerunzelte Stirn gelegt (so hatte er es in einem Lehrbuch einen berühmten Philosophen tun sehen); oder auch mit der Rückseite des Zeigefingers die Nasenlöcher zuhalten, als wolle man ein Niesen unterdrücken, während der Daumen derselben Hand unter das Kinn geklemmt war, sich am Ohrläppchen reiben und noch so viele andere Gesten, die er einzustudieren gedachte, wenn er wieder zu Hause war und mit der Vergangenheit aufräumte, mit dem jämmerlichen Nachwirken seiner Jugend.

Genau das würde er sein: ein Mann auf der Höhe seiner Reife. Oder er würde das Rauchen reduzieren, auf drei Zigaretten pro Tag. Er würde jedes seiner Worte gut überlegen, und wenn er spräche, dann mit Nachdruck. Und charmant würde er sein: »Wundervoll sehen Sie heute aus, Señora Pimentel!« »Hochinteressant, Ihre Bemerkung, Señor Ferreruelo!« Charmant, aber nicht nachgiebig, eh? Er könnte auch streng sein, wenn es darauf ankäme. Wohlerzogen streng: »Wollen Sie andeuten, Señor Cabanillas, daß wir Ihnen allein aufgrund des Nachdrucks, mit dem Sie Ihre Ansicht vertreten, zugestehen müssen, im Recht zu sein?« »Meine Herren, kommen wir wieder zum Inhaltlichen. Wenn Sie gestatten, Señor Garcinúñez, möchte ich Ihre letzten Worte unterstreichen.« »Lassen Sie mich Ihnen sagen, Monsignore, daß nach meinen Informationen die internationale Lage bei weitem nicht so angespannt ist, wie Sie es darstellen.« Und dann würde er sich in einem passenden Augenblick in seinem Sessel zurücklehnen, die Hände heben und sagen: »Meine Herren, bitte, wir wollen doch sachlich bleiben! Gehen wir wissenschaftlich an die Dinge heran!« Oh, ja, er würde als nachdenklicher Mann von ernsthafter Gelassenheit weltberühmt und von allen bewundert werden! Er würde sich angewöhnen, ins Theater zu gehen. Auf Ausstellungen. In Museen. Er würde seine Meinung sagen. Er würde tanzen lernen. Er würde nur Zigarren rauchen, zwei am Tag. Beim Aperitif die Hacken zusammenschlagen und der Señora Pimentel die Hand küssen. Täglich duschen, sich energisch abtrocknen und dabei männlich ein Liedchen summen. Mit einem Wort, ein ganzer Mann.

Irgendwann würde er noch mal zur Küste fahren und dort die Handelsaktivitäten im Hafen studieren. Er würde die Fischer befragen. Er würde sich ein Notizbuch kaufen, eine Lesebrille tragen und auch die Gewohnheiten irgendwelcher Mollusken untersuchen, Meeresströmungen, den Mechanismus der Leuchttürme. Aufmerksam, nachdenklich, geduldig. Oder sechs Zigaretten täglich, zwei am Morgen, eine nach dem Essen, zwei am Nachmittag und eine vor dem Schlafengehen. Genau. Mit besorgter Miene die Radionachrichten hören. Beim Lesen in einem Buch Sätze unterstreichen. Den Geist der Epoche mit jemandem diskutieren. Den Stolz besitzen, niemandem in Erinnerung zu bleiben, doch ohne Bitterkeit daran zu glauben, daß dies in einer unparteiischen Welt nur billig war. Den ihm einstimmig angetragenen Vorsitz der Hausgemeinschaft annehmen. Zuschüsse für die Erneuerung der Fassade beantragen. Mit der Pfeife beschwichtigend auf die Mieterversammlungen einwirken, ohne die Stimme zu heben. Ruhe bewahren. Im Büro Verbesserungsvorschläge einreichen. Verständnisvoll und tolerant sein, vorbildlich in allen Dingen. Vorbildlich verstehen, daß nicht alle vorbildlich sein können. Nur äußerst zurückhaltend, eigentlich schon ablehnen wollend, die angebotenen Sahnebonbons probieren. Langsam sprechen, jedes Wort wohlgesetzt, wohlgewählt und betont. Zuhören können. Die Finger beider Hände ineinander verschränken und dehnen, die Worte der andern mit anerkennendem Kopfnicken begleiten und zuhören, nicht erstaunt, verstimmt oder unterwürfig zuhören, sondern zuvorkommend, mit einem feinen Hauch von Ironie. Nicht fluchen. Keinen Alkohol, höchstens mal ein Gläschen bei besonderen Gelegenheiten. Nur noch wenig rauchen. Nicht brüllen. Nicht rülpsen. Nicht wichsen. Keinen Unsinn denken. Kurzum, das Leben eines vorbildlichen Bürgers führen.

Voller Zuversicht ob der glücklichen Verheißungen seiner Vorsätze kehrte er zur Pension zurück. Sie schienen ihm nicht nur leicht einzuhalten zu sein, sondern jetzt sah er auch alles klar vor Augen. Es gab keine Zweifel, keine Skrupel und keine Ängste mehr. Als künftiger ganzer Mann, der seine Qualitäten unter Beweis stellen muß, bevor seine Pläne von der Wirklichkeit eingeholt werden, machte er sich gleich ans Werk.

Der Brief an Requena und Belson dauerte länger als erwartet. Nachdem er zwei lange und sehr ausführliche Entwürfe verworfen hatte, blieb eine kurze Mitteilung übrig, die besagte, daß sein Vater bei einem Zugunglück ums Leben gekommen war und daß Familien- und Erbangelegenheiten ihn etwas länger als einen Monat in seinem Geburtsort festhalten würden. Er schrieb, es tue ihm leid, daß die Arbeit liegenbleiben müsse, und versprach, nach seiner Rückkehr alles in Nachtschichten aufzuarbeiten und im nächsten Jahr auf seinen Urlaub zu verzichten. Er unterschrieb nur mit Olías, und damit Gil den Brief nicht öffnete, schrieb er in roten Großbuchstaben auf den Umschlag: PRIVAT. ZU HÄNDEN DER DIREKTION.

Gegen Abend ging er los, um den Brief einzuwerfen. Danach lief er durch die Straßen der Innenstadt, betrachtete die Schaufenster und rauchte eine Zigarette nach der andern. »Nimm mit, was du kriegen kannst, Pinguin«, sagte er sich, »bald haben die Laster ein Ende.« Er fühlte sich ganz Herr seiner selbst und war voll großer Erwartungen, wußte aber nicht, wo er hingehen sollte. Er ging aufs Geratewohl, unbeschwert und ohne Hast, und hätte immer so weitergehen können, denn niemand verlangte Rechenschaft von ihm, und alles, was er tat, würde schon bald unwesentlich und von einem beispielhaft geführten Leben geläutert sein. Doch kehrte er, wie zur Bestätigung seiner künftigen Tugenden oder seiner alten Ängste, noch vor Mitternacht zur Pension zurück.

KAPITEL XX

Auf den Zettel hatte er geschrieben, sie brauche ihm keine saubere Wäsche mehr mitzubringen, vielleicht nur ein bißchen zu essen, und sie solle pünktlich sein, denn er habe große Neuigkeiten zu berichten. Wie beim ersten Mal hatte er mit einem langen, anonymen Türklingeln seine Nachricht hinterlassen. Um Punkt zehn, nachdem er sich bei einem Barbier hatte rasieren lassen und in einem Restaurant mit Papiertischdecken und Kellnern mit Bleistift hinter dem Ohr gegessen und das letzte Kleingeld für einen Doppelfilm mit Römern und Musketieren ausgegeben hatte, ging er über den runden Platz, auf dem der helle Mond sein Lächeln beschien, und setzte sich mit einem triumphalen Seufzer der Erschöpfung neben Angelina auf die Bank. »Ein paar Lügen noch, dann bin ich ein neuer Mensch«, redete er sich zu, bevor er sprach. Dann sprudelte es aus ihm heraus, wobei er mit der Hand andeutete, daß er so schnell gar nicht alles erklären könne, und er berichtete in atemlosen Stößen, daß die Verfolger ihm nicht mehr so dicht auf den Fersen seien und daß er morgen schon wieder zum Essen und Schlafen nach Hause kommen könne, obwohl er tagsüber weiterhin untertauchen müsse, und das aus drei Gründen, und dabei hielt er drei Finger in die Höhe: erstens, und dabei klappte er den Mittelfinger ein, aus Vorsichtsgründen; zweitens, dabei klappte der Zeigefinger ab, um die Mutter nicht zu beunruhigen; und der dritte und wichtigste Grund war, dabei reckte er den Daumen vor Angelinas teilnahmslosen Augen hoch, weil er noch die letzten Schritte zur Wiedererlangung seines Arbeitsplatzes in die Wege leiten mußte. »Eine Sache von zwei oder drei Wochen«, schloß er seinen Bericht mit erleichtertem Schnauben, »aber das Wichtigste ist ja, daß wir wieder zusammen sind, und du wirst sehen, wie alles anders wird.«

Angelina, die wachsam und voller Vorbehalte zugehört hatte, blickte verzagt in die Ferne.

»Das brauchst du nicht zu glauben«, sagte sie. »Sobald du das Haus betrittst, werden sie dich verhaften.«

Gregorio ließ sich nicht unterkriegen:

»Bestimmt nicht, glaube mir«, argumentierte er. »Die suchen mich anderswo. Die glauben, ich sei im Ausland. Außerdem ist das vollkommen uninteressant. Sie haben herausgefunden, wer Faroni ist und wer ich bin, und jetzt«, er stieß den Finger in einer Spiralbewegung gen Himmel, »haben sie es auf die ganz oben abgesehen.«

Angelina schüttelte den Kopf:

»Gestern habe ich den Polizisten vor dem Haus gesehen. Wenn sie dich hineingehen sehen, kommen sie herauf und verhaften vielleicht auch meine Mutter und mich. Stell' dir meine Mutter vor, wenn die Polizei in die Wohnung kommt und einen Kommunisten verhaften will. Nein, das geht nicht. Du mußt dich stellen, Gregorio, du mußt ihnen sagen, daß du in schlechte Gesellschaft geraten bist, daß du von Politik gar keine Ahnung hast.«

»Der Polizist?« murmelte Gregorio.

»Ja, der bei uns geklingelt hat. Über eine Stunde hat er uns von der anderen Straßenseite aus beobachtet.«

Er schloß die Augen und preßte die Lippen aufeinander: schon wieder war er das Opfer seiner eigenen Lügen geworden. Es war, als öffne die unendlich barmherzige Wirklichkeit ihr Haus jedem umherirrenden Gespenst, das an ihre Tür klopfte. Und wieder dachte er, daß das Leben ungerecht sei: viel zu kompliziert dafür, daß es so kurz war. »Ich werde noch im Tod wie ein dummer Tölpel aussehen«, dachte er.

»Und dann gehst du zu deiner Firma und entschuldigst dich«, zählte Angelina auf. »Bittest sie, dich wieder einzustellen. Sagst ihnen, daß du ein anständiger und ernsthafter Mann bist, und daß man dich getäuscht hat.«

Gregorio verlor langsam die Geduld.

»Ich habe schon einen Brief geschrieben und alles erklärt. Alles ist längst klar. Ich kann nicht in der Gegend herumlaufen und alle Welt und Verzeihung bitten. Ich bin ein Idealist, das weißt du«, und bevor er es richtig merkte, hatte er sich wieder in die messianische Vision einer glücklichen Zukunft verrannt. Er fragte, ob sie sich vorstellen könne, was diese Stadt wäre, wenn es überall Gärten gäbe, mit Musikern an jeder Ecke und Robotern, die für alle die Arbeit machten. Er zweifelte, daß sie imstande war, das zu begreifen; daß er zum Beispiel gestern Arbeiter gesehen hatte, die einen Graben aushoben, und sich gefragt hatte, ob es nicht eine Schande war, auf diese Welt gekommen zu sein, um Gräben auszuschachten.

»Du solltest dir an ihnen besser ein Beispiel nehmen«, sagte Angelina.

»Fängst du schon wieder an?«

»Der Mensch muß arbeiten, um zu essen. Du hast keine Lust zu arbeiten, das ist alles.«

Ein kneipencholerischer Wutanfall zuckte durch Gregorios Gesicht, als er den Kopf zu ihr herumwarf und wieder mit unkontrolliert lauter Stimme von seinen unermüdlichen Nächten und seinen Tagen im Büro sprach.

»Ich bin nicht wie dein Vater, der wie ein windiger Kavalier mit Sternen behängt hoch zu Roß daherkam! Ich arbeite seit meinem achten Lebensjahr Tag für Tag von morgens bis abends! Wann habe ich mal nicht gearbeitet? Na, sag schon! Wann?«

»Schon gut, beruhige dich.«

»Sechsundvierzig Jahre«, sagte er außer Atem, die Hände flehend zum Himmel gestreckt. »Ein Leben. Als Kind habe ich einmal das Märchen von dem Fischer gelesen, der einer Nixe auf den Meeresgrund folgte und ein paar Monate mit ihr in ihrem Unterwasserreich lebte. Als er wieder ans Festland zurückkam, waren dreihundert Jahre vergangen. Ich habe damals nicht verstanden, wie so was möglich sein konnte, aber heute verstehe ich es, weil ich selbst sechsundvierzig Jahre gelebt habe, und es mir wie gestern vorkommt, daß ich in diese Stadt kam und meinen Onkel Felix sah. Ich sehe ihn jetzt am Bahnhof stehen. Er hat einen alten Mantel an. Ich sehe den Qualm der Lokomotive und rieche die feuchten Kohlen. Ich spüre das Gewicht seiner Hand auf meiner Schulter und höre ihn von einem Stockfisch sprechen. Und ich sehe meinen Vater auf einem Stein sitzen, höre ihn atmen und sich bewegen. Und dennoch sind sechsundvierzig Jahre vergangen. Das Leben ist nichts wert. Ehe du es dich versiehst, bist du alt und wartest nur noch auf den Tod. Und dann sagst du dir: ›Ach, wenn ich noch einmal leben könnte, wie anders würde ich alles machen!‹ Aber dann ist es zu spät, und die Jahre, die noch bleiben, vergehen in Bitterkeit und Jammer, und das war es dann. Nicht einmal einen Sohn haben wir; ans Meer sind wir nie wieder gefahren, wir sind nie ins Theater gegangen und nie mit einem Flugzeug geflogen. Ich im Büro und du am Nähen, das ist unser Leben. Zwei Stühle und vier Hände.«

»Ich bin glücklich gewesen«, sagte Angelina mit sachlicher Stimme. »Wir mußten nicht hungern, wir haben uns nichts zuschulden kommen lassen, und es hat keinen Krieg gegeben. Was willst du mehr?«

Gregorio gab keine Antwort. Er nahm seine Niedergeschlagenheit zum Anlaß, ihr zu berichten, daß der Keller, in dem er wohnte, feucht und dunkel war, daß er verseuchtes Wasser trank und wie ein Schiffbrüchiger nur Zwieback aß. Er erzählte, daß es dort Ratten und Spinnen gab und daß sein einziges Licht eine Kerze war. Es gab nur einen Lichtschacht oben, von der Decke hörte man es heruntertropfen, und das Bett war ein harter Strohsack. Das alles erzählte er mit Leidensmiene, als Angelina ohne die geringste Mitleidsgeste das Abendessen (Nudelsuppe und Schafskäse) auspackte.

Während er aß, berichtete er weiter mürrisch und zusammenhanglos von seinem Ungemach und war ganz sicher, ihr Herz schließlich doch noch zu erweichen. Mit den gleichen Argumenten jedoch, mit denen Gregorio seine Flucht gerechtfertigt und glaubhaft gemacht hatte, weigerte Angelina sich jetzt, ihn ins Haus zu lassen, nicht mal für eine Nacht, und verbot ihm sogar, weiterhin Nachrichten vor die Tür zu legen.

»Du bleibst in dem Keller, bis du dich entschuldigt hast.«

Gregorio schob den Blechnapf zur Seite.

»Aus dem Keller muß ich morgen verschwinden. Die Polizei kennt das Versteck. Ich werde mir eine Pension suchen müssen, aber ich habe kein Geld«, sagte er hilflos.

»Soll dir dieser Santos Merlín helfen, von dem du immer redest. Dann wirst du ganz schnell merken, daß jeder sich selbst der nächste ist, wenn es darauf ankommt. Oder dieses Flittchen, das ja vielleicht deine Geliebte ist, wie meine Mutter behauptet, die überzeugt ist, daß sowieso eine Frau hinter der ganzen Sache steckt.«

»Ich habe dich jahrelang ernährt und es dir niemals vorgehalten«, sagte Gregorio schroff. »Und was Faronis Verlobte Marilyn angeht, da laß' dir gesagt sein, daß sie in Indien ist, wo sie in einem solchen Elend lebt, wie du es dir gar nicht vorstellen kannst.«

»Niemand hat ihr befohlen, sich mit Politik abzugeben«, sagte Angelina. »Hätte sie sich nur um ihren Haushalt gekümmert, wäre ihr nichts passiert. Und du mußt dir klarmachen, Gregorio, daß ich zu deinem eigenen Besten handle. Wenn du nach Hause kommst, wirst du uns alle mit hineinziehen. Sie werden uns verhaften, und was soll dann werden?«

»Und ich, wie soll ich die Pension bezahlen?«

»Ich weiß nicht.«
»Du hast Ersparnisse.«
»Da du nicht arbeitest, brauchen wir die jetzt zum Leben.«
»Und deine Mutter?«
»Die hat nur ihre Witwenrente.«
»Aber was soll ich dann tun?« fragte Gregorio ehrlich erschüttert.
Angelina senkte den Kopf und sagte nach einer Weile:
»Dich stellen und dich entschuldigen.«
Nach einem weiteren kurzen Wortwechsel kamen sie überein, daß Angelina ihm etwas Geld gab, am Freitag saubere Kleidung mitbrachte und Gregorio sich bis dahin entschieden hatte, ob er sich stellen oder ins Exil gehen würde.
»Das hat man nun von seinem Idealismus«, sagte er beim Abschied.
»Nein, das hat man von seiner Dummheit«, antwortete sie.
Trotz allem war er jetzt mehr denn je überzeugt, daß er nicht aufgeben durfte. Im Gegenteil, als ihm bewußt wurde, daß es keinen Ausweg mehr für ihn gab, sah er seine einzige Rettung darin, unverzüglich zur Tat zu schreiten. »Man läßt mir keine Wahl«, dachte er, »eine Tür nach der anderen haben sie mir vor der Nase zugeschlagen. Es ist jetzt tatsächlich so, als wäre ich verwundet und lebte in Verbannung. Ich wasche meine Hände in Unschuld.« Er hastete so eilig und zielstrebig durch die Straßen, daß er vor der Kneipe, in der er um diese Zeit Antón antreffen mußte, innehielt, um das Rasen seines Blutes und die Macht seines Unglücks zu fühlen. Er spürte, daß er die letzten Bedenken wie Schlangenhäute hinter sich gelassen hatte und künftig keine anderen Freunde mehr haben würde als seine eigenen, eindeutigen Interessen. Er war allein, die Stunde der Wahrheit war gekommen. »Gil will nicht gehen, Angelina läßt mich nicht ins Haus. Ab jetzt kein Bitten mehr! Jetzt wird sich zeigen, wer von uns die reißende Hyäne ist.«
Von der Tür her sah er Antón, mit finsterer Miene trinkend, am Tresen stehen. Vor ihm, hingestreut wie Dörfer, eine schweigsame Flucht einsam trinkender Gäste und ganz hinten eine qualmende Gruppe von Kartenspielern. Er überlegte nicht zweimal. Er ging hinein, bestellte einen Anis, kippte ihn mit einer Drehung des Handgelenks hinunter, und als er zur Seite schaute, traf sein Blick auf Antóns schwarze, forschende Gläser.
»Antón Requejo, zu Diensten!« sagte er, militärische Haltung annehmend.

Er trug noch immer ein paar Lose an den Mantelaufschlägen, und seine Lippen waren vom Alkohol verzerrt. »Ich muß mit Ihnen sprechen«, sagte er, ohne ihn anzusehen. Antón nickte und hängte seinen Stock über den Unterarm, um in seinen Taschen nach Geld zu suchen, doch Gregorio kam ihm mit dem Bezahlen zuvor und deutete mit dem Kinn nach hinten. Sie setzten sich an einen etwas abseits stehenden Tisch. Antón hinkte jetzt auf einem Bein, und die gute Hand hing ihm leblos herunter, die Finger welk nebeneinander, wie ein abgestorbener Strauch. Als sie saßen, schaute er Gregorio an und folgte seinem Blick bis zu seiner Hand.

»Das wundert Sie, was?« sagte er und zog ein winziges Fläschchen mit Schraubverschluß aus der Tasche. »Ich will Ihnen was sagen. In diesem Fläschchen habe ich das Leben festgehalten; hierin befindet sich das Wasser, mit dem ich getauft worden bin. An dem Tag, da es verschüttet wird, verdunstet ist oder das Fläschchen zerbricht, werden auch meine Tage gezählt sein. Das Leben eines jeden Menschen hängt von irgendeinem Gegenstand ab. Bis aber jener finstere Tag eintrifft, bereite ich mich auf jede Art von Kalamitäten vor. Erlauben Sie mir, Ihnen zwei Überlegungen mitzuteilen. Als erstes, daß es sinnvoll ist, mit irgendeinem Laster alt zu werden; und zweitens, daß man den Mißgeschicken zuvorkommen muß. Was das erste angeht, will ich Ihnen was sagen. Es ist immer gut, wenn man ein Laster pflegt, wie rauchen, Schweinefleisch essen, Schnaps trinken oder keinen Sport treiben, damit, wenn man krank wird, der Arzt was zu verbieten hat und man wieder gesund werden kann. Wenn man aber die Tugend in Person ist und dann krank wird, stirbt man, weil man keine Möglichkeit sich zu bessern hat. Nur ein Sünder kann bereuen. Ohne Völlerei keine Abstinenz. Und was das andere betrifft, da will ich Ihnen mal aufzählen, welche Maßnahmen ich gegen Schicksalsschläge ergriffen habe. Jede Woche gehe ich mit einer neuen Krankheit auf die Straße. Wie gesagt, eine Woche hinke ich, eine andere bin ich blind, dann taub und stumm, mal bucklig, mal einarmig, mal zittere ich, mal bin ich gelähmt, dann eine Woche zahnlos, schwachsinnig, irre, und all das auch untereinander kombiniert, und so stelle ich mich auf die Zukunft ein, damit mich keine Behinderung unvorbereitet trifft. Ich habe soviel Leid gesehen, und wie schnell so was kommen kann, daß ich darauf vorbereitet sein will. Seit zehn Jahren mache ich das schon und weiß mich mittlerweile mit allen Gebrechen zu behelfen, die ich kenne. Schweinefleisch essen und sich blind stellen«, sein Gesicht war eine häßlich grinsende

Fratze, »was kann einem Menschen, der bei klarem Verstand ist, besseres einfallen?«

Gregorio legte einen Finger an die Lippen und sagte, ohne das Lächeln zu erwidern: »Es hilft trotzdem alles nichts. Man kann nicht gegen das Schicksal kämpfen.«

»Ich will Ihnen was sagen«, stellte Antón klar, »ich kämpfe gar nicht; was ich mache, ist überanpassen. Ich achte auf das Fläschchen. Ich habe einmal einen kleinen Hund gesehen, der sich vor einem großen Hund hinkend stellte, um sein Mitleid zu erregen. Man muß erreichen, daß Gott Erbarmen mit einem hat. Aber kommen wir jetzt zu dem, was Sie mir sagen wollten. Wie gesagt. Ich höre.«

»Also«, sagte Gregorio zögernd und rieb sich die Stirn. »Das ist eine delikate Angelegenheit, und, na ja, ich weiß nicht recht, wie ich anfangen soll . . .«

»Gestatten Sie mir eine eingeschobene Zwischenbemerkung. Handelt es sich um eine Frau?«

»Ja«, antwortete Gregorio gedehnt.

»Dann wollen wir offen sprechen. Ich bin Experte auf diesem Gebiet. Sie . . . sind auch betrogen worden, ich meine gehörnt?«

Gregorio dachte lange nach und sagte schließlich:

»Ich glaube ja.«

»Das habe ich gleich vermutet, als ich Sie gesehen habe. Mein Freund, drücken Sie diese fünf!«

»Nun, ich bin mir nicht ganz sicher und . . .«

»Wie heißt Ihre Frau?«

»Marilyn.«

»Marilyn. Ich sage Ihnen was. Wenn Sie mir gestatten, meine professionelle Meinung dazu zu äußern, dann lassen Sie sich gesagt sein, daß das der Name einer Hetäre ist. Ist sie blond?«

»Ja.«

»Dachte ich's mir doch. Darf ich Ihnen eine intime Frage stellen?«

Gregorio nickte.

»Nehmen Sie es mir nicht übel, aber um eine Diagnose stellen zu können, brauche ich Informationen. Ist ihre Fotze auch blond?«

Gregorio warf ihm einen finsteren Blick zu.

»Verstehen Sie doch«, sagte Antón. »Ärzte stellen auch intime Fragen.«

»Nun . . ., ja«, murmelte Gregorio.

»Genau wie ich es vermutet habe. Das sind die schlimmsten, glauben Sie mir. Was haben Sie also noch für Zweifel?«

»Ich muß Sie um Verschwiegenheit bitten«, mahnte Gregorio. »Sie sollten sich darüber im klaren sein, daß Sie einem Priester beichten.«

»Nun, Sie können sich vorstellen, daß ich lange gezweifelt habe, ob ich es Ihnen erzählen soll oder nicht«, sagte Gregorio stockend. »Doch dann habe ich mir gedacht, daß Sie mir vielleicht helfen können. Na ja, ich erzähle Ihnen die ganze Geschichte einfach mal.«

Und mit ein paar neuen Einzelheiten erzählte er, daß er am vergangenen Sonntag von zu Hause fortgegangen war, angeblich auf Geschäftsreise. Daß er Vertreter für Käse und Wurstkonserven war, obwohl er seine Arbeit durch die neuen Umstände wahrscheinlich verloren hatte, daß er Alvar Osián hieß und sich hier ganz in der Nähe in einer Pension eingemietet hatte, um seiner Frau nachspionieren und sie vielleicht *in flagranti* ertappen zu können. Ihr Geliebter war offenbar ein gewisser Gil, Dacio Gil Monroy, um genau zu sein, der sich so kleidete wie der Ehemann, um in dessen Abwesenheit das Haus betreten zu können, ohne die Nachbarn aufmerksam zu machen. Die beiden schienen jetzt aber mißtrauisch geworden zu sein, denn sie trafen sich nicht mehr in der Wohnung, sondern in einem Café, dem Hispano Express, und zwar jeden Samstagabend, wenn nicht noch öfter. Unter sich nannten die beiden das Café übrigens Café der Essayisten.

»Können Sie mir folgen?«

»Auf jeden Fall«, sagte Antón, der mit schiefgelegtem Kopf, schmalen, grausigen Lippen und einem Ausdruck konzentrierter Schläue lauschte.

Nun, Marilyn, fuhr Gregorio mit gesenktem Kopf und Ton fort, kam stets in Begleitung eines schon älteren, grauhaarigen Mannes mit langer Mähne, der allem Anschein nach den Ehebruch begünstigte und sich Santos Merlín oder so ähnlich nannte. Das war dort so eine Art Gelehrtenverein, und dieser Mann redete am meisten von allen. Er wurde auch Professor genannt. Er stellte sich an einem Pfeiler auf und quatschte drauflos, das ging jeden Samstag ab sieben so. Aber zurück zum Thema. Dieser Gil, der Liebhaber, hatte seine Finger in der Politik. Er war aktiver Kommunist und gehörte zu einer Bande, deren Anführer ein gewisser Feroni oder Faroni war. Ja, Faroni, so hieß er. Dieser Faroni war zur Zeit im Ausland, und die Bande, zu der übrigens auch Marilyn und der Professor gehörten, wurde von der Polizei verfolgt. Na ja, sie hielt sie für verdächtig und beobachtete sie. Tatsache war jedenfalls, daß dieser Gil, der früher in einem Dorf gewohnt hatte und ab und zu in die Stadt gekommen war, um sich mit Marilyn zu treffen, jetzt aus lauter Leidenschaft ganz in die Stadt gezogen war und in einer Firma arbeitete, die im Moment nichts zur Sache tat. Das war in kurzen Worten die ganze Geschichte.

Antón molk mit zwei Fingern sein Kinn und verzog wichtigtuerisch den Mund.

»Sonnenklar«, sagte er dann. »Freund Osián, man hat Ihnen Hörner aufgesetzt!«

»Ich weiß nicht«, antwortete Gregorio gequält. »Ich bin mir nicht sicher.«

»Und was sollen wir Ihrer Meinung nach tun?«

»Das ist die Frage. Die ganze Zeit überlege ich und überlege . . .«

Antón umklammerte seinen Arm, befeuchtete die Lippen und suchte sein Ohr.

»Es gibt mehrere Lösungen. Erstens: wie wäre es, wenn wir sie hinrichten?«

»Sind Sie wahnsinnig!« rief Gregorio und wich entsetzt zurück.

»Warum nicht?« grinste Anton verächtlich. »Das ist Notwehr.«

»Ich bin doch kein Mörder.«

Der andere hob die Hand.

»Es ist ein Werk der Gerechtigkeit. So steht es in den Büchern.«

»Nein, nein, so kommen wir nicht weiter.«

»Na gut, es gibt auch andere Lösungen. Stecken wir der Dame ein glühendes Holzscheit hinein; direkt da, wo die Sünde entspringt.«

»Hören Sie«, sagte Gregorio in einem Ton, der keine Widerrede duldete. »Wenn Sie mir helfen wollen, erledigen wir die Angelegenheit auf meine Art.«

»Sie können auf mich zählen, aber einen Rat möchte ich Ihnen noch geben, wie gesagt, Ehrenhändel regelt man nicht mit Worten. Sie schreien nach Feuer und Blut. Das ist uraltes und somit weises Gesetz. Sie brauchen nicht zu glauben, daß Qual dem Opfer schadet, das tut sie ebensowenig, wie die Spritze dem Kranken schadet. Der in Strafe vernichtete Sünder erreicht Ruhm durch Nichtexistenz. Das kann man bei den Kirchenvätern lesen, das ist heiliges Recht.«

Gregorio schüttelte den Kopf und sagte, er habe seine eigenen Pläne. Zunächst einmal wollte er Gil am Betreten des Cafés hindern.

»Das Café? Wird dort etwa«, er stieß die Spitzen seiner Zeigefinger gegeneinander, »die geschlechtliche Unzucht getrieben?«

Gregorio erklärte ihm, daß es nur darum ging, Gil, der ein Feigling zu sein schien, einen Schreck einzujagen. Ihn glauben zu machen, daß die Polizei ihm aus politischen Gründen auf den Fersen war.

»Kurzum, Sie geben sich als Polizist aus und schüchtern ihn ein, damit er aus der Stadt verschwindet. Danach«, und hier lächelte er in grausamer Vorfreude, »rechne ich mit meiner Frau ab. Sie soll für beide bezahlen.«

»Ich sag Ihnen. Diese Dinge erledigt man an ihrer Wurzel, oder sie verschlingen einen«, hielt Antón dagegen. »Aber gut, machen wir es auf Ihre Art. Am Samstag erwarte ich ihn also am Eingang des Cafés und drohe ihm mit der Todesstrafe, richtig?«

»Besser mit dem Gefängnis. Sie sagen ihm, wenn Sie ihn noch einmal da antreffen, buchten Sie ihn ein und foltern ihn. Und dann geben Sie ihm den freundschaftlichen Rat, unverzüglich aus der Stadt zu verschwinden, wenn ihm sein Fell irgendwas wert ist. Sie können ihm auch sagen, daß Santos Merlín am Ende ist und daß Faronis Tage gezählt sind.«

»Wird gemacht«, stimmte Antón zu. »Übrigens, gehen Sie bewaffnet?«

»Nein«, sagte Gregorio entsetzt.

»Dann gestatten Sie mir eine Großzügigkeit«, und sich nach allen Seiten umsehend, legte er ihm einen kleinen Ochsenziemer in die Hände. »Und Ihren Fall betreffend, lassen Sie sich gesagt sein, daß Politik und Ehebruch häufig Hand in Hand gehen. Die Politik bringt jede Menge Hornochsen hervor. Somit ist Ihre Krönung doppelter Natur und von einer nicht zu übertreffenden Virtuosität. Freund Osián, ich erkenne an Ihnen Anzeichen von Aristokratie!«

Auf Antóns Wunsch ging Gregorio nun dazu über, ein paar Episoden aus seinem Leben zu erzählen, wie er als junger Mann sehr viel gereist war und wie er sein Mannesalter dem literarischen Schaffen geweiht hatte. Er sprach von seinen Büchern, wobei er sich vergewisserte, daß das in seiner Manteltasche gut verborgen blieb, und nachdem er noch zwei Anis bestellt hatte, rezitierte er ein paar Gedichte aus dem Gedächtnis. Antón, der aus seiner Zeit in Zirkus und Varieté etwas von Gedichten verstand, lauschte ihm mit angespannter, gewichtiger Aufmerksamkeit. »Nie hat es Iberien an Talenten gemangelt«, erklärte er dann. »Freund Osián, Sie sind ein verkanntes Genie! Ein konserviertes Talent!« Sie aßen ein bißchen Essigobst, tranken noch mehr Anis – mit jedem Schluck unübertragbares Männerleid ertränkend –, verließen die Kneipe gegen Mitternacht und gingen noch gemeinsam ein Stück.

»Im Ungemach ist der Mensch unübertroffen«, sagte Antón gerade in einem Ton, den der Alkohol und die kühle Nachtluft dramatisch klingen ließ. Wenn sie unter einer Laterne hergingen, sah man die Öffnung seines Mundes, die direkt mit den Tiefen des Bewußtseins zu kommunizieren schien. »Ich habe von Dingen gehört, die grenzen ans Wunderbare. Geschichten von majestätischer Schönheit. Das Echo der Hölle ist mir zu Ohren gekommen. Ich weiß von einem Konsul, der eine Schmalzlocke und blaue Schuhe trug und für sein Leben gern Austern mit Zitronen aß. Und er war ständig erkältet. Ich habe auch von einem portugiesischen Pfarrer gehört, der nie ein Hemd trug und mit den paar Finanzen, die er auf dieser Welt verdiente, ein Museum einrichtete. Er war so klein, daß man am liebsten hinter ihm hergelaufen wäre, um ihn mit dem Millimetermaß zu messen. Und das wertvollste Stück in seinem Museum war das halbe Dutzend Chorhemden, die seine Mutter einen Tag vor ihrem Tod gebügelt und gefaltet für ihn hingelegt hatte. Wie gesagt. Das sind doch Dinge, um aus dem Stand loszuheulen. Ich kenne eine ganze Menge solcher Kurzmeldungen, und zwar gute. Wie die von dem Mann, dessen Nachbar Bauchredner war, einer von denen, die mit ihren Eingeweiden sprechen. Und wenn sie sich sahen, grüßte ihn der Künstler mit ganz normaler deutlicher Stimme: ›Guten Morgen, wie geht es Ihnen?‹ sagte er, und der andere fühlte sich dann für den Rest des Tages zutiefst gedemütigt. Das Leben, mein Freund Osián, wer könnte es begreifen? Reißen Sie ein Haar an der Wurzel aus und legen Sie es in die Pfütze, die der Huf einer Kuh hinterlassen hat; was passiert? Vierzehn Tage später ist aus dem Haar eine Schlange geworden. Wasser und Schlange sind der Ursprung aller Dinge. So ist das in dieser Welt. Sie als gelehrter Mann, zweifeln Sie daran? Und dabei könnte ich Ihnen noch von tausend ebenso unglaublichen Fällen berichten. Doch sehen Sie! Da kommt eine Frau. Treten wir zur Seite«, und er zog ihn am Arm in einen Hauseingang. »Sehen Sie? Sie trägt eine Brille, und in der Hand hält sie ein Buch. Eine ganz Gerissene. Nur Schau, das Ganze. Diese Frau trägt, wie alle andern auch, ein Höschen, und unter dem Höschen eine haarige Fotze. Das werden Sie doch wohl nicht abstreiten wollen? Alles andere, die Brille und das Buch oder Gebetbuch, das sind doch nur Reizsignale. Denken Sie an die Nonnen, die beten mit gefalteten Händen vorm Altar, und ihre Fotzen geben sie Christus. Denken Sie an all die Königreiche und Vermögen, die in diesen Sümpfen untergegangen sind. Und hier stehen wir zwei. Was ist das für ein Leben, das uns beide hier zusammenstehen läßt, ohne richtig zu Abend gegessen zu haben, und was hat unsere beiden Schicksale zusammengeführt, wenn nicht die Geschichte zweier Fotzen, die eine schwarz und die andere blond? Wer soll da ruhen, bei solchem Kummer? Oh, die Glut versengt mich, meine Gedanken überrennen mich!« röhrte er und setzte, affektiert hinkend, seinen Weg fort.

Bevor sie sich trennten, besprachen sie noch einmal die Einzelheiten ihres samstäglichen Einschüchterungsmanövers. Gregorio gab ihm eine Beschreibung Gils, entschied sich aber schließlich dafür, selbst zum Café zu kommen und ihm das Objekt zu zeigen.

»Sie müssen mir versprechen, sich strikt an unsere Vereinbarungen zu halten und vor Gil mit keinem Wort den Ehebruch zu erwähnen.«

»Versprochen«, sagte Antón, »aber wenn der Plan scheitert, müssen Sie mir versprechen, sich auf mein besseres Urteilsvermögen in diesen Dingen zu verlassen. Ehre in Flammen!« rief er dann und knallte zum Abschied die Hacken zusammen.

Gregorio tastete sich, vom Anis benommen, zu seiner Pension durch und ließ seinen Gedanken zwischen Hoffnung und Müdigkeit freien Lauf. Der Mond schien hell, die Straßen waren menschenleer, die nahe Zukunft unwirklich flimmernd. An den Straßenecken sank selbst der leiseste Lufthauch in sich zusammen, und dann wurde die Stille so dicht, daß man aus weiter Ferne ihre dunklen Sagengesänge vernahm. Die kühle Nachtluft erfrischte sein Gesicht, und er fühlte sich leicht, fühlte sich wie ein Wegbereiter, erwählt von den zartesten Nöten des Lebens und erfüllt von der Gewißheit, schon bald nach Hause und an seinen Arbeitsplatz zurückkehren und ein vorbildliches Leben beginnen zu können. Bevor er die Pension betrat, warf er den Ochsenziemer in den Straßengraben, und kaum lag er im Bett, umfing ihn der Schlaf.

In den nächsten Tagen ging er konsequent und mit dem praktischen Verstand vor, den seine Pläne erforderten. Seine Sorgen waren jetzt so konkret geworden, daß jede Beunruhigung darüber unvorstellbar oder unnütz erschien. Vor allem war da das finanzielle Problem, das ihn ständig bedrohte und keine Minute aufhörte, ihn zu quälen. Er fing an, Stellenanzeigen zu lesen, und kaufte sich sogar einen roten Bleistift, mit dem er sie umrandete, um auch bei dieser Tätigkeit mit Sinn und Verstand vorzugehen. Doch wo immer er sich vorstellte, verlangte man Zeugnisse und Arbeitsnachweise, und er mußte lügen – auf so diffuse Weise, daß, als er sich darüber klar werden wollte, alle seine Ansprüche bereits den Illusionen der Lüge anheimgefallen waren. Daraufhin versuchte er es mit einfachen Gelegenheitsarbeiten, um wenigstens sein Exil bezahlen zu können, bis Angelina ihm erlauben würde, nach Hause zurückzukehren. Aber auch das war schwieriger als erwartet. Bei den Maurern waren junge Leute oder Erfahrung gefragt, und in den Märkten, wo er sich stundenweise als Lastträger verdingen wollte, überzeugte sein Aussehen nicht: man musterte ihn von oben bis unten und schickte ihn unter irgendwelchen, zum Teil sogar anzüglichen, Ausreden wieder fort. Als Angelina ihm abends die saubere Kleidung brachte, wußte er ihr also nichts Entscheidendes zu berichten. Er versuchte noch einmal ihr Mitleid zu wecken und sie zu überreden, ihn nach Hause zu lassen, drohte sogar auszuwandern, doch es half alles nichts. Nach vielen Bitten und Vorwürfen erreichte er eine weitere Verabredung für die nächste Woche: Angelina würde etwas zu essen bringen, aber Geld, keinen Pfennig.

Mit hängendem Kopf ging er davon, und am Samstagmorgen ließ er den Kopf immer noch hängen, war bald euphorisch und bald verzagt und wußte nicht, wie er den Tag herumbringen sollte. Im Park aß er mit dem Taschenmesser Brot und Foagrá und machte sich schon vor sechs auf den Weg zum Café.

Nach einer Erkundungsrunde ging er, wie mit Antón verabredet, hinter einem Zeitungskiosk in Stellung. Um halb sieben kam sein Verbündeter. Er sah ihn vor dem Eingang Posten beziehen. Weniger rhythmisch als ungeduldig klopfte er mit seinem Blindenstock auf die Erde. Gregorio, der sich den Hut tief in die Augen gezogen hatte und sein Gesicht hinter einer mit beiden Händen gehaltenen Zeitung verbarg, spähte unauffällig über den Rand und grüßte ihn mit dem Kinn. Antón antwortete mit verstärkten Schlägen seines Blindenstocks. Um Viertel vor sieben erschienen der Professor und Marilyn mit der Gruppe von jungen Leuten. Antón, der keinen Schritt zur Seite wich und die Gruppe spaltete, sah ihnen hinterher. Dann schaute er zu Gregorio, der mit einem langsamen, verschwörerischen Kopfnicken antwortete. Kaum waren sie eingetreten, und er befeuchtete gerade seinen Daumen, um die Zeitung umzublättern, gewahrte er Gil auf der anderen Straßenseite.

Er faltete hastig die Zeitung zusammen, was das verabredete Signal war, zwinkerte Antón zu, daß sein halbes Gesicht dabei entgleiste, und wies mit dem Daumen auf das Ziel. Indem er den Kiosk im gleichen Tempo umrundete, mit dem Gil sich näherte, gelangte er in seinen Rücken. Er überquerte die Straße an derselben Ampel, wobei er den Kopf schieflegte und mit einer Hand seinen Hut festhielt, als wehe ihn sonst der Wind fort, und noch bevor er die andere Straßenseite erreichte, schaute er sich um und sah Gils Hinterkopf auf den Eingang des Cafés zusteuern. Im selben Moment schaltete die Ampel auf Rot, und er mußte einen Spurt einlegen, um die andere Seite zu erreichen. Über die Autos hinweg und zwischen den Fußgängern erblickte er Gil, der vor Antón stand. Dieser drückte ihm die Spitze seines Blindenstocks gegen die Brust und sprach heftig auf ihn ein. Dann ergriff er seinen Arm und zog ihn zu den Fenstern. Dort hantierte er mit seinem Stock und zeigte ihm verschiedene Gegenstände, die er aus seinen Taschen zog. Er sah Gil ein Papier zum Vorschein bringen und eher hilflos als energisch gestikulieren, und Antón, der ihn wieder am Arm ergriff, zu sich heranzog und ihm etwas ins Ohr sagte. Das dauerte eine Weile, bis er sah, wie Antón plötzlich Gil in Richtung Ampel vor sich her zu schubsen begann, als wolle er alles aus ihm herausschütteln. Gil stolperte. Ein Auto bremste abrupt, und man hörte lautes Hupen. Alle wandten sich um, und Gregorio wurde zu einem weiteren Neugierigen, als Gil auf ihn zugetrottet kam, den Hut schief auf dem Kopf und mit beiden Händen sich die Mantelaufschläge geradeziehend. Er traute sich nicht, zu ihm hinzusehen, und erkannte soeben noch das Titelbild des Buches, das er im Gehen schwenkte. Er drehte sich zur Seite und fühlte ihn an sich vorbeigehen, vernahm einen Moment lang sogar den Tumult seines Atems.

Wieder ging er mit ihm über dieselbe Ampel und folgte Antón in einigem Abstand. Kurz vor der Kneipe holte er ihn ein, und das letzte Stück gingen sie schweigend nebeneinander, mit dem Blindenstock voraus. Wortlos traten sie ein, setzten sich an den letzten Tisch, und erst als zwei Anis bestellt waren, blies Antón die Luft aus und sagte:

»Freund Osián, ich melde einen Sieg!«

Mit knappen Worten berichtete er, daß alles so gelaufen war, wie sie es sich ausgedacht hatten. Nachdem er sich als Polizeiagent vorgestellt und Gils Papiere überprüft hatte, hatte er ihm lebenslänglich Gefängnis angedroht, falls er ihn noch einmal dort anträfe. »Ich kann Ihnen sagen, am Anfang war er ganz schön aufmüpfig. Er sagte, er sei kein Feigling und werde kein Wort sagen. Ich habe es im Guten versucht, und ihn vor die Wahl gestellt: entweder er verschwände aus der Stadt, oder ich würde ihn foltern lassen. Um ihm meinen Rat zu verdeutlichen, habe ich ihm ein paar Hilfsmittel gezeigt, ich meine, als didaktische Unterstützung sozusagen. Sie wissen ja, heutzutage glauben einem die Leute nur, was sie mit eigenen Augen sehen. Ich habe mir auch erlaubt, ihn darauf hinzuweisen, daß ich seine sämtlichen Gesinnungsgenossen ebenfalls foltern lassen würde. Ich habe mich an den Geist der Schrift gehalten und ihm gesagt: ›Bedenke, daß ich das, was ich dir antue, auch deinen Freunden und Verwandten antun werde.‹ Und er, was tut er? Macht sich die Hosen voll! Weiß wie ein Handtuch ist er geworden! Freund Osián, dieser Mann ist ein Waschlappen! Ein Leckerbissen für unseren Hunger nach Gerechtigkeit! Stoßen wir auf unseren Sieg an!«

Nachdem sie angestoßen hatten, gingen sie die nächsten Phasen des Plans durch. Antón war der Meinung, um glaubwürdig zu bleiben und nicht der Unhöflichkeit zu erliegen, die versprochenen Qualen uneingelöst zu lassen, könne der nächste Schritt kein anderer als die Folter sein, und er kannte auch ein brachliegendes Grundstück, wo man sie gut anwenden konnte, und sie sei auch nur gedacht, um das Opfer sich schuldig bekennen und schwören zu lassen, unverzüglich aus der Stadt zu verschwinden. Gregorio beharrte jedoch darauf, daß alles auf seine Weise gemacht und vor Montag keine Entscheidung getroffen werde. Antón willigte zähneknirschend ein.

Den Sonntag verbrachte Gregorio in seinem Zimmer, weil er weder wußte, was er tun noch wohin er gehen sollte. Dachte er an die Zukunft, sah er sich als Bettler und zugleich als vorbildlichen Bürger, und wenn er an Gil dachte, bewunderte er sich selbst, weil er weder Reue noch Mitleid empfand, sondern eine Art von Befremdung, die ebensogut Rachsucht wie Verachtung sein konnte. Nicht eine Sekunde entfernte er sich von den Gründen, die seine Unschuld untermauerten. Nein, er war nicht der Sünder. Im Gegenteil: wenn er es wäre, säße er jetzt nicht so in der Klemme. Ach, wie recht hatte Angelina gehabt: das hatte er von seiner Dummheit; weil er zu gutmütig gewesen war. Er hatte dem Ärmsten helfen wollen, hatte Gil glücklich machen wollen, sein Elend selbst auf die Gefahr hin erleichtern wollen, daß er sein eigenes Leben in ebenso großherzigen wie hirnlosen Unternehmungen aufs Spiel setzte. Und was hatte er davon gehabt? Daß er den Kerl jetzt wie eine Laus im Pelz sitzen hatte. Gil, die Laus, die sich mit ihrem Teil Blut, den sie bekommen hatte, nicht zufriedengab und daher in die Stadt gekommen war, um sich ein letztes großes Festessen auf Kosten ihres Wohltäters zu gönnen. Ha, aber er würde sich zu wehren wissen! Und wie! Wenn nötig, würde er zustimmen, ihn auf das leere Grundstück zu verschleppen, wo er ihn vielleicht sogar eigenhändig auspeitschen würde. »An den Pyramiden hattest du nicht genug, was?« würde er sagen. »Da hast du deine Pyramiden! Wolltest du kein Café? Da hast du dein Café! All die Nachrichten aus der Welt haben dir nicht gereicht, was? Hier hast du noch welche! Und dies für Marilyn! Und dies für Hemingway! Und dies für die epische Dichtung! Dies für all das Geld, das ich in deine Sache investiert habe! Und dies, und dies, und dies für das ganze Unheil, in das du mich gestürzt hast!«, und als ihm klar wurde, was er tat, stand er mitten im Zimmer und führte gnadenlose Peitschenhiebe durch die Luft.

Überzeugt davon, daß ihm ein Recht auf Revanche in dem gleichen Maße zustand, wie er gutherzig gewesen war, legte er sich zu Bett. Es war ein Akt der Notwehr und auf jeden Fall der Gerechtigkeit. Und als er um Mitternacht erwachte und, sachlicher jetzt, in sein Notizbuch schrieb: »Geduld ist die Kunst, Kriege zu gewinnen, ohne Schlachten zu führen«, fühlte er sich stark, gesund und ausgewogen, ganz wie der vorbildliche Mensch, der er bald sein würde.

Als er am Montag frisch und pfeifend aus dem Bad zurückkam, fand er auf dem Bett einen Zettel mit der Nachricht BITTE AUSSENSTÄNDE BEGLEICHEN, und seine einzige Sorge in diesem Augenblick war, sich im Spiegel zu vergewissern, daß seinem Gesicht keinerlei Beunruhigung anzumerken war. Auf dem Flur begegnete ihm Paquita, der er, immer noch pfeifend, zuzwinkerte. Pfeifend ging er die Treppe hinunter und trat ohne Hast auf die Straße.

An der Ecke trank er einen Kaffee und ein Schnäpschen, mischte sich mit der lakonischen Bemerkung, Torchancen könnten nur von den Ecken her aufgebaut werden, in einen Wortwechsel ein, schlenderte träge und arrogant durch eine Geschäftsstraße, ließ an einem Teich Kieselsteine übers Wasser hüpfen und betrat gegen elf eine Telefonzelle, um von Chicago aus Gil anzurufen.

»Spricht da X-1?« hörte er eine ferne Stimme. »Hier X-63 am Apparat, hören Sie mich?«

Nachdem er sich nach der Schußwunde erkundigt und bedauert hatte, daß sie entzündet war, kam Gil gleich auf das zu sprechen, was ihm am Samstag vor dem Café widerfahren war. Er berichtete, das Café sei von Polizei umstellt gewesen und ein Polizist habe ihn angehalten und seine Papiere sehen wollen.

»Er hat mich nach Santos Merlín, nach Marilyn und nach Ihnen ausgefragt, aber ich habe kein Wort gesagt. Ich habe ihm gesagt, ich wüßte von nichts und würde auch nichts sagen, selbst wenn sie mir

Gemeinheiten antäten. Und dabei war dieser Polizist ein furchterregender Mensch. Er hatte sich als Blinder verkleidet und hat mir Dinge gesagt, die ich gar nicht zu wiederholen wage.«

»Ja, den kenne ich«, murmelte Gregorio. »Das ist Generalinspektor Requejo, ein blutrünstiger Mann, der seine Drohungen stets wahrmacht.«

»Sehen Sie, entsetzlich war das. So was habe ich in meinem Leben noch nicht erlebt. Zuerst hat er Dinge gesagt, die ich nicht verstanden habe. Er sagte: ›Mich kannst du nicht täuschen. Ich weiß, daß du, um besser zu krönen, dich wie der Gehörnte anziehst. Ist sie da drinnen, die Treulose?‹ Aber das Schlimmste kam danach. Wollen Sie wissen, was er zu mir gesagt hat? Werden Sie auch nicht böse auf mich sein? Nun, zuerst hat er mir mit dem Gefängnis gedroht, und dann hat er gesagt, er würde mir einen Stock in den, in den Hintern rammen und mir mit einem Rasiermesser die, die Hoden abschneiden, und dann (entschuldigen Sie, aber ich erzähle es Ihnen so, wie er es zu mir gesagt hat) würde er mir Marilyns abgeschnittene . . . Brüste zu essen geben. Er sagte: ›Aus dem Fell deiner, deiner Geschlechtsteile mache ich mir einen Geldbeutel, und aus den, aus den Haaren von Marilyns . . . Geschlechtsteil eine Klobürste.‹ Er sagte auch noch: ›Und Merlín, dem alten Zuhälter, kannst du ausrichten, daß ich ihm mit glühenden Zangen die Zunge herausreißen und an meine Katze verfüttern werde.‹ Dann hat er mir ein Rasiermesser gezeigt, einen Stechbeitel, einen Totschläger, eine Peitsche und ich weiß nicht, was sonst noch. ›Die werdet ihr alle zu spüren bekommen‹, sagte er. Aber ich bin standhaft geblieben. Ich habe ihm gesagt, er könne mich damit nicht erschrecken und ich würde auf keinen Fall reden. Ich glaube in aller Bescheidenheit sagen zu dürfen, daß ich mich wie ein Mann verhalten habe.«

»Sonst hat er nichts gesagt?« fragte Gregorio.

»Nicht daß ich wüßte.«

»Hat er nicht davon gesprochen, daß du verschwinden sollst?«

»Ich? Wohin?«

»Na, aus der Stadt zum Beispiel.«

»Ja, ich glaube, so was hat er auch gesagt«, antwortete Gil unbestimmt.

»Das habe ich mir gedacht. Ich weiß zwar nicht, nach welcher Strategie er vorgeht, aber du solltest auf jeden Fall tun, was er sagt. Wenn nicht, bringt er dich kaltblütig um.«

»Das ist mir egal«, sagte Gil.

»Ja, aber du mußt auch an die Partei denken. Sieh mal, ich habe mit allen gesprochen, deshalb rufe ich dich an. Sie wollen alle, daß du die Stadt verläßt. Sie bitten dich darum. Sie bitten dich im Namen der Wissenschaft, der Kunst und des ganzen Volkes. Wichtige, berühmte Leute, die gewohnt sind, daß man zu ihnen aufschaut, liegen dir zu Füßen.«

»Aber ich . . . Was wäre denn damit gewonnen? Ich richte hier doch keinen Schaden an.«

»Die Sache ist ganz einfach«, schnitt er sein Gejammer ab. »Wenn du verschwindest, bleibt die Polizei dir auf den Fersen, weil sie dich für den Organisator der Provinzkader hält, und damit ist ihre städtische Flanke aufgerissen. Eine alte Kriegslist. Verhaften können sie dich nicht, weil sie keine Beweise haben, aber wir könnten nach und nach wieder einsickern und mit der Neustrukturierung der Organisation beginnen. Verstehst du das?«

»Aber, Señor Faroni, ich schwöre Ihnen, ich werde nicht reden.«

»Es geht nicht um dich, es geht um uns alle. Deine Rettung ist unser Verderben.«

»Wenn das so ist, warte ich, bis sie mich umbringen; dann haben Sie keine Probleme mehr mit mir«, erklärte Gil mit wehleidiger Stimme.

»Du bist ein Egoist, Gil«, sagte Gregorio und sprach jede Silbe einzeln. »Und genau das werde ich auch den anderen sagen. Ich werde ihnen sagen, daß dir deine Arbeit mehr wert ist als Kunst, Wissenschaft und Fortschritt.«

»Das stimmt nicht!« rief Gil. »Das ist nicht wahr! Außerdem halte ich mich nicht für so wichtig, zu glauben, daß mit meinem Verschwinden aus der Stadt alle Probleme gelöst wären.«

»So ist es aber«, sagte Gregorio unnachsichtig. »Die Polizei hält dich für wichtig. Warum sonst wäre ein Mann wie Generalinspektor Requejo hinter dir her?«

»Ich weiß es doch nicht, Señor Faroni«, rief Gil verzweifelt. »Ich schwöre, daß ich Ihnen nur helfen will. Wohin soll ich in meinem Alter denn gehen? Wohin?« fragte er dramatisch.

»Du weigerst dich also, zu gehen. Ist es so?«

Gil gab keine Antwort.

»Weigerst du dich?«

»Ich schwöre Ihnen, ich sage kein Wort.«

»Du willst also nicht gehen.«

»Und wenn sie mich umbringen, ich verrate nichts.«

Gregorio schloß die Augen und empfahl seine Hoffnungslosigkeit der Gnade des Himmels. Was konnte er tun?

»Morgen oder übermorgen«, sagte er abwesend, ohne überhaupt zu wissen, was er sagte, und ohne die Ruhe zu verlieren, »reise ich nach Indien ab. Dort werde ich mit leeren Taschen ankommen, unter freiem Himmel schlafen und wohl auf den Straßen betteln müssen. Ich will versuchen, Marilyn zu finden, und komme vielleicht nie mehr zurück.«

»Sagen Sie nicht so was. Señor Faroni! Natürlich kommen Sie zurück. Sie sind noch jung und werden das alles durchstehen. Wenn Sie mir erlauben, würde ich Ihnen gern mit etwas Gespartem aushelfen. Ich habe nicht viel, aber was ich habe, gehört Ihnen.«

Überzeugt, daß Gil wirklich ein Egoist, ein skrupelloser Blutsauger war, aber auch aufgrund seiner drängenden Notlage, willigte er schließlich ein, das Angebot anzunehmen. »Es ist nicht allein für mich, denn ich habe hier Freunde«, sagte er, »sondern auch, um Gregorio Olías zu helfen, der im Gefängnis sitzt, und noch anderen, die allein durch die Welt irren.«

Sie kamen überein, daß Gil noch am selben Nachmittag zum Café gehen und dem Kellner dort heimlich den Umschlag zustecken sollte, den dieser umgehend per Luftpost nach Chicago schicken würde.

»Und was dein Verlassen der Stadt angeht, will ich dir eine letzte Chance geben. Ich bin sicher, daß dein Gewissen über kurz oder lang stärker sein wird als deine Furcht. Dann denke daran, daß wir alle dir mehr vertrauen als jedem andern und sicher sind, daß du uns nicht enttäuschen wirst. Wir warten begierig auf deine Entscheidung«, und ohne ihm Zeit für eine Antwort zu lassen, legte er auf.

Um halb acht übergab Gil dem Kellner den Umschlag, und der Kellner gab ihn Gregorio, der hinter einem Pfeiler wartete. Am selben Abend bezahlte er die kommende Woche und scherzte mit Paquita über die Unnachsichtigkeit, mit der sie das Kostgeld eintrieb. »Ehe du dich's versiehst, könnte ich dir dein Geld schuldig bleiben. Wir Künstler sind arme Leute«, sagte er, lächelnd am Türrahmen lehnend. »Na, hör' sich einer diese Sprüche an!« entgegnete sie, und leierte mit beiden Händen eine Kurbel. Gregorio hob sein Gesicht, als bringe er es bedingungslos einem *clair de lune* dar, und schickte von dort einen verträumten, vielsagenden Blick hinunter.

»Arm, aber leidenschaftlich«, sagte er.

»Na, na, na«, zwitscherte Paquita.

»Eines Tages wird hier eine Plakette angebracht sein, auf der steht«, und er schloß die Augen: »IN DIESEM ZIMMER WOHNTE AUGUSTO FARONI, HIER KÜSSTEN DIE MUSEN DAS GENIE.«

»Gehn Sie, gehn Sie, ich seh schon, wo Sie hinwollen!« rief sie, über die Schulter zurückblickend, als sie durch den Flur davonging.

Gregorio blieb noch ein paar Sekunden mit geschlossenen Augen stehen und ging dann in sein Zimmer. Er setzte sich aufs Bett und pfiff lange Zeit die *Habanera*. Er wußte nicht recht, ob er traurig oder zufrieden sein sollte. Schließlich sagte er sich, daß Gils Reaktion genau die war, die er logischerweise vermutet hatte. Der Blutsauger bestand hartnäckig darauf, in der Stadt zu bleiben, weigerte sich, seine Beute fahren zu lassen. Logisch. Den Widerstand würde er aber nicht lange aufrechterhalten, denn in dem Blutsauger steckte noch ein Rest von Unschuld und Stolz. Wenn er den Mut gehabt hatte, sich vor der Polizei zu behaupten, würde er auch den Mut haben, zu verschwinden. Er würde sich langsam, aber sicher an den Gedanken gewöhnen, den er im Grunde seiner Seele vielleicht längst als unvermeidlich ansah. Es brauchte nur ein wenig Zeit. Takt. Diplomatie. Das war alles. Die Welt würde so ein Tohuwabohu nicht zulassen. Es gab ein Gesetz, eine allgemeine Harmonie der Dinge, der er angehören wollte, und deshalb würde sein Triumph schlicht und einfach der alltägliche Sieg der Ordnung sein. In gewisser Weise teilte er sein Schicksal mit der Geometrie. Das war alles. Die eine oder andere Intervention von Antón noch, ein oder zwei Anrufe aus Indien, und die Frucht würde durch das Gewicht ihres eigenen Safts vom Baum fallen. An diesem Abend erkannte Gregorio, daß Geduld tatsächlich die Mutter aller Tugenden war. Und er sagte sich, daß er allein auf die Vorsehung sich noch verlassen konnte.

KAPITEL XXI

Und Gregorio empfahl sich der von Gott gesandten Zeit der öffentlichen Anlagen, Brunnen und Parks: der unbarmherzigen Zeit der Ordnung, die ihn retten sollte. Es war das einzige Linderungsmittel gegen die Willkür der Gegenwart, das ihm einfiel. Er dachte, ein Etwas, ein göttliches Sein oder die natürliche Harmonie selbst schneide die unglücklichen Umstände auf ihn zu, um ihnen ein Ende bereiten zu können, wenn die Stunde der Wiedergutmachung kam. Und diesem Höchsten Geist, diesem Großen Konstitutor, der die Winde dirigiert und den Lauf der Flüsse leitet, mußte man vertrauen. Derselbe, der den Heiligen Job in Versuchung geführt hatte, um zu zeigen, daß die Wege seiner Gerechtigkeit unerforschlich sind. Der das Lamm sanft und den Tiger wild gemacht hat und jedem Ding seinen Platz in der Welt gibt und eine Form, um zu sein und zu existieren. Sehr bald schon würde die Ordnung Gregorio aus der Finsternis des Chaos befreien. Das war unvermeidlich. Bis dahin hieß es warten und nicht den Glauben verlieren.

So kam es, daß er sich eine Zeitlang damit zufriedengab, Zeuge seiner eigenen Intrigen zu sein. Durch Antón wußte er stets, was Gil gerade tat. Zweimal die Woche trafen sie sich in der Kneipe und analysierten die neuesten Entwicklungen ihres gemeinsamen Projekts. Der »Fall« hatte Antón in eine solche Erregung versetzt, daß er seine Nachforschungen weit über Gregorios Anweisungen hinausgeführt hatte. Er bewachte Gil praktisch rund um die Uhr. Er hatte seine Gewohnheiten so exakt studiert, daß er genau wußte, zu welcher Zeit er sich an welchem Ort einfinden mußte, um sein Opfer so pünktlich auftauchen zu sehen, daß man seinen Hinterhalt für eine Verabredung halten konnte. An einem dieser Abende zählte er die fünf Orte auf, die der Widersacher frequentierte: das Büro, die Pension, eine Abendschule, die er um acht betrat und gegen elf verließ, das Café, und manchmal, und hier lag nach Antóns Meinung der

Schlüssel zu dem ganzen Geheimnis, ein Haus, in das er nicht hineinging, sondern um das er draußen herumstrich.

»Was er da sucht, weiß ich noch nicht, aber ich frage mich, ob da nicht vielleicht dieser Faroni wohnt, der gar nicht im Ausland ist, sondern sich da versteckt hält. Ich habe auch gesehen, daß, wenn er das Haus beobachtet, im dritten Stock eine Frau durch die Gardinen zu ihm hinunterspäht. Haben Sie eine Ahnung, wer diese Frau sein kann?«

»Natürlich«, sagte Gregorio, der sich schon eine Antwort auf die Frage zurechtgelegt hatte. »Die Frau ist meine Schwester. Und Gil schleicht da herum, um festzustellen, ob ich wirklich verreist bin oder mich im Haus versteckt halte. Antón, Sie müssen diesen Schurken daran hindern, meine Familie zu belästigen!«

Antón versicherte ihm, das sei leicht zu arrangieren; ein Kinderspiel. Bisher sei er ihm dort noch nicht auf den Leib gerückt, weil er gehofft habe, auf eine neue Spur zu stoßen, aber da er jetzt seine wahren Absichten kannte, würde er beim nächsten Mal entsprechend zu handeln wissen. »Ich sage Ihnen, dieser Mann ist ein Schwächling, ein morscher Ast!« flüsterte er wild, »den kann ich so umpusten.«

»Und was das Café angeht«, berichtete er an einem anderen Abend, »wo samstags Ihre Frau hingeht, da muß ich Ihnen sagen, umkreist der Ehebrecher sie wie ein Wolf. Er läuft auf dem gegenüberliegenden Gehweg auf und ab, aber wenn er mich Posten stehen sieht, traut er sich nicht über die Straße. Er schaut herüber und verschwindet dann. Das heißt, in dieser Hinsicht, Kamerad Osián, brauchen Sie sich keine Sorgen zu machen. Seit ich Ihre Entehrung bewache, sind Sie nicht überkrönt worden. Ob das allerdings durch den Professor oder einen der jungen Burschen passiert ist, mit denen Ihre Frau sich abgibt, weiß ich nicht, da halte ich mich mit meiner Meinung auch zurück. Was nun die Gewohnheiten des Wüstlings betrifft, kann ich Ihnen sagen, daß er weder Alkohol trinkt noch raucht. Ich glaube, sein einziges Laster ist die Wollust. Morgens trinkt er eine Tasse Milch mit Biskuit. Sein Mittagessen nimmt er in einem Billigrestaurant in der Nähe der Pension ein. Bevor er auf die Straße geht, bekreuzigt er sich zweimal. Letzten Sonntag hat er ein Museum besucht. Ich bin hinter ihm rein, um zu sehen, ob er sich dort vielleicht mit der Treulosen verabredet hatte, aber das war nicht der Fall. Es war ein Museum für alte Steine und vorsintflutliche Tiere. Er blieb vor einem Dinosaurier stehen und hat ihn wohl eine halbe Stunde angestarrt. Dann hat er ihn berührt, als ob er lebendig wäre und ihn beißen könnte. Ein Schwächling. Sonntags geht er zur Messe. Er beichtet und kommuniziert und wirft immer was in den Klingelbeutel. Er war auch in einer Bibliothek, kam aber gleich wieder heraus. Wenn man ihn so sieht, würde kein Mensch ihn für einen Verführer halten. Er weiß, daß ich ihn beschatte. Wie gesagt. Alle paar Schritte sieht er sich nach mir um. Er hat Angst vor mir. Einmal habe ich mich an einer Ampel neben ihn gestellt und bin mit ihm zusammen über die Straße gegangen. Ich kann Ihnen sagen. Wie zu mir selbst habe ich gesagt: ›Lüstlinge und Kommunisten lasse ich brennen, und Faroni als ersten.‹ Da hat er mich wie den Leibhaftigen angesehen und ist davongerannt, daß sein Hintern kaum noch mitkam. Allerdings, Freund Osián, bezweifle ich, daß wir ihn nur durch Beschattung aus der Stadt verjagen können. Wir müssen zur Tat schreiten«, und diese Aussicht ließ sein Gesicht aufleuchten, »nicht nur, damit er verschwindet, sondern auch, damit er nicht ohne Strafe verschwindet.«

Gregorio mahnte zur Besonnenheit. »Geduld ist die Mutter aller Tugenden«, sagte er, »und im Augenblick bitte ich Sie nur, dafür zu sorgen, daß Gil meine Schwester in Ruhe läßt und nicht das Café betritt. Sorgen Sie dafür, daß er die Pension nur verläßt, um ins Büro zu gehen.«

Antón hielt überhaupt nichts von diesen, für den »Fall« ungeeigneten, Zimperlichkeiten. Ein andermal sagte er: »Wie gesagt. Am Samstag war ich in dem Bordell, in das Ihre Frau Gemahlin geht. Ich habe sie lange beobachtet. Sehr jung, sehr schön, diese Marilyn, obwohl, wenn Sie mir eine fachmännische Feststellung erlauben, sie mir ganz wie eine läufige Nymphomanin vorkommt, womit ich Sie nicht beleidigen will. Sie setzt sich breitbeinig hin und trägt einen Pullover, der den Spalt zwischen ihren Brüsten sehen läßt. Das ist ein sicherer Beweis. Beinah drei Stunden haben sie da was weiß ich über was geredet. Wichtig ist da nämlich nur, was sie sich gegenseitig ins Ohr flüstern, die Blicke, wie sie sich mit den Ellbogen anstoßen, lachen, sich Zeichen geben, all die verstohlenen Spielchen. Stutzig macht mich, daß in dem Café alle viel mehr damit beschäftigt sind, herumzufummeln als zuzuhören, was geredet wird. Am Ende ist Ihre Frau mit dem Zuhälter Arm in Arm hinausgegangen. Und Arm in Arm sind sie in einem Torweg verschwunden. Sie werden sich vorstellen können, was die beiden da drinnen womöglich getrieben haben.«

Um die Geschichte nicht noch verworrener werden zu lassen, sagte

Gregorio, er wisse aus sicherer Quelle, daß der Professor homosexuell sei, von dieser Seite drohe also keine Gefahr.

»Dann frage ich mich«, sagte Antón, nachdem er lange nachgedacht hatte, »ob der Wüstling es dem Zuhälter nicht von hinten besorgt und Ihrer Frau Gemahlin von vorn; ob Sie, Kamerad Osián, nicht vielleicht in Orgie gehörnt werden.«

Er krallte die Hand in seinen Arm, zog ihn an sein pfeifendes halbes Mundloch heran und zischte: »Lassen Sie mich in diesem denkwürdigen Fall die Zügel in die Hand nehmen! Bedenken Sie, daß der Sünder laut schreiend nach Buße verlangt, wie der Völlerer nach Alka Seltzer. Vertrauen Sie mir, gehen wir sachverständig vor! Geben wir der Hoffnung Flügel!«

»Ich möchte das im Guten regeln, erst wenn es zum Äußersten kommt, greifen wir auf Ihre Methoden zurück«, bremste Gregorio.

Antón legte ihm eine Hand auf die Schulter und schaute ihm edelmütig in die Augen.

»Freund Osián, Sie sind ein Heiliger! Aber ich frage mich, ob Geduld und Worte allein ausreichen werden, um den Wüstling aus der Stadt zu treiben.«

Gil schien tatsächlich nicht gewillt, die Stadt zu verlassen, obwohl Antón ihm beständig auf den Fersen war und das Komitee ihn händeringend darum bat. Zweimal hatte er einen Telefonanruf aus Indien erhalten, und beide Male war er allen Bitten und Aufforderungen mit dem feierlichen Schwur begegnet, nichts in der Welt würde ihn zum Verräter werden lassen. Vergebens machte Gregorio das Komitee geltend (in dem sich schon die eine oder andere Stimme erhob, die Gil einen Judas des Fortschritts nannte), oder auch Marilyns Elend, die Miasmen des Ganges, die Tiger im Bambusdickicht, die giftigen Bisse der Kobras und die ungewisse Zukunft eines Landes, für das es nach der Flucht seiner besten Männer und Frauen nur noch Sklaverei, Unwissenheit und Verzweiflung gab. War es möglich, daß Gil die ruhmreiche Rolle zurückwies, die ihm das Schicksal in jenem furchtbaren Drama vorbehalten hatte? War ihm eine miserable Anstellung tatsächlich wichtiger als das Schicksal einer Nation? Es half jedoch nichts. Gil verschanzte sich hinter seinem Schweigegelübde und hinter der Gewißheit, schon bald dasselbe Schicksal zu erleiden wie die übrigen Verschwörer. »Ich bin wie ein zweites Numantia«, sagte er an einem Dienstag im November. »Ich widerstehe in der Gewißheit, daß der Tod besser ist als die Flucht. Ich bin sicher, daß mich dieser Inspektor, der mich beschattet, fertigmachen will.

Aber das ist mir egal. Meine Losung heißt: Numantia ergibt sich nicht! Sagen Sie das denen vom Komitee.« Außerdem gab er vor, sich in einer Abendschule eingeschrieben zu haben, um das Abitur nachzumachen und eines Tages – falls er überlebte – ein Chemiestudium zu beginnen. »Ich fühle mich ein wenig lächerlich, in meinem Alter die Schulbank zu drücken, aber nun, so kann ich den jungen Leuten noch Vorbild sein.«

Am schlimmsten war jedoch der Polizist. Einfach grauenhaft. Kaum verließ er das Haus, die Abendschule oder das Büro, vernahm er hinter sich das Klopfen des Blindenstocks. Und wenn er ihm aus dem Weg zu gehen suchte, indem er seinen Tagesablauf änderte, stand er plötzlich neben ihm und befahl ihm zurückzugehen. »Vergangene Tage hat er mir ein Klappmesser vorgehalten und gesagt: ›Entweder gehst du jetzt zur Pension zurück, oder ich zerschneide dir das Gesicht.‹ So habe ich immer noch nicht den Fluß und die Pyramiden gesehen, und war auch noch nicht im Café.« Allerdings war er in der Nationalbibliothek gewesen und hatte nach Faronis Büchern gesucht und die Karteikarten auch gefunden. Die Bücher auszuleihen, hatte er sich jedoch nicht getraut, aus Angst, sich zu verraten. Alles in allem war sein Leben hier so trist, wie es immer gewesen war, und nur die Hoffnung auf das numantinische Opfer ließ ihn an seinem Vorhaben festhalten. Und natürlich auch der Stolz, auf demselben Stuhl zu sitzen und dieselben Dinge in die Hand zu nehmen wie Faroni. »Verstehen Sie mich doch«, sagte er, »ich flehe Sie an. Ich bin nur ein armer Teufel, und niemand hat das Recht, mehr von mir zu verlangen als Treue bis in den Tod.«

Gregorio fühlte sich durch diese unbeholfene Ergebenheit zunehmend verunsichert. Er vertraute der Zukunft, gewiß, aber die Gegenwart schien der Macht der Vorsehung zu entgleiten. Am Montag, dem 19. November, fand er wieder den Zettel auf seinem Bett, BITTE AUSSENSTÄNDE BEGLEICHEN. Er nahm, innerhalb der Gesamtordnung, die Bedrohung als etwas Unwirkliches wahr und fragte sich, wie es möglich war, daß die komplizierte Weltmaschinerie und sogar das Universum insgesamt besser funktionierte als das kurze Zwischenspiel eines Vertreters in der Stadt. Über die Unzuverlässigkeit der Ordnung grübelte er auch an jenem Morgen nach, an dem er im Fenster eines Lebensmittelgeschäfts das Schild mit der Aufschrift LEHRLING GESUCHT sah.

Es war ein kleiner, verkommener Laden, worüber auch die große Leuchtschrift LEBENSMITTEL IBERIA nicht hinwegtäuschen konnte. Er hatte das sichere Vorgefühl, daß diese Stelle für ihn bestimmt war und daß das Schicksal selbst sie ihm offerierte, grad so, als reiche es ihm aus der Zukunft eine aus Lianen geflochtene Brücke herüber. Es schien ihm sogar typisch für die Vorsehung, ihm dies Zeichen kommender Ordnung in just jenem Augenblick zu senden, als er schon den gähnenden Abgrund vor sich sah, als er nur noch ein paar Münzen für ein Telefonat mit Gil besaß und sich mehr schlecht als recht von dem ernährte, was Angelina ihm einmal wöchentlich in den Park mitbrachte. Er sagte zu sich: »Wenn sie mich nehmen, bin ich gerettet.«

Er setzte Hut und Sonnenbrille ab und bleckte die Zähne, um ein Lächeln jugendlicher Unerfahrenheit zustande zu bringen. Drinnen war es so eng, daß man sich kaum bewegen konnte. Die Theke war nicht länger als seine ausgebreiteten Arme, und um sie herum herrschte ein wüstes Durcheinander von schlecht aufgestapelten Waren. Übrig blieb ein schmaler Gang, in dem vier oder fünf Personen Platz finden mochten. Im Moment war kein Kunde im Laden (das Schicksal hielt zweifellos seine Hand über ihn), und Gregorio trat an die Theke, hinter der ein älterer, hochaufgeschossener dürrer Mann selbstvergessen in einem Kontobuch schrieb. Er hatte einen kleinen, beweglichen Kopf, dünnes, gescheiteltes Haar, schmale Eidechsenlippen und ein spitzes Kinn. Sobald er Schritte hörte, richtete er sich auf und klappte das Buch mit beiden Händen zu. Und mit einer ausladenden Geste, als deute er vom Gipfel eines Berges auf ein vor ihm liegendes Panorama, sagte er dann: »Verehrter Herr, willkommen in unserem Reich der Lebensmittel. Womit können wir Ihnen dienen?«

Gregorio antwortete mit einem entschuldigenden Lächeln und einer Gebärde, die den gewaltigen von seinem Gegenüber umrissenen Raum etwas einschränkte.

»Sind Sie der Geschäftsinhaber?«

Der andere wurde sofort ernst und nickte, als bestände eine entfernte Möglichkeit, daß dem so sei.

»Nun«, sagte Gregorio mit gesenktem Kopf, den Hut in beiden Händen, »ich komme wegen des Schildes an der Tür.«

»Ihr Sohn vielleicht?«

»Nein, ich selbst.«

»Sie?«, er zeigte mit dem Bleistift auf ihn.

»Na ja, wissen Sie, ich bin vor einigen Tagen aus der Provinz hergekommen und kenne die Bräuche in der Stadt noch nicht so gut

Ich habe mir gedacht, daß ich die Anforderungen, die Sie stellen, vielleicht erfüllen könnte.«

Der Geschäftsinhaber spreizte seine Finger auf der Ladentheke und musterte Gregorio von oben bis unten.

»Wir suchen eigentlich einen Jungen, einen Lehrling.«

»Ich kann die Arbeit fürs gleiche Geld besser machen«, sagte Gregorio in immer noch entschuldigendem Ton. »Nehmen Sie mich ein paar Tage auf Probe. Wenn Sie wollen, kann ich gleich anfangen. Hier, ich will aufrichtig zu Ihnen sein«, dabei zog er sein Buch hervor. »Sehen Sie? Das sind Gedichte. Die habe ich geschrieben. Ich habe zu Hause einen Preis dafür bekommen. Ich bin Dichter, und hier in der Stadt will ich versuchen, mein literarisches Glück zu machen. Aber in meinem Dorf habe ich auch in so einem Laden gearbeitet. Als Angestellter. Das Leben auf dem Land, wissen Sie, ist sehr beschaulich, und bevor ich sterbe, wollte ich zumindest diese herrliche Stadt einmal gesehen haben. Ich hätte nie gedacht, daß sie so groß ist. Und diese hohen Wolkenkratzer! Und all die Geschäfte hier! Und so viele Autos! Und die Menschenmassen überall! Ehrlich gesagt, habe ich mich erst gar nicht getraut, einzutreten, mit meinem provinziellen Aussehen. Aber dann habe ich mir gesagt: du bist ein anständiger Mensch, und das ist das wichtigste! Außerdem, Herrgott!, du kennst dich in der Materie aus. Also habe ich Mut gefaßt, und da bin ich nun.«

Er hielt den Blick gesenkt, drehte seinen Hut in den Händen und bat mit vorgeschobenem Lächeln:

»Bitte, nehmen Sie mich auf Probe! Ich weiß nicht, was ich sonst tun soll.«

Der Geschäftsinhaber legte gewieft den Kopf auf die Seite und kniff die Augen zusammen.

»Sind Sie verheiratet?«

»Nein.«

»Wo wohnen Sie?«

»In einer Pension, hier in der Nähe.«

»Gut«, sagte er in einem Ton, der bemüht war, nicht sehr überzeugt zu klingen. »Die Stelle ist zwar nicht für einen Mann Ihres Alters gedacht, aber angesichts der Umstände, die bei Ihnen zusammenkommen, wollen wir eine Ausnahme machen und Sie auf eine Woche zur Probe nehmen. Was das Entgelt angeht, nun, was können wir Ihnen da bieten? Das Geschäft geht schlecht«, klagte er. »Wie Sie sehen, stehen wir kurz vor dem Bankrott. Was man allerdings so an

Trinkgeldern bekommt, das ergibt schon ein Sümmchen. Nun, Sie müssen wissen, ob Sie das annehmen wollen.«

Gregorio nahm ohne Einwände an und begann noch am selben Morgen mit der Arbeit.

Während der nächsten Tage lief er mit einem kurzen grauen Kittel herum, auf dessen Brusttasche der Name des Geschäfts gestickt war, und schob mit beiden Händen einen kleinen Lebensmittelkarren vor sich her. Er stieg finstere Dienstbotenstiegen hinauf und herunter, sprach mit Haushälterinnen, zählte das Trinkgeld nach Gefühl, und wenn er zum Laden zurückkam, empfing ihn der Eigentümer mit einem betont unauffälligen Blick auf die Uhr und hielt schon die nächste Lieferung für ihn bereit. Das Aussehen des Geschäftsinhabers veränderte sich je nachdem, ob Kunden im Laden waren oder nicht. Wenn er allein war, stand er die ganze Zeit mit aufgestützten Ellbogen und einem Bleistift in der Hand, dumpf brütend hinter der Ladentheke. Sobald aber jemand hereinkam, verwandelte er sich in einen höchst optimistischen, beweglichen und beredten Menschen. »Willkommen bei unseren Lebensmitteln der Iberischen Halbinsel«, grüßte er und deutete Entfernungen an, die ins Unendliche reichten. Obwohl der Verkaufsraum winzig klein war, hatte er ihn in jeweils eigenständige Abteilungen unterteilt. »Wenn ich Sie in unsere Wurstabteilung bitten darf«, hörte man ihn sagen, wobei er auf einen Teil der Ladentheke zeigte. Oder: »Wenn Sie sich bitte einmal in unserer Abteilung für Milchprodukte umsehen wollen«, und er bezeichnete mit der Hand einen unbestimmten Raum, dessen Grenzen allein er selbst zu erkennen vermochte. Der Kunde bewegte sich daraufhin eine Fliese weiter. Er sprach immerzu von »unseren Läden«, »unseren Einkäufern« und »unseren Lieferanten«, und wenn es ans Zahlen ging, bat er den Kunden mit einer einladenden Handbewegung und einem höfischen Bückling: »Begeben Sie sich bitte zur Kasse«, wobei er selbst geschwind hinter die Geldschublade glitt, als wäre aus ihm ein zweiter Angestellter geworden. Gregorio und sein Lebensmittelkarren firmierten als »unsere Auslieferungs- und Transportabteilung«, und wenn er ans Telefon ging, meldete er sich mit: »Hier Telefonzentrale LEBENSMITTEL IBERIA, Sie wünschen bitte?«

Wahrhaft besessen war er jedoch von der Werbung. In jeder freien Minute war er damit beschäftigt, sich neue Plakate auszudenken und zu zeichnen, um die Vorzüge seiner Produkte möglichst wirkungsvoll herauszustellen; diese Dinge waren es, die er so selbstvergessen über seinem Kontobuch ausbrütete. Der Laden schloß um neun Uhr abends. Danach mußte Gregorio aufräumen, die Regale auffüllen, die Auslieferungen abrechnen und zum Schluß noch ausfegen. Dabei wurde kein Wort gesprochen. Der Inhaber stand hinter seiner Ladentheke, auf der Lineale, Kugelschreiber und Filzstifte lagen, und nur, wenn ihm einmal ein Einfall so besonders gelungen schien, daß er sich ein euphorisches Aufatmen gönnte, gab er den einen oder anderen Kommentar zu dem, was er da tat. »Heutzutage«, sagte er eines Abends, »ist das Wort unsere wertvollste Ware.« Und ein andermal: »Noch nie war der Handel so auf den Erfindungsgeist angewiesen. Sie, junger Mann, sind doch Dichter. Wie würden Sie diesen Posten Schminkbohnen anpreisen?« Gregorio lehnte sich auf seinen Besen und schaute ihn mit dienstbeflissener Unfähigkeit an. »Ihnen fällt nichts ein? Das wundert mich nicht. Dichter besingen zwar Blumen, aber sie sind keine Blumenhändler. Wir Einzelhändler hingegen singen auf Kommission, und zwar nicht nach Inspiration, sondern nach dem Gesetz von Angebot und Nachfrage, was weit verdienstvoller ist. Nur wir sind in der Lage, ein Kilo Gemüse zu besingen. Hier, hören Sie sich das an«, und er las ihm die Plakate vor, die am nächsten Tag die ausgestellten Waren ankündigen sollten: *1a-Bohnen, das Feinste aus dem Norden, extra Gartenzüchtung, erstklassige Speckbohnen, Selecta Ambrosia, der Stolz von Aragón, koloniale Leckereien.*

»Da sehen Sie einmal die Zwänge des Geschäfts. Wucherer nennt man uns, doch was sind wir im Grunde anderes als Dichter der Nahrungsmittelbranche?«

Als Gregorio ging, stand der Mann immer noch hinter seinem Ladentisch und erfand Werbesprüche in geschnörkelter Schönschrift.

An derselben Stelle fand ihn Gregorio auch am Samstagabend, als er am Ende der ersten Woche seinen Kittel auszog und mit dem Mantel über dem Arm zu einer Rede anhob, die so stockend und abschweifend war, so voller Entschuldigungen und Windungen, daß der Lebensmittelhändler Zeit fand, den farblosen Hintergrund von Unwilligkeit in seinem Blick mit Nuancen von Unglauben, Mißtrauen, Zorn, Bestürzung und sogar Nachsichtigkeit anzureichern.

»An den Trinkgeldern haben Sie nicht genug?« fragte er bohrend.

Gregorio machte ein hilfloses Gesicht. Ihm war schon aufgefallen, daß dieser sich immerzu mißtrauisch gebende Mann von niemandem je um etwas gebeten wurde und daher auch niemals etwas verweigerte, und daß diese merkwürdige Wechselwirkung ihn auf geheimnisvolle Weise zu einem guten und sogar großzügigen Menschen machte.

»Trinkgeld ist sauberes Geld«, sagte er und schaute sehnsuchtsvoll durchs Fenster. »Man bekommt es, und man nimmt es, man steckt es ein, und niemand verlangt Rechenschaft darüber. Keine Abgaben, keine Verantwortlichkeit. Es hat nur Vorteile. Geschäftseinnahmen hingegen sind belastet und mit Zehnten bepackt, und die Spreu verschlingt den Weizen. Sie, die Angestellten, wollen das nicht begreifen. Am Ende eines Arbeitstages gehen Sie sorglos und zufrieden nach Hause. Der Unternehmer aber trägt auf Schritt und Tritt die ganze Last des Unternehmens mit sich. Sie selbst sind vom Dorf in die Stadt gekommen. Sie sind frei wie ein Vogel, können gehen, wohin Sie wollen. Sie sind zu beneiden. Wir Kaufleute aber sind die Sklaven unseres Geschäfts und sind dazu verdammt, immer am selben Ort auszuharren. Wohin könnten wir gehen?« fragte er bitter.

Gregorio war voller Verständnis und drehte die Handflächen nach außen.

»Ich brauche einen Vorschuß für die Pension«, sagte er. »Ich muß irgendwo bleiben.«

Es stimmte. Mit der Garantie einer festen Arbeit hatte er bei Doña Gloria einen Kredit für die beiden letzten Wochen erwirkt.

»Darum haben wir einen Lehrling gesucht, einen Jungen, der bei seinen Eltern wohnt«, sagte der Kaufmann in einem Ton, als sehne er sich nach glücklicheren Zeiten.

Nach ein paar Augenblicken der Stille, in denen sich die Gründe seines Sehnens nach und nach bestätigten und seine Gedanken sich in demselben Maß verfinsterten, wie Gregorios finanzielle Aussichten sich verschlechterten, zog der Lebensmittelhändler einen Geldschein aus der Schublade und legte ihn auf die Theke, als lade er zu einer gemeinsamen Betrachtung über ihn ein. Beide schauten ihn an und seufzten zur gleichen Zeit niedergeschlagen wie zwei Wissenschaftler vor dem mißratenen oder absurden Ergebnis eines Experiments.

Am selben Abend ging Gregorio in den Park, aufrechtgehalten von der Überzeugung, die jetzige Phase seines Lebens könne nur ein Provisorium sein. Sein Gang paßte zu den Blumen, die er lustlos und ohne Freude und vielleicht aus keinem anderen Grund gekauft hatte, als mit einer kleinen persönlichen Geste zu seinem Schicksal beizutragen. Um Punkt zehn überquerte er den Platz, trat zu Angelina und reichte ihr die Blumen mit einer Geste, die nur beinahe klassisch war.

Einen Moment lang blieben die Blumen solidarisch erstaunten Blikken ausgesetzt, die Gregorio an jene erinnerten, mit denen er und der Ladenbesitzer den Geldschein angestarrt hatten, der wie durch eigenen Willen oder durch eine Art wunderbarer Brotvermehrung auf der Ladentheke aufgetaucht war.

»Ich habe dir Blumen mitgebracht«, sagte er und legte sie in dem Bewußtsein auf die Bank, daß alle Worte, die er an diesem Abend spräche, die Verlängerung des gescheiterten Akts galanter Aufmerksamkeit sein würden.

Eine Zeitlang sprachen sie nichts. Plötzlich fiel Gregorio auf, daß dieses Schweigen früher nicht dagewesen war, nicht zu dem Park gehörte, sondern daß Angelina es anstelle des Essenspakets mitgebracht hatte. Sie allein, die stumm und in ermattetem Trotz vor sich hin starrte, schien das Vorrecht zu besitzen, es ohne Gefahr brechen zu dürfen. Gregorio war mit einem Mal aufs höchste beunruhigt.

»Bald hat sich alles geregelt«, sagte er.

»Geregelt?«

»Ja«, sagte er munter, »bis ich wieder im Büro anfangen kann, habe ich eine provisorische Arbeit angenommen. Das war meine freudige Nachricht für heute.«

Angelina öffnete ihre Handtasche, die sie im Schoß hielt, wie sie sonst das Eßgeschirr oder den Wäschebeutel gehalten hatte, und zog einen Brief hervor, dessen Aufdruck Gregorio erkannte, noch ehe er ihn in Händen hielt.

»Das ist gestern gekommen«, sagte sie, ohne ihn anzusehen.

Er war von R. und Belson. Im Licht des Feuerzeugs las Gregorio die wenigen Zeilen, die (»wegen der Unmöglichkeit, Ihre Bedingungen zu akzeptieren und angesichts der Anforderungen unseres Hauses«) seine Entlassung mitteilten.

»Und jetzt möchte ich mal wissen, wer dir mit sechsundvierzig Jahren, ohne Beruf und Ausbildung und von der Polizei gesucht, eine Arbeit gibt«, sagte Angelina.

Gregorio hielt Brief und Blick gesenkt und flüsterte: »Das ist ungerecht. Nach so vielen Jahren ohne eine einzige Verfehlung, ohne Verspätung, ohne Beschwerde, das ist ungerecht. Zu Recht heißt es, ein Mensch ist des andern Wolf. Man muß gar nicht in den Dschungel gehen, Angelina, wir leben mitten in ihm, und ich habe es nicht gewußt!«

»Und wie soll es jetzt weitergehen?« fragte Angelina, von dem Drama überwältigt. »Gestern mußte ich meine Mutter um Geld bitten. Ich habe ihr gesagt, daß du mit deiner neuen Arbeit Pech gehabt hast.«

Gregorio versuchte, sich die Lage im Licht der neuen Entwicklung zu vergegenwärtigen, was ihm aber nicht gelang, da das Leben sich so verworren hatte, daß es seiner Kontrolle entglitten war. Alles, was ihm einfiel, war, Angelina zu sagen, daß die Entlassung, wenn man es recht besah, im Grunde vielleicht eine gute Nachricht darstellte.

»Wie das? Ganz einfach«, sagte er und setzte sich rittlings auf die Bank. »Ich werde Geschäftsmann. Wenn das hier vorbei ist und ich nicht mehr gesucht werde (das heißt, in zwei oder drei Tagen), beginne ich, und jetzt paß gut auf, was ich dir sage, mit einer Champignon- und Chinchillazucht. Das ist ganz leicht. Wir haben vier freie Zimmer und einen Kellerraum. Drei davon nehmen wir für die Champignons und zwei für die Chinchillas. Oder umgekehrt, wir werden sehen. Das ist leicht verdientes Geld, sauber, steuerfrei. Wenn wir uns ein Chinchillapärchen kaufen, haben wir nach einem Jahr zwanzig Junge oder mehr. Mit zehn Pärchen können wir am Ende des zweiten Jahres schon an die hundert Chinchillas verkaufen. In ein paar Jahren sind wir reich.«

Angelina sah ihn mit fast feindseligem Mitleid an.

»Du hast sie nicht mehr alle, Gregorio. Ich kann den Unsinn, den du dir immer ausdenkst, bald wirklich nicht mehr hören.«

Gregorio versuchte es ihr anhand von Zahlenbeispielen (»Zahlen lügen nicht«, sagte er) zu beweisen, doch Angelina ließ ihn nicht ausreden und sagte entschieden:

»Entweder du stellst dich der Polizei und suchst dir eine neue Arbeit, oder es gibt nichts mehr zu besprechen.«

Gregorio legte die gespreizten Finger beider Hände aneinander und betrachtete nickend die zerbrechliche Konstruktion. »Wenn ich einmal in einer Enzyklopädie verewigt werde«, dachte er wehmütig, »wird man über mich schreiben: Gregorio Olías, spätgeborener Iberier, in gewissen Kreisen unter dem Namen Faroni bekannt, von seiner eigenen Frau in einem öffentlichen Park verstoßen, nachdem er ihr Schnittblumen für Wurst und Käse mitgebracht hat, was ein Reiterdenkmal und der abnehmende Mond bezeugen. All dies geschehen an einem Herbstabend gegen Ende des Jahrhunderts.« Die historische Beschwörung eines besonderen Daseins auf Erden beruhigte ihn. Es mangelte ihm zwar an Plänen, aber nicht an Hoffnung. Und da er weiterleben mußte, und da man, um zu leben, sprechen mußte, öffnete er den Mund, um zu hören, was herauskam, und hörte sich sagen, daß er sich aus freien Stücken zu stellen gedenke (wobei er daran dachte, welche guten Dienste Antón ihm dabei leisten könnte), und zwar nicht, weil er seine Niederlage eingestand, sondern um sich eine Verschnaufpause in dem Kampf um eine bessere Welt zu gönnen.

»Unter einer Bedingung«, fügte er hinzu. »Ich will mich zu Hause stellen, und zwar tagsüber und in meinem besten Anzug.«

»Das geht nicht«, sagte Angelina. »Wenn du nach Hause kommst, wird dich dieser Polizist, der uns beobachtet, auf der Türschwelle verhaften und dir keine Zeit lassen, dich selbst zu stellen. Zuerst stellst du dich, und wenn sie dir verziehen haben, kommst du nach Hause zurück und suchst dir eine neue Arbeit. Und wenn du nichts findest, gehst du zum Bau. Und von Chinchillas oder Politik will ich nie wieder was hören.« Mit dem Impuls ihrer letzten Worte erhob sie sich und stieß ihre Hände energisch in die Manteltaschen.

Gregorio wußte, daß er verloren hatte, und suchte sich an irgendeinem erhabenen Gedanken aufzurichten, der ihm bestätigte, wie unverständig und verächtlich die Welt einem edelmütigen Idealisten begegnete, doch reichte seine Erinnerung nicht weiter als bis zu seinem Lebensmittelkarren zurück.

»Nimm«, sagte er und hielt ihr den Geldschein hin. »Das hat mir die Partei für dich mitgegeben.«

Angelina nahm ihn mit schlaffer Hand entgegen, und wieder lag ein gemeinsamer Blick der Ungläubigkeit auf dem Schein.

»Es ist nicht viel«, sagte Gregorio, »aber wenigstens etwas. Mehr habe ich nicht. Das ist alles, was ich dir an Materiellem geben kann.«

Schweigend und mit gesenkten Köpfen gingen sie zum Ausgang des Parks. Die Nacht war kalt und sternenlos. Vor ihnen lag ein langer, harter Winter. Doch in ein paar Monaten, dachte Gregorio, wenn der Frühling käme, könnte er für ein paar Tage glücklich sein. Ein bißchen älter, ein bißchen glücklicher. Wenn es nicht gar zu schlecht lief, könnte er vielleicht lernen, mit der Angel umzugehen. Dann würde er mit Angelina an einen Fluß fahren, den ganzen Tag am Ufer liegen und an nichts denken, einen Grashalm kauen und in die Wolken starren. Sommerabende waren lang. Im Licht der ersten Sterne würde er auf verschlungenen Pfaden nach Hause gehen, das frische Gras riechen und das Plätschern eines verborgenen Bächleins hören. Es gäbe Grillen und Vögel, Froschkonzerte und Glühwürmchen, Fische in den stillen Buchten des Bächleins und Hundegebell in der Ferne. Man sähe die Staubfahne einer Viehherde. Dann wäre er wieder glücklich wie früher. Das Leben wäre glücklich mit sich selbst. Eine Zukunft gäbe es nicht mehr. Nur noch Augenblicke von Wasser, Vögeln, Glühwürmchen, Feigenbäumen, Viehherden . . . Ein Glück, das man gar nicht wahrnahm. Ein Glück ohne Angst, ohne Worte. Eine Hoffnung, der man sich nicht verweigern durfte.

»Ich habe darüber nachgedacht«, sagte er zum Abschied, »ob wir nicht die Wohnung verkaufen und aufs Land ziehen sollten. Ich würde auf dem Feld arbeiten, du könntest deine Hühner halten, und deine Mutter könnte unter einer Weinlaube vor der Tür sitzen. Ist das nicht eine gute Idee? Wir besäßen wenig und wären glücklich.«

Angelina wartete, bis die Stille seinen Vorschlag außer Kraft gesetzt hatte. Dann sagte sie: »Da hast du dich auf was Schönes eingelassen, Gregorio, und ich weiß nicht, wie du da wieder herauskommen willst. Du brauchst hier nicht mehr auf mich zu warten. Ich bin zu Hause. Wenn du dich gestellt hast, kannst du zurückkommen. Glaube aber nicht, daß du mich täuschen kannst. Wenn du kommst, dann nur mit diesem Polizisten, der sich so anzieht wie du. Er soll mir bestätigen, daß sie dir wirklich verziehen haben, oder was eigentlich gespielt wird.«

Er sah sie dicht an der Mauer des Parks entlang davongehen. »Tut mir leid«, sagte er, als sie es nicht mehr hören konnte.

Als er in dieser Nacht seine Unterhosen wusch, begriff Gregorio, daß die Schlacht verloren war und daß es auf dem Weg, den er eingeschlagen hatte, allmählich kein Zurück mehr gab. Und obwohl die Panik schon seit vielen Tagen latent in ihm lebte, nahm er sie jetzt mit einer unerträglichen, körperlich empfundenen Nähe wahr, die aus zugigen Straßen, stinkenden Socken, schmutzigen Fingernägeln, stoppelgrauem Bart, täglicher Kommunion von Wurst aus Dosen und Münze für Münze abgezählter Barschaft bestand. Er mußte dieser Situation ein Ende bereiten, mußte sie durch einen energischen, entscheidenden Akt bereinigen, bevor sie ihm gänzlich entglitt. Er war sich gar nicht mehr sicher, daß die Vorsehung über ihn wachte und Geduld die Mutter aller Tugenden war. »Wenn ich jetzt nicht handle«, dachte er, »werde ich zwischen allen Seiten aufgerieben.« So beschloß er noch in derselben Nacht, Gil mit einem Ultimatum von einem oder zwei Tagen zum Verlassen der Stadt aufzufordern, und wenn er sich dann immer noch weigerte, Antón walten zu lassen.

Am nächsten Tag ging er nachmittags zu Doña Gloria, um sie um eine weitere Woche Zahlungsaufschub zu bitten. Das war die Zeit die er brauchte, um seinen Plan zu Ende zu führen. Doña Gloria lud ihn zu Kaffee und Kuchen ein und erkundigte sich danach, was ein

Künstler aus der Provinz in der großen Stadt eigentlich so erlebte. Gregorio berichtete in einem wehleidigen Ton, der die Verwegenheit entschuldigen sollte, daß er sein Buch zu einem Literaturwettbewerb der Königlichen Akademie der Sprache eingereicht und daß man ihm ziemlich große Hoffnungen gemacht hatte. Wenn er ihn gewänne, würde er reich und berühmt. »Bis dahin aber«, fügte er empört hinzu, »weiß ich nicht einmal, wovon ich leben soll.« Und er erzählte ihr, in seinem Dorf besitze er eine Taubenzucht und ein paar verfallene Häuser und er überlege, ob er nicht alles verkaufen sollte, um sich für immer in der Stadt niederzulassen. Er wußte nicht mehr, ob er das irgendwo gelesen hatte oder ob es seine eigene Erfindung war; es schien ihm jedoch eine so läßliche Sünde zu sein, daß er sich nicht scheute, seinen Bericht mit einem traurigen Seufzer zu beenden.

Schließlich lächelte er, und nach einem wankelmütigen Schweigen war er jovial genug, ihr zu erklären, daß er bei seiner Arbeit monatlich bezahlt werde und seine Außenstände somit erst am Monatsende begleichen könne.

»Sie scheinen ein guter Mensch zu sein«, sagte Doña Gloria, woraufhin er sich sogleich mit einer höflichen Verbeugung bedankte.

Den Samstag und den Sonntag verbrachte Gregorio in seinem Zimmer auf dem ungemachten Bett, in einem Zustand dumpfer Apathie, in dem jeder Gedanke zu einem Hirngespinst wurde. Ab und zu stand er auf, um Quittenmus mit Weißbrotscheiben zu essen oder aus dem Fenster auf ein Stück Dach zu starren, auf dem er das Gerippe eines Regenschirms und ein paar rote Stoffetzen erkennen konnte. Manchmal fiel sein Blick auf die Bilder an den Wänden, und dann stellte er sich vor, an einem langen Kindheitssommertag am Ufer eines Flusses zu liegen. Um seiner Träumerei mehr Wirklichkeitsnähe zu geben, machte er sich Gedanken darüber, welcher Köder für Gelbstriemen am besten war oder welche Anglermontur einem vorbildlichen Bürger wohl anstehen mochte. Hin und wieder betrachtete er seine Unterhose, die von der Türklinke baumelte, die Schuhe in einer Zimmerecke, mit den Spitzen zueinander, wie zwei Schildwachen, die hinter dem Rücken ihres Herrn miteinander plauderten, seine Hose mit dem geflickten Hintern, die zusammen mit dem Regenmantel verläßlich vom Zustand ihres Trägers, von seinem Tun und seinem Alter kündete; die mit einem Strohband zugebundene Pappschachtel mit den Gedichten, und daneben Quittenmus und Weißbrot und irgendwo noch ein paar Möwen. Das war sein ganzes Hab und Gut. Nach sechsundvierzig Jahren war das dort nun sein Reich von dieser Welt. Und er spielte jetzt mit dem Gedanken, das alles gegen eine Angelrute einzutauschen. Ein schöner Geschäftsmann war er! So viele Jahre hinzugeben für eine Flucht in die Hoffnung oder auf die Insel eines Sommertags am Ufer eines Flusses!

Es waren zwei endlose Tage voller Alpträume und Trübsal, doch am Montag wachte er auf und hatte einen unverrückbaren Entschluß gefaßt. Er würde Gil die vereinbarte Frist einräumen und, mit List oder Gewalt, vor Wochenfrist sein Exil beenden.

Im Flur traf er Paquita und blieb stehen, um ihr zu erklären, daß er mit Doña Gloria monatliche Zahlung abgesprochen hatte.

»Und Ihre Papiere?« schrie sie im Weitergehen.

»Um die kümmert sich die Polizei.«

»Ja, und ich bin die Königin von Saba!«

An der Küchentür drehte sie sich um.

»Ohne Papiere wird nichts gestundet!«

»Ich habe mit Doña Gloria gesprochen«, sagte Gregorio auf sie zugehend und mit der ausgestreckten Hand auf das Zimmer der alten Frau deutend.

»Die versteht von solchen Dingen nichts! Diese Künstler vom Land haben keine Ahnung!« rief sie und knallte die Tür hinter sich zu.

Die Drohung bestärkte ihn in seiner Entscheidung. Etwas später jedoch, und dann den ganzen Tag über, dachte er daran, daß es nicht so einfach sein würde, mit Gil fertig zu werden. Vielleicht brachte er gar nicht den Mut auf, hart mit Gil zu sprechen, und schon gar nicht, ihn auf einem abgelegenen Grundstück zu foltern. Andererseits war das die letzte Hoffnung, die ihm noch blieb, und es war nicht ratsam, sie sogleich aufs Spiel zu setzen. So brachte er am Montag doch noch nicht den Mut auf, anzurufen, und abends mußte er sich wieder Paquitas Drohungen anhören: wenn er nicht innerhalb einer Woche bezahlte, würde sie Anzeige erstatten. Zwei Tage war er wie gelähmt von der Einsicht, daß sich die letzten Türen vor ihm verschlossen und er in seiner eigenen Falle gefangen sein würde, doch dieselbe Empfindung verhalf ihm am Donnerstag zur Entscheidung.

Es war eine plötzliche Eingebung. »Etwas wird passieren«, sagte er sich, »ich fühle, daß das Schicksal im Begriff steht, sich zu offenbaren.« Denn wenn er alle Wege des Labyrinths gegangen war und nur jenen nicht, der ihm das meiste Vertrauen einflößte, dann hieß das notgedrungen, daß der zum Ausgang führte. Eine andere Lösung gab es nicht: der Augenblick war gekommen, da der stete, sanfte Hauch des Schicksals zum Zyklon wird und den Lauf eines Lebens verändert. Er schob seinen Karren durch eine Nebenstraße und sagte sich: »Ich weiß nicht was, aber etwas wird geschehen.« Und als er ein Stück weiter eine Telefonzelle sah, zweifelte er nicht einen Moment, daß es das Schicksal war, das sie ihm darbot, sie ihm aufdrängte, als bitte es ihn die Altarstufen einer Zukunft hinauf, die es eigens für ihn hergerichtet hatte.

Er ließ das Kärrchen draußen stehen, und ohne recht zu wissen, was er sagen wollte, wählte er die Nummer und wartete mit aufgestütztem Ellbogen und angewinkelten Füßen auf das Zeichen.

»Señor Faroni! Gott sei Dank! Wo sind Sie, und wie geht es Ihnen?« vernahm er die mittlerweile schon gehaßte, feindliche Stimme von Gil.

Gregorio mußte sich nicht verstellen, um ihm mit trauriger Stimme mitzuteilen, es gehe ihm schlecht, er sei in Chitaldurga, einem Dorf in Indien, und er sehne sich nach der Heimat und empfinde grenzenlosen Kummer ob der im Gefängnis schmachtenden oder in alle Welt verstreuten Gefährten. Außerdem drückten ihn schwere Geldsorgen. »Ich habe mich als Kolonialwarenhändler getarnt. Neben mir habe ich einen kleinen Karren mit Lebensmitteln stehen«, sagte er kühn.

»Sie?«

»Ja, ich, Faroni. Wie in alten Zeiten.«

»Und Señorita Marilyn?« fragte Gil mit ersterbender Stimme.

»Von ihr habe ich nichts mehr gehört. Man hat sie zuletzt bettelnd auf der Straße gesehen; barfuß, mit ein paar roten Fetzen angetan und einem Schirmgestänge in der Hand.«

»Mein Gott, wie schrecklich!« rief Gil mit gequälter Stimme. »Sie wissen ja, Señor Faroni, alles, was ich habe, gehört Ihnen. Sagen Sie mir nur, wohin ich es schicken soll.«

»Sei nicht so naiv, Gil. Weder ich noch sonst einer vom Komitee würde dein Geld annehmen. Behalte es für deine Stadtrundgänge. Und nun, mein armer Dacio, werden wir wohl lebewohl sagen müssen. Ich kann dir nur noch im Namen des Komitees eine gute Besserung für deine Verstopfung wünschen, und daß das der Anfang sein möge für eine fruchtbare und dauerhafte Spur, die du hoffentlich in der Stadt hinterläßt. Adiós, Dacio, auf Nimmerwiedersehen.«

»Señor Faroni!« schrie Gil. »Bitte, legen Sie nicht auf! Hören Sie!«

»Sprich nur, mein armer Freund«, murmelte mit sanfter Ironie Gregorio, der nicht nur nicht aufgelegt, sondern schon befürchtet hatte, daß es wirklich ein Abschied auf immer werden könnte.

»Hören Sie? Was Sie zu mir gesagt haben, ist hart, sehr hart. Aber ich habe es verdient, weil ich ein Feigling bin«, sagte Gil schluchzend.

»Ist das alles?« fragte Gregorio verächtlich.

»Nein. Ich wollte Ihnen noch etwas sagen. Ich wollte Ihnen erzählen, daß ich vorgestern während der Messe mein Gewissen erforscht habe und eine innere Stimme zu mir sagte, ich müßte die Stadt verlassen, ich könnte nur ein Held sein, wenn ich Märtyrer würde, und daß ich im Grunde, genau wie Sie es gesagt haben, ein Egoist bin. Das heißt, ein Feigling, um genau zu sein.«

»Gil«, sagte Gregorio, tief beeindruckt von solchem Rechtschaffenheitsbeweis, »du bist ein ganzer Mann.«

»Ja, aber sagen Sie mir eines: Wohin soll ich gehen, wenn ich die Stadt verlasse?«

»Die Welt ist groß. Ein anständiger Mensch kann überall leben. Das siehst du an mir und all den andern. Du hast Ersparnisse, nicht? Dann steige in das erste Flugzeug, ohne zu fragen, wohin es fliegt. Gehorche deinem Schicksal. Oder du gehst nach Paris, ein Bohêmeleben führen. Einem Fluß oder einem Haus die Treue zu halten, lohnt sich wirklich nicht.«

»Ach, das wäre herrlich, nach Paris gehen«, sagte Gil weniger froh als zerknirscht. »Aber Sie wissen ja, daß ich ein feiger Mensch bin. Vielleicht, weil ich keine Sprachen spreche und auch nicht jung bin, wie Sie. Ich bin fünfundvierzig Jahre, und das ist ein Alter, in dem man seinen Platz gefunden haben sollte.«

»Don Quijote war fünfzig, als er von zu Hause fortritt.«

»Aber der war verrückt und ein tapferer Mann. Und ich, Señor Faroni, was bin ich? Ein armer Teufel. Nicht einmal ein Verrückter. Was habe ich im Ausland zu suchen? Sie, ja, Sie sind für solch ein Leben geschaffen. Außerdem hätte ich bald mein Abitur. Und dann das: meine einzige Hoffnung ist, daß Sie zurückkehren, und damit das geschehen kann, muß ich gehen. Ein trauriges Los! Manchmal frage ich mich, wozu ich überhaupt geboren bin.«

Gregorio gab dem Gespräch eine neue Wendung. Er fragte ihn, wie es ihm ansonsten ging. Gil ging es ansonsten schlecht, aber er akzeptierte es als Strafe, und sogar mit Freude, teilte er auf diese Weise doch ein wenig das Schicksal der Mitglieder des Komitees. Er war immer noch verstopft (er sagte das nicht gerne, aber wenn man unter so was leidet, haben solche Dinge ihre Wichtigkeit: »Ich weiß, daß es lächerlich ist im Vergleich zu einem Gedicht oder einer chemischen Formel, aber man fühlt doch ein ständiges Bauchgrimmen, kriegt

Hämorrhoiden, und das Gehen wird beschwerlich, das ist alles problematisch, und man kann mit keinem Menschen darüber reden«), die Füße schmerzten ihm, und in der Pension gab es auch wieder Frauen, die zu laut sprachen (»ich weiß, das ist eine Nichtigkeit, aber man muß es sich anhören und kann nicht gut dabei einschlafen«). Er hatte weder seine Eltern noch seine Verlobte ausfindig machen können, und auch niemanden, der ihm etwas über ihren Verbleib hätte sagen können.

»Allerdings habe ich das Haus wiedergefunden, in dem wir gewohnt haben. Es ist nicht abgerissen worden, wie Sie mir gesagt haben. Kein Stück. Es ist immer noch da, mit seinem kleinen Balkon über der Straße.«

»Ich erinnere mich nicht mehr«, wich Gregorio aus.

»Vielleicht habe ich es schlecht erklärt. Ich habe mich noch nie gut verständlich machen können. Andererseits bin ich auch der Meinung, daß man sich die herrlichen Dinge der Welt verdienen muß, genau wie die Namen. Ich weiß, daß es all die Herrlichkeiten gibt, und nicht nur, weil Sie es mir gesagt haben, denn wo sollten sie sonst sein, wenn nicht in der Stadt. Die großen Städte sind die Wiege des Fortschritts. Ich weiß, daß es hier große Künstler und Wissenschaftler geben muß, und daß ich ihnen vielleicht sogar auf der Straße begegne. Aber ich kenne sie nicht. Ich denke, der Glaube allein reicht nicht aus, man muß auch vorbereitet sein. Und das bin ich nicht. Mit Ihnen hier wäre die Stadt für mich ganz anders gewesen. Sie hätten mich mit ins Café genommen und mich all den großen Männern vorgestellt. Aber ich bin ein glückloser Mensch, oder sagen wir lieber, einer, der so etwas nicht verdient hat. Und noch etwas anderes. Der Inspektor läßt nicht von mir ab. Und wissen Sie was? Das erfüllt mich mit Stolz, denn das ist überhaupt das Wunderbarste von allem. Daß man mich für so wichtig hält, daß man rund um die Uhr einen Inspektor ganz für mich allein abstellt! Ich glaube, das erreicht zu haben ist schon viel. Das ist ein Privileg. Aber ich habe auch andere Wunder entdeckt. Ich habe eine blaue Welle gesehen, die in einem Glasblock eingeschlossen war und sich bewegte, ich habe Fernseher von der Größe eines Zuckerwürfels gesehen, Armbanduhren, die Logarithmen und Kubikwurzeln rechnen, musizierende Schlüsselanhänger, Sonnenrechner und noch so viele andere Dinge. An all das habe ich gedacht, als ich mein Gewissen erforscht habe. Und dann habe ich zu mir gesagt: ›Dacio, für die Zeit, die du in der Stadt bist, und für das, was du wert bist, hast du Großes erlebt.‹«

Die nachfolgende Stille grenzenloser Perspektiven war so neuigkeitenschwanger, daß Gregorio schon fürchtete, seine dem äußeren Anschein nach so soliden Gründe könnten am Ende die großartige Widersinnigkeit offenbaren, die sie aufrecht hielt.

»Also dann, Freund Dacio«, beeilte er sich zu sagen, »ist für dich der Augenblick der Entscheidung gekommen, wie bei den großen Männern. Dein Lebensweg teilt sich jetzt, und du mußt dich für eine Richtung entscheiden.«

Gil stöhnte vor Lust oder vor Unbehagen.

»Aber ich«, sein nasaler Klageton ging in die Höhe, »verstehen Sie doch, mit fünfundvierzig Jahren, schwach und feige, wie ich bin, wie soll ich da an einem unbekannten Ort leben, ohne Arbeit und von der Polizei gesucht? Hier in der Stadt gäbe es vielleicht eine Möglichkeit, weiterzuleben und zu arbeiten.«

»Du hast keine Wahl«, sagte Gregorio schroff. »Triff jetzt deine Entscheidung. Tu, was dein Gewissen von dir verlangt.«

Gil holte tief Luft und sagte mit letzter Kraft, in so feierlichem Ton, daß er fast in Tränen zerrann:

»Wenn ich also gehen muß, wenn mir nichts anderes übrigbleibt, dann gehe ich zu Ihnen ins Ausland.«

Gregorio erklärte, Gils Opfer bestehe gerade darin, daß das Komitee zurückkehren könne. »Wenn du gehst, dann deswegen, damit wir übrigen zurückkehren können. Es ist, als würdest du uns alle loskaufen. Was hätte es sonst für einen Sinn, daß du gehst?«

»Das heißt, ich werde Sie nie persönlich kennenlernen.«

»Doch, natürlich!« rief Gregorio gönnerhaft. »In ein paar Jahren, oder vielleicht nur Monaten, wenn Gras über die ganze Sache gewachsen ist, kannst du bestimmt zurückkommen. Das Komitee wird dich auch geschlossen am Flughafen empfangen, und wir werden ein Spruchband hochhalten, auf dem stehen wird: DIE STADT HAT DEN BESTEN IHRER SÖHNE ZURÜCK. Auf der anderen Seite mußt du auch bedenken, daß du Sprachen lernst, wenn du ins Ausland gehst, und ein vielseitig gebildeter Mensch wirst.«

»Aber wovon soll ich denn leben?« jammerte Gil.

»Ganz egal. Man kann von der Luft leben, wenn man es richtig anzustellen weiß. Du kannst die Laute schlagen oder zur See fahren. Stell' dir vor, wie du mit einem Schiff um die ganze Welt fährst.«

»Aber ich habe das Meer ja noch nie gesehen!«

»Na und? Mit dem Schiff zu fahren ist das einfachste, was es gibt. Aber wenn du Angst vor dem Unbekannten hast, gehe zurück ins

Dorf, kaufe dir von deinen Ersparnissen ein Stück Land und arbeite auf dem Feld. Oder du heiratest Socorrito. Im Grunde ist das das Leben, das ich mir immer gewünscht habe. Auf dem Land leben, an einem Fluß, weit weg vom Lärm der Großstadt.«

»Ich weiß nicht, ich weiß nicht«, sagte Gil gequält.

»Überlege es dir, aber entscheide dich. Und denke immer an eines«, fiel ihm plötzlich ein, »wenn du einmal in die Stadt zurückkehren darfst, werde ich dafür sorgen, daß du eine Arbeit in der Partei findest, zum Beispiel als Untersekretär der Wissenschaftskommission, oder ähnliches. Dann wirst du einer von uns sein, mit gleichen Rechten.«

»Wenn das so ist, Señor Faroni«, sagte Gil, »dann gehe ich. Ich bin kein Feigling. Ich gehe weit fort, ich weiß nicht, ob ins Ausland oder wohin, aber ich gehe. Heute ist Donnerstag, nicht?«

»Der 28. November.«

»Dann gehe ich am Montag«, sagte er mit tränenfeuchter Stimme.

»Dacio«, sagte Gregorio feierlich, »nichts Geringeres hatte ich von dir erwartet. Schreibe mir ans Café, wo immer du bist. Und sei gewiß: auch du wirst zurückkehren, und deine Rückkehr wird triumphal und endgültig sein. Mögest du diese Hoffnung niemals verlieren.«

»Ich will es versuchen«, wimmerte Gil.

»Und denke daran: im Geiste lebst du unter uns. Wenn es dir einmal schlecht ergeht, denke daran, daß dein Opfer nicht vergebens war. Denke: ›In diesem Augenblick sind sie alle im Café versammelt, und ich habe es ermöglicht.‹ Und wenn du von einer neuen Erfindung hörst, dann denke, daß du auch ein wenig daran teilhast.«

»Ich werde daran denken. Aber versprechen Sie mir, daß Sie mich bald anrufen und daß Sie mir diese Arbeit geben.«

»Gil, ich schwöre es dir bei Gott!«

»Dann also, bis bald, Señor Faroni, und ich bete zu Gott, daß Sie alle gesund zurückkehren mögen.«

»Lebewohl, Dacio, viel Glück«, und sofort danach legte er auf.

KAPITEL XXII

Als Gregorio zurückkam, fragte ihn der Lebensmittelhändler nach dem Grund seines Ausbleibens, und Gregorio berichtete so gelassen, daß es fast unverschämt klang, es habe einen Verkehrsunfall gegeben und er habe bei der Versorgung und dem Abtransport der Opfer helfen müssen. Der Händler, der Scheiben von einem herabhängenden Schinken abschnitt, blickte Gregorio mit argwöhnisch zusammengekniffenen Augen über die Schneide des Messers hinweg an. »Zwei Leichtverletzte und ein Schwerverletzter«, sagte Gregorio, während er die nächste Bestellung auflud. »Da sehen Sie's, Señora«, sagte der Lebensmittelhändler kummervoll, »jetzt hilft der Einzelhandel auch noch dem Rettungsdienst. Ein bißchen vom Speck vielleicht?« Er verfolgte Gregorio mit mißtrauischen Blicken, bis dieser von der anderen Seite des Schaufensters her drei Schwurfinger hob und einen davon grüßend an die Stirn legte.

Auf der Straße zwang er sich zu einem munteren Lächeln. Das Gespräch mit Gil hatte ihn, trotz seines überwältigenden Sieges, unerwartet traurig gestimmt. Er dachte oder fühlte, ohne es sich jedoch einzugestehen, daß er nicht das Recht hatte, diesen schwachen Menschen in ein Leben ohne jeden Halt hinauszustoßen, einzig um der elenden Beute eines Zuhauses und einer Anstellung willen. Der Preis war sehr hoch und bot zudem nicht einmal die Gewähr, daß Gil nicht doch eines Tages wieder auftauchte und Rechenschaft über längst nicht mehr zu rechtfertigende Freveltaten verlangte. Er hätte nie gedacht, daß ein Sieg solche Sorgen bringen konnte. Vielleicht hatte er nicht in Rechnung gestellt, daß er zu anständig war oder zu sehr sein schlechtes Gewissen fürchtete, um einen Menschen in den Abgrund zu stoßen und zugleich mit wahnsinnigen Heilsversprechen zu umgarnen, der nicht nur kein Gegner, sondern ganz im Gegenteil der einzige Mensch auf dieser Welt war, der ihn – wenngleich aufgrund von Erfindungen und Täuschungen – gemocht und bewundert hatte. Und selbst das, was er durch seinen Sieg gewann, überzeugte ihn nicht mehr. Das Wahrscheinlichste war doch, daß er, wenn Gil fort war, seinen Arbeitsplatz nicht mehr zurückbekam und vermutlich nicht einmal wagen würde, den Versuch dazu zu unternehmen, um den Todeskampf dieser Farce nicht bis ins Unendliche auszudehnen und auch die Geduld des Schicksals nicht zu überstrapazieren. Aber klar, wenn Gil in der Stadt blieb, wäre er der ständigen Gefahr ausgesetzt, daß dieser von Loyalität besessene Mensch den ganzen Schwindel aufdeckte. Früher oder später würde er das Café betreten, würde dort unweigerlich feststellen, daß es immer so geheißen hatte, wie es über der Tür stand, und daß kein Mensch dort einen Faroni kannte, wohl hingegen Marilyn, die er zweifellos mit Fragen bestürmen würde. Und dann, wenn Gils Verwunderung in heiligen Zorn umgeschlagen und er selbst zur Hyäne geworden war, würde er zum Haus des Betrügers eilen und Rache fordern. Genau so würde es kommen. Aber wenn er ihn aus der Stadt schickte, wie sollte er dann das Wissen ertragen, daß dieser grundanständige Mann jeden Tag seines Lebens auf den Telefonanruf wartete, der ihn in die Stadt zurückholte und ihm den Posten des Untersekretärs der Wissenschaftskommission der Partei verhieß? Ob er ging oder ob er blieb, es war alles der gleiche kapitale Konflikt. Unmöglich, zu sagen, was schlimmer war; ob die Schande, seinen Betrug zugeben zu müssen oder die Schmach, sich am Verderben jenes Mannes schuldig zu machen, der ihn beschämen könnte. Er fühlte sich schmutzig und elend und insgeheim endgültig am Ende.

Ein paar Schritte weiter bereits erleichterte ihm das verabscheuenswerte Bild, das er von sich zeichnete, seinen Kummer ein wenig. Das war ein Krieg, rief er sich in Erinnerung, und auch er selbst war ein armer Mann, ebenso wie Gil, wenn nicht noch ärmer, da er verheiratet und ein Jahr älter war als er, abgesehen davon, daß es in Kriegen nichts Unerlaubtes gibt, wenn es darum geht, seine Haut zu retten. Wovor man sich allerdings nicht retten konnte, und hier blieb er vor dem Spiegel eines Schaufensters stehen, war die Scham vor sich selbst. Da stand er nun, alt und ungewaschen, einen Kittel übergezogen und einen eisernen Karren vor sich her schiebend. »Sechsundvierzig Jahre, um so zu enden«, dachte er und gestand sich rückhaltlos ein – das hieß, ohne die geringste Genugtuung zu empfinden, die Aufrichtigkeit und Selbstverachtung ihm hätten bescheren können –, daß Gil tausendmal mehr wert war als er, obschon das nur für die Bescheidenheit und Entschlossenheit galt, mit denen er ein

Opfer auf sich nahm, das über seine Kräfte ging. So lächerlich sah er sich im Schaufenster und im Geiste dastehen, mit seinem Kittel und all seinen schäbigen Plänen, um, koste es, was es wolle, einen Sessel und ein Schlafzimmer zurückzuerobern (»und dann altern, krank werden, sterben und verfaulen und nichts als eine Reihe von Mißerfolgen und Lügen hinterlassend«), daß er seine Richtung änderte und sich in den hintersten Winkel des Parks begab, wo er sich oft zum Essen niederließ. Sein Kärrchen schob er mit einem so überwältigenden und brennenden Zorn vor sich her, daß er sich an Rumpelstilzchen erinnert fühlte, das sich, vor Wut, entdeckt worden zu sein, selbst zerriß.

Bevor er noch irgendeinen Gedanken faßte, öffnete er eine Schachtel gemischter Kekse und aß einen hinter dem andern die ganze erste Lage auf. Mit noch vollem Mund riß er das Cellophan von einer Cognacflasche, nahm einen langen Schluck, wischte sich mit dem Ärmel über den Mund und rülpste. Im Hintergrund zeichnete sich das Gespenst der Stadt nur noch schwach im Dunst der Abenddämmerung ab. Nein, er würde niemals ein vorbildlicher Mensch sein können. Unter anderem schon deswegen nicht, weil die Welt schlecht gemacht war. Ein einziger Pfusch war das. Und die Götter, lauter Laien, dachte er mit dem Berufsstolz eines Mannes, der sich für einen guten Büroangestellten hält. So verkleckert, wie alles, was er um sich herum sah, würde kein Geschäftsbrief seinen Schreibtisch verlassen. Auf dem Weg zum Park hatte der inspirierte Zorn der Unseligkeit ihm plötzlich Lichter aufgesteckt. Es war wie eine Vision. Autos hupten, Autofahrer schrien sich an, Vögel stoben davon, der Wind trieb Papier und Plastik vor sich her, ein Fußgänger führte mit abwechselnd schmeichelnder und erboster Stimme Selbstgespräche, an einer Straßenecke weinte ein Kind mit der Inbrunst eines Kälbchens, ein Rettungswagen heulte, ein Hündchen pinkelte an einen Autoreifen, er selbst schob wutschnaubend sein Kärrchen vor sich her, und alles um ihn herum schien einem teuflischen Poesiealbum entsprungen. Was konnte man da vom Leben erwarten? Wie hatte er sich nur auf die Vorsehung verlassen können, Simpel, blöder! Bastelnde Muttersöhnchen, das waren die Götter. Und die Welt, ein ausgemachter Sonntagspfusch.

Er nahm noch einen Schluck. Es war kalt (besonders ohne Mantel und Hut, die er im Laden gelassen hatte), und der Park war kahl und leer, zur Andeutung vereinfacht, wie ein Stück Tafelkreide. Sechsundvierzig Jahre. Wie konnte man in einer solchen Welt vorbildlich sein? Und wenn er es trotz allem versuchte, wie sollte es ihm gelingen, mit Gil auf dem Gewissen? Ungläubig erschauernd dachte er plötzlich, daß ihm nur im Scheitern ein unbestimmter Sieg gewiß sein konnte. »Und wenn ich es wäre, der verschwände?« fragte er sich finster. »Wenn ich statt auf Rückeroberung auf totale Niederlage setzte?«

Er brauchte seine Einbildungskraft nicht arg zu strapazieren, um sich als Vagabunden mit einem Grashalm im Mund und dem Bauch in der Sonne am Ufer eines Flusses liegen zu sehen. Er sah sich auf einen Güterzug aufspringen, auf freiem Feld ein Feuer machen, eine Wurst auf offener Flamme braten und im Schilf schlafen. Er sah sich pfeifend vom Horizont her kommen, mit einem duftenden Zweiglein Rosmarin hinter dem Ohr. Er witterte das Ansehen, die Weisheit des Seins, am frühen Morgen einen Bolero zu pfeifen, während die halbe Menschheit in Büros und Werkstätten schuftete. Und am Abend, wenn andere sich in verqualmten Cafés heiser redeten, würde er pfeifend durch die Dämmerung ziehen, wäre aufgedreht und übergeschnappt, oder er würde vor der spärlichen Zuhörerschaft eines Bauern und Ziegenhirten von seinen vielfältigen Vergangenheiten erzählen, denen keine Ungenauigkeit mehr etwas anhaben könnte. Er würde lernen, Brotkanten, wilde Früchte, Kräuter und Wurzeln zu kauen. Er hätte einen Beutel für die täglichen milden Gaben geschultert, würde Vogelfallen und Angelhaken basteln, auf Straßen und Plätzen vielleicht aus seinem Buch vorlesen oder auf der Gitarre klimpern, und in mondhellen Nächten würde er mit einem Licht Frösche und Krebse fangen. Im Winter würde er sich am Feuer wärmen. Er würde sich als Saisonarbeiter bei der Wein- und Olivenernte verdingen, und würde er krank, versorgte ihn der Staat in einem Armenhospital. Vielleicht würde er hier und da Frauen in den Dörfern verführen; Frauen, die nach ungezügelter, flüchtiger Lust suchten. Und seine alten Tage würde er in einem Heim bei den Nonnen verbringen. Er sah sich schon dort sitzen: zahnlos grummelnd und mit den Deftigkeiten eines alten Lüstlings stets für Heiterkeit sorgend. Es sei denn, er fände eine feste Arbeit als Schäfer; in dem Fall würde er sich eine Rohrflöte schnitzen und darauf die *Habanera* blasen, und wie die Zeit es zuließ, würde er Vogelnester ausheben und Eidechsen aufspießen. Konnte es ein besseres Leben geben? Er wäre frei, bräuchte keinem Chef und keiner Uhrzeit zu gehorchen. Glücklich wie ein Kind. Vorbildlich auf seine Weise.

Aber, hätte er überhaupt den Mut zu so einem Vagabundenleben?

Wenn er es recht bedachte, ging es ihm wie Gil: er war nicht mehr jung genug, um durch die Lande zu ziehen. Und verrückt war er auch nicht. Weder jung noch verrückt. Nein: herbstlich und verständig, das war sein Zustand. Und wenn er auch von Krankheiten bisher verschont geblieben war, so hatte er doch seit einiger Zeit leichte Beschwerden, Stiche ab und zu und Verspannungen, die den Horizont der verbleibenden Jahre schon eintrübten. Er betastete mit mütterlicher Betulichkeit sein Gesicht. Und wenn er eines Tages bei Regen krank im Gebüsch läge? Mit einer Bauchfellentzündung zum Beispiel, oder mit Hexenschuß? Oder in der endlosen Weite einer Olivenplantage würde sich eine Meute großer Hunde auf ihn stürzen. Oder er bekäme mitten auf einem Stoppelfeld einen Fieberanfall. Welche Gefahren konnten nicht auf einen lauern in Gottes unvollkommener Welt! Plötzlich besann er sich und sagte laut: »Machen wir die Probe.« Er stand auf und zog mit der Flasche einen Strich durch den Sand. »Auf jener Seite«, erklärte er mit schon betrunkener Stimme, »erwarten dich Hunger und Kälte, Nachtigall und Chaussee, Würde und Lumpen; und auf dieser Seite Skrupellosigkeit und heimischer Herd, Chef und Baugerüst, saubere Kleidung und der Reis gekocht, wie du ihn liebst. Du entscheidest dich jetzt, doch bedenke wohl, wenn du die Linie überschreitest, gibt es kein Zurück für dich, weil du sonst deiner selbst nicht würdig bist.« Fünf Minuten lang stand er da und überlegte, schwankte betrunken hin und her und zögerte die Entscheidung hinaus. Dann tat er einen Schritt nach vorn, stellte einen Fuß auf jede Seite der Linie und lächelte. Gerade war ihm die erlösende Idee gekommen, die für alle von Vorteil war und so einfach und glücklich, daß sie nicht fehlschlagen konnte.

Jetzt wurde ihm klar, daß er sich für ein Vagabundendasein hatte entscheiden wollen, weil er instinktiv darauf vertraut hatte, das gewichtigere Verpflichtungen ihn davon abhalten würden. Er hatte Angelina nicht berücksichtigt und nicht daran gedacht, daß seine Pflichten ihr gegenüber – jetzt, da er antrat, alle eingegangenen Verpflichtungen einzulösen – ebenso zwingend waren, wenn nicht zwingender, als jene, die ihn an Gil banden. Gleich morgen würde er mit ihr reden. Ein sehr ernstes Wort würde er mit ihr reden. Er würde ihr noch einmal vorschlagen, besser gesagt, diesmal würde er es ihr als Haushaltsvorstand befehlen, in ein anderes Viertel zu ziehen. Mit dem Geld, das nach dem Verkauf der Wohnung übrigblieb, würden sie – und das war das Neue an dem Plan – ein kleines Geschäft eröffnen: eine Bar, ein Schreibwarengeschäft vielleicht oder einen

Laden für Dörrobst oder Stricksachen. Sie würden Kaufleute. Unternehmer. Sie würden beide arbeiten. Gegen eine solche vernünftige Kombination würde Angelina, vor allem auch aufgrund der Autorität, mit der er den Plan vortrüge, keinen Mucks einzuwenden haben. Angesichts einer solchen freundlich lächelnden Zukunftsperspektive wurde es Gregorio ganz warm ums Herz, und ein wenig traurig gar sah er das Abenteuer eines heimlichen Faulenzerlebens entschwinden. Obwohl es andererseits so besser war. In ein paar Jahren würde er alt sein, und dann war ein geheiztes Hinterstübchen mehr wert als feuchtkalte Wintertage im Gebüsch. Auch mit Antón würde er morgen sprechen, um ihn von seiner Verpflichtung zu entbinden, und in der Nacht würde er ohne zu zahlen aus der Pension fliehen, allerdings eine Nachricht mit dem Versprechen hinterlassen, seine Außenstände bald zu begleichen und die Gründe für seine Flucht persönlich zu erklären.

Allein die Gewißheit, daß Gil den Betrug in absehbarer Zeit entdecken würde, bereitete ihm noch Unbehagen. Doch bis es soweit war, säße er längst in seinem Hinterstübchen, wo ihm keinerlei Gefahr mehr drohte, und vielleicht würde er sogar, genau . . . er würde ihm einen Brief schreiben und ihm mitteilen, er sei Einsiedler geworden und gedenke, den Rest seiner Tage in Indien zu verbringen. »Ich habe der Welt entsagt«, sagte er laut vor sich hin, »ich habe mit Marilyn, dem Hort aller Liebe, gebrochen, habe einen unsterblichen Pakt mit dem Schweigen geschlossen. Mein schwaches Fleisch hat zu Gott gefunden. Das Hinterstübchen meines Ladens soll in Zukunft meine Einsiedlerhöhle sein«, und mit verschränkten Armen begann er sich im Kreis zu drehen, ließ seinen kurzen Kittel fliegen, immer schneller, bis Alkohol und Schwindel ihn stolpern und zu Boden stürzen ließen wie einen Clown, der die Auswirkungen einer Ohrfeige übertreibt.

»Morgen werde ich unwiderruflich die größte Niederlage meines Lebens vollziehen«, sagte er zu sich, und sah sich selbst in Generalsuniform, besiegt, blut- und staubverschmiert, das Schwert unter demselben hundertjährigen Baum zu Boden gelegt, unter dessen schützendem Laubdach er sich mit Marilyn getroffen hatte, strahlend jetzt und fiebrig pulsend wie Hernán Cortés in der Blutigen Nacht von Otumba. Dieses denkwürdige Bild seiner selbst gefiel ihm gar nicht schlecht, und er bewahrte es in seinen Gedanken, als er sich von dem Weg erhob, einen letzten Schluck aus der Flasche nahm und sie dann fortschleuderte, so weit er konnte.

Es war bereits tiefe Nacht, als er den Lebensmittelkarren in ein Gebüsch schob, den Kittel darüberwarf und sich mit den Lebensmitteln im Arm auf den Weg zur Pension machte. In der letzten Biegung des Korridors beschenkte er Doña Gloria und Paquita mit einem Topf Honig und ein paar Schachteln feiner Kekse. Beschwipst erklärte er, die Sachen habe der Taubenzüchter anstelle der Jahrespacht geschickt.

»Gestatten Sie einem Fremden, meine Damen, Ihnen ein Geschenk aus reinem Nektar zu verehren, das Werk der fleißigen Bienen draußen von den Feldern meiner Kindheit. Lassen Sie mich der Güte das Lobwort reden und dem Mutterwitz, oder, um es mit dem Mutwillen des Dichters zu sagen, lassen Sie uns diesem Augenblick eine Kuhglocke umhängen, damit er künftig in unserer Erinnerung widerhalle und wir der Kälbchen nicht verlustig gehen. Meine Damen, mit diesen Worten empfiehlt sich der Künstler der Jugend. Der kommende Tag sieht den Einsiedler nahen. Entschuldigen Sie«, sprach er verwirrt aus dem Zwielicht, mindestens ebenso überrascht von seiner Rede wie die beiden Frauen, ging in sein Zimmer und legte sich gleich zu Bett.

Kaum war er am andern Morgen aufgewacht, erforschte er einmal schnell sein Gewissen und fand alle seine Überzeugungen des Vortags unversehrt. Während er seine Sachen für die nächtliche Flucht zusammenpackte, ging er den Plan noch einmal durch und fand ihn so unangreifbar, daß er ihm weniger die Zufallsfrucht seines Scharfsinns als die logische Folge der Trägheit der Dinge selbst zu sein schien. Mit dieser Gewißheit verließ er die Pension, ging an seinem Haus vorbei, ohne den Blick vom Gehweg zu nehmen, und legte sich ein Stück weiter, am Rande des Marktes, auf die Lauer. Er war ganz sicher, daß Angelina, von den Schnüren des Schicksals gegängelt, bald erscheinen würde. »Ich werde ihr eine Frist von der Dauer der *Habanera* setzen«, sagte er sich; und um das Orakel noch besser auszuschöpfen, sang er das Lied in Zahlen, so daß die, bei der Angelina erschien, die Anzahl von Jahren war, die er zu leben hätte.

Eine kalte Windbö ließ ihn an seinen Mantel und seinen Hut denken. Mit ihnen verabschiedete er sich von einem Teil seiner Identität und liquidierte damit formell die Illusionen der Jugend. Es tat ihm leid, daß diese Kleidungsstücke in der Hölle eines Kolonialwarenladens gelandet waren. Was sollte aus ihnen werden, den herrenlosen Hunden? Vielleicht würden sie bei einem Lumpenhändler landen oder die dürren Knochen eines Bettlers wärmen, der nicht die geringste Ahnung von der Geschichte dieser Teile haben würde, die weniger Kleidung als Symbol eines geheimen Lebens voller Mißgeschicke und Hoffnungen waren. Etwas Ähnliches würde auch mit ihm selbst passieren, da es nicht mehr als gerecht war, daß der Schauspieler das Schicksal seiner Maske teilte, daß Erfolge und Fehlschläge sich die Waage hielten, bevor man wieder zur Tagesordnung überging. »Ach, arme Kleider, schlecht von mir gefunden!« dachte er als Nachruf, ohne sich aus dem Rhythmus der *Habanera* bringen zu lassen.

Er war bei der Nummer zweiundsechzig in der Mitte der zweiten Strophe, als er Angelina mit der Korbtasche kommen und sich im Marktgewühl verlieren sah. Er folgte ihr nicht. Er sang schnell sein Lied zu Ende, trat durch eine andere Tür in die Markthalle und ließ sich ganz von den dringenden Launen der Not leiten. Ohne Hast erkundigte er sich nach dem Preis des Grünen und des Fleisches, vergrößerte den Tumult unter den frischen Sardinen, teilte den Kummer eines bankrottgehenden Wurstverkäufers, kaufte ein paar Trauben, um das Warten zu verkürzen und den Schritt zu veredeln, und von einer zur andern den Müßiggang genießend, suchte er einen stillen Winkel, lehnte sich an einen Stapel mit Eiern, Wild und Federvieh, und kaum hatte er den abgegessenen Traubenstengel fortgeworfen, da blickte er über die Schulter und sah Angelina neben sich stehen. Sie schien dem Stauwasser ihrer eigenen Verwunderung entstiegen und fand nicht einmal Zeit, Überraschung zu äußern, da Gregorio, nachdem er lässig einen Traubenkern ausgespuckt hatte, sie mit dem Finger zu sich heranwinkte.

»Suche die Papiere heraus«, befahl er, ohne sie anzuschauen und ohne die Stimme zu erheben, »die wir brauchen, um die Wohnung zu verkaufen. Wir ziehen in ein anderes Viertel.«

»In ein anderes Viertel?«

»Ja, ich kümmere mich um alles. Wohnung und Laden kaufen. Ich will ein Geschäft für Dörrobst eröffnen.«

Bevor sie protestieren konnte, ergriff er sie am Arm und erklärte ihr auf dem Heimweg die Einzelheiten seines Plans. Er sprach mit finsterem, drohendem Nachdruck.

»Und du stellst dich darauf ein, die Kunden zu bedienen und dich ungezwungen und freundlich mit ihnen zu unterhalten und nicht so graumäusig verhuscht, wie du dich bisher immer gibst, verstanden?«

Angelina gab keine Antwort.

»Und bereite schon mal alles für den Umzug vor. Ich suche in der

Zeit eine Wohnung in einem der Neubauviertel mit Gärtchen und Tennisplatz. In Ordnung?«

»Ja.«

»Und frage mich bloß nicht mehr nach Faroni, und auch nicht nach Belson oder sonstwas, kapiert?«

»Ja.«

»Deiner Mutter kannst du erzählen, was du willst, aber sie soll mich mit Fragen verschonen, wo ich gewesen bin und was ich gemacht habe. Sie soll mir damit nicht auf die Nerven gehen, darauf antworte ich nicht. Hast du das gehört?«

»Ja.«

»Ab sofort ist Schluß mit dem ganzen Unsinn.«

»Mit welchem Unsinn?«

»Mit allem. Es gibt doch genug. Ich bin bitter enttäuscht von der Welt. Du siehst ja, was man davon hat, wenn man es gut meint. Jeder hackt auf einen ein. Darum ist jetzt Schluß damit. Soweit ist es gekommen. Ich mache mein eigenes Geschäft auf, da muß ich mir weder den Blödsinn vom Chef noch von sonst jemand anhören. Von niemandem! Von jetzt an wird getan, was ich sage. So oder so. Und mit der Strickerei ist es aus und vorbei. Wenn du dich langweilst, kannst du lesen oder Tennis spielen, ist mir ganz gleich. Und wir gehen ins Theater! Wir werden moderne Menschen, und zu Hause wird getan, was ich sage! Hast du das kapiert?«

Angelina nickte.

»Ich werde morgens um vier Uhr aufstehen und zum Gemüsemarkt fahren. Wir werden uns einen Lieferwagen kaufen. Wenn ich vom Markt zurückkomme, hupe ich, dann kommst du herunter und hilfst mir abladen, verstanden?«

»Ja.«

»Wir werden aber nicht nur Dörrobst verkaufen, sondern auch Süßigkeiten und Spielzeug, das verkauft sich immer gut. Und Getränke. Ich habe mir das alles seit langem überlegt. Schon als ich noch zu Hause war. Als ich gemerkt habe, daß es im Büro keine Aufstiegsmöglichkeiten für mich gibt und daß wir immer arm bleiben würden. In der neuen Wohnung wird alles anders. Wenn es nur halbwegs klappt, machen wir in zwei Jahren einen weiteren Laden auf und dann noch einen und noch einen, bis wir eine ganze Ladenkette haben. Du wirst schon sehen. Man muß nur was wagen im Leben. Was glaubst du, wie die großen Vermögen zustande gekommen sind?«

»Aber Gregorio, das ist ...«

»Kein Wort! Ich bin das Familienoberhaupt, und ich befehle hier.« Er drückte ihren Arm so hart, daß es sie schmerzte. »Und merke dir gut: ich arbeite nachmittags und du vormittags. Wir lassen tausend oder zweitausend Handzettel drucken und verteilen sie in den Häusern. Werbung ist das wichtigste im Geschäftsleben. Und weißt du, wie wir unserem Laden nennen werden? *Paradieswinkel.* Gefällt dir der Name?«

»Ja.«

»Ich habe mir alles genau überlegt. Hinter dem Laden richten wir ein Zimmerchen ein, in dem ich mich um die Buchführung kümmern kann. Wir stellen da einen kleinen Ofen hinein, und vielleicht können wir sogar eine Katze halten. Ich wollte schon immer eine Katze haben«, sagte er zornig, »aber aus dem einen oder anderen Grund ist nie was daraus geworden. Aber jetzt ist Schluß mit dem Unsinn.«

Vor der Haustür blieben sie stehen.

»Ich gehe jetzt in die Neubauviertel, Wohnungen anschauen. Heute nach Mitternacht komme ich nach Hause. Da kannst du Abendessen oder irgendwas bereithalten. In Ordnung?«

»Ja.«

»Gut, und jetzt gib mir einen Kuß.«

Angelina hielt ihm ihr Gesicht hin.

»Bist du jetzt zufrieden?«

»Ich weiß nicht«, senkte sie den Kopf.

»Macht es dir keinen Spaß, Kunden zu bedienen?«

»Doch, aber . . .«

»Also, dann bereite alles soweit vor, damit ich gleich morgen zum Makler gehen kann, um die Wohnung zum Verkauf anzubieten. Und im Laden wird nichts auf Pump verkauft, eh?«, er zwinkerte ihr zu. »Nur im voraus und bar auf die Hand!« Er stand da und fuhr ihr mit der Hand durchs Haar wie einem unartigen Kind, lächelte sie an, legte sein Lächeln schützend über sie, bis Angelina im Haus verschwunden war.

»Alles in Ordnung!« Er stieß einen leisen Schrei zutiefst empfundener Begeisterung aus. Der Begeisterung, weil er noch in dieser Nacht nach Hause zurückkehren, in einer Woche in ein anderes Viertel ziehen, und, noch bevor ein Monat vergangen war, in seinem Hinterzimmerchen in Sicherheit sein würde. Die Plagerei mit diesem ganzen verdammten Durcheinander hatte ein Ende. Er mußte nur noch mit Antón reden, Gil anrufen und ihm sagen, daß Faroni sich entschlossen hatte, als Eremit in Indien zu bleiben, um Mitternacht aus der Pension entwischen, und dann hätte er endlich den Teufelskreis durchbrochen, der sein Leben in letzter Zeit gewesen war. Plötzlich, als die Aussichten am schwärzesten waren und die Hoffnung, ein Licht in der Finsternis zu sehen, so unerreichbar war wie nie, da öffnete sich ihm die Zukunft mit einem wohlgefälligen Lächeln. »Ja, am Ende werde ich gewinnen«, dachte er, denn im Grunde hatte er sich stets einen eigenen kleinen Laden gewünscht, der ihn der Strenge eines Chefs und starrer Bürozeiten enthob. Und wer weiß, vielleicht konnte er in seinem Hinterzimmer, wo er vor allen Überraschungen sicher wäre, eines seiner imaginären Werke schreiben und sie Gil aus Indien zukommen lassen, um die Erinnerung an Faroni in ihm lebendig zu halten. Denn morgen, wenn er sich von ihm verabschiedete, wollte er ihm sagen, es lohne sich nicht, das Café zu besuchen, da die wirklichen Mitglieder des Gelehrtenvereins in alle Winde zerstreut seien, und die sich dort jetzt als selbige ausgäben, seien von der Regierung bezahlte Halunken. Schlimmstenfalls bliebe Gil ein kleiner Zweifel, den jedoch eine zunehmende Idealisierung der Vergangenheit und die enttäuschende Gegenwart gewiß bald befrieden würden. Ja, vielleicht könnte am Ende auch Faroni noch gerettet werden. Vielleicht wären am Ende alle glücklich. Aber das blieb der Zukunft überlassen. Im Augenblick war nur wichtig, daß er bald einen Lieferwagen bekam. Autofahren war nämlich eine seiner unerfüllten alten Leidenschaften. Er würde den Führerschein machen, und sonntags würden sie aufs Land fahren und im Sommer ans Meer oder vielleicht ins Ausland, warum nicht? Sie könnten nach Rom fahren, den Papst besuchen, alle drei im Lieferwagen, auf die Weise würde er sich nebenbei auch wieder mit seiner Schwiegermutter versöhnen. Die Nacht würde er in den Ruinen verbringen, genau wie in seinen Träumen, und Gil würde er eine Ansichtskarte schicken: *Aus der Ewigen Stadt die ewige Erinnerung an Deinen Freund, Faroni.* Und wenn alles gut ging, würden sie sich ein Wochenendhaus an einem Fluß kaufen, auch so ein unerfüllter Wunsch von ihm.

Ja, das wäre vielleicht der Lohn dafür, nicht zugelassen zu haben, daß Gil die Stadt verließ. Er hatte sich als guter und großherziger Mensch erwiesen. Er war sogar bereit gewesen, ein Vagabundenleben zu führen, um Gil zu retten. Und jetzt belohnte ihn die Vorsehung. Genau wie bei Abraham hatte Gott seine Hand in dem Moment zurückgehalten, als er das Opfer vollziehen wollte. Ah, noch gab es

Gerechtigkeit auf dieser Welt; noch konnte man hoffen und an die Ordnung glauben. Er fühlte sich leicht und leutselig, ausgelassen beinah, und wußte nicht zu sagen, ob die Versprechungen der Zukunft ihn so glücklich machten oder der Seelenfriede, der von seinem Geist Besitz ergriffen hatte.

Kurz vor der Kneipe beschloß er, doch nicht mit Antón zu sprechen. Es stieß ihn ab, noch einmal eine Rolle zu spielen, der er glücklich entsagt hatte. Außerdem würde ihm diese Begegnung nur die Stimmung verderben, würde alte Bedenken wieder aufleben lassen, und es konnte sogar sein, daß Antón ihn mit seinen Fragen in Bedrängnis brachte oder den Verdacht schöpfte, von Anfang an belogen worden zu sein. Nein, es war nicht ratsam, einen sicheren Sieg aufs Spiel zu setzen. Besser war es, ihm eine Nachricht zu hinterlassen. Ein paar Zeilen: die vorletzten seiner Betrügerlaufbahn. Sein Notizbuch war im Mantel geblieben, aber dafür besaß er noch einen Lieferschein des Lebensmittelladens, auf dessen Rückseite er schrieb:

»Antón, mein Freund, ich verreise, und werde mich nicht mehr von Ihnen verabschieden können. Ich reise nach Indien, wo ein Freund von mir wohnt, und wo ich hoffe, ein neues Leben beginnen zu können. Bezüglich unserer Angelegenheit habe ich es aufgegeben, meine Frau zurückgewinnen zu wollen. Es hat keinen Zweck, denn selbst wenn sie zu mir zurückkäme, könnte ich ihr nie verzeihen. Was Gil angeht, so trifft ihn von beiden die geringere Schuld, und auch in seinem Fall verzichte ich auf Rache. Es lohnt sich nicht. Lieber gehe ich weit fort und vergesse die Enttäuschung.

Seien Sie versichert, daß ich Ihnen sehr dankbar bin für alles, was Sie für mich getan haben. Ich werde immer an Sie denken. Es umarmt Sie: Ihr Freund, Alvar Osián«

Am selben Nachmittag hinterlegte er die Notiz in der Kneipe, und am Abend, nachdem er vergnügt durch die Straßen des Viertels geschlendert war und sich an Elend, Einsamkeit und allen Mißlichkeiten erfreut hatte, die bald schon liebenswerte Anekdote sein oder ganz harmlos zu nostalgischer Erinnerung einladen würden, kehrte er zur Pension zurück.

»Was? Hat der Taubenzüchter Ihnen heute nichts geschickt?« schrie Paquita ihm ins Gesicht, als sie ihm die Tür öffnete.

»Heute nicht«, scherzte Gregorio. »Heute komme ich mit leeren Händen, oder besser gesagt, voll großer Hoffnungen.«

»Gehen Sie, als ob ich Sie nicht längst durchschaut hätte!«

»Aber eines Tages«, zeigte er schulmeisterlich mit dem Zeigefinger auf sie, »zahle ich mit Zins und Zinseszins. Das ist kein Scherz. Ich werde mit dem Auto vorfahren«, dabei zeichnete er mit der Hand die Dimensionen in der Luft, die er sich vorstellte, »und Ihnen im Kreis meiner Familie meine Aufwartung machen. Ich bringe dir auch ein Geschenk mit. Etwas ganz Persönliches. Und wer weiß, vielleicht sogar ein Foto vom Papst mit einem Autogramm darauf, warte nur ab. Nein, im Ernst«, und er näherte sich ihr versöhnlich, »ich bin ein anständiger Mensch, das kannst du mir glauben.«

»Ja, ja!« schrie Paquita, die über den Flur davonmarschierte. »Wenn die Polizei da ist, wird sich zeigen, was man von den Späßen des Herrn zu halten hat! Morgen ist der letzte Tag!«

Ein mitleidiges oder ironisches Lächeln unterdrückend, betrat Gregorio sein Zimmer. »Was Angelina mir wohl zum Abendessen macht?« fragte er sich, und warf sich mit einem kindlichen Bocksprung aufs Bett. »Panierte Schnitzel? Gefüllte Paprika? Eine Tortilla?« Ah, das Leben war schön – er schloß die Augen, streckte sich und rollte sich lustvoll wie ein Kater zusammen. Bald war Weihnachten, dann würden sie Mandelkuchen kaufen, kandierte Nüsse und einen guten Likör. In der neuen Wohnung, wo niemand sie kennen würde, konnte er ohne Gefahr, lächerlich zu wirken, ein vorbildlicher Mensch sein. Er würde zusehen, daß er seriös und sympathisch wirkte, aber auch ein kleines bißchen nachdenklich und kritisch, wie ein Mann, der sich eigene Gedanken machte und selbstbewußt seine Meinung vertrat.

In diesem Augenblick vernahm er das Rauschen einer Toilettenspülung, und während er noch auf das Folgegeräusch des zurückgeschobenen Türriegels und das Klicken des Lichtschalters wartete, schlief er ein. Er träumte, daß er lässig wie ein Kapitän der Landstraße in seinem Lieferwagen fuhr. Es war Sommer, und er fuhr durch eine endlos weite, glühende Ebene. Das Brummen des Motors machte ihn schläfrig innerhalb des Schlafs. Schließlich sah er in der Ferne einen Baum und jemand, der, an seinen Stamm gelehnt, im Schatten saß. Es dauerte sehr lange, bis er zu dem Baum kam, und erst als er ausgestiegen war, erkannte er, daß es der Eukalyptusbaum seiner Kindheit war, und derjenige, der auf einem Stein darunter saß und zu Boden starrte, war sein Vater. »Toller Wagen«, sagte er, ohne aufzublicken. »Bist du nicht Gregorio Monroy, mein geliebter Sohn der Meere?« Er fand jedoch keine Zeit zu antworten, denn ohne eine

Antwort abzuwarten, sprang sein Vater auf, war mit zwei Sätzen im Wagen, ließ den Motor an und brauste mit hoher Geschwindigkeit davon.

In dem Moment glaubte er zu erwachen. Er dachte über den traurigen Traum nach, bis er, etwas später, Paquita in der Küche singen hörte. Er wunderte sich nicht, daß sie ausgerechnet die *Habanera* sang, und das mit einer Stimme und in einem Ton, so lieblich wie von der umherirrenden Seele einer Sirene, und auch so bezwingend. Unmittelbar darauf ertönten von irgendwoher die fernen Schläge einer Uhr, und er dachte gleichzeitig, als handle es sich um ein und dieselbe Sache, daß er zu Abend essen und diese Uhr reparieren müsse. »Man muß der Uhr ihr Abendessen geben«, hörte er sich mit lauter Stimme sagen und richtete sich atemlos schnaufend im Bett auf.

Es war Punkt Mitternacht. Der Traum hatte seine Euphorie in eine Art cholerische Unpäßlichkeit verwandelt. Absurderweise zürnte er seinem Vater, weil er ihm den Lieferwagen gestohlen hatte. Und als ihm einfiel, daß dies die Stunde der Flucht war, blieb von seinem Ungestüm nur ein widerwilliger Rest, und selbst der Gedanke an das Abendessen bereitete ihm Unbehagen. Das lag vermutlich an den Gespinsten des Traums und dem stets schmerzlichen Übergang zur Wirklichkeit. Er tastete sich zum Tisch, machte Licht und brachte seine Entschuldigung zu Papier. »Ich werde Ihnen im Übermaß beweisen, daß ich ein Ehrenmann bin. Bitte vertrauen Sie mir«, schrieb er zum Schluß, und diese moralische Gewißheit gab ihm sein Vertrauen und seine Kraft zurück.

Er nahm sein Gepäck, öffnete die Tür und lauschte. Man hörte nur das Brausen der Stille. Nein, im Hintergrund war noch etwas: ein Summen, ein Gebrodel, eine vielfältige, fieberhafte Monotonie wie von einem Ameisenhaufen. Er schlich auf Zehenspitzen an der Wand entlang, bog um eine Ecke und kam an die geöffnete Tür von Doña Glorias Zimmer. Von drinnen hörte man eine Stimme. Er lauschte, konnte jedoch nichts anderes unterscheiden als eine herrische Stimme und danach rauschenden Beifall. Alles war dunkel. Er spähte durch die Tür: die alte Frau war in ihrem Sessel eingeschlafen, und auf dem runden Tisch glimmte das magische Auge eines Radios. Der Weg war frei, und er brauchte nichts weiter zu tun als einen Schritt an der Tür vorbei. Doch plötzlich überkam Gregorio der Drang, ins Zimmer zu treten, um entweder mit Doña Gloria zu sprechen und seine Flucht freundschaftlich zu regeln, oder weil er von dieser Stimme angezogen wurde, von der nur der Tonfall und der Rhythmus an sein Gehör drang. Es war eine abergläubische Art der Anziehung, denn dunkel dachte er, wenn er ginge, ohne ein Wort verstanden zu haben, ließe er unerledigte Dinge zurück, nicht vollzogene Empfindungen, die ihm später Unbehagen bereiten könnten. Oder vielleicht wollte er auch nur einem hypothetischen Publikum seine guten Absichten darlegen. Er war kein Übeltäter, und es verlangte ihn danach, Beweise für seine Unschuld zu hinterlassen, während er das Unrecht beging.

Er tat einen Schritt ins Zimmer hinein. Wer sprach da um diese Zeit, und warum applaudierte man ihm so heftig? Der Beifall war nämlich so stark, daß er die Rede nicht verstand. Es schien, als ob die Zuhörer, kaum daß sie den Sinn eines Satzes erahnten, zu klatschen begannen, ohne das Ende abzuwarten. Dann war da noch Doña Glorias Schnarchen, das ihn auch am Hören hinderte, und wenn er ganz aufmerksam lauschte, konnte er noch eine Menge anderer Geräusche unterscheiden: das Rumoren der Termiten, die Frequenzstörungen durch andere Sender (manchmal klang es wie ferner arabischer Gesang), das Seufzen und Ächzen der Möbel, das Ticken der Uhr, Schritte aus dem oberen Stockwerk (so launisch unregelmäßig, daß man unmöglich daraus ableiten konnte, welcher Tätigkeit sie zuzuschreiben waren), das Schluchzen in der Dunkelheit sich fürchtender Gegenstände und sogar das Schnurren seiner eigenen Eingeweide. Er tat noch einen weiteren Schritt und spitzte die Ohren, bis alle seine Sinne sich in ihnen konzentrierten, und dann endlich verstand er ein Wort: »Schamhaftigkeit«, und noch ein weiteres: »Garantie«. Wie mochte der Sprecher sie zusammengeführt haben? Er stellte sich die Frage, als er im Begriff stand, das Zimmer wieder zu verlassen. Jetzt, da seine Neugier befriedigt war, hieß es sich beeilen. Es wäre absurd, die alte Frau um diese Zeit zu wecken und ihr zu erklären, daß er sich ohne zu bezahlen davonmachte, aber in Kürze zurückkomme, um seine Schuld zu begleichen. Absurd. Und trotzdem widerstrebte es ihm, zu gehen. Er erinnerte sich, daß er auch in der Nacht seiner Ankunft ein Weilchen verloren im Flur gestanden und sich auch damals von der Dunkelheit angezogen gefühlt hatte, als hätte er in ihr ein sicheres Refugium vor der Mühsal des Lebens gefunden.

Er mußte seinen verstreuten Willen auf einen Punkt konzentrieren, um sich zum Rückzug aufzuraffen, doch just in diesem Augenblick, und im selben Moment, als er einen ganzen Satz aus dem Radio verstand (etwas wie »wir werden keine Handbreit weichen«) und in dem Redner den General erkannte, wurde das Licht eingeschaltet, und herein kam Paquita, die sofort aus Leibeskräften zu schreien begann.

Gregorio, für den das Licht wie eine Explosion gewesen war, drehte sich mit flehendem, entsetztem Gesichtsausdruck zu ihr um.

»Hilfe, ein Dieb!« schrie Paquita drei Schritte von ihm entfernt, wobei sie mit dem Finger auf ihn zeigte und in den Flur schaute. »Hilfe! Polizei! Polizei! Haltet den Dieb!«

Gregorio streckte ihr erklärend und versöhnlich die Arme entgegen, die noch sein Gepäck hielten. Doch diese Frau hörte nie und nimmer auf zu schreien, und von irgendwoher vernahm man bereits Stimmen und Gehusche. Völlig verstört vor Schreck, wandte er sich Doña Gloria zu: vielleicht konnte er ihr erklären, ihr sagen, daß er ja gerade über seine Flucht mit ihr habe reden und sie um Verständnis bitten wollen, ein schlagender Beweis dafür, daß er ein anständiger Mensch mit untadeligen Absichten war. Warum sonst wäre er hier? Hätte er verschwinden wollen, könnte er das längst getan haben, und dann hätte er auch keine Nachricht hinterlassen.

»Señora, bitte lassen Sie mich erklären«, sagte er mit ausgebreiteten Armen und sich selbst als Unschuldsbeweis darbietend.

Doña Gloria hatte sich in ihrem Sessel halb aufgerichtet und sah Gregorio mit verschlafenen Augen ungläubig an. Doch gleich darauf, während sie sich nach vorn warf und mit der ganzen mühseligen, unbarmherzigen Anstrengung ihrer Alterswürde auf die Beine kam, verfinsterte ein Schatten von unendlichem Abscheu ihre Miene.

»Halunke!« rief sie und spie ihm ihre Verachtung vom Kopf bis an die Füße.

Für Paquita war es das Signal, ihr Geschrei noch zu verstärken. Durch das Gekreisch hindurch vernahm man die Radiostimme, den Applaus und das Ticktack der Uhr. Gregorio blickte verstört auf die beiden Frauen. Bestürzt und voller Mitgefühl dachte er an das Abendessen, das Angelina schon bereitgestellt haben dürfte, und hatte es plötzlich eilig, sich mit einer Entschuldigung den Weg frei zu machen und hinauszukommen. Paquita jedoch, die mit in die Seite gestemmten Armen die Tür blockierte, kreischte völlig außer sich und nahm eine kämpferische Haltung ein.

»Lassen Sie mich in mein Zimmer zurückgehen«, bat Gregorio inständig und versuchte, sie zur Seite zu schieben.

Paquita widersetzte sich mit Kratzen und Fußtritten und dem ganzen Körper in elektrisierter Abwehr, als hinter ihr die drei männlichen Dauergäste auftauchten und dort mit gereckten Hälsen und besorgten, ungewissen Blicken stehenblieben.

»Man läßt mich nicht in mein Zimmer«, sagte Gregorio zu ihnen, während er seine Tasche als Schild gegen Paquitas Attacken benutzte, die sich immer noch heiser schrie:

»Polizei! Polizei! Haltet den Dieb! Wir werden bestohlen! Haltet den Dieb!«

Da kam Gregorio der Gedanke, daß seine Anwesenheit hier um diese Zeit, und mit dem Gepäck in der Hand, durch nichts zu rechtfertigen war. »Man wird mich verhaften«, sagte er sich, »die Polizei wird kommen und mich einsperren. Sie werden nach Hause gehen, mit Angelina sprechen, und alles wird auffliegen, das mit Gil, mit Antón und alles, und ich werde kein neues Leben anfangen können. Ich werde kein Abendessen bekommen, keinen Lieferwagen, keinen Laden und keine Katze. Ich muß hier verschwinden, ganz gleich, wie.«

Auf dem Tisch stand ein bronzener Kerzenhalter. Er überlegte nicht zweimal. Er atmete tief durch, ein einziges Mal, und hob dann plötzlich seinen Arm mit der gleichen wutschnaubenden Kraft, mit der er seinen Lebensmittelkarren zum Park geschleift hatte, aber zugleich so fachmännisch, wie er beim Fischen mit der Angelrute ausgeholt hätte, und ließ ihn auf Paquita niedersausen (obwohl er eher das Gefühl hatte, in einen Korb voller Putzlappen und Wollreste zu schlagen), die mit einem demütigen Stöhnen, fast wie vor unverdienter Lust, zu Boden sank wie jemand, der Zuflucht in einem Abgrund findet. Dort hatte das Geschrei ein Ende. Das einzige, was man jetzt hörte, war eine Salve des Beifalls aus dem Radio.

Es war merkwürdig: Gregorio hatte mit einem Mal das Gefühl, in ein Unterwasserreich eingetaucht zu sein, wo alles wunderbar und unwirklich war. Er sah auf seine Hand: der Kerzenhalter war voller Blut. Als wäre es ein Beweis seiner Unschuld oder das Geschenk für die Herrscher jenes fabelhaften Reiches, zeigte er ihn Doña Gloria und den Herren, doch schien keiner von den Fünfen ganz zu erfassen was genau gerade passiert war. Doña Gloria richtete sich endlich mit zornglühendem Gesicht auf und kam hinkend und mit erhobenem Stock auf Gregorio zu. Er versuchte, sie mit einer friedlichen Geste zurück- oder auf Abstand zu halten, doch sie tat einen weiteren Schritt, und obwohl ihr Schlag ihn verfehlte, wurde sie durch den Schwung auf ihn geworfen, und beide stürzten zu Boden.

Einige Sekunden lang lagen sie in bewegungsloser Umarmung, als versicherten sie sich einer für beide vorteilhaften Situation. Es sah so aus, als läge die alte Frau, weich auf Gregorio gebettet, ganz bequem und sogar behaglich ausgestreckt, denn sie unternahm nicht nur nichts, um aus dem Wirrwarr freizukommen, sondern bewegte sich ab und zu ein bißchen, wie um es sich noch gemütlicher zu machen. Gregorio, der unter dem Gewicht kaum noch atmen konnte, drehte den Kopf zur Seite und sah neben sich das blutüberströmte Gesicht Paquitas und über sich die drei ständigen Herren, die die Szene aus der Dämmerung heraus würdevoll und neugierig betrachteten. Im selben Augenblick begann das Gerangel. Gregorio stieß mit den Knien, strampelte sich frei und konnte die alte Frau mit einem Schwung von sich abwälzen. Wie ein Säbeltänzer kam er mit einem Satz auf die Beine, raffte sein Gepäck samt Kerzenständer zusammen, sah sich noch einmal um und gelangte mit einem Sprung über die beiden Frauen in den Flur.

Die Herren traten zur Seite, um ihn vorbeizulassen. Am Ende des Flurs drängten sich Leute in der offenstehenden Tür. Niemand versuchte ihn aufzuhalten. Im Gegenteil, sie öffneten ihm einen Durchgang, und Gregorio ging bleich und mit verstörtem Gesicht hinaus, höflich nach allen Seiten nickend, mit einem scheuen, dankenden Lächeln und so wunderbar schwerelos wie ein schwebender Fisch in tiefem, glashellem Wasser.

Erst als er schon halb die Treppe hinuntergegangen war und oben jemand rief: »Haltet den Mörder! Haltet den Mörder!«, erfaßte er das ganze Ausmaß des Geschehens und rannte in fliegendem Entsetzen davon.

KAPITEL XXIII

Gregorio floh in die Außenbezirke der Stadt, auf der Suche nach einem Versteck für seine Angst (ein Gebüsch war das erste, was ihm in den Sinn kam), wo er ganz allein seinem Elend auf den Grund gehen konnte. Da er nicht wußte, wohin er gehen sollte, hegte er insgeheim die Hoffnung, der erstbeste Ort werde ihm schon von Nutzen sein. Es gab soviel nachzudenken und soviel zu beklagen, daß sein Leben vielleicht nicht einmal mehr ausreichte, um das ganze Ausmaß und die Tiefe seines Leids zu ergründen, in dem er dann immer leben müßte, wie auf der Insel ohne Hoffnung, die er seit seiner Kindheit gesucht hatte.

Er hastete mit staksenden Schritten wie eine hölzerne Puppe durch die Straßen, kniff wie ein Betrunkener die Augen zusammen und versuchte unauffällig über die Schulter zu blinzeln. Seine Schritte hallten mal vor ihm, mal hinter ihm in den Straßen wider. Manchmal schienen sie sich von ihm zu entfernen, dann wieder mit denen eines anderen einsamen Fußgängers zu verbinden und ihn mit verwirrendem Getrappel zu verfolgen. Dann lief er noch schneller und schaute sich ängstlich um.

Er konnte nicht glauben, was ihm passiert war. Während er auf Paquita einschlug und mit Doña Gloria rangelte, hatte er sich mit der an Sicherheit grenzenden Wahrscheinlichkeit beruhigt, daß er träumte, doch dann, als er seine eigenen hastenden Schritte auf der Straße hörte, erkannte er, daß er noch nie so wach und so wirklich gewesen war wie in dieser Nacht. »Mein Gott, was ist denn nur passiert? Das gibt es doch gar nicht! Ich träume doch nicht!« rief er entsetzt, verwirrt und ungläubig aus, und sein Geist füllte sich mit einem einzigen Gedanken: fliehen, weit hinaus aufs Land, und sich in einem Gebüsch verstecken.

Dort würde er dann versuchen, seine Lage zu entschlüsseln und die Folgen zu bestimmen. Nach Haus konnte er natürlich nicht gehen. Würde er nie mehr gehen können. Er glaubte es gewußt zu haben, als er zum ersten Schlag ausgeholt hatte. Und es war wohl die Angst und der Zorn auf diese Gewißheit, die ihm die Kraft gegeben hatten, erbarmungslos weiter, diesmal auf die Luft, einzuschlagen, und nicht nur auf die Luft und auch nicht auf die Frau, sondern auf seine eigene, mit jedem Schlag wachsende Angst. »Nie mehr, nie mehr«, hatte er immerzu wiederholt. Die Polizei würde den Fall zweifellos schon untersuchen, und da in dem Gedichtband sein richtiger Name stand, brauchte man nur an diesem Ende zu ziehen, um das ganze Knäuel zu entwirren. Wie sollte er außerdem Angelina erklären, daß er eine Frau erschlagen und bei seiner Flucht aus einer Pension einen Kerzenhalter gestohlen hatte? Denn daß er Paquita getötet hatte, daran zweifelte er nicht. Das hatte er ihrem Gesicht angesehen und auch den Gesichtern derer, die ihn beim Hinausgehen angestarrt hatten. »Da geht der Mörder«, hatten diese Gesichter gesagt. Er selbst sagte es jetzt für sich, deutlich und Silbe für Silbe, »ich-bin-ein-Mör-der«, ohne ganz den tatsächlichen, exakten, unerschöpflichen und geheimen Sinn dieser Worte zu begreifen. Um ihren Sinngehalt besser zu erfassen, stellte er sich sogar vor, wie er in einigen Jahren in einem Verbrechermuseum als Wachsfigur aufgestellt würde, umgeben von seinen Lieblingsobjekten. Vielleicht würde man ihn darstellen, wie er die Uhr reparierte oder sich mit seinem Mehrzweckmesser die Fingernägel reinigte. »Dies waren seine Pantoffeln«, würde auf den Hinweisschildern stehen, »der Schuhkarton, in dem er seine Gedichte aufbewahrte«, »sein Hut«, »der Kerzenhalter, mit dem er sein Opfer erschlagen hat«. Das alles würde man lesen können, und die Nachbarn würden sagen: »Dieser Gregorio, wer hätte das von ihm gedacht!« Sie würden ihn klein und gedrungen darstellen und älter, verschlagener, liederlicher und kahlköpfiger aussehen lassen. Was würde Gil sagen, wenn er diesen schmutzigen, alten und vielleicht sogar leicht buckligen Mann sähe; die absurde Replik dessen, der sein Held, der jugendliche, magische Faroni gewesen war? »Ich bin der Kerzenhaltermörder«, sagte er zu sich, »der Mörder mit dem Schuhkarton«, doch alles, was er damit erreichte, war, daß seine Furcht und Verwirrung noch wuchsen.

Weiter unten, als die Straßen immer verlassener, ärmlicher und finsterer wurden, hätte er am liebsten angefangen zu weinen. Aber nicht, weil er sich schuldig fühlte, sondern weil er erschöpft war und man ihn ergreifen und verhaften konnte. Verhaften. Das war das Grauen. Man würde ihn an eine Wand stellen und fotografieren, man würde ihn im grellen Licht einer Lampe verhören, ernste Männer mit

Perücken würden ihn richten, und als Zeuge würde Gil auftreten, und Antón mit seinem Blindenstock, Angelina in ihrem ärmlichen Mantel, die Mutter mit dem Hündchen und Doña Gloria, die drei Herren, die ihre Dauergäste waren, Marilyn, der Professor, der Mann in Schwarz und alle, die ihn im Café gesehen hatten, und alle würden mit dem Finger auf ihn zeigen und mindestens zwanzig Jahre Zuchthaus für ihn fordern. Zwanzig Jahre unter rohen Gestalten, die Narben hatten und Messer trugen und mit starren Gesichtern aus den Augenwinkeln blinzelten wie Hähne, brutale Kerle, die sich im Notfall auch für einen Hintern nicht zu schade waren. Gregorio sah sich auf einer Gefängnislatrine mit gemauerten Klobecken von Männern in Unterhemden umringt, die ihn festhielten, ihm unter obszönen Sprüchen die Hosen herunterrissen und sich mit riesigen tätowierten Schwänzen an ihn heranmachten. Er war schwach und feige. Sie würden ihn schlagen, würden ihm das Essen wegnehmen, würden brutale Späße mit ihm treiben, würden es ihm Tag und Nacht von hinten besorgen und ihn zwingen, ihre Schwänze zu lutschen, aber eher würde er sterben, als so seine Ehre verlieren. Aber klar, man wußte nie, wessen man im Angesicht des Grauens und des Schreckens letzthin fähig war. Entweder tust du, was sie verlangen, oder sie verstümmeln dich mit dem Messer. Was war schlimmer? Er hatte entsetzliche Geschichten aus dem Gefängnis gehört. Er hatte Filme gesehen. Wie sie Kakerlaken aßen und Ärsche leckten. Im Knast war ein Mann nur Arschloch, Mund und Schwanz. So war es ihm zu Ohren gekommen. So stellte er es sich vor. Nein! Alles andere eher als Gefängnis. Und nicht nur wegen der brutalen Typen. Da war auch noch die Sache mit dem Frühling am Ufer eines Flusses. Das Wissen um Sommerabende mit Schafherden und Grillengezirpe, und daß er dann zwischen vier Wänden saß, zwanzig Jahre lang, im Dreck, zerfressen von Elend und Sehnsucht. Ah, nein, sollten sie es ihm selbst überlassen, strafende Hand an sich zu legen! Er würde es reichlich, aber mit Genuß zu tun wissen. Niemand würde sich härter und unbarmherziger bestrafen als er selbst, niemand auch empfindlicher. »Natürlich wird man mich nicht lassen«, sagte er sich enttäuscht. »Jetzt werden sie mich bestimmt schon suchen. Vielleicht sind sie schon zu Hause und fragen Angelina aus, oder sie haben auch Gil gesucht, haben ihn aufgeweckt und wissen jetzt schon alles. Aber dann wäre ich wirklich und wahrhaftig ein Mörder und auf der Flucht vor der Polizei? Mein Gott, was soll aus mir werden!«, und ein Schauer des Entsetzens ließ seine Eingeweide schrumpfen.

Weiter unten begannen die Vorstädte. Mit gekrümmten Schultern seinen Schritt beschleunigend und den letzten Straßenlaternen den Rücken kehrend, bog er in einen Weg ein, der zwischen Schuttbergen und Müllhalden über freies Gelände führte. Ohne stehenzubleiben, warf er den Kerzenhalter auf einen der Haufen. In der Ferne waren dunkle Industrieballungen zu erkennen, und näherbei vereinzelte Feuer, denen Gregorio auswich. Am Ende des Geländes lag eine Barackensiedlung. Gregorio umrundete sie. Ein Hund kam zu ihm gelaufen und beschnüffelte ihn, und er drehte sein Gesicht zur Seite, damit er seinen Verbrecherausdruck nicht bemerkte. Seine Tasche fest an die Brust gepreßt, rannte er stolpernd und springend eine Halde hinunter und lief danach weiter querfeldein. Es war ein baum- und strauchloses Gelände, auf dem es nichts gab als ein paar vereinzelte Strommasten. Von ferne vernahm man Hundegebell. Er lief, bis er es nicht mehr hörte. Schließlich stieß er auf eine Hausruine, von der nur noch rußgeschwärzte Mauern standen und deren Fensterlöcher in die Nacht starrten. Er ging hinein. Drinnen lagen ein paar Schienen und Haufen von Kohlen, Eisen und Brettern. Gregorio blieb stehen. Wohin sollte er gehen? Er war müde und erschöpft, als hätte er Jahre nicht geschlafen, und die Stadt schien einfach kein Ende zu nehmen. »Morgen verstecke ich mich in einem Gebüsch«, sagte er sich und wiederholte laut: »Morgen, sobald es hell wird.«

Unter einem Bretterstapel fand er einen Hohlraum, in den er kriechen konnte. Er zog ein Brett vor die Öffnung, schloß die Augen und versuchte sich mit tiefen, gleichmäßigen Atemzügen zu beruhigen. Es war, als säße er wieder im Kiosk und fürchte und ersehne Alicias Erscheinen. Hier war er in Sicherheit, war er wieder auf seiner Insel. Sein Geist verlief sich unaufhaltsam in der endlosen Stille. Man hörte nichts als die Gedanken. »Wäre das Leben eine Lüge, bliebe ich für immer hier«, sagte er sich, und die inneren Worte dröhnten wie in einer Kirche. »Wenn das Leben ein Schandkarren wäre«, fügte er in Gedanken hinzu, die bereits der Schlaf umwogte. Morgen oder übermorgen, wenn er sich in seiner Dickichthölle befände, die auch ein Paradies sein würde, hätte er Zeit genug, mit seinem Gewissen abzurechnen. Er hatte das ganze Leben vor sich, um seine Sünden zu sühnen. »Besser gesagt, Patzer.« Und dieses letzte Wort gesellte sich bereits als Schnarcher seinem Schlaf hinzu.

Zweimal wurde er durch einen vorbeifahrenden Zug aufgeschreckt. Von seinem Versteck aus sah er das Aufblitzen des Dreigestirns, schlief jedoch wieder ein und verbrachte die ganze Nacht zwischen Alpträumen und Hirngespinsten. Er phantasierte oder träumte von einem verzagten dicken Priester, der ihm einen wirr mit Heiligenstatuen vollgestellten Raum zeigte und fragte: »Was machen wir mit all den Heiligen?« Gregorio antwortete: »Herausholen und in den Kreuzgang stellen.« Der Priester sah ihn traurig an: »In den Kreuzgang geht nicht, da wird keine Messe gelesen, und außerdem ist es da viel zu kalt. Was müßten diese durcheinandergewürfelten Leute da leiden«, und er fing an, ihre Namen aufzuzählen. Es gab Heilige, die hießen Sankt Therapikus von den Wundern, Sankt Justo Marrafa oder Sankt Agalla von beiden Niederlanden, aber auch welche, die einfach nur Mirra hießen, oder Ziegele oder Ferie, und alle waren auf verschlungenste Weise mit- und untereinander verwandt. Eine Heilige war die Schwägerin der Cousine des Schwiegervaters des Heiligen Melito Melitón, eine andere das Patenkind des Schwippschwagers des Onkels der Stiefschwester von Sor Zumaya von den Fischern, jener war der Pate von dem da und Schwiegergroßvater von der da oben, und dieser dort, von dem man nur einen Fuß sah, war der ebenso berühmte wie gottesfürchtige Don Barmel Saustallo, dritter Cousin des Schwiegersohns der Schwiegertochter des frommen Silvino, der den Beinamen Eberhatzel trug. Im Netz dieses zermürbenden Deliriums zappelte Gregorio die ganze Nacht. Als er erwachte, sickerte das erste Licht eines fahlen Morgens durch die Bretter. Zuerst dachte er noch, der physische Schmerz sei ein Bestandteil des Alptraums, doch dann erinnerte er sich, wo er war, und eine jähe Eiseskälte fuhr ihm durch den ganzen Körper. Betreten und belämmert starrte er in das trübe Licht des heraufziehenden Tages.

Während des ganzen Vormittags traute Gregorio sich nicht aus seinem Versteck. Hin und wieder hörte er Stimmen von Leuten, die vorbeigingen, und eine ganze Weile spielte jemand vor seinem Bretterhaufen Mundharmonika. Die Gegend war belebter, als er sich gedacht hatte. Er würde mit seiner Flucht bis zum Abend warten müssen. Aber wohin sollte er gehen? Er hatte keinen Mantel und kein Geld. Er hatte nichts, nur Hunger, erfrorene Glieder und Gewissensbisse. So hoffnungslos sah er seine Lage, daß er noch vor Mittag beschloß, sich zu stellen. Man würde ihm ein Bett und was zu essen geben, und vielleicht verdrängte der Schmerz der Strafe den der Schuld. Doch sogleich dachte er wieder an die Schrecken des Gefängnisses und riß sich noch einmal zusammen. Außerdem, redete er sich zu, würde er seine Schuld sühnen, wenn er in dem Dickicht war. Er würde wirklich Eremit. Er würde täglich zwei Stunden beten. Er würde sich mit einem Rohrstock geißeln. Und er dachte sich weitere Martern aus: er würde barfuß gehen, das Rauchen aufgeben, eine Stunde regungslos verharren, sich alle drei Monate von einem Skorpion stechen lassen, was sich in zwanzig Jahren schon zu sechzig Stichen summierte, er würde sich Spinnen in den Nacken setzen, einen Tag jeden Monat mit geschlossenen Augen zubringen, freitags fasten, täglich hundert Meter auf einem Bein hüpfen, und alle diese Opfer, und die er sich sonst noch ausdenken würde, wären Paquita gewidmet, die dann auch nicht mehr nur Paquita, sondern viel mehr wäre: seine kleine Schnuckelpaquita, sein krankes Kindchen, sein Herzensschätzchen, sein Weihwässerchen, sein himmlisches Waisenkindchen. Er würde ihr dort draußen in dem Dickicht ein Denkmal errichten und würde Lieder, Gebete und mystische Gedichte auf sie verfassen. Richter, Henker und Opfer, alles in einer Person. Konnte man sich ein besseres, härteres Urteil vorstellen?

Hunger und Frösteln brachten ihn in die Wirklichkeit zurück. Ein Uhr mittags, an einem grauen, windigen Tag. Er mußte aus seinem Versteck kriechen, etwas essen und weiterfliehen. Er versuchte, sich Mut zuzusprechen. Vielleicht war seine Lage gar nicht so verzweifelt, wie er angenommen hatte. Die Polizei würde einige Mühe haben, das Durcheinander von falschen und richtigen Namen zu durchschauen. Das Nächstliegende war, daß sie nach Augusto Faroni suchten, und in dem Fall mußte er die Ungewißheit nutzen, nach Hause gehen, sich von Angelina verabschieden und Kleidung und Geld einpacken und was man sonst noch für das Überleben im Wald brauchte. Zum Beispiel, zählte er auf: Messer, Pfanne, Zündhölzer, Schere, Arzneien, Taschenlampe und viele andere Dinge noch, ohne die er nicht auskommen konnte. »Entweder ich riskiere es, oder ich sterbe diese Nacht vor Kälte«, sagte er sich und beschloß, notfalls bis zum letzten Atemzug zu kämpfen. Er würde durch Hinterhöfe fliehen, über Karussells, Dächer und Feuerleitern, genau wie sie es am Ende in den Gangsterfilmen immer taten.

Er schob ein Brett zur Seite und steckte den Kopf hinaus. Kein Mensch war zu sehen. Er kroch vor Schmerzen stöhnend auf allen vieren ins Freie, und es kostete ihn eine Siegesmühe, sich aufzurichten. Um ihn herum erstreckte sich wüst und leer das freie Feld. An einem Ende sah man unregelmäßige Blocks großer Ziegelsteingebäude. In der anderen Richtung die zusammengedrängten Baracken und dahinter und weiter auseinandergezogen, schmutzige, qualmende Fabriken. Von dort näherten sich jetzt raschen Schritts zwei Männer mit vom Wind gebauschten Mänteln. Ohne sie aus den Augen zu lassen, nahm Gregorio sein Gepäck auf und ging entschlossen in die Richtung der Ziegelsteinblocks.

Es war ein Neubauviertel, und um diese Zeit füllten sich die Straßen mit Arbeitern, die aus der Fabrik, und Kindern, die aus der Schule kamen. Unter ihnen fühlte Gregorio sich sicher. In einer Bar aß er ein paar Anschovis, die er mit mehreren Gläschen Anis hinunterspülte. Er sah sich in einem Spiegel: er war unkenntlich vor Schmutz und sah aus wie ein Landstreicher. Um keine Aufmerksamkeit zu erregen, verabschiedete er sich mit einem Kopfnicken in die Runde und ging ohne Hast, erhobenen Hauptes hinaus. Pfeifend, in Schaufenster spähend, einem Kind den Kopf kraulend und den Damen höflich Platz machend, kam er an einen Platz, wo er einen Autobus in Richtung Innenstadt nahm. Er war sicher, daß alles so verlaufen würde, wie er es sich ausgedacht hatte, und zählte noch einmal die einzelnen Punkte seines Plans auf. Erstens: Gil anrufen, bevor er aus dem Büro ging, und ihn von Faronis Tod unterrichten. Damit wären sie beide gezwungen, ihre fiktiven Persönlichkeiten aufzugeben und ein neues Leben zu beginnen, in dem sie sich wieder mit der Rolle zufriedengeben würden, die das Schicksal ihnen zuwies. Zweitens: zu Angelina gehen und ihr die ungefähre Wahrheit erzählen, die Fluchtausrüstung zusammenpacken und mit der Eisenbahn davonfahren. Wohin? An den Ort seiner Kindheit. Er würde zu dem Eukalyptusbaum und dem Brunnen zurückkehren. Es gab dort wilde Schilfdickichte, wo sie sich vielleicht eine Hütte bauen könnten und er vielleicht sogar eine Arbeit als Hirte fände. Dort draußen würde kein Hahn nach ihm krähen. Die Leute würden sagen: »Das ist Olías, der Sohn der Olías von der Hochebene, er ist zurückgekommen.« Nach ein paar Jahren würde er Angelina nachkommen lassen und mit ihr zusammen im Schilf leben. Durch diese Aussicht ermuntert, schritt er sogleich zur Tat.

Nachdem er aus dem Bus gestiegen und eine Telefonzelle aufgesucht hatte, hörte er von fern die nasale Stimme: »Hier Requena und Belson. Gil am Apparat.« Gregorio hob eine Hand zum Mund, um seine Stimme zu verstellen und ihr einen knödelnden englischen Akzent zu verpassen, mit dem er verkündete, er sei Nick Porter, der Vorsitzende des Kulturvereins der Freunde Faronis in Amerika, er habe gerade ein Telex aus Indien erhalten und rufe an, weil er eine schlechte, traurige, ja, tragische Nachricht zu übermitteln habe.

»Hören Sie zu und sagen Sie nichts«, sagte er. »Der große Faroni ist tot. Kein Wort sprechen, Mr. Mounro«, kam er den gestammelten Ausrufen zuvor, die sich am anderen Ende der Leitung zusammenballten. »Sie nichts sprechen. Heute die Welt in Trauer. Feinde von Fortschritt ihn getötet haben. Selbe, die jetzt sein Andenken mit Lügen beschmutzigen. Kein Wort glauben. Polizei Sie besuchen. Sagen, daß Faroni Gauner, daß Mörder. Nicht glauben. Sagen, daß nichts wissen. Jetzt nicht mehr nötig, aus Stadt verschwinden. Sie jetzt in Stadt glucklich sein. Ich schließen meine Arme um Sie, Yil, mein Freund. Hoch leben der Meister!«, und ohne ihm Zeit für eine Antwort zu lassen, legte er auf.

Gregorio verließ die Telefonzelle in dem Gefühl tiefer Trauer über die Nachricht von seinem eigenen Tod. Doch solch ein Schmerz, argwöhnte er sogleich, konnte nur bedeuten, daß sich dahinter ein anderer, größerer verbarg, dem er möglicherweise nicht ins Auge zu sehen wagte. Er fragte sich jetzt, ob seine Fertigkeiten im Schwindeln so virtuos waren, daß er fingiertes Leid zu erdulden vermochte. Der Argwohn wurde zur Gewißheit, als ihm klar wurde, daß Faronis Tod ihn mehr berührt hatte als der tatsächliche, schlichte Tod von Paquita und daß aus demselben Grund alle seine Vorhaben zur Seelenrettung und Sühne allein dem Zweck gedient hatten, zu vertuschen, daß er ein Verbrecher war. An die Hauswände gedrückt, machte er sich mit hohlen, zögernden Schritten auf den Weg nach Hause. Ja, sogar das Leid hatte er gefälscht, hatte es zu seinem Vorteil übertrieben und sich eine dieser Maßlosigkeit entsprechende Strafe ausgedacht, damit sowohl der Schmerz als auch die Strafe illusorisch würden und weniger der Sühne dienten als einer ausweichenden Selbstentschuldigung. Dieses Auswalzen seiner Schamlosigkeit verschlimmerte noch das mitleiderregende Bild, das er von sich selbst hatte. Denn er war ja nicht nur ein Mörder, dachte er, und verfing sich in einem Strudel jäh aufsteigender, erstickender Übelkeit, sondern hatte sich in seinem als Selbstlosigkeit verkleideten Hochmut zum Komplizen, Helfershelfer, Richter, Verteidiger, Ankläger und Henker aufgeschwungen. Soweit ging also sein Zynismus. So niederträchtig war das Schauspiel seiner Schuldlosigkeit, dessen Veranstalter und dessen Narr er war. Da stand er nun an einer Straßenecke, kalt und verschlagen wie eine Schlange, während seine Mitmenschen ehrbaren Tätigkeiten nachgingen.

Er begriff nun, daß Strafe von eigener Hand mehr Lust versprach als Leid bewirkte. Er begriff, daß nur den andern das Recht zugestanden werden konnte, die Strafe für das Vergehen und das Ausmaß der Schuld zu bestimmen, und daß niemand sich selbst im rechten Maß von einem Verbrechen befreien kann, das er gegen seine Mitmenschen begangen hat. Und erst in diesem Moment empfand Gregorio aufrichtiges Mitleid mit Paquita und verspürte die unabweisliche, zuverlässige Notwendigkeit, sich zu stellen. Er war kein Mann, der ungestraft das Gesetz brach. Er war auch kein reißender Wolf. Warum hatte er das nicht früher begriffen? Die Schmach eines öffentlichen Prozesses und die Schrecken der Haft kamen ihm plötzlich nichtig vor, wenn er an das Ausmaß seiner Sünden dachte. Wobei noch unberücksichtigt blieb, daß spontane Reue stets besänftigend wirkte. Also; was sagte man zu einem Akt gottesfürchtiger Zivilcourage, auf die nächste Polizeiwache zu gehen und mit ausgebreiteten Armen zu erklären: »Meine Herren, ich habe einen Mord begangen und bin gekommen, um mich zu stellen, auf daß die Gerechtigkeit ihren Lauf nehme«? Er würde dann schon zu erklären wissen, wie leicht er hatte fliehen können und wie er dennoch einem geruhsamen Leben in ländlicher Freiheit entsagt hatte, um dem Befehl des Gewissens zu folgen. Dann begann er sich die Rede zurechtzulegen, die er vor Gericht halten würde.

Er befand sich schon in der Nähe seines Viertels, als er wieder an Gil dachte, und der Gedanke brachte ihn auf die Idee, daß er, bevor er sich stellte, zumindest zwei Dinge erledigen mußte: zuerst mußte er sich von Angelina verabschieden, und dann ins Café gehen und dem Kellner einen Brief an Gil übergeben, in dem er ihm mitzuteilen gedachte, daß er, Gregorio Olías, sich stellen und ein Verbrechen gestehen würde, das er nicht begangen hatte, um dadurch (die genauen Gründe zu erläutern hatte er jetzt weder Zeit noch Lust) den edlen Namen Faronis reinzuwaschen. Und Gil, der aus eigener Erfahrung wußte, wozu die Polizei fähig war, würde vom Augenschein vielleicht nicht auf ein Schuldbekenntnis schließen, sondern auf einen heroischen Winkelzug des treuen Biographen, der des Meisters Feinde damit in die Irre zu führen trachtete. Er würde noch andere, ebenso bündige wie rätselhafte Dinge in dem Brief erwähnen und ihn auffordern, nicht zum Prozeß zu erscheinen. Und selbst wenn er jetzt, ohne Antóns Bewachung, zum Fluß hinunterging, um die Schiffe zu sehen und die Pyramiden und die Musiker, und wenn er schließlich das Café betrat, so bliebe ihm trotz allem und vielleicht für immer der (jubilierende, weil geheime) Zweifel, daß all jene, die Faroni verleugneten, entweder logen oder es aus Furcht oder Vorsicht taten, so daß er in jeder Widerlegung auch die Rückseite einer Bestätigung fände.

Er brachte eine ganze Weile mit diesen Überlegungen zu, und es war bereits kurz vor sieben, als er in die Nähe des Cafés kam. Als er sich fröstelnd dem Platz näherte, hörte er von fern ein undeutliches Stimmengewirr und blieb, vor Schreck erschauernd, instinktiv stehen. Vor der Tür des Cafés knäulte sich ein Menschenhaufen zusammen, eine dichtgedrängte Menge, die sich durch hinzueilende Passanten ständig vergrößerte. Aus dem Tumult hörte Gregorio eine Stimme heraus, die ihm schmerzlich bekannt vorkam. Ohne zu wissen, wie, fand er selbst sich in einer Gruppe Hinzueilender wieder und schob sich, mit einer Hand vor dem Gesicht, als habe er Zahnschmerzen, in die hinterste Reihe der Neugierigen. Er stellte sich vorsichtig auf die Zehenspitzen und warf einen Blick in den inneren Kreis. Dort sah er Antón, der seinen Stock schwang und rein außer sich war. Mit einer Hand hielt er einen Mann am Mantelkragen und schüttelte ihn wie ein Karnickel, und obwohl Gregorio ihn nicht richtig sehen konnte, wußte er gleich, daß es Gil war. Die beiden kehrten ihm den Rücken zu, und vor ihnen in der Tür sah Gregorio eine Gruppe von Leuten mit Marilyn, dem Professor und dem grauen Männchen in der Mitte. Antón fuchtelte mit seinem Blindenstock vor ihnen herum und schrie sich vor Zorn die Kehle heiser.

»Kommunisten! Alles Kommunisten, die sich unter Faronis Flagge sammeln! Dieser hier«, und er gab Gil einen Schubs, »ist der Wüstling, der Schürzenjäger, der Blaubart, der Don Juan und Revolutionär. Und die da«, er zeigte auf den Professor, »ist die Puffmutter, die Merline, und die«, dabei versuchte er, Marilyn mit seinem Stock auf den Kopf zu schlagen, »ist die Konkubine, die Metze, die große Hetäre, ah, die Hure, das Lotterweib, das mit diesem Halunken hier«, und wieder erhielt Gil einen Schubs, daß sein Kopf wackelte, »ihren Mann, den guten Alvar Osián betrügt. Sie sind alle miteinander atheistische Kommunisten, und ihr Anführer ist Faroni! Und dieser Laden hier ist ein verdammter Puff!«

Der Professor war bleich geworden und starrte ihn offenen Mundes an. Er wollte etwas sagen, schob schon den beschwichtigenden Prolog einer ausgestreckten Hand vor, doch Antón machte sich sogleich mit einem weibisch sarkastischen Äffen in der Stimme über ihn her:

»Na, was hat das Schwulibertinchen, das blonde Buhlchen, das wuchtelige Schwuchtelchen, der lockige Lude, der Strizzi, der kommunistische Lustgreis, der ruchlose Schleppsack, die windige Glukke, die zickige Quasselstrippe, die tolle Tunte wohl zu sagen, ha?«, und bei jedem Schmähwort stieß er mit dem Stock nach ihm.

Einige der Begleiter des Professors stürzten sich auf ihn, und gegen sie richtete Antón die blinde Wut seiner Schläge.

In diesem Augenblick kamen zwei Polizisten hinzu und bahnten sich einen Weg zum Zentrum des Tumults.

»Meine Herren Beamten, ich übergebe Ihnen hier einen Haufen Kommunisten!« kreischte Antón. »Mit Ausnahme des Anführers ist der ganze Verein komplett!«

Die Neugierigen drängten sich näher heran, um nichts von dem zu versäumen, was sich als der Höhepunkt des Geschehens ankündigte. Es wurde still, und der Professor ergriff das Wort.

»Ich weiß nicht, wer dieser Mensch ist«, wandte er sich an die Polizisten.

»Ach, nein?« krähte Antón und legte ein höhnisches Zwitschern in seine Stimme. »Unser marxistisches Zuckerpüppchen kennt Faroni nicht, und nicht Alvar Osián, und auch diesen Lustmolch nicht?«

»Ich weiß gar nicht, wovon Sie reden.«

»Und du«, wandte er sich an Gil, dem er fast den Mantelkragen abriß, »kennst auch das Schwulimerlinchen nicht?«

Man hörte Gil mit piepsiger, doch fester Stimme antworten:

»Er ist einer der Gelehrten aus dem Café.«

Der Professor hob erstaunt die Augenbrauen.

»Mein Herr«, fuhr Gil fort, der sich Antóns Griff entwunden hatte und nun würdevoll seinen Regenmantel glattstrich, »ich bin Dacio Gil Monroy. Der mit dem Gedanken von dem Raben und dem Käse. Wissen Sie noch?«

Der Professor vollführte eine Geste hilfloser, resignierter Ungläubigkeit.

»Nun, ich bin gekommen, um Ihnen zu sagen, daß der große Faroni tot ist. Mr. Porter aus Amerika hat mich angerufen.«

»Das sind Parolen!« heulte Antón auf. »Sehen Sie, meine Herren Beamten, daß die beiden diesen Faroni kennen? Und dieses Flittchen da kennst du doch auch, oder? Ist das Marilyn, die Frau von Osián, oder nicht?«

»Nein, mein Herr«, sagte Gil mit fester Stimme. »Señorita Marilyn ist in Indien.«

»Du lügst, du Halunke!« fauchte Antón und schüttelte Gil, und für einen Augenblick konnte Gregorio sein wutverzerrtes Profil sehen. »Jetzt hast du dich selbst verraten! Osián, der Gehörnte, ist in Indien; aber nicht aus freien Stücken, sondern deinetwegen, du Lüstling!«

Marilyn tippte sich mit einem Finger an die Stirn.

»Ja, er muß verrückt sein«, sagte der Professor.

»Verrückt, ich, du Schwuchteltante?« zeterte Antón und schwang seinen Stock, mit dem er ihn im Gesicht erwischte und die Brille zerbrach.

Einer der Polizisten stürzte hinzu, um die beiden auseinanderzubringen, während der andere den Brustkorb blähte und mit eckigem Unterkiefer losbrüllte:

»Gehen Sie auseinander! Verschwinden Sie hier! Alle!«

Die Menge begann sich zähneknirschend, zögernd zurückzuziehen. Ebenso wie alle andern die Augenwinkel strapazierend, ging Gregorio im Schutz der Fußgänger über den Platz zurück. Er war bestürzt und wie versteinert, und als er sich am anderen Ende mit vor Panik entgleistem Gesicht umschaute, sah er, wie die Hauptbeteiligten an dem Aufruhr von den Polizisten abgeführt wurden. Antón schrie noch immer und eröffnete den Marsch zur Polizeiwache unter wildem Gefuchtel mit seinem Stock, und hinterdrein folgte ihm, flankiert von den beiden Polizisten, dicht gedrängt die ganze Gruppe.

Das erste, was Gregorio dachte, war, daß er Antóns Justiz jetzt mehr fürchtete als die der Richter. Dieser Mann flößte ihm einen solchen Schrecken ein – und seine Rache würde grausam sein, wenn er erfuhr, daß er hereingelegt worden war –, daß er nicht einmal Zeit fand, Gil zu bemitleiden. Er mußte sich stellen, und zwar schnell, denn da der Name Faroni jetzt an verschiedenen Fronten aufgetaucht war, würden sie schon bald bei ihm zu Hause aufkreuzen und Angelina in die Zange nehmen, vielleicht sogar alle zusammen, vereint jetzt durch die Erbitterung über den Hohn, der mit ihnen getrieben worden war. Jeder einzelne mit seiner persönlichen Anklage, rachedurstig alle zusammen: Gil, Antón, die Polizei höchstselbst, Angelinas Mutter, Doña Gloria, der Lebensmittelhändler, Marilyn und der Professor. Sie alle gegen ihn. Und wie würde man ihn im Gericht verspotten! *Der große Faroni!* würden die Schlagzeilen lauten. Witze, Anekdoten und Karikaturen würden über ihn kursieren. Und dann sein Buch, die Fotos, die Reisen, das Vorwort von Hemingway, der Biograph, seine Romanze mit Marilyn, sein verschollenes Gesamtwerk und all die anderen Lügen. Er würde zum Hanswurst des ganzen Landes. Tränen rannen ihm über das Gesicht, als er an die Schande dachte, jede einzelne seiner zahllosen Schwindeleien – und jede die vorherige übertrumpfend – gestehen zu müssen. Andererseits war er kein schlechter Mensch und hatte eine solche Behandlung natürlich nicht verdient. »Ich bin kein schlechter Mensch«, sagte er sich, doch anstatt ihn zu trösten, vertiefte diese Überzeugung seinen Kummer noch. »Nein, ich werde mich nicht stellen, ich werde nicht zulassen, daß man sich über mich lustig macht. Aber fliehen werde ich auch nicht. Umbringen werde ich mich, jawohl«, dachte er wütend, aufgebracht, beinah jubelnd. Und voller Zuversicht angesichts dieser zwar schrecklichen, aber glanzvollen Lösung, denn niemand macht sich über einen Menschen lustig, der sich selbst mit dem Tod bestraft, begann er über die beste Methode nachzudenken, mit der so ein Plan durchzuführen wäre.

Als erstes beschloß er, sich auf jeden Fall weit außerhalb der Stadt umzubringen, wo man seine Leiche nicht finden würde. So würde er die Demütigung vermeiden, daß sein Tod als Schuldanerkenntnis interpretiert würde, und hinzu kam, daß auf diese Weise ein paar Leute ewig rätseln könnten, wer und wo Faroni war. Dann würden alle sehen, was der Hochstapler fertigbrachte! Er würde die Farce bis an ihr bitteres Ende treiben. Hatte er nicht die Nachricht verbreitet, Faroni sei in Indien gestorben? Nun gut, auch das könnte annähernd wahr werden. Und wenn er erst einmal tot war, dann sollten sie nur sehen, wie sie mit ihrem Gewissen fertig wurden! Während er nach Hause eilte, stellte er sich seinen von Geiern und Schakalen zerfleischten Leichnam vor, sah im Geiste sogar sein Skelett im seelenlosesten Winkel einer unwegsamen Schlucht liegen. Weit davon entfernt, Furcht zu empfinden, wurde er von einer Art düsterer Schwärmerei ergriffen, obwohl weniger des Maßes an Sühne wegen, das sein Akt verdeutlichen würde, als wegen der heimlichen Rache, der er Nahrung gab. Er wischte sich unwirsch die Tränen aus dem Gesicht und hatte zum erstenmal seit langer Zeit das Gefühl, seine Verzweiflung komme in einem trüben, trostlosen Seelenfrieden ein wenig zur Ruhe.

Kurz darauf stand er im Hausflur, eilte die Treppen hinauf und klingelte an der Tür.

»Hatten wir nicht vereinbart, daß du letzte Nacht kämst?« fragte Angelina als erstes.

Gregorio lehnte am Türrahmen, hielt den Blick gesenkt und schluckte.

»Ich konnte nicht«, sagte er entschuldigend. »Es ist was passiert.«

»Was ist passiert?«

Gregorio schüttelte mutlos den Kopf und ging schwankend den Flur entlang.

»Schreckliche Dinge«, sagte er. »Ich bin nur gekommen, um ein paar Sachen einzupacken, dann gehe ich gleich wieder. Sie sind hinter mir her und werden bald hier sein.«

Angelina musterte ihn von oben bis unten.

»Weißt du eigentlich, wie du aussiehst? Wo bist du gewesen?«

»Ich mußte mich verstecken«, jammerte er und raufte sich die Haare.

»Komm herein«, sagte sie, »du stehst ja da wie ein Bettler.«

Sie traten ins dämmerige Wohnzimmer. Von der anderen Seite kam das Hündchen herangestelzt und ließ ein dünnes Jaulen vernehmen.

»Wer ist da gekommen?« rief die Mutter.

»Der Gasmann!« antwortete Angelina.

Dann wandte sie sich Gregorio zu:

»Also, was ist passiert?« flüsterte sie.

»Nichts, ich bin nur gekommen, um mich zu verabschieden und dich um Verzeihung zu bitten«, entgegnete Gregorio in einem Ton, der ihm selbst nicht ganz überzeugend klang, und ließ sich in seinen Sessel fallen.

Angelina durchquerte das Zimmer, um Licht zu machen, doch Gregorio winkte sie zurück.

»Nein, laß es besser dunkel. Ich bin müde und wahrscheinlich auch krank.«

»Was soll denn das heißen, daß du nur gekommen bist, um dich zu verabschieden?« wisperte sie, kam zu ihm und blieb bewegungslos vor ihm stehen.

»Na, daß ich ein paar Sachen zusammenpacken muß. Ich verschwinde, für immer.«

»Wohin?«

»Ich weiß nicht. Weit weg. Ins Ausland.«

»Du mit deinem Ausland. Aber warum mußt du verschwinden? Was ist denn passiert?«

»Sie haben uns hochgehen lassen«, sagte Gregorio mit kindlicher Nörgelstimme. »Es hat einen Kampf gegeben und einen Toten, und jetzt sind sie hinter uns her.«

Angelina schaute geduldig zu ihm hinab.

»Hast du jemanden getötet?« fragte sie zögernd.

»Was weiß ich, ich glaube nicht. Wir waren da alle, und der Tote wollte uns nicht hinauslassen. Es gab Geschrei, und einer hat die Nerven verloren. Es ging drunter und drüber. Außerdem war es dunkel.«

»Aber, hast du ihn umgebracht?«

Gregorio blies erschöpft die Luft aus.

»Ach was, aber ich war dabei, mit dem Gepäck. Das ist alles so schwer zu erklären.«

»Dann ergib dich doch. Du wirst sehen, wie sich alles aufklärt und sie dich laufenlassen. Sag ihnen einfach, was passiert ist.«

»Nein, die würden mich umbringen oder mir Lebenslänglich geben. Ich muß verschwinden.«

»Mit wem sprichst du da?« rief die Mutter aus ihrem Zimmer.

»Das ist das Radio!« sagte Angelina.

»Was bringen sie denn um diese Zeit?«

»Eine Messe! Leg dich hin und schlaf!«

Angelina senkte ihre Stimme noch etwas mehr.

»Du könntest dich hier im Haus verstecken, im Keller.«

»Da würden sie doch zuerst suchen«, wehrte Gregorio ab.

»Na, dann ziehen wir eben in ein anderes Viertel. Wolltest du nicht ein Geschäft eröffnen?«

»Daraus wird auch nichts mehr. Dazu ist es jetzt zu spät. Ich habe dir doch gesagt, daß sie mich suchen.«

Sie schwiegen, und ihnen fiel nichts ein, was sie noch sagen konnten. Gregorio erlauschte in den Tiefen des Hauses das tuschelnde Geflecht der Stille.

»Und wann kommst du zurück?« fragte Angelina schließlich.

Gregorio warf sich händeringend nach hinten und schloß die Augen.

»Ich weiß es nicht. Vielleicht nie«, sagte er verzagt, und seine Stimme klang ihm trotz aller Aufrichtigkeit so falsch dramatisch, daß er schnell hinzufügte:

»Na ja, ich muß jetzt los.«

Er wuchtete sich aus dem Sessel und schaute sich um, als suche er nach einem Ausweg.

Angelina legte ihm eine Hand auf die Schulter:

»Iß doch wenigstens noch zu Abend. In der Küche habe ich die Tortilla von gestern.«

»Und wenn sie mich holen kommen?« fragte Gregorio mit Verschwörerstimme.

»Wir lassen niemanden herein.«

»Und deine Mutter?«

»Der erzähle ich irgendwas.«

Gregorio nickte ergeben, und Angelina ging in die Küche. Wäh rend er sie dort hantieren hörte, ging er ins Bad, nahm zwei Röhrchen Tabletten an sich und ging wieder hinaus, ohne sich im Spiegel anzusehen.

Er setzte sich wieder in seinen Sessel. Es war dunkel geworden, und an der Straßenecke brannte schon die Laterne, die all die Jahre hindurch seine nächtlichen Phantastereien beschienen hatte. Ihm war, als sei er wie jeden Abend von der Arbeit heimgekommen und habe sich in den Sessel gesetzt, um auszuruhen. Er schloß die Augen, und im selben Moment nahm er in der Dunkelheit den schwachen, aber unverkennbaren Geruch seines Lebens wahr. Es war der Geruch, den er jahrelang ausgeströmt hatte, der in der Luft und auf allen Dingen lag und der unverwechselbar und kennzeichnend für ihn war. »Man gehört an einen Ort, wenn man dort einen Geruch hinterlassen hat und der Ort nach dem riecht, was man ist«, dachte er gefaßt. Alles andere (gläubig oder ungläubig sein, Kinder haben oder studiert haben, in einem Ballon fahren, eine Kunst beherrschen oder ein Pferd zureiten können) schien ihm von fast lachhafter Bedeutung. Die Erinnerung an einen Körper fand sich weder in einer Bibliothek noch in einem Denkmal, sondern in einer Gardine, in einer Hose, in der Luft eines Zimmers oder Korridors. »Kommenden Generationen einen Schlafanzug hinterlassen«, sagte er sich mit einer Trauer, die ihm ultimativ, sanft und endgültig schien.

Während er aß, fragte Angelina wieder, was denn genau geschehen sei, doch Gregorio antwortete nach wie vor mit Ausflüchten. Sie sprachen leise flüsternd, um nicht den Argwohn der Mutter zu wekken. Angelina stand weiterhin still und unbeweglich, und Gregorio aß mit bitteren Bissen, versuchte die Autorität seiner Trauer als Argument durchzusetzen. Nach dem Essen schob er den Teller von sich, sank in seinen Sessel zurück und starrte ins Leere. Da fiel ihm ein, daß er beinah einen ganzen Tag nicht geraucht hatte. Es erschreckte ihn, daß seine – ganz unbewußt zutage getretene – Verbitterung so aufrichtig und kompetent war, daß sie ihm die Kontrolle über seine Handlungen nahm.

»Wenn du mich fragst, Gregorio, ich verstehe überhaupt nichts«, kam Angelina auf ihr Thema zurück. »Weder was passiert ist, noch warum du gehen willst. Du wirst hoffentlich wissen, was mit dir los ist.«

»Ja, das weiß ich«, antwortete Gregorio langsam und bedächtig. »Ich bin ein Miststück. Ich bin immer ein Miststück gewesen. Schon als Kind habe ich einmal eine Katze getötet. Ich habe sie in einen

Käfig gesperrt und ertränkt. Verstehst du? Fast mein ganzes Leben ist eine einzige Lüge. Ich habe alle belogen, bei mir selbst angefangen. Und ich muß so ein Miststück sein, daß mir nicht einmal ganz klar geworden ist, daß ich alle Welt belüge. Es fing damit an, daß man mir Fragen stellte und ich geantwortet habe. Ich habe keine einzige Lüge gesagt, die nicht eine Antwort auf irgendeine Frage gewesen wäre. Als Kind hat mich mein Großvater gefragt: ›Was willst du werden?‹, und ich, um irgendwas zu sagen, sagte: ›Stier‹, und er, ›Stier?‹, und meine Mutter, ›möchtest du nicht Priester werden?‹, und er, ›Priester?, wenn schon, dann Heiliger‹, und ich sagte ihnen, ›ja, Heiliger und Stier, heiliger Stier‹, weil ich es beiden recht machen wollte. Und mein Vater dann: ›lieber Admiral‹, und ich, ›klar, auch Admiral; Heiliger Stier Admiral‹. So hat alles angefangen. Und dir, was habe ich zu dir gesagt? Daß ich Ingenieur würde. Ich habe dich sogar gefragt, ob du mit mir in den Dschungel gehen willst, um Brücken zu bauen, nicht? So, und jetzt sitze ich hier. Tue ich dir nicht leid? Ich hätte gern einen Sohn gehabt und ihm beigebracht, ein richtiger Mann zu werden, und nicht so ein verdorbenes Miststück wie ich.«

»Nein, du bist ein guter Mensch, anständig und zuverlässig«, sagte Angelina, ohne ihre Stimme zu verändern. »Das Problem ist nur, daß du nicht weißt, was du willst. Du weißt nicht, wo du deinen Hintern hinsetzen sollst, und jetzt sitzt du zwischen allen Stühlen. Das ist das Problem.«

»Es freut mich, daß du das sagst. Wenn ich einmal nicht mehr sein werde, möchte ich, daß du mich, ich weiß nicht, daß du mich zärtlich und mit Respekt in Erinnerung behältst. Ich möchte, daß du mir alles verzeihst und nicht schlecht über mich denkst, was immer dir auch zu Ohren kommen mag. Ich glaube selbst auch, daß ich im Grund ein anständiger Mensch bin. Willst du das tun?«

»Ja.«

»Dann verzeihst du mir?«

»Ja.«

»Glaube nicht, was die Leute sagen. Behalte mich so in Erinnerung, wie ich war, als wir uns kennengelernt haben.«

»Ist die Messe immer noch nicht zu Ende?« rief die Mutter.

»Nein.«

»So lange!« rief sie verwundert. »Ist das eine Totenmesse?«

»Ja!«

»Habe ich mir doch gedacht!« kam es nach einer Weile.

Gregorio wurde schläfrig.

»Wie geht es ihr?« fragte er.

»Mutter? Sie kommt kaum noch aus dem Bett.«

»Und der Hund«, er wischte mit der Hand durch die Luft, »wie alt ist der?«

»Ich weiß nicht, mindestens dreißig.«

»Ich wußte gar nicht, daß Hunde so alt werden können.«

»Tja, er lebt aber noch«, sagte Angelina und senkte den Kopf.

»Dreißig Jahre«, sagte Gregorio mit dramatischer, schon schlafschwerer Stimme. »Weißt du noch, als wir jung waren und zur Abendschule gingen?«

»Ja.«

»Welche Zeiten! Und als wir am Meer waren? Weißt du noch, wie wir da in einem Motorboot gefahren sind?«

»Ja.«

»Und Muscheln gesucht haben, weißt du noch?«

»Ja.«

»Im Grunde sind wir immer glücklich gewesen«, sagte Gregorio betrübt und mit einem schmerzhaften Ziehen im Mund.

Angelina begann das Geschirr abzuräumen.

»Und was willst du tun, da, wo du hingehst?«

»Mal sehen. Und was willst du tun?«

»Nähen«, antwortete sie, ohne zu zögern.

»Ja, das Leben war gar nicht so schlecht, wie ich damals geglaubt habe«, sagte er gedankenverloren und gähnte anhaltend.

Er hörte noch, wie Angelina still aus dem Zimmer ging, und gleich darauf umnebelte ihn der Schlaf. Ihm fiel ein, daß sie ihn dort leicht überraschen konnten, doch waren ihm Tod oder Gefängnis im Moment gleichgültig, und er ließ das Schicksal walten. »Wenn sie mich holen kommen, gestehe ich alles; wenn nicht, verschwinde ich, sobald ich wieder aufgewacht bin.« Er tastete seine Hosentasche nach den Röhrchen mit den Tabletten ab, und mit der Hand darauf schlief er ein.

Er war schnell wach. Im ersten Moment hatte er geglaubt, in der Pension zu sein, auf die Stunde der Flucht zu warten, und just in diesem Augenblick hätten sämtliche Uhren die zwölfte Stunde geschlagen. Indem er schlagartig die Realität wahrnahm, erkannte er, daß er nicht träumte und von Anfang an die Türklingel gehört hatte und auch, daß Angelina behutsam durchs Wohnzimmer geeilt war. »Jetzt sind sie da«, sagte er sich, stand auf und vergewisserte sich, daß die Tablettenröhrchen noch da waren. Gesicht und Hände waren schweißbedeckt, und er stand wie zur Salzsäule erstarrt, unfähig, ins Badezimmer zu laufen oder sich auch nur ein halbwegs menschenwürdiges Aussehen zu geben. Er spürte seinen Körper nicht, und als es zum zweiten Mal klingelte, hatte er das Gefühl, immer noch zu träumen. Doch dann hörte er eine männliche Stimme und danach Angelinas Stimme, die einmal, zweimal, dreimal »ja« sagte. Er näherte sich dem Flur und hörte die Tür zuschlagen. Er nahm die Stille wie ein Meer voller Vorahnungen wahr, in dessen trügerischer Weite man die unsichtbaren Gesänge der Sirenen vernahm.

Bleich und mit verzerrtem Gesicht sah er Angelina in der Dunkelheit herankommen. Sie war allein und hielt ein Papier in der Hand. Sie sahen sich lange an, bevor sie sprachen.

»Wer war das?« stammelte Gregorio.

»Der Neffe von Don Isaias aus dem sechsten Stock. Er sagt, sein Onkel bittet dich, ihn zu besuchen. Er hat mir einen Zettel für dich gegeben.«

»Einen Zettel?« fragte er verwundert.

»Einen Zettel. Du wirst ja wissen, was ihr beiden ausgeheckt habt.«

»Aber ich kenne ihn doch gar nicht!«

»Du sollst zu ihm nach oben kommen, hat er jedenfalls gesagt.«

»Wer ist denn dieser Don Isaias?«

»Ich weiß auch nicht, ein alter Mann, der nie aus dem Haus geht. Es heißt, er hat Zauberkräfte. Papa hat er das Horoskop aus den Sternen gelesen und gesagt, er würde bald in eine große Schlacht ziehen. Das ist wahr geworden, denn einen Monat später wurde er krank und ist gestorben.«

Gregorio nahm den Zettel, ging damit zum Fenster und las ihn im Licht der Straßenlaterne: *Bevor Du fliehst, bitte ich Dich inständigst, zu mir heraufzukommen. Bei mir bist Du vor der Polizei sicher. Ich erwarte Dich auf der Terrasse. I.*

»Was schreibt er?« fragte Angelina.

»Ich soll zu ihm kommen. Keine Ahnung, was er von mir will. Ich kenne ihn gar nicht, aber er mich offenbar wohl.«

»Aber, was ist denn da los?« schrie die Mutter ängstlich.

»Nichts! Schlaf jetzt!«, rief Angelina. »Es ist das Radio.«

»Etwa immer noch die Messe? Hört die denn nie auf?«

»Ist gleich zu Ende! Schlaf jetzt!«

»O Leben, o Leben!« hörte man noch.

Während er Sachen einpackte, erklärte Gregorio noch einmal, daß er diesen Don Isaias nicht kenne und gar nicht daran denke, zu ihm hinaufzugehen, es würde ihn nicht wundern, wenn das eine Falle wäre. Angelina legte ihm die Wäsche aufgefaltet in den Koffer und gab ihm Ratschläge für die Zeit in der Ferne.

»Die Hosen faltest du über Nacht zusammen, damit sie nicht verknittern. Ich lege dir auch Nadel und Faden dazu, falls du mal einen Knopf annähen mußt. Und ziehe dir nicht die Pulloverärmel lang, die leiden darunter, und Kleidung ist teuer. Und wenn du angekommen bist, da, wo du hinwillst, schreibe uns eine Karte, damit wir wissen, wo du bist. Hier ist noch eine Dose mit Talkum gegen Fettflecken. Das schüttest du auf den Fleck und bürstest es hinterher gut ab. Mein Gott, womit haben wir das nur verdient!«

»Ich brauche auch etwas Geld«, sagte Gregorio, den Koffer schon in der Hand.

Angelina wühlte im Schrank und gab ihm ein paar zerknitterte Scheine.

Gregorio senkte den Kopf.

»Jetzt weiß ich erst, wie gut du bist«, murmelte er.

»Unsinn«, erwiderte sie. »Du mußt jetzt nur zusehen, daß du Arbeit findest und wieder einen klaren Kopf bekommst.«

»Wenn ich nicht schreibe, dann nur, weil ich keine Gelegenheit habe, aber du sollst wissen, daß ich immer an dich denke. Und ich möchte, daß du mir verzeihst.«

»Ich bin hier, wenn du mich brauchst«, sagte sie mit fester Stimme. »Wenn du zurückkommst, bin ich hier, wie immer.«

Gregorio schüttelte unmerklich den Kopf, die Mundwinkel zogen sich weinerlich nach unten, und plötzlich warf er sich in ihre Arme und schluchzte bebend an ihrer Schulter.

»Ich bin ein Miststück!« wimmerte er. »Ein elendes Miststück, das dein Mitleid nicht verdient!«

Angelina ließ ihn weinen, ohne ein Wort zu sagen und ohne seine Umarmung zu erwidern. Dann schob sie ihn von sich und schaute ihn ausdruckslos und ernst an.

»Jetzt geh, damit sie dich nicht erwischen. Und geh zu Don Isaias hinauf, vielleicht kann er dir helfen.«

Sie gingen in den Flur.

»Lebe wohl, Angelina. Wie schlecht habe ich dir alles vergolten«, sagte er mit gesenktem Kopf und weinerlicher Stimme, als er bereits in der Tür stand.

»Unsinn«, sagte sie, und ohne auf eine Antwort zu warten, schloß sie rasch und lautlos die Tür hinter ihm.

Das Treppenhaus lag in völliger Finsternis. Gregorio tastete nach dem Geländer, hielt nach zwei Stufen kurz inne und schaute hinauf, bevor er sich hastig auf den Weg nach unten machte. Auf dem vorletzten Treppenabsatz blieb er wieder stehen. Wer war dieser alte Mann, und woher wußte er, daß die Polizei hinter ihm her war und daß er fliehen wollte? Und wenn er hinaufging, um zu erfahren, was er von ihm wollte? Angelina hatte gesagt, er könnte ihm vielleicht helfen, aber selbst wenn nicht, hatte er nichts zu verlieren. Auf der anderen Seite verursachten ihm die Mühen und Gefahren der Flucht ein unbestimmtes Gefühl von Furcht und Trägheit. Und dann waren da noch die Gewissensbisse und die beiden Röhrchen mit den Tabletten, und er fragte sich, was schlimmer war, der Mut, sie zu benutzen, oder die Qual, sich nicht zu trauen und sich fortan wie ein Insekt zu fühlen. »Was auch passiert, ich habe nichts zu verlieren«, sagte er sich und stieg die Treppen wieder hinauf.

Mit der körperlosen Langsamkeit eines Tauchers stieg er unter Grummeln, Ächzen und den Glockenschlägen einer Uhr in der Dunkelheit nach oben. Im sechsten Stock stand er vor einem noch finstereren, steil ansteigenden schmalen Treppchen. Es roch nach zerbrochenem Gerät, das sich hier oben verborgen hielt, als warte es auf eine Chance, sich noch einmal nützlich zu machen. Es roch nach Polstersesseln, die von mehreren Generationen ehrbarer Gesäße eingedrückt waren. Es war ein Gattungsgeruch, als hätten Lebende und Tote ihr Aroma zusammengetan. Im Schein eines Streichholzes gelangte er über eine mühsame Wendeltreppe an eine schlecht schließende Tür, die sich mit einem langen Ächzen nach außen öffnete. Bevor er über die Schwelle trat, zwang Gregorio sich zu dem Gedanken, daß er notfalls endlos lange einem Blick standzuhalten vermochte, zwang sich, die ruhende Kraft seiner Fäuste zu fühlen, die unbezwingbare Macht der Verachtung, das letzte Mittel der spöttischen Bemerkung, das tödliche Argument der Unschuld. Weitere Gründe zu sammeln, um sich Mut zuzusprechen, lehnte er ab, um nicht auf einen zu stoßen, der ihn zur Umkehr bewöge, und außerdem: »das Leben ist kurz«, sagte er sich, »und was am Ende bleibt, ist ein grinsender Totenschädel.« Mit eingezogenem Kopf und so luftig leicht, daß er glaubte, auf der Lichtleiter einer mystischen Erhebung zu entschweben, tat er drei Schritte nach vorn und stand im Freien.

Ein leichter Höhenwind kühlte sein Gesicht. Er stand still in der Dunkelheit, zündete sich eine Zigarette an, die er im Mundwinkel baumeln ließ, steckte die Hände in die Manteltaschen, wie es die strikten Regeln der Kriminalkunst erforderten, und schaute sich um. Am anderen Ende der Terrasse standen zwei Stühle, zwischen ihnen eine Karbidlampe und dahinter, an der Brüstung, mit dem Rücken zum Lichtkreis der Lampe, die reglose Gestalt eines massigen Mannes, der sich warm angezogen hatte und ins Leere starrte. Über die sirrende Lampe hinweg nahm man das Geräusch und die Masse seiner Atmung wahr. Sie war nicht rhythmisch, sondern unregelmäßig und mächtig schnaufend wie ein Blasebalg, und es schien, als gehorche sie dem Zufall. Gregorio tat zwei umkreisende Schritte auf ihn zu. Er dachte daran, daß er mit Hut und Brille bessere Garantien für eine Situation gehabt hätte, die ihm plötzlich unwirklich vorkam. Er ging einen Schritt weiter, und als er begriff, daß jenes Röcheln kurz davor stand, sich in Sprache zu artikulieren, bereute er, keinen vorbereiteten Satz mitgebracht zu haben, keinen harten, ausschließenden, absurden, glückseligen Satz, mit dem er sich der Feindseligkeit fremder Sätze erwehren konnte: etwas, mit dem er in der Stille eine sichere Zuflucht gegen alle Widrigkeiten hätte errichten können. Aber er hatte weder die Zeit, danach zu suchen, noch zurückzuweichen, denn mit einer halben Drehung sagte der nächtliche Betrachter:

»Du bist also doch noch gekommen. Ich habe dich erwartet, um dir zuerst einmal zu sagen, daß du nach meinen Schätzungen noch nie so weit oben gewesen bist wie heute. Wenn ich mich recht entsinne, bist du nie über ein drittes Stockwerk hinausgekommen, oder?«

Und ohne eine Antwort abzuwarten, als hätte er auf eine Tatsache hingewiesen, deren Offensichtlichkeit nur von sentimentalem Wert war, fügte er hinzu:

»Komm her und sieh.«

Seine Stimme klang schwer und heiser, wie ein Rinnsal kollernder Steine, und war so überlegend langsam, daß sie zum Träumen und Ausruhen einlud. Er schien nie einen neuen Satz anzufangen, sondern sprach immer so, als nähme er todmüde den Faden einer eben erst unterbrochenen Rede wieder auf.

Fasziniert von der freundschaftlichen Unwirklichkeit, die sich auf den Bühnenbrettern eines Traums zu entfalten schien, schlug Gregorio den Mantelkragen hoch und trat ins Licht. Es war eine kalte, klare Sternennacht, und unten erstreckte sich die Stadt im Taumel ihrer Lichter, soweit das Auge reichte. Er sah die Lichterketten der großen Straßen, die Lichterkarussells der Plätze, das fliehende Gefunkel zu den Vorstädten hin bis an die äußersten Randgebiete, wo nur noch das eine oder andere schwache Blinzeln sich dem Schattenreich entgegenstellte, und dahinter die ferne Vollkommenheit der Nacht wie ein aufgewühltes Meer der Stille.

»Sieh her, mein Sohn«, sagte der Betrachter mit seiner redlichen, heiseren Stimme. »Das ist die Stadt, in der du seit deiner Kindheit lebst. Von daher«, er wies nach Süden, »bist du vor achtunddreißig Jahren, zwei Monaten und elf Tagen hier angekommen. Erinnerst du dich? Du trugst einen grünen Mantel und einen Pappkoffer«, ergänzte er mit seiner Kieselsteinhaufenstimme, die ihm an den Eingeweiden hinauf nach oben stieg. »Vor achtunddreißig Jahren, das heißt soviel wie: es ist nie geschehen, oder du kamst in einem grünen Binsenkörbchen geflogen.«

Gregorio betrachtete sein Gegenüber mit inquisitorisch zur Seite gelegtem Kopf. In dem ungewissen Licht sah er nur Umrisse, doch plötzlich ging hinter dem Kopf des Betrachters der zunehmende Mond auf, und ein Hauch reiner Luft ließ ein paar Haarsträhnen in seinem Lichthof flattern. Gregorio trat einen weiteren Schritt vor. Er war zwar verwirrt, ängstigte sich jedoch nicht: die nächtliche Unwirklichkeit, die besänftigende Stimme und vor allem die Überzeugung, nichts zu verlieren zu haben, erfüllten ihn mit unüberwindlichem Frieden. Also zeigte er ihm sein Profil und fragte mit schmalen Augen:

»Woher wissen Sie das alles?«

Der andere hob einen Finger über die Schulter.

»Hat man dir nicht erzählt, daß ich Hexerei und Sternenmagie betreibe?«

»So was Ähnliches, ja«, antwortete Gregorio vorsichtig.

»Aberglauben«, sagte der Betrachter und wandte sich langsam um.

Im Gegenlicht der Lampe gewahrte Gregorio den Glanz des bloßen Halses.

»Ich habe schon lange aufgehört, die Sterne zu betrachten. Mindestens seit sechzig Jahren, seit ich Philanthrop geworden bin«, und seine Stimme klang so sanft und unwiderruflich müde, daß jeder Spott daraus verbannt war.

»Nun, machen wir es kurz«, fügte er hinzu. Steifbeinig wie eine Erscheinung oder wie die Statue eines heiligen Namenspatrons, den eine inbrünstige Menge auf einem Schemel mit zerbrechlichen Rädern entführt, ging er zwei Schritte auf die Lampe zu, so daß ein schwacher Lichtschein auf sein Gesicht fiel. Nach der Beschaffenheit seiner Pergamenthaut zu urteilen, mußte er sehr alt sein. Die vielen Jahre hatten ein tiefes Faltenlabyrinth gegraben, in dem zwei schlaflose Lichtpunkte wie die Augen eines Nagetiers glimmten. Zwei Handvoll moosigen Haars umgaben seinen kahlen, grindigen Schädel, der herrlich abwegig war wie eine planetarische Zwiebel, und aus den Ohren wuchsen ihm zwei beachtliche Büschel borstiger Haare. Er wirkte auf eine unbegreifliche Art hinfällig und rüstig zugleich, was vielleicht daran lag, daß er zwar kräftig war, aber sein Aussehen doch eher etwas von verschwendeter Schwäche hatte; und diese Schwäche, da sie einer gewissen Energie bedurfte, um sich auszudrücken, ließ sich leicht mit Rüstigkeit verwechseln, die wiederum Bestätigung der Schwäche war, und so weiter. Er hatte auch etwas von der rabiaten Reglosigkeit der Vogelscheuchen und wirkte ebenso schutzlos wie überschäumend in seiner Beleibtheit, die ihn eher behinderte als ihm Halt gewährte. Sein Gesichtsausdruck jedoch schien zuvorkommend und vertrauenerweckend zu sein. Gregorio beugte sich ein wenig vor, um ihn besser sehen zu können, und warf sich plötzlich mit einem im Gesicht geschriebenen Entsetzensschrei zurück: er hatte auf der Stirn des Alten einen rosaroten Fleck gesehen, den er, noch bevor er ihn deutlich wahrgenommen, als Narbe erkannt hatte; eine breite, zarte, gewundene Narbe, die in der Tat wie ein riesiger Tausendfüßler aussah. »Der Teufel!« dachte er laut und versuchte wach zu werden. Er hatte jedoch keine Furcht, sondern ein Gefühl, als strample er in sumpfgewordener Zeit.

»Erkennst du mich jetzt?« fragte Don Isaias.

Gregorio starrte ihn offenen Mundes an und nickte im Abgrund der Faszination.

»Dann erinnerst du dich auch an die drei magischen Bücher deines Onkels Felix? Erinnerst du dich, wie ich dich tröstete, als du verliebt warst? Und an jenen Sommer, in dem du die Poesie entdecktest, und als du deinen Namen ändertest und den Anzug kauftest, den Hut und den Regenmantel, um damit ins Café zu gehen? Ich habe dich auf die Terrasse hochgebeten, weil wir hier vor der Polizei sicher sind. Ich will mich nur von dir verabschieden«, und er streckte eine Hand wie eine kranke Kralle in den Lichtkreis. »Ich nehme doch an, du willst fliehen, ist es nicht so?«

Gregorio legte den Kopf schief, und Silbe für Silbe betonend, fragte er:

»Woher wissen Sie das alles?«

»Ich trage viele Jahre mit mir herum«, sagte der alte Mann und trat näher ans Licht. »Schau, hier«, er zupfte an seiner Haut. »Ich bin eine Ruine, bewohnt von Eulen und Fledermäusen. In meinem Alter, und auch schon eine ganze Weile früher, wird das Schicksal transportabel, und man trägt es mit sich herum wie eine orthopädische Vorrichtung.«

Er trat hustend in die Dunkelheit zurück und stützte sich auf das Geländer.

»Obwohl, eigentlich«, fuhr er in einem Tonfall fort, den er der drohenden Ausführlichkeit seiner Rede anpaßte, »tragen wir alle etwas mit uns herum. Du zum Beispiel müßtest, wenn ich das vor vielen Jahren richtig beobachtet habe, jetzt einen Affen auf der Schulter tragen.«

»Ich? Einen Affen?«

»Ja, einen Affen. Es gibt auch welche, die tragen einen Baumstamm oder eine Handvoll Sägemehl, das ist nur so ein Ausdruck, der dennoch nicht ganz der Wissenschaft entbehrt. Aber ich habe ein hohes Alter erreicht, und ich kann mich nur sehr kurzatmig ausdrükken. Ein geflügeltes Wort ist für mich ein Fest. Hörst du nicht?« Und tatsächlich hörte man es in beider Schweigen wie brechende Wellen. »Ich hab's auf der Brust, und ich entspanne mich nur, wenn ich klassisch sein kann.«

Er fuhr sich mit der Hand über die Augen und sammelte Kraft, um abschließend zu sagen: »Sinnsprüche und Kartoffelpüree, davon lebe ich.«

Gregorio wartete kurz, bis die Worte ihren Wertgehalt verloren hatten.

»Woher wissen Sie das alles?« fragte er noch einmal in ebenso flehendem wie herausforderndem Ton.

Der Beobachter zerrte am Kragen seiner Jacke und verharrte stumm in der Finsternis, wo er sich mächtig schnaufend von den Verwüstungen des letzten Satzes erholte. Unter den vom Wind aufgebauschten Halbkränzen seines moosigen Haars sah sein Gesicht ernst und undurchdringlich wie das eines Sauriers aus.

»Paß auf, Gregorio oder Faroni oder wie du jetzt heißt: du mußt keine Angst haben. Sei ganz ruhig und höre nicht auf das, was ich dir sage. Wir Alten sprechen, um uns selbst reden zu hören, weil wir dann wissen, daß wir noch leben. Wer am meisten redet, scheint am wenigsten tot zu sein. Andererseits möchte ich nicht mit einer Torheit auf den Lippen sterben, und da mir nur noch wenig Zeit bleibt, spreche ich in Postskripten und kürze ab, wo es geht. Besäße ich eine Flöte und wüßte sie zu spielen, und wäre ich noch in dem Alter zu tanzen, ich tanzte vor dir im Takt des Menuetts, und hinterher forderte ich dich zu einem Wettstreit in Urteilskraft. Wäre das nicht wunderbar? Wir wären eingeschleuste Araber in fremdem Garten, als Kameltreiber verkleidete Emire, und wären wir jung und die Nacht sternenklar, so hinderte uns nichts, auch weise und edelmütig zu sein. Aber höre nicht auf meine Worte. Weder bin ich Araber noch Flötist noch Zauberer noch Magier, und ich besitze auch keine andere Macht als die meiner vielen Jahre. Du brauchst dich nicht zu fürchten. Ich habe dich rufen lassen, um mich von dir zu verabschieden und dir bei der Gelegenheit ein paar Fragen zu stellen. Doch zuvor möchte ich dir ein wenig von mir erzählen, obenhin nur, denn für Feinheiten bin ich schon zu gebrechlich, und dann wirst du sehen, wie alles ganz einfach und ohne jedes Geheimnis ist. Vielleicht verstehst du dann, wenn auch nicht alles, so doch zumindest genug, um mir verzeihen zu können.«

»Ihnen verzeihen? Ich?«

»Ja, mein Sohn, ich habe noch eine Rechnung bei dir offen. Du wirst es gleich erfahren. Höre mir also zu. Früher hätte ich dir noch von meinen Motiven berichtet, die mich bewogen, eine so gewaltige Aufgabe anzugehen. Aber entweder habe ich sie im Laufe des Verrichtens dieser Aufgabe vergessen, oder aber sie waren so trivial, daß sie die vornehme Eigenschaft einer Veranlassung verloren haben. Nun, um es kurz zu machen, fange ich am Anfang an. Es stimmt, daß ich in meiner Jugend beschloß, mein Leben den Sternen zu widmen. Es war nicht die Religion, die mich dieser Kuriosität zuführte. Nichts und niemand enthüllte mir irgendwas. Keine Gottheit trübte meine Träume. Nein, mit dem Glauben geht es mir wie mit den Socken, je weiter ich gehe, desto tiefer rutschen sie mir. Und ebensowenig war es der Ruhm, die Kunst, die Wissenschaft, die Eingebung oder der Zufall. Ich habe von keiner dieser erquickenden Quellen getrunken.

Es war nur die Enttäuschung. Ja, das war es: ein braunes Mädchen mit einem Zopf, von verzehrender Innigkeit, doch aufgefrischt in meiner armen Vorstellung durch feinstes Weißleinen und den Hochmut ihrer Pupillen. Ihr Name war etwas zwischen Jungfrau und Blume. Nicht, daß ich ihn vergessen hätte, aber er hat mit der Zeit eine andere Bedeutung bekommen. Ich habe ihn so oft ausgesprochen, daß ich schließlich seinen Sinn verloren und ihn mit anderen, nebensächlichen Dingen verwechselt habe. Die Liebe ist ein unfruchtbarer Überfluß. Das war im Oktober. Ich wollte studieren, wenn nicht Flöte, so doch wenigstens Medizin. Ich schrieb mich ein – damals war ich schneller als mein Optimismus –, und noch im Vorzimmer, in der Schlange der Wartenden, verliebte ich mich in den Namen und in den Zopf, die zwei getrennte Dinge waren. Ich weiß noch, daß es dort sehr fröhlich zuging, ländlich unbeschwert beinah. Man rief sich über die Köpfe hinweg Worte zu, kurze Sätze, Fragen existierten nicht: es gab nur Antworten. So ist das Studentenvolk, die Jugend schlechthin, laut und ohne Vorbehalt. Und ich verliebte mich stückchenweise, weil ich zuerst, noch bevor ich sie sah, so oft ihren Namen hörte. Soundso!, Soundso! klang es von überall her. Und jedesmal bewegte sich der Zopf in eine Richtung. Ich hörte den Namen und sah unabhängig davon den Zopf und verteilte mein Sehnen auf beide. Als ich sie jedoch in Zusammenhang brachte, erkannte ich, daß sie Teile desselben Ganzen waren, und da wurde ich wahnsinnig vor Verlangen. Ich begriff mit einem Schlag, daß in der Liebe die Unwissenheit langhaarig ist und sagte mir: ›Isaias, Junge, du stehst ganz schön im Regen. Laß Hippokrates Hippokrates sein und mache dich vom Acker, auch wenn es zu spät ist, dein Platz ist im Lazarett.‹ Ich war damals häßlich und schüchtern, ein Ausbund an Häßlichkeit, wie du jetzt ja noch sehen kannst, so daß mir kein anderer Ausweg blieb, als mich in Beharrlichkeit zu flüchten. Vor Verlangen halb wahnsinnig, stand ich mit steifem Gehänge da, und übte mich in Tugend. In der Liebe, mußt du wissen, richtet sich alles auf. Man geht aufrechter, hält sich gerade, der Blick wird weiter man selbst wird weiser und sogar großzügiger, man ist eine wandelnde Erektion, oder anders ausgedrückt: man denkt nur noch mit dem Ständer. Gürtel abwärts, das weiß man ja, gehen Verstand und Schimäre absonderliche Verbindungen ein, bringen die seltsamsten Kinder zur Welt. Ich flüchtete mich, wie gesagt, in die Beharrlichkeit und lebte in ihr, bis die Verzweiflung, die alles erreicht, nur nicht das was sie verfolgt, sich an dem Verdacht eines einzigartigen Schicksals berauschte. Aus dir hat, wenn ich das richtig beobachtet habe, die Liebe einen Dichter gemacht. Aus mir machte sie einen Astronomen. So könnten wir nun zweistimmig rufen: ›Liebe, deine Wege sind unerforschlich!‹«

Arg mitgenommen von der letzten Verwünschung, mußte er einen Husten unterdrücken und gönnte sich eine Pause, in der man nur das Rasseln seiner Lungen in der Dunkelheit vernahm.

»Ich will dir nicht das Ungemach meiner frühen Jahre schildern«, fuhr der beleibte, so schutzlos wirkende alte Mann mit leiserer Stimme fort und bedeutete Gregorio mit beiden Händen, näherzutreten, »denn wenn man alt ist, das weiß man ja, kann man von den ärgsten Schicksalsschlägen erzählen, und es hört sich immer noch an, als wolle man prahlen. Es reicht, wenn ich dir sage, daß ich vor Verlangen wie von Sinnen ins Freie stürzte und mit meinem Schmerz nach Hause lief, als wäre er eine unrechtmäßige Beute oder ich ein Kind, das ein Spielzeug gestohlen hätte. Hierher habe ich mich mit ihm zurückgezogen, und hier habe ich viele Jahre von einer kleinen Rente gelebt, ohne kaum je das Haus zu verlassen. Doch bevor ich weitererzähle, solltest du vielleicht erfahren, was für eine Sorte junger Mann ich war. Mein Vater, möge er das Antlitz des Allerhöchsten schauen, hatte die schönste Stimme dieser Welt, eine dunkle, musikalische Stimme, voller Tremoli und Akkorde, und mit der Gabe, die Vögel aufs Wort gehorchen zu lassen und sie sprechen zu lehren, ohne eine andere Anstrengung unternehmen zu müssen, als die Worte vorzusprechen und dann nur noch darauf zu warten, daß die Vögel sie nachsprachen. Ich wurde im Schulzimmer der sprechenden Vögel geboren und war das glücklichste und unschuldigste Kind der Welt, denn ich lernte sprechen, indem ich den Vögeln lauschte, und die Vögel konnten nur gute, freundliche Dinge sagen, die die Reichen in Auftrag gaben: das Salve Regina oder das Credo, Höflichkeitsfloskeln, Siegeshymnen, fröhliche Liedchen und Verse, Glückwünsche und Schmeicheleien. Eine Singdrossel gab es, die konnte sagen: ›Isaias, schönes Kind, Doktor im Glück.‹ So wuchs ich fast unberührt vom Bösen in der Welt heran. Doch eines Tages geschah ein Unglück. Mein Vater hatte viel Geld verdient, und um es ganz sicher zu haben, aber auch, um sich daran erfreuen und es stets in die Hand nehmen zu können, kaufte er einen Diamanten, den er in einem hohlen Rohrstock aufbewahrte. Eines Morgens nahm er ihn heraus, um ihn in die Sonne zu halten, damit er sich schön mit Licht fülle, als eine Elster mit dem Schnabel zustieß und auf Nimmerwiedersehen mit dem edlen Stein davonflog, nachdem sie den einzigen Satz gesprochen hatte, den sie kannte: ›Hoch lebe das spanische Weltreich!‹ Das war das erste Unglück. Weitere folgten. Mein Vater wurde von Tag zu Tag mürrischer, verlor seine Stimme, und die Vögel gehorchten ihm nicht mehr. Er fing an zu trinken und zu spielen. Später wurde er krank und starb unter Verwünschungen. Trotz allem glaubte ich noch immer an das Gute und Vollkommene in der Welt. Allerdings mit gewissen Vorbehalten, die immerhin so stark waren, daß ich, wie ich dir schon sagte, nicht mehr Flötenspieler, sondern Arzt werden wollte. Und da ein Unglück nie allein kommt, gehe ich in dieses Lokal, um mich zu immatrikulieren, und siehe da, was finde ich, die Liebe, und mit ihr die Hölle. Dir ist, wenn ich das richtig sehe, etwas ganz Ähnliches passiert, nicht?«

Gregorio schaute ihn abweisend an. »Mehr oder weniger«, antwortete er in einem Ton, der ebenso vielsagend wie unverbindlich war.

»Wer Liebeskummer hat«, fuhr Don Isaias fort, »verhält sich immer gleich: er sucht ein einsames Plätzchen, um sich die Wunden zu lecken. Dasselbe habe ich auch getan. Ich kam hierher und versteckte mich. Zusammen mit der Rente erbte ich ein Fernrohr, das mein Vater gekauft hatte, um damit nach der Elster Ausschau zu halten, und das mir dazu diente, zu jeder Tages- und Nachtzeit von dieser Terrasse aus hindurchzusehen, in der Hoffnung, irgendwo den Zopf zu entdecken. Was mir natürlich nicht gelang, mich aber auch nicht weiter bedrückte, da die Hoffnung allein schon einen Wert für sich darstellt. Eines Nachts hingegen schaute ich nach oben und entdeckte dort die Sterne. Die Liebe hat sich der hohen Jagd verschrieben: das ist eine Sache der Erektion. Ich begriff, daß ich nur dort oben meinen Frieden finden konnte. Allein die Sterne waren vor den Untiefen der Leidenschaft gefeit. Nur in ihnen konnte ich die verlorene Harmonie der Kindheit wiederfinden. Welch große Entdeckung für einen jungen Mann, den das mißliebige Schicksal wenn schon nicht glücklich, so doch zumindest klassisch wollte! Kurzum, ich tauschte den Zopf gegen die Sterne, kam hier herauf und verbrachte hier oben meine Nächte damit, den Himmel zu betrachten. Doch das Schicksal ist vorbestimmt: bald fand ich auch dort oben die Spuren menschlicher Schwäche. Wie der Weise sagt, ist der Mensch das Maß aller Dinge, und er formt sie nach seinen Bedürfnissen. Daher hat er die Sterne in Form von Drachen, Steinböcken, Schlangen, Bären und Hunden angeordnet, um auch dort oben ein Zeugnis seiner Alpträume zu hinterlassen. Da begriff ich, daß die Leidenschaft in mir selbst wohnte und ich mein Harmoniebedürfnis der Leidenschaft des Zopfes verdankte. Darum war ich hier heraufgekommen; nicht um Frieden zu suchen, sondern um meinen Geist am verfluchten Feuer des Ausblicks zu entzünden. Hier oben fühlt man sich stark, man berauscht sich am Privileg der Entfernungen und der Umfänge, man ahnt die Schimäre der Göttlichkeit und der Unendlichkeit, und daher kommt es gar nicht selten vor, daß der Betrachter es als seine Aufgabe ansieht, in den Dörfern zu predigen. Da geht er dann hin, wankend fast, mit seinem Wanderstab, und ruft auf den Dorfplätzen: ›Höret, ich war dort oben und habe Euch etwas zu verkünden, habe ein Versprechen für Euch und eine Drohung! Ich bringe Euch eine Botschaft, die der Herr mir, dem geringsten seiner Diener, anvertraut hat!‹ Es gibt keinen Propheten ohne Ausblick, keinen Glauben ohne Berge. Der Strolch steigt ins Bordell hinab, der Sehende jedoch auf einen Berg. Vielleicht gehen beide in zerrissenen Schuhen, doch wer einen Rock trägt, der wird kaum sein Hemd heraushängen lassen. Ich sage dir das nur nebenbei, um den Weg abzukürzen und damit wir nicht der Illusion erliegen, die Klarheit unseres Verstehens sei so gewaltig, daß seine Helligkeit uns blende. Im Zwielicht erneuert sich die Liebe, und die Vernunft selbst rät uns, kühner zu sein. Doch was ich sagen wollte. Ich wußte also, daß ich, wohin immer ich schaute, den Abglanz meiner Leidenschaften finden würde, weil der Mensch mit seiner Leidenschaft alles vergiftet. Und ich sagte mir: ›Isaias, suche dich in deiner Umgebung, lerne dich kennen, indem du dir ansiehst, was dich umgibt.‹ Ich schaute, und ich fand, daß mein Geist allen Dingen innewohnte. In meinem Schlafzimmer, zum Beispiel, fand ich im feuchten Gebälk eine geflügelte Katze und eine Mondrakete, und am Ende kam bei der ganzen Suche ein Zopf heraus, der ganz allein mit Hilfe meiner Leidenschaft entstanden war. Dergestalt ist die Kraft der Art. Wohin du auch schaust, immer fällt dein Blick auf den Menschen, den Großen Bemesser der Dinge. Den Menschen, der der Wirklichkeit Flügel verleiht wie ein dampfender Braten auf silbernem Tablett. Und der, wenn er einen Frosch erblickt, nicht anders kann, als ihn Märchenprinz zu nennen, und wenn eine Rose, sie umstandslos um eine Lektion zu bitten oder um Geringschätzung. Ja, so hat der Große Bemesser der Dinge das Universum mit seinen Alpträumen verseucht. Als ich das herausgefunden hatte, sagte ich zu mir: ›Isaias, Bruderherz, fliehe nicht, bescheide dich mit dem Lazarett.‹ Durch Mitleid geläutert, richtete ich daraufhin mein

Fernrohr nach unten, von meiner bescheidenen Aussicht auf die Straßen. Das ist jetzt lange her. Sieh mal«, und er zeigte auf ein paar blinkende, über den Nachthimmel dahinziehende Lichter. »Das ist die 22.40-Uhr-Maschine nach New York.«

Sie folgten dem farbigen Zwinkern, bis es nur noch in der Erinnerung existierte. Gregorio schienen jene Lichter ebenso unwirklich wie die Tatsache, dort oben auf der Dachterrasse zu stehen und dem Mann zuzuhören, den sein Onkel für den Teufel gehalten hatte. »Ich habe nichts zu befürchten«, sagte er sich, »da nichts, was mir zu Ohren kommt, und sei es noch so abenteuerlich, mich über mein Unglück hinwegtrösten und auch meine Entscheidung rückgängig machen kann«, und wieder einmal kam er sich hoffnungslos verlassen vor.

»Tja«, fuhr Don Isaias fort und entnahm seiner ergiebigen Beleibtheit ein riesiges Taschentuch, mit dem er sein Gesichtslabyrinth trocknete, »ich schaute also hinunter, direkt ins Zentrum aller Unordnung und sah, daß die Menschen unsichtbare Dinge auf den Schultern trugen: Gefäße, Tiere, Pflanzen, Steine und vieles andere mehr. Den Eindruck hatte ich. Meine Vision war mir so gewiß, daß ich sogleich wußte, sie würde auch nur kurz sein, so daß ich sie mir, bevor ich sie wieder verlor, mit einem Satz einprägen mußte, der die Illusion überdauerte. ›Der Mensch hat keinen Ziemer‹, sagte ich mir, und: ›Man muß einen Schubkarren für den Ochsen erfinden.‹ Und als meine Vision erlosch, hatte ich diese beiden Sätze auf den Lippen und begriff kaum ihren Sinn. Das war meine erste Ausblickerfahrung, die ich mit der Welt machte. Aber da war noch mehr, etwas, das ich mir nicht erklären konnte. Etwas, das ich nur mit einem anderen Zufallssatz ausdrücken konnte: ›Der Mensch ist nicht glücklich, weil die Last auf seinen Schultern nicht zu ihm paßt.‹ Ich sah einen riesigen Menschen mit einem Ölzweig auf der Schulter und ein kleines Männchen mit einem Mühlstein. Ich sagte mir: ›Sie spüren das Gewicht, ja, und einige schreiben es dem Schutzengel zu oder dem Gesetz der Schwerkraft, andere den Jahren oder der Erlebnisarmut doch sie wissen nicht, daß es das Gewicht des Schicksals ist, von dessen Genauigkeit ihr Glück oder Unglück abhängt.‹ Denn bewiesen ist ja, daß die meisten Menschen weder stark noch schwach sondern von beidem etwas sind. Wir sind nicht gut oder schlecht sondern des tollsten Husarenstreichs ebenso fähig wie der gemeinsten Schurkerei. Das war die ganze Wissenschaft meiner Jugend Man könnte vielleicht denken, daß das Wissen zum Menschen gehör wie zu einigen Wertgegenständen die Schatulle. Wenn dem so wäre, ginge ich durch Wind und Wetter und trüge einen Zweifel mit mir herum, der mehr Last ist als Schutz. Aber ein paar Dinge sind mir aufgefallen. Ich habe zum Beispiel gesehen, wie wunderschöne Gebäude von berauschender formaler Harmonie errichtet wurden, und ich habe die Maurer fluchen und schimpfen sehen, habe sie sich einen Finger quetschen und in der Frühstückspause erbittert miteinander streiten sehen, habe sie in der Hocke ihre Bedürfnisse verrichten sehen und obszöne Lieder singen hören. Und dann war das Gebäude fertig, und ich sagte mir: ›Dieses große, gradlinige Bauwerk stellt genau das dar, was wir nicht sind. Die Schönheit verleugnet uns.‹ Ich habe auch das Gegenteil gesehen. Ich habe einen Kaufmann eine Witwe übervorteilen und danach einem Bettler oder in der Kirche ein Almosen geben sehen und mir gesagt: ›Der Mensch schafft es ebensowenig, ein Teufel zu sein. Auch das Böse verleugnet uns. Vergebens suchen wir aus uns ein Gebäude zu machen, das uns in Schönheit oder Häßlichkeit übertrifft.‹ Und noch andere Dinge habe ich gesehen. Ich habe zum Beispiel einen Mann beobachtet, der jeden Nachmittag, wenn er von der Arbeit kam, an einer Straßenecke stehenblieb und sich suchend umschaute. Der Mann hatte an der Stelle, zumindest glaubte er, daß es die Stelle war, ein goldenes Feuerzeug mit seinem Monogramm verloren. Drei Jahre war das schon her. Zwanzig Jahre später nun, er war fast schon ein alter Mann, blieb er eines Tages plötzlich wieder an dieser Straßenecke stehen, oder er warf einen Blick über die Schulter, als hege er die Hoffnung, doch noch das Feuerzeug zu entdecken. Ich weiß das, weil ich eines Tages nach unten ging und ihn fragte, und er es mir halb verschämt, aber auch mit einem gewissen Stolz erzählte. Klar, seine Hartnäckigkeit war auf der einen Seite so lächerlich, daß daraus nicht einmal eine Anekdote entstehen konnte; nicht einmal diesen Trost hielt sie bereit, und deswegen schämte er sich. Weil einer, der Drachen oder Einhörner erlegen will und mit leeren Händen heimkommt, zumindest noch eine herrliche Geschichte erzählen kann, selbst wenn sie glücklos verlaufen ist. Ebenso wie der Torschlüssel eines heruntergekommenen Schlosses heute den ebenso heruntergekommenen Nachfahren als Briefbeschwerer oder Zierstück dienen kann. Kleinigkeiten jedoch hinterlassen keine Spuren und sind später ohne Bedeutung. Im Gegenteil, sie werden vergessen, stellen die Vergangenheit bloß und machen ein Leben schließlich zu Staub und Asche. Solche Dinge entbehren sogar der Größe eines Glaubensaktes. Hast du den *Don*

Quijote gelesen? Nur zur Hälfte? Nun, da kannst du lesen, wie Sancho seinen Herrn fragt, ob das Pferd Zapfenhölzern nicht eigentlich dazu angetan sei, sie zum Gespött zu machen. Und Don Quijote antwortete ihm darauf etwa in dem Sinne, daß dies ein Problem sei, das allein die Spötter berühre, da ihnen beiden kein Mensch den Ruhm absprechen könne, die Tat unternommen zu haben. Das ist ein Glaubensakt. Aber klar, man wird nicht alle Tage mit einem fliegenden Pferd aufgezogen. Man stolpert eher über die kleineren Steine auf dem Weg, muß Spötteleien über sich ergehen lassen. Obwohl ich mir andererseits sagte, daß in diesem Stolpern auch eine gewisse Größe liegt. Die Großartigkeit, tausendmal über denselben Stein zu stolpern oder über Jahre hin eine Straßenecke nach einem Feuerzeug abzusuchen, macht aus dem Scheitern dieses Menschen eine Legende, und in seiner beständigen Niederlage wird er unbesiegbar. Das ist wieder so ein Trugbild des Schicksals. Darum sprach der Mann mit dem Feuerzeug auch nicht ohne Stolz. Weil die tausendmal wiederholte Kleinigkeit bereits eigenes Gewicht besaß und erzählt werden konnte.«

Erschöpft und schwer atmend, hielt er einen Moment inne.

»Die Geschichte ist zu lang und zu verworren für die wenigen Kräfte, die mir noch geblieben sind«, fuhr er fort, »und mein Gedächtnis läßt langsam nach. Aber nun, ich will dir damit nur sagen, daß ich von meinem Blickpunkt aus den Menschen weder als Teufel noch als Gott sehen konnte. In der Wiederholung pulst das tragische Genie. Es leugnet und bestätigt uns alles, das Glück wie das Unglück. Ich dachte an Sisyphus, der seinen Stein den Berg hinaufrollt, und sagte mir, daß auch er wahrscheinlich von seinem Stein ein bißchen stolz gesprochen hätte, vielleicht sogar dankbar, denn ohne ihn wäre er nichts gewesen: ein Mann ohne Vergangenheit, ein Häufchen kalter Asche, weiter nichts. So sind auch die Dinge beschaffen, die wir auf den Schultern tragen und die einiges wiegen, aber auch einiges vergelten; sie schmerzen, aber sie geben Gesprächsstoff ab. Bei den Piraten mit Holzbein ist es daher so, daß ihre Behinderung sie nur noch grausamer macht. Solche Dinge habe ich von hier oben aus mit Hilfe des Fernrohrs gesehen, und sie haben mir zu denken gegeben. Und ich sagte mir: ›Worauf wartest du noch! Zimmern wir uns eine Theorie, die uns im Alter wärmt, und seien wir, wenn schon nicht verliebt und nicht Flötist, zumindest Philanthrop mit traurigem Gehänge.‹ Im Lauf der Zeit stellte ich fest, daß einige nur eine Handvoll Staub auf ihrer Schulter trugen, während andere unter einem Eisenträger ächzten. Und ich sagte zu mir: ›Man wird nur mit Mühe jemanden finden, der, wie Jesus mit dem Kreuz und Don Quijote mit seinen Waffen, gerade das ihm angemessene, wesentliche Gewicht trägt, welches das Schicksal ihm zugedacht hat.‹ Und die vermeintlichen Väter dieser Gedanken waren ein Name und ein Zopf. Das zeigt, wie die Liebe als Alptraum zu enden pflegt. Es ist, als würdest du ein Kind zu einem Ausflug einladen, ihm dann einen Stein in die Arme legen und zu ihm sagen: ›Lauf jetzt los, du Bengel!‹ Mit der Zeit würde dieses Kind unter seiner Last ermüden, ihm würden die Glieder schmerzen, und es hätte nur noch einen Gedanken: sich unter dem ersten Dach auszustrecken und um jeden Preis zu schlafen. Dann wäre es glücklich, fühlte sich behende, spränge wie ein Athlet, bohrte in der Nase und kennte keine Vergangenheit. Nimm doch nur deinen eigenen Fall. In deiner Jugend hattest du dich einer großen Aufgabe verschrieben. Du bist barfuß zum Gelobten Land gepilgert. Doch die Geliebte ging, und die Musen blieben fort, und wie die Israeliten in der Wüste, als Moses auf den Berg stieg, um die Gesetze zu empfangen, hast du um das goldene Kalb getanzt. Die Liebe und die Poesie waren zu schwer für dich. Ohne diese Behinderungen wärest du leichtfüßiger gelaufen. Es folgte eine Zeit, über die du heute nur wenig berichten könntest. In deiner Schnelligkeit hast du eine Spur aus Asche hinterlassen und aus diesem Grund, weil dir das Gewicht zu leicht schien, noch einen Affen auf die Schulter genommen. Und jetzt ist dir der Affe natürlich zu schwer geworden, und du möchtest ihn gegen ein kleines Gefäß oder eine Handvoll Stroh eintauschen. Verstehst du, was ich dir sagen will?« Und ein zärtlicher Hustenanfall ließ ihn erbeben, bereitete seiner Rede ein Ende.

Gregorio hatte sich auf einen der Stühle gehockt und zeigte nicht die geringste Überraschung.

»Ich weiß nicht, wovon Sie sprechen«, sagte er.

»Trotzdem kann ich mich besser nicht ausdrücken«, sagte Don Isaias bedauernd. »Vielleicht sind es auch Dinge, die ich längst vergessen habe. Doch fahren wir fort, bis wir an eine Lichtung kommen. Ich wollte dir damit nur sagen, daß der Mensch, ob er nun leichtfüßig dahinläuft oder sich ausruht, niemals ganz glücklich sein kann. ›Und warum nicht?‹ fragte ich mich. Woher stammt unser artenspezifisches Unbehagen? Und ich beobachtete weiter, bis ich fand, was ich damals für eine Antwort hielt. Ich sagte mir, daß der Mensch von allen Tieren das einzige ist, das sein Haus oben beim Dach anfängt. Er glaubt an einen direkten Weg zum Heil, und auf den stürzen sich alle. Vielleicht ist das aber ein Irrweg. Vielleicht wollen wir nicht begreifen, daß jeder Mensch in erster Linie er selbst sein muß, ob glücklich oder unglücklich, das sind schon wieder Kirschen von einem anderen Baum. Wie jemand, der ein Pfund Kaffee kauft und im Paket ein Überraschungspferdchen findet. Dann ist es gleich so, daß die Leute um jeden Preis das Pferdchen wollen, nur das Pferdchen, ohne sich klarzumachen, daß es eine Beilage ist, ein Geschenk der Kaffeefirma sozusagen. Aber nun, sie suchen das Pferdchen, suchen vom Dachboden bis zum Keller alles durch, suchen so verbissen, bis sie irgendwann einen Ersatz finden, ein goldenes Kalb, das in ihrer Einbildung dann zu dem ersehnten Pferdchen wird. Und ich sagte mir: ›Der Mensch ist das einzige Tier, das imstande ist, aus seinem Hinken eine Zirkusnummer zu machen.‹ Und ich schrieb in mein Merkheft: ›Wer das Pferdchen sucht, wird von den Sirenen verschlungen.‹ So ehrgeizig war ich in meiner Jugend. Und in meiner Hitzigkeit fühlte ich mich wie ein Prophet und empfand nur Mitleid mit meinen Nächsten. Ich fand zum Beispiel heraus, daß die Lebenserwartung des Menschen etwas über der des Uhus liegt und etwas unterhalb der der Süßwasserauster, und daß der Mensch auf kurzer Strecke langsamer ist als der Schakal, halb so schnell wie der Kojote und etwas schneller als das Hausschwein. Angesichts dieser Tatsachen brach ich in Tränen aus und sagte mir: ›Wenn mein braunes Mädel mich nicht liebt, dann will ich in seinem Namen die ganze Menschheit lieben, einschließlich mich selbst.‹ Das war eine Sünde, heute weiß ich es, aber damals kam ich mir dabei wie ein Heiliger vor. Ich verwechselte Leidenschaft mit Menschenfreundlichkeit und hielt die Unwissenheit für das Licht meiner Blindheit. Auf den Trümmern meines Versagens errichtete ich meinen Turm von Babel. Altruismus ist jedoch ein verzweifeltes Vergnügen. Und ich in meinem Altruismus stellte mir folgende Frage: ›Was steht dem Menschen besser an Glückseligkeit oder Schicksal?‹ Wenn er nämlich stark wäre, entsprä che ihm das Risiko, er selbst zu sein, und wenn er schwach wäre paßte es zu ihm, sich in die Gosse zu legen und glücklich zu sein. Da er aber nicht nur stark oder nur schwach ist, sondern beides zugleich scheint er zu Gespaltenheit und ständigem Ausweichen verdammt Und um meine Worte besser zu verstehen, die ich da sprach (ich sprach nämlich tastend, mit gesenktem Kopf, wie die Widder, wenn sie aufeinander losgehen), stellte ich mir zuerst eine Gruppe von Männern vor, die auf einer Waldlichtung zu den Klängen einer Flöte tanzten, und danach eine ganze Generation von hochgewachsener

Männern, die nicht lachten, und die Bärte trugen und Trompeten auf den Schultern, um eine Mauer zum Einsturz zu bringen. ›Was sind das für Mauern?‹ fragte ich, und ›warum tanzen die Trompeter nie?, warum lächeln die Tänzer?, warum gibt es keine Antworten auf meine Fragen?‹ Meine Theorie hatte schon solche Ausmaße angenommen, daß sie nicht mehr durch die Tür paßte. Also schaute ich nach unten, und da gab es weder lächelnde Tänzer noch ernste Trompeter. Ich sah, wie einer stolperte und fiel, wie der Wind einem andern den Hut vom Kopf wehte, wie noch ein anderer hustete und kein Geld hatte und ein weiterer sich unablässig den Kopf kratzte. Andererseits gab es aber welche, die Stiere töteten, auf dem Seil tanzten und Kinder in die Höhe hoben, damit sie die Paraden sehen konnten. Einer legte heimlich Feuer an ein Haus, und ein anderer kam gelaufen, um es zu löschen. Einer rannte ein altes Mütterchen um, und schon war ein freundlicher Herr zur Stelle, der sie auf seinen Armen zum Notarzt trug. Welch ein herrliches, absurdes Theater! Und ich sagte mir bewegt: ›Isaias, der du von den Vögeln gelernt hast, der du zweimal geboren bist, der du dich zwischen Selbstlosigkeit und Verlangen aufreibst und ein Herz zwischen den Beinen trägst, sei du aus Liebe zu deiner braunen, heißblütigen Jungfrau hellsichtig und gut, realistisch und tolerant und wissenschaftlich zu deinem Nächsten. Nenne dich Pionier einer verborgenen Wissenschaft, so neu und wunderbar, daß deine Bescheidenheit ohne Licht aufstrahle unter allem Gefunkel wie ein Talglichtlein in blechernem Leuchter inmitten des Schatzes eines Geizhalses.‹ So sprach ich zu mir mit meinem jugendlichen Talent, und in einem Anfall von Optimismus und als Huldigung an meinesgleichen begann ich zum erstenmal in meinem Leben zu tanzen, tanzte hier oben einen menschenfreundlichen, konfusen, schnellen Tanz, und wie das Unglück es wollte, glitt ich bei einer Drehung aus, stürzte und schlug mir an der Brüstung die Stirn auf. Eine Woche lang lag ich ohne Besinnung, und als ich wieder zu mir kam, da war ich ein praktischer Mensch, ein vollendeter Empiriker. In mir war ein Gedanke aufgekeimt, der Musik und Medizin zugleich war. ›Ich kann den Menschen nicht lehren, sein Schicksal zu suchen‹, sagte ich mir, ›wohl aber ihm helfen, nicht dem Blendwerk des Glücks zu verfallen.‹ Und weiter sagte ich mir: ›Man muß der Bestie die Peitsche geben, damit sie nicht einschläft und im Schlaf zum Schoßtierchen wird.‹ Danach faßte ich einen Plan. Ich hatte beobachtet, daß die Menschen sich das Leben mit kleinen alltäglichen Konflikten schwermachen, anstatt geradewegs ihrem

Schicksal entgegenzugehen. Ich war damals der Meinung, der Mensch habe ein einziges Schicksal, das sich entweder nicht zu erkennen gibt oder aber durch ein anderes ersetzt wird, dessen Gewicht nicht unseren Kräften entspricht. Die alltäglichen kleinen Konflikte rauben unsere Kraft. Es ist, als wolle man einen Drachen töten, könne aber nicht, weil man ein Steinchen im Schuh hat. Und so sagte ich zu mir: ›Wenn der Mensch sich nicht mit diesen Kleinigkeiten plagen, wenn er nicht fremde und zusätzliche Lasten tragen müßte, wenn ihm dieser kleine Sieg von vornherein sicher wäre und sein Wille und seine Kraft sich frei entfalten könnten, vielleicht könnte er dann, von Angesicht zu Angesicht nur mit sich selbst, die Stimme seines Schicksals nicht mehr überhören. Dann käme vielleicht eine Generation bärtiger Posaunenbläser auf die Welt. Dann wüßte die Menschheit vielleicht, wozu sie berufen ist auf dieser Erde. Machen wir den Weg frei‹, verkündete ich. Denn sieh mal, mein Sohn, alles, was der Mensch weiß und was in Büchern und Museen steht, ist nur ein winziger Teil von dem, was er wissen könnte, wenn er sich Erfahrung und Wissen aller Menschen dieser Welt, vom Anbeginn bis heute, zunutze gemacht hätte. Und ich sage aller Menschen, ohne einen einzigen für zu gering zu erachten, nicht einmal den letzten Dorftrottel, der auf seinem Baum hockt und an seinem großen Zeh lutscht. Wenn es möglich wäre, überlegte ich, diesen gewaltigen Strom des Wissens, diese ganze unendliche Geisteskraft zu sammeln, dann gäbe es wahrscheinlich nichts mehr, das man noch lernen könnte. Wir hätten dann eine solche Zahl konkreter Fälle, warnender Beispiele und glänzender Lösungen, tausendfach begangener Fehler zu Tausenden von verschiedenen Anlässen, daß selbst Ausnahmen fast unmöglich würden. Das wäre dann die vollständige Geschichte aller großen und kleinen Probleme, die wir nicht zu lösen wissen, die uns niederdrücken und auf halbem Wege erschöpft innehalten lassen und uns dazu verurteilen, direkt und viel zu früh nach unserm Glück zu suchen. Aber nun, wie du siehst, handelt es sich hierbei um etwas, das der Mensch nicht getan hat. Eine solche Verschwendung von Wissen, ein solch gewaltiger Mangel an Verstand ist unvorstellbar. ›Korrigieren wir den Fehler‹, sagte ich mir. ›Führen wir eine Disziplin ein, deren Aufgabe es ist, diesen gewaltigen Schatz verschütteten Wissens aufzusammeln.‹ Ich rechnete nach und fand heraus, daß zehntausend Beobachter wie ich ausreichen würden, um zehntausend Leben von der Geburt bis zum Tod gründlich zu studieren; anonyme Leben, nach Temperamenten und Lebensbedingungen sortiert, um aus ihnen allgemeingültige und spezielle Gesetze abzuleiten und so eine annähernde oder exakte Lösung für alle oder beinah alle Lebensumstände zu erhalten, denen ein Mensch sich ausgesetzt sehen kann, damit er sich in ihnen zurechtfinde, ohne sich stets aufs neue in Konflikten zu verfangen und zu verausgaben, die es schon vor Tausenden von Jahren gab. Was wir heute als Glück oder Zufall bezeichnen, ist schlicht Unordnung, um nicht zu sagen, Vergessen. Alles Unvorhergesehene ist schon viele Male zuvor dagewesen. Das meiste davon könnte mit Erfahrung und dem nötigen Willen rechtzeitig erkannt und vermieden werden. Denn warum sollte, wer die Raumfahrt erfunden hat, nicht auch die vollkommene Glückseligkeit erfinden? Da siehst du einmal, wie die Leidenschaften in der Unverhältnismäßigkeit ihr treffendstes Merkmal finden. Das war mein Wahn, wie ich heute beschämt und stolz gestehen muß. Zehntausend anonyme Leben«, wiederholte er sarkastisch. »Das Werk sollte heißen: *Leitfaden für Schicksal und Glückseligkeit*. Wie findest du das?«

»Es wäre bestimmt ein großartiges Werk geworden«, sagte Gregorio eher ungläubig als aufrichtig.

»Ebenso großartig wie absurd. Ebenso unmöglich wie unsinnig. Es hat lange gedauert, bis ich das gemerkt habe. Meine Zweifel verscheuchte ich mit der Ausflucht, daß Pioniere an ihre Sache glauben müssen. Die Leidenschaft erleuchtete meine Blindheit. Ich brauchte lange, bis ich begriff, daß der Mensch zwar immer dieselben Fehler begeht, daß aber jeder Fehler unwiederholbar ist, weil nur derjenige ihn sinnlich erfährt, der ihn begeht, und leben heißt irren. Bis ich begriff, daß es kein Schicksal gibt, das sich nicht ununterbrochen erfüllt, und daß das Glück eines Menschen fast immer auf dem Unglück eines anderen beruht. Doch selbst wenn es einer Generation von Gelehrten gelänge, die kleinen Glückseligkeiten des Alltags beispielsweise in einer Million Büchern nachzudichten, wozu wäre das gut? Allein um sie durchzulesen, würde der Glücksanwärter mehr Zeit brauchen, als das Leben ihm zur Verfügung stellt. Suchte er nach einem Mittel gegen ein bestimmtes Unglück, so würde er es bestimmt finden, denn so unbedeutend es wäre, in einem Kapitel dieser Tausenden von Büchern würde es aufgezeichnet sein. Doch wer könnte es finden?«

Er schwieg überwältigt und machte ein planschendes Geräusch mit seiner Kehle.

»Doch zurück zu dir, und damit kommen wir zum Ende. Ich

machte mich unverzüglich an die Arbeit. Ich suchte mir einen, den ich mit Stift und Notizblock beobachten wollte. Und ich erwählte deinen Onkel Felix. Ich beobachtete ihn eine Zeitlang und stellte fest, daß er ein halbwegs glücklicher Mensch war. Eines Tages jedoch sah ich ihn vor Werkstätten und Büros herumlungern und stundenlang den Verkehrspolizisten zuschauen. Er sah dabei so gequält aus, daß ich sogleich erriet, daß er sie beneidete und mit seinem eigenen Leben unzufrieden war. Es schien, als würde er sich plötzlich seines Glücklichseins schämen. Da entschloß ich mich zu einem Experiment. Ich wählte drei Bücher aus, die sein Wissen überstiegen, aber für seinen Ehrgeiz noch erreichbar waren, und brachte sie ihm, um zu sehen, was passierte. Meine Absicht war natürlich, sein Hinterfragen zu bestärken und ihm die Pforten einer Welt aufzustoßen, die ihm lange vorenthalten war. Bald darauf kamst du, und er wurde verrückt, wie ich hörte. Ich glaube, es war eher so, daß er am Ende, als es bereits zu spät war, erkannte, sein Schicksal verfehlt zu haben. Oder daß er es, wie so viele andere, für ein Linsengericht verschleudert hatte. So ähnlich muß es gewesen sein. Jedenfalls hatte ich mir vorgenommen dir auf den Fersen zu bleiben. Acht Jahre lang tat ich das auch. Genau bis zu dem Tag, an dem dein Onkel verstarb und du anfingst, in einem Büro zu arbeiten. Ich folgte dir auf der Straße und manchmal auch von hier oben mit dem Fernrohr, und manchmal auch mit Hilfe meines Neffen, den du bestimmt vom Sehen kennst. So konnte ich voller Mitleid und Zärtlichkeit beobachten, wie du dich verliebtest Ich erriet, daß du die Poesie entdeckt hattest, und das wunderte mich nicht, denn die Liebe macht uns weise. Ich erriet es, als du eines Tages nach Hause ranntest und eine Woche lang nicht mehr herauskamst und als du schließlich doch herauskamst, trugst du ständig ein Notizbuch mit dir herum, in dem nichts anderes als Gedichte stehen konnten. Und ich sagte mir: ›Der Junge trägt eine ganz schöne Last auf seiner Schulter. Wenn er nicht bald ausruht, wird sein Schicksal sich erfüllen.‹ Doch dann wurde ich von meinen Theorien ebenso enttäuscht wie du von deiner Liebe, um nicht zu sagen, ich war von meinem Wahn geheilt und zog mich hier in meine vier Wände zurück die ich seitdem kaum einmal verlassen habe. Dennoch hielt ich mich aus Neugier oder Langeweile, in groben Zügen über dich auf den laufenden. Ich habe deine Verlobungszeit und deine Heirat miterlebt bis dein Leben dann später grau in grau verlief, genau wie meines Trotzdem weiß ich Dinge von dir, die dir selbst unbekannt sein dürften. Zum Beispiel brauchtest du vor fünfzehn Jahren zwanzig M nuten von zu Hause bis zum Büro, und vor einem Monat brauchtest du beinah achtundzwanzig. Bei dieser Progression kämen wir, wenn wir ewig lebten, an einen Punkt, an dem wir kein Ziel mehr erreichten. Dieses Gesetz, nach dem Unsterblichkeit Bewegung ausschließt, sollte uns trösten. Verstehst du jetzt alles?« fragte er mit sanfter Stimme.

Gregorio blickte ihn ungläubig an.

»Dann haben Sie mich die ganze Zeit beobachtet«, sagte er und wußte nicht, ob er sich darüber ärgern, schämen oder ihn zu seiner Ausdauer beglückwünschen sollte. »Das ist unglaublich.«

»Und dennoch stimmt es und ist so logisch und normal, wie wenn ein Wissenschaftler seine Lebensaufgabe darin sieht, ein Insekt zu erforschen«, sagte Don Isaias, von der Anschaulichkeit seiner Worte mindestens ebenso überrascht.

Einen Augenblick lang waren sie beide die Waisen desselben Schweigens.

»Du wurdest ein glücklicher Mensch«, fuhr der Alte mit selbstvergessener Stimme fort. »Nach meinen Theorien von damals hattest du dich in dem erstbesten Schatten, den du auf deinem Weg fandest, zur Ruhe gesetzt. Dein Leben verlief ziemlich uninteressant, bis mir der Verdacht kam, daß etwas Unvorhergesehenes passiert sein könnte. Es war, als hättest du dich aus dem Schatten erhoben und wärst weitergegangen. Neugierig nahm ich meine Nachforschungen wieder auf. Als läse ich einen Roman oder sähe einen Film. Ich hoffe, mein Sohn, daß du mir sowohl meinen Wahn als auch meine Aufdringlichkeit verzeihen kannst. Kannst du das?«

Gregorio zuckte die Achseln. Er hatte sich noch nie so geschämt wie in diesem Augenblick. Damit der andere aber nichts merkte, sagte er lässig: »Das ist doch unwichtig.«

»Es freut mich, daß dem so ist«, sagte Don Isaias seufzend. »Denn unter anderem habe ich dich zu mir gerufen, damit du mir verzeihst. Na ja, wie gesagt, eines Tages machte dein Leben einen unverhofften Schlenker. Du kleidetest dich anders, und anfangs hätte ich dich fast nicht wiedererkannt. Du hast dir Kärtchen drucken lassen, auf denen ich zum erstenmal den Namen Augusto Faroni las. Sie sind dir auf der Straßenkreuzung zu Boden gefallen, erinnerst du dich? Ich ging nach unten und hob eine auf. Danach fingst du an, ins Café zu gehen, und hast ein Buch mit falschen Photographien und falschen Namen veröffentlicht, hast Antiquariate aufgesucht, und ich verstand nichts mehr. Und dann verschwindest du plötzlich von zu Hause und läßt deine Arbeit im Stich. Da ahnte ich allmählich, was vorging. Ich schloß aus dem ganzen Geschehen, daß es eine dritte Person geben mußte, eine Frau vielleicht, die du zu täuschen suchtest. Diese dritte Person ließ sich allerdings nie sehen. Du warst immer allein. Ich verstand nichts mehr, und noch weniger, als ich heute las, daß du auf der Flucht aus einer Pension eine Frau niedergeschlagen hast.«

Gregorio zuckte zusammen.

»Was haben Sie da gesagt?«

»Hast du es etwa nicht gelesen?«

»Was?«

»In der Zeitung.«

»In der Zeitung?«

»Dort, auf dem Stuhl.«

Jetzt endlich begriff Gregorio. Er riß die Zeitung an sich und betrachtete im Schein der Lampe das Foto von der Rückseite seines Buches. Daneben stand in großen schwarzen Lettern: *Pensionsangestellte von Gast niedergeschlagen*, und etwas tiefer, in kleinerer Schrift: »Das Opfer ist außer Lebensgefahr.«

»Außer Lebensgefahr!« flüsterte Gregorio. »Das heißt, ich habe sie nicht getötet«, und er hätte Don Isaias umarmen und von dort oben der ganzen Stadt zurufen mögen, daß er kein Mörder war.

Er überflog den Zeitungsbericht und las, daß »ein zwischen fünfundvierzig und fünfzig Jahre alter Mann«, der seinen – möglicherweise falschen – Namen mit Augusto Faroni angab und anscheinend der Autor eines Gedichtbandes war, den er der von ihm angegriffenen Pensionsangestellten einige Wochen zuvor geschenkt hatte, sich in besagter Pension eingemietet und dort angegeben hatte, aus dem – nicht existierenden Dörfchen Villapanuco zu stammen. Geld und Ausweispapiere waren ihm angeblich am Bahnhof gestohlen worden. Er hatte angegeben, Reisender und Dichter zu sein und sich das Vertrauen der Pensionswirtin, Doña Gloria, erschlichen, in deren Haus er mehrere Wochen auf Pump lebte. Die Polizei hegte den begründeten Verdacht, es mit einem Gewohnheitsverbrecher zu tun zu haben. Ein paar Tage vor dem versuchten Raubüberfall war es diesem gelungen, sich bei einem Lebensmittelhändler als Laufbursche zu verdingen. Auch ihm hatte er das besagte Buch geschenkt, offenbar in der Absicht, damit sein Vertrauen zu erschleichen. Doch nach wenigen Tagen schon war er mit einem größeren Geldbetrag und den auszuliefernden Waren verschwunden. Verblüfft las Gregorio den letzten Satz noch einmal. »Verdammter Lügner!« entfuhr es ihm zwischen zusammengebissenen Zähnen, und er ballte die Fäuste in ohnmächtiger Wut. Dann war von dem Buch die Rede: die Polizei vermutete, daß es sich dabei um einen Trick handelte, um bei den zukünftigen Opfern Mitleid zu erregen; die darin aufgeführten Namen waren wahrscheinlich alle falsch. Merkwürdig war allerdings, daß die Fotografie von dem Täter, mit der er sich in dem Buch als Autor auswies, offenbar echt war, wie die Opfer bestätigten, was wiederum den Verdacht nahelegte, daß man es mit einem Geistesgestörten zu tun hatte. Die Ermittlungen der Polizei dauerten zur Zeit noch an, sie erwartete aber, den Fall bald zu den Akten legen zu können.

Gregorio warf die Zeitung auf den Stuhl und stand auf. Er war wütend und euphorisch.

»So gut wie alles, was da steht, ist gelogen«, sagte er mit fester Stimme. »Das Wichtigste ist aber, daß ich die Frau nicht getötet habe. Ich habe sie in Notwehr nur leicht verletzt.«

Er hatte das Gefühl, aus einem quälenden Alptraum erwacht zu sein. Dennoch war er fester denn je entschlossen, zu fliehen. Einerseits wurde er ungerechtfertigterweise als Räuber, als Irrer, als Gewohnheitsverbrecher und Mensch mit kriminellen Neigungen gesucht, andererseits, und das war viel schlimmer, würde er jetzt, da er sich nicht mehr schuldig fühlte, in einem Prozeß nicht mehr die Genugtuung einer verdienten Strafe finden, sondern nur noch der morbiden Sensationslust einer schamlosen Öffentlichkeit ausgesetzt sein, der es nach nichts anderem gelüstete, als ihn durch Hohn und Verleumdungen bloßzustellen.

»Man hat mich diffamiert, ich bin das Opfer einer Verschwörung«, sagte er und fühlte sich von Würde und Vernunft randvoll.

»Was ist denn passiert, mein Sohn?« fragte Don Isaias.

»Sie sind hinter mir her. Sie verwechseln mich mit jemand«, sagte er und wanderte auf der Terrasse hin und her.

»Und mit wem?«

Das Kinn in die Hand gestützt, hielt Gregorio unschlüssig inne.

»Mit Faroni«, murmelte er.

»Dann gibt es diesen Faroni also wirklich?«

»Natürlich gibt es ihn«, erwiderte Gregorio sehr verwundert. »Er lebt im Ausland. Ich bin sein Stellvertreter. Besser gesagt, war es, denn er ist gestern gestorben, in Indien, ermordet. Man hat mich telefonisch benachrichtigt. Er war ein Revolutionär und ein großer Schriftsteller. Darum bin ich auch immer ins Café gegangen«, sprudelte es aus ihm heraus, »weil ich ihn über das, was da gesprochen wurde, auf dem laufenden halten wollte. Und das Buch, das ich herausgegeben habe, diente genau wie der Anzug nur dazu, die Polizei auf falsche Fährten zu locken, und weil ich ... na ja, im Grunde bin ich ein Dichter. Und das mit dem Biographen ist auch die Wahrheit. Ich schreibe ein Buch über sein Leben. Das ist das ganze Geheimnis.«

Don Isaias sah ihn aus der Finsternis heraus fest an.

»Und seit wann kennst du Faroni?«

»Seit wann? An die zehn Jahre wird das jetzt her sein«, antwortete er, ohne zu zögern. »In einer Bibliothek. Er hielt sich dort versteckt. Die Polizei suchte ihn, aus politischen Gründen. Wir kamen ins Gespräch, und später schrieb er mir aus dem Ausland. Ich las einige seiner Bücher, lernte Freunde von ihm kennen und wurde einer seiner Bewunderer und Anhänger.«

Er zündete sich eine Zigarette an und setzte hinzu: »Er war ein großer Mann.«

»Ich habe noch nie von ihm gehört«, sagte Don Isaias.

»Nun, er ist im Ausland sehr berühmt, hier ist er verboten.«

»Eine merkwürdige Geschichte«, seufzte der Alte. »Und ich glaubte, es gäbe einen Dritten, den du irreführen wolltest.«

»In Wirklichkeit«, sagte Gregorio, mit ausgebreiteten Armen Zugeständnis signalisierend, »gibt es auch einen Dritten. Das Ganze war ein Mißverständnis. Ich gab mich ihm gegenüber als Faroni aus und dann verwickelten sich die Dinge, ich weiß auch nicht, wie. Ich tat es hauptsächlich aus Höflichkeit, aber zum Teil auch, das gebe ich zu, aus Eitelkeit.«

»Und wer ist der Hintergangene?«

»Ein Handlungsreisender, den ich nur zwei- oder dreimal gesehen habe, und immer nur von ferne oder von hinten. Normalerweise rief er mich im Büro an. Er heißt Gil, Dacio Gil Monroy. Jedenfalls« sagte er unbestimmt und winkte mit der Hand ab, »ist er in die Stadt gekommen und hat nach mir gesucht. Er suchte mich, die Polizei suchte Faroni, und alle glaubten, ich sei Faroni. Also bin ich in eine Pension gezogen, um meine Familie nicht zu kompromittieren, und als alles schon geklärt war und ich wieder nach Hause gehen wollte verwechselten sie mich mit einem Dieb und wollten mich festhalten Ich mußte mich wehren, und das ist die ganze Geschichte.«

»Du sagst mir doch die Wahrheit, mein Sohn?« fragte Don Isaias kummervoll, mit einem flehenden Ton in der Stimme.

Gregorio senkte mutlos und geduldig lächelnd den Kopf.

»Ich könnte Ihnen sagen, daß alles eine einzige Lüge ist«, sagte er, »daß Faroni gar nicht existiert und ich ein Hochstapler bin. Es gibt Leute, die das glauben. Aber ist das von Bedeutung, ob Faroni existiert oder nicht? Faroni ist schließlich nicht Gott.«

»In der Tat«, murmelte Don Isaias. »Dieser Faroni ist nicht Gott, aber er ist auch kein Korkenzieher, durch dessen Nichtexistenz wir in Verlegenheit geraten könnten. Doch dieser Gil und du, seid ihr glücklich gewesen?«

»Ich weiß es nicht. Manchmal. Ab und zu habe ich sogar gelogen, um ihn glücklich zu machen; allerdings beruhten meine Lügen stets auf einem Körnchen Wahrheit.«

»Ein paar Lügen sind ein geringer Preis fürs Glücklichsein. Ich weiß, daß die Wahrheit kein Rad ist, an dem ich drehen kann, aber auch kein Schuhband, mit dem ich einen Knoten binden kann, und auch kein Holzbein, das ein anderes Geräusch macht und ein Gesprächsthema abgibt. Die Lüge allerdings ähnelt diesen Dingen sehr, und man kann sie fast in die Tasche stecken wie einen Kamm oder ein Schlüsselbund. Ich will damit sagen, daß sie etwas Nützliches ist, eine Art Werkzeug oder abgerichtetes Haustier, das dir hilft und dir Gesellschaft leistet. Einen Lügner erkennst du daran, daß er einen Affen auf der Schulter trägt, der wie sein Herr aussieht. Wenn du also behauptest, du habest für eine gute Sache gelogen, dann dürftest du recht daran getan haben, denn man lügt nur, um recht zu haben. Besser kann ich mich nicht ausdrücken, und ich weiß auch nicht, wie ich dir helfen kann.«

»Ich halte mich für nicht schuldig«, sagte Gregorio, jedes seiner Worte bemessend.

»Und doch hast du diesen Gil betrogen.«

Gregorio schwieg und wartete, daß jene Worte in seinem Schweigen untergingen.

»Es ist spät«, sagte er.

»Ja, es ist an der Zeit, sich zurückzuziehen.«

»Nur noch eine Frage. Was täten Sie an meiner Stelle? Würden Sie sich ergeben oder fliehen?«

»Ich weiß, daß alle Wege im Nichts enden. Fliehen, auf irgendeine Weise fliehst du immer. Also sei großzügig und fliehe weit.«

Gregorio sah ihn dankbar an.

»Ich bitte Sie auch«, sagte er, »das Geheimnis für sich zu behalten, wenn Sie es kennen.«

Der alte Mann nickte. Gregorio trat zu ihm und gab ihm die Hand. »Sie müssen sich ausruhen«, sagte er.

»Ja, ich muß mich ausruhen«, erwiderte Don Isaias, »und das wird vielleicht meine letzte Ruhe sein. Vor langer Zeit einmal«, murmelte er und schaute nach oben, »glaubte ich zweiunddreißig Sterne entdeckt zu haben, die sich nach den Schachregeln bewegten. Und ich glaubte auch, daß ein Gelehrter der Antike dieses Spiel entdeckt hatte, indem er, wie ich, die himmlischen Entwicklungen beobachtete. Ich glaubte damals, die Weltgeschichte sei eine von Göttern gespielte Partie Schach, und wenn einer den andern schachmatt setzte, wäre das der Weltuntergang. Das ist aber viele Jahre her. Ich war damals noch jung. Aber nun, es ist spät und wird langsam kühl.«

»Gehen Sie nicht?«

»Bald. Gib acht, daß sie dich nicht erwischen, mein Sohn. Und wenn du Geld brauchst oder sonstwas, sage es mir.«

Gregorio ging zur Tür und nahm seinen Koffer. »Nein. Nur, daß Sie mir das Geheimnis wahren und, wenn Sie können, Angelina ein wenig helfen«, sagte er. Einen Moment lang betrachtete er den beleibten Greis, der im schwächer werdenden Gegenlicht der Lampe an der Brüstung lehnte, machte eine leichte Verbeugung und verschwand die Treppen hinunter.

Mitternacht war bereits vorbei. Im dritten Stock hielt er kurz inne und überlegte, ob er Angelina noch einmal herausklingeln sollte, um sie vor der Verschwörung zu warnen und ihr zu versprechen, daß sie nach einiger Zeit, wenn er eine Arbeit gefunden hätte und das Ver gehen verjährt war, an irgendeinem fernen, sicheren Ort wieder zusammenkommen und noch einmal glücklich sein würden. Als e sich der Tür näherte, glaubte er drinnen jedoch Stimmen zu verneh men. Er fürchtete, es könnte die Polizei sein, und das Entsetzen vo der Schmach und dem Gefängnis brachte ihn schnell von seinen Plänen ab. Er mußte fliehen, und zwar schnell. Trotzdem schloß e noch kurz die Augen und atmete einmal tief die dunkle, vertraut Luft ein. In dem Geruch lagen sein alter jugendlicher Drang und de unüberwindliche Friede seiner langen Tage als erwachsener Mann Wieder zog die Vergangenheit wie eine Wolke durch seinen Geist. E sah seinen Leib aus der Zeit wie aus einem Nebel hervortreten: al und von der Reise erschöpft. Er staunte, wie lang und verschlunge der Weg war, den er bisher zurückgelegt hatte, doch der Blick au seine Zukunft war weniger ängstigend als ermüdend. »Wie kompl ziert ist dieses Leben!« rief er verstört.

Ohne Hast stieg er mit schleppenden Schritten die Treppen hinab, und bevor er auf die Straße trat, schlug er vier winzige Kreuzzeichen vor sein Gesicht. Dann lief er, ohne sich noch einmal umzusehen, mit hochgezogenen Schultern zur nächsten Straßenecke und nahm ein kurzes Stück weiter ein Taxi zum Bahnhof.

EPILOG

Wie Gregorio geplant hatte, trat er die Flucht zu den Orten seiner Kindheit an. Vielleicht konnte ihm dort jemand, ein Freund oder Bekannter seiner Eltern, Arbeit verschaffen oder, was noch besser wäre, ein Stück Land verpachten. Dann, dachte er, würde er allem Eifern den Rücken kehren, würde den Kreis seines Lebens schließen und, innerhalb dieser definitiv beschlossenen Zeit, das Alter erwarten. Er verglich sich mit einem Handwerker, der, nachdem er seine Arbeit (einen geflochtenen Korb, zum Beispiel) beendet hat, einen Stuhl vor die Tür stellt, um sich auszuruhen und die langgereifte Frucht seines einzigen Könnens zu betrachten. Was die restlichen Jahre anging, so könnte man sagen, daß einige Weidenruten übriggeblieben waren und der Korb größer oder schöner hätte sein können, aber er war handwerklich perfekt und ließ keine Nachbesserung mehr zu. Zum Anfang zurückkehren, den Kreis schließen, vom Korb ausruhen: das bedeutete für ihn die Fahrt zum Schauplatz seiner Kindheit.

Erst als der Zug die letzten Vororte hinter sich gelassen hatte, kam ihm der Gedanke, daß die Polizei ihn dort zuerst suchen würde. Bestürzt ob der Schreckensvision, auch diese letzte Hoffnung zu verlieren, und wie geblendet plötzlich von der unwirtlichen weiten Welt, die sich – jetzt, da es keinen Ort mehr gab, wohin er gehen konnte – in ihrer ganzen großartigen und nutzlosen Ausdehnung vor ihm auftat, fühlte er sich so verlassen, daß er versucht war, wieder umzukehren und Angelinas Angebot, sich im Keller zu verstecken, anzunehmen. Dort hätte er wenigstens einen Platz und einen Menschen, der sich um ihn kümmerte. Mit dem Antrieb dieser neuen Absicht, von der er wußte, daß sie nicht zu verwirklichen war, die ihm im Augenblick aber half, die vom Zufall vorgegebene neue Richtung zu akzeptieren, trat er auf den Gang hinaus und wartete, bis der Zug auf dem nächsten Anschlußbahnhof hielt.

Dort löste er, nachdem er in der Gaststätte drei Schnäpse getrunken hatte, eine Fahrkarte für den nächsten Zug, ohne zu fragen, wohin er fuhr. »Wohin?« wurde er gefragt. »Zum Zielbahnhof«, antwortete er.

Er hockte sich draußen auf den Rand einer Zisterne und wartete in der Dunkelheit. Es war drei Uhr morgens. Aus der Gaststätte drang der Gesang von Soldaten, die im Chor folkloristische Weisen zum besten gaben. Es war kalt, und hinter dem Bahnsteig zeichneten sich undeutlich Gleisanlagen, Schienen und niedrige Gebäude ab. »Etwas wollen wir mal klarstellen«, sagte er sich, mit der Handkante die Genauigkeit des Gedankengangs fixierend. Er war jedoch unfähig, an etwas anderes als an einen Teich voller Fische zu denken. Sobald er versuchte, sich auf seine Lage zu besinnen, kreuzten, langsam und wie umnachtet, die Fische durch seine Gedanken und verwirrten sie zu einem ermüdenden Labyrinth. Dann kam ihm sein Leben wie das eines Fremden vor, als habe er tatsächlich einen Korb zu Ende geflochten und jetzt keine andere Aufgabe mehr, als von seinem Werk auszuruhen. Mit den Fingerspitzen berührte er das Wasser, während er nach oben schaute, wo schwach ein paar Sterne glitzerten. Er fühlte sich, als stehe er kurz davor, wunderbar glücklich zu sein, doch als gebe es etwas, das, winzig und ungreifbar, ihn immer wieder daran hinderte. Vergebens fahndete er nach dem Ursprung dieser ihn zum Unglück verdammenden Kleinigkeit, denn jedesmal zogen die Fische ihre rätselhaften Bahnen durch den Teich. Schließlich klingelte irgendwo ein Telefon, ein Mann mit einem Hammer und einer Blendlaterne erschien auf dem Bahnsteig, und im selben Moment pfiff in der Ferne eine Lokomotive.

Vom Alkohol und der Kälte betäubt und von den Fischen verfolgt, erklomm Gregorio den letzten Waggon. Kaum hatte er sich im dämmerigen Abteil niedergelassen, versank er in dem Strudel eines bedrohlichen, unruhigen Schlafs.

Als er erwachte, stand die Sonne bereits hoch. Der Zug rollte sanft und ohne Anstrengung durch flaches Land. Ab und zu stieß die Lokomotive einen Pfiff aus, der Gregorio an ein Trompetensignal vor einer belagerten Stadt denken ließ. Manchmal verlor er sich im Labyrinth eines Monologs, in dem er die zusammenhanglose, fließende Rede seines Gewissens zu hören glaubte. Der Tag war windstill und leuchtend hell. Am Horizont sah man ein paar dunkle, mit Wolken zu verwechselnde Bergkuppen, und, ein Stück näherbei, eine Baumreihe wie die Uferallee eines Flusses. Allein in seinem Abteil, starrte Gregorio gebannt auf das Schauspiel von Licht und endloser Weite (manchmal mußte er, geblendet vom letzten Glitzern nächtlichen Taus, blinzeln), sah Sträucher und Steine vorüberziehen, hier und da ein einzelnes Haus, einen niedrigen Baum, eine Umzäunung, einen Weg, eine Schafherde, und mehr als Unruhe fühlte er die ungläubige Erregung seiner eigenen Gelassenheit. Die jüngste Vergangenheit schien ihm fern oder unwirklich, und es gelang ihm auch nicht, sich eine halbwegs wahrscheinliche Zukunft vorzustellen. Am liebsten würde er die Gegenwart zur Ewigkeit dehnen, dem Geräusch des Zuges lauschen und Dinge vorüberhuschen sehen, denn der Gedanke, handeln zu müssen, war ihm zuwider und verdroß ihn. Ein kaltes, stahlblaues Licht ließ die Gegenstände, unabhängig und neu, deutlich hervortreten. »Das Paradies!«, »die Kindheit!«, »ein erfülltes und freies Leben!« murmelte Gregorio, »die Schönheit der Welt!« In diesem Moment tauchten die Fische auf, und Gregorio kam mit einem panischen Zusammenzucken wieder zu sich.

Schwerfällig stand er auf, nahm seinen Koffer und trat auf den Gang hinaus. Die anderen Abteile waren alle leer, und der Wind pfiff hindurch, daß die Türgardinen flatterten. Ungekämmt und staunend kämpfte Gregorio sich durch die wehenden Gardinen und ging vornübergebeugt gegen die Fahrtrichtung zum Ende des Waggons. Auf der schaukelnden Plattform hielt er sich an einer Eisenstrebe fest, wartete, rauchte und dachte an nichts. Es schien, als würde der Zug nie mehr halten, und man könnte die Ebene und die Flußallee endlos weit zurückverfolgen. Kurz darauf fuhr der Zug jedoch durch eine Ansiedlung und verlangsamte die Fahrt. Ein paar Gärten blieben noch zurück, dann stieß er einen langen Pfiff aus und kam endlich zum Stehen. Gregorio schleppte seinen Koffer zur Tür und sprang auf den Bahnsteig. Er stand auf einer abgelegenen Rampe mit einem Wartehäuschen und einem verrosteten, ausgetrockneten Wasserreservoir. Außer ihm stieg kein Fahrgast mehr aus oder ein, und der Zug fuhr ohne Aufenthalt weiter. Gregorio schaute ihm hinterher, dann wandte er den Kopf und blickte langsam in die Runde. Nirgends ein Haus. Er ging um das Wartehäuschen herum. Dahinter war ein Brombeergebüsch, versengtes Papier lag herum und Exkremente. Von dort führte ein Weg zur Baumallee. Der Reisende ergriff seinen Koffer, atmete tief durch, biß die Zähne zusammen und stapfte los, in Richtung Allee.

Elf Tage lang lief Gregorio aufs Geratewohl, versorgte sich am Rande der Dörfer mit Lebensmitteln, aß im Gehen und schlief, wo ihn die Nacht überraschte.

Am ersten Tag rastete er am Fluß. Er sah eine Schildkröte und einen Fischotter, warf nacheinander die beiden Tablettenröhrchen ins Wasser, veranstaltete eine Baumrindenregatta, schnitzte sich eine Rute und versuchte, mit einem Bindfaden, einer Sicherheitsnadel und einem Regenwurm zu angeln. Am frühen Nachmittag machte er sich, vom Hunger getrieben, auf den Weg und folgte dem Flußlauf. Mit seinem Koffer ging es in dem schwierigen Gelände nur langsam voran. Gegen Abend kam er an ein Haus. Er erzählte, er sei Vertreter für Landmaschinen, und er untersuche die Bodenbeschaffenheit und -qualität, weil man daran denke, Kettentraktoren auf den Markt zu bringen. Man verkaufte ihm ein Brot und einen halben Käse und ließ ihn in der Scheune übernachten.

Am zweiten Tag überquerte er den Fluß und schlug die Richtung zu den Bergen ein. In einem Dorf kaufte er einen Sack Lebensmittel und eine Decke und fragte bei der Gelegenheit gleich, ob in der Gegend Kettentraktoren benutzt würden. Man antwortete ihm, nein. Er dankte für die Auskunft, erging sich in bitteren Worten über den landwirtschaftlichen und industriellen Rückstand des Landes und die Blindheit der Regierung, lobte die Schönheit und Fruchtbarkeit der Äcker und zog weiter. Er aß auf einem Stein sitzend, und noch vor der Mittagszeit war er vom Wandern so erschöpft, daß er unter einer Steineiche rastete. Er machte Feuer, zog sich die Decke um die Schultern, streckte die Hände aus und starrte in die Flammen. Er wußte nicht, ob er glücklich oder unglücklich war, und als er es herauszufinden suchte, gerieten seine Gedanken mit den Fischen aneinander. Gegen Abend trat er das Feuer aus, damit keine Neugierigen angelockt wurden. Die Nacht verbrachte er im Halbschlaf, immer wieder aufgeschreckt von Geräuschen, seiner Müdigkeit und der Kälte, und mit den ersten Nebelschleiern des heraufziehenden Tages machte er wieder Feuer und setzte den aussichtslosen Kampf gegen die Fische fort.

Der dritte Tag war bewölkt, und am vierten und fünften nieselte es ununterbrochen. Er setzte sich eine Plastiktüte als Mütze auf und marschierte weiter, von Mal zu Mal langsamer. Er kam zu den Bergen, fand einen Hohlweg hindurch, und auf der anderen Seite tat sich eine neue Ebene vor ihm auf. Wenn er jemanden traf, fragte er ihn, ob er die Vorzüge der Kettentraktoren kenne, und in einem Dorf erzählte er, in Wirklichkeit sei er von einem landwirtschaftlichen Institut geschickt worden, das neue und bessere Anbaumethoden erforsche Vom sechsten Tag an bot er sich auf Höfen, an denen er vorbeikam als Schäfer, als Schweinehirt, als Knecht und als Forstaufseher an, erzählte, er sei Schriftsteller auf der Suche nach Lokalkolorit, und obwohl er nichts anderes verlangte als Essen und irgendwo einen Platz zum Schlafen, wurde er überall abgewiesen, ohne daß man ihm Gründe nannte. Am selben Tag wurde er auf einer Wegkreuzung von einer Patrouille der Landpolizei angehalten. Er zeigte seine Ausweispapiere und gab an, von einer Lebensmittelfirma ausgeschickt worden zu sein, um zu prüfen, ob die Gegend sich zur Aufstellung von Bienenkörben eigne. Er erklärte, zu Fuß bis zum nächsten Ort gehen zu wollen, um sich persönlich – *in situ*, präzisierte er – von der Vielfalt und Güte aromatischer Kräuter zu überzeugen und einige als Muster mitzunehmen, wobei er mit einem Thymianzweig wedelte, den er zufällig unterwegs abgerissen hatte. »Warum«, fragte er dann verwundert, »gibt es in dieser Gegend noch keine Kettentraktoren?« Die Polizisten musterten ihn mit stumpfen, argwöhnischen Blicken und schrieben etwas in ein Notizbuch. Von diesem Tag an marschierte Gregorio querfeldein oder höchstens noch auf verschwiegenen Trampelpfaden. Er wurde immer schwermütiger und verbitterter. Das Geld ging ihm allmählich aus. Er hatte Blasen an den Füßen, Geschwüre im Mund und Frostbeulen an Händen und Ohren.

Am siebten Tag traf er einen anderen Vagabunden, und sie blieben den Nachmittag über zusammen. Sie machten Feuer und warfen ihre Habseligkeiten zusammen. Der Vagabund – ein tiefsinniger Alkoholiker mit Knollennase – berichtete, er sei auf dem Weg zur Olivenernte und gehe später weiter nach Osten, wo er Fährmann an einem Fluß werden wolle. Er gedachte, sich an einem wasserreichen Fluß niederzulassen und an den Ufern alles einzusammeln, was angeschwemmt wurde und was bei Hochwasser ganz schön viel und von beträchtlichem Wert sein konnte: Möbel, Kleidungsstücke, Kunstgegenstände, ertrunkene Tiere, Haushaltsgeräte, Wanduhren und alle möglichen Dinge aus privatem und öffentlichem Besitz. »Manchmal werden komplette Läden samt Einrichtung angeschwemmt«, sagte er mit gedämpfter Stimme, nachdem er sich nach allen Seiten umgeschaut hatte, »aber am wertvollsten sind natürlich Schmuckstücke und alte Münzen, die man immer in den Möbeln findet. Bei einem ichtigen Unwetter kann ein Vermögen in einer einzigen Nacht den Besitzer wechseln. Und das Schöne daran ist, daß es völlig legal ist, denn was im Wasser schwimmt, ist bekanntermaßen Gemeingut. Wer ugreift, dem gehört es. Aber, daß das unter uns bleibt! Kein Wort zu andern!« Dann sprach er von Frauen und über allgemeine Dinge. Er behauptete, Frauen seien tiefer als Schafe, und die Lust, zu streicheln, sei immer geringer als die, gestreichelt zu werden, davon werde er sich nicht abbringen lassen, von keinem. Er wußte auch noch zu berichten, daß das beste Marzipan in einer Konditorei in Toledo, die er sehr gut kannte, hergestellt wird, daß Flußkrebse viel delikater sind als Meereskrebse und die Knollenblutwurst sogar eine geräucherte Paprikawurst geschmacklich weit hinter sich läßt. Gregorio gab ihm in allem recht, und gegen Abend trennten sie sich. Der Vagabund bot Gregorio an, mit ihm zusammen als Fährmann zu arbeiten. »Komm mit, dann sind wir zwei«, versuchte er ihn zu überreden. Gregorio gab vor, noch einiges in den umliegenden Dörfern zu erledigen zu haben. »He, ich habe nichts gesagt, klar?« gestikulierte der Vagabund nahezu beleidigt.

Am achten Tag hörte es auf zu regnen, und Gregorio kam zu einem Steineichenwäldchen. Er hörte fernes Hundegebell, beschleunigte seine Schritte und schlug einen Bogen. Danach setzte er sich hin, um erst einmal auszuruhen. Er war völlig erschöpft, und sosehr er auch grübelte, er fand keine Lösung für sein Leben. Er konnte nicht ewig weiterwandern. Irgendwann würde er einhalten müssen, und das wäre sein Ende. »Den schlafenden Krebs holt sich die Flut«, kam ihm ein paarmal in den Sinn.

An Ort und Stelle schlief er die ganze Nacht in einem Stück durch Kaum, daß er am andern Tag beim ersten Vogelgesang die Augen aufschlug, stellte er fest, daß man ihm den Koffer gestohlen hatte. Er war weniger untröstlich als erleichtert, seinen Weg mit reduzierter Last fortsetzen zu können. Mit um die Schultern geschlungener Dek ke, zitternd vor Kälte, alt und am Ende, doch fest überzeugt, um nichts auf der Welt innehalten zu dürfen, stolperte er weiter.

Sein Eigensinn hielt ihn auf den Beinen. Eine einzige Münze war ihm noch geblieben, und als er sich zufällig an einen alten Schüler aberglauben erinnerte, warf er sie über die Schulter in einen Wasser graben, ohne sich noch einmal umzuschauen. Diese kühne Ta ermunterte ihn, weiterzugehen. Einem Bauern, dem er an diesem Morgen begegnete und der ihn fragte, ob er noch einen weiten Weg vor sich habe, erzählte er brüsk, er sei ein exkommunizierter Priester unterwegs nach Rom, um den Papst um Vergebung zu bitten. Der Tränen nahe und mit dem Ton eines beleidigten Kindes, rief er ihm zu »Man hat mich exkommuniziert, und ich pilgere nach Rom, damit man mir vergibt!« »Na, dann viel Glück«, sagte der andere und gru weiter. Dies war einer von vielen Vorwänden, unter denen Gregorio am Wegesrand um Almosen bettelte. Manchmal erzählte er, man habe ihn des Ornats entkleidet, weil er das Gold der Kirche an die Armen verteilt habe, dann wieder, daß der Liebeskummer ihn in die Ferne treibe, und andere Male gab er sich als Opernsänger aus, der seine Stimme verloren hatte. Manche gaben ihm was zu essen, andere belächelten ihn, und einige drohten, die Hunde auf ihn loszulassen. Auf einer Wegkreuzung wurde er gefragt: »Sind Sie nicht der mit den Kettentraktoren?«, und er zuckte die Achseln und ging weiter.

Diese zehnte Nacht verbrachte Gregorio zusammengerollt in einem Gebüsch, wo er sein Unglück beweinte, und am anderen Morgen erwachte er fiebernd und zitternd. Der ganze Körper tat ihm weh. Doch obwohl er fieberte und fror, setzte er seinen Weg fort. Er durchquerte eine Talsohle, und von der nächsten Anhöhe aus sah er ein nicht sehr weit entferntes Dorf. »Ich bin am Ziel«, sagte er sich. Fest entschlossen, sich zu stellen, ging er mit schlafwandelnden Schritten ohne Umweg darauf zu.

Die Häuser waren fast alle ärmlich und niedrig, sie gruppierten sich um eine verfallene Burg und zogen sich den Hang hinab, bis zu den letzten vereinzelten Häusern am baumbestandenen Flußufer. Im Lehm versinkend, lief Gregorio quer über einen Acker, und dann auf einem asphaltierten Weg. Ein magerer Hund trottete mit eingekniffenem Schwanz und schrägem Gang vor ihm her, als wolle er ihn führen und auch seine Ankunft vermelden. Einer nach dem andern gingen sie an der Friedhofsmauer entlang und betraten das Dorf auf einer langen, steil ansteigenden Straße. Einige Bewohner schauten neugierig über die Schulter, und andere kamen an die Türen, um ihn vorbeigehen zu sehen. Gregorio sah in der Tat verheerend aus. Mit zwei Wochen altem, schmutzigem Bart, wirren Haaren, zerrissenem, lehmverschmiertem Mantel, darüber die feuchte Decke, stakste er daher wie ein Irrer. An einer Straßenecke standen ein paar Männer beisammen, die Felljacken und Schirmmützen trugen. Gregorio fragte sie nach der Kaserne der Landpolizei. Einer streckte einen Finger aus und begleitete die Geste mit Worten. Gregorio bemühte sich erfolglos um ein dankbares Lächeln. Dann ging er durch einsame Gassen, in denen man unwirklich hell das Zwitschern der Vögel und das Brodeln in den Töpfen hörte, er bog nach links ab und nach rechts und konnte nur an die Schrecken des Gefängnisses denken, vor allem jedoch an die unendliche Ruhe, die er dort finden würde. Doch plötzlich, als er um eine Straßenecke bog, schrak er jäh zusammen und blieb wie angewurzelt stehen. Direkt vor ihm – und er mußte sich die Augen reiben, um sich zu vergewissern, daß er weder träumte noch unter Fieberphantasien litt – stand ein niedriges Haus, eine Ruine fast, mit gekalkten Wänden und ausgebesserten Stellen aus rohem Putz, unter dem man zum Teil mit Bauschutt angefülltes Fachwerk sah, und davor hochaufgeschossenes Finkelkraut. Über der niedrigen, schief in den Angeln hängenden Tür war ein Schild angebracht, auf dem in ungelenken Druckbuchstaben, mit roter Farbe, an manchen Stellen heruntergetropft, die Worte KULTURVEREIN AUGUSTO FARONI gemalt waren. Gregorio traute seinen Augen nicht; blinzelnd und schluckend ging er über die Straße und blieb vor dem Schild stehen. Durch die klaffenden Ritzen der ungehobelten und ungestrichenen Türbretter drangen schwache Lichtstreifen. Gregorio streckte zögernd eine Hand aus, als fürchte er, sie im Nichts einer Sinnestäuschung zu versenken, und als er die Klinke nur leicht berührte, sprang die Tür gleich polternd sperrangelweit auf. Der Innenraum war, nach den nur unzureichend hinter Borden und Regalen verborgenen Futterkrippen zu urteilen, ein ehemaliger Stall, in dem ein paar Bänke aufgestellt waren und an einer Schmalseite ein Podest mit einem Tisch. Auf dem Podest hatte ein Mann mit Regenmantel und Hut gesessen, der bei dem Lärm erschrocken aufgesprungen war und nun gespannt abwartend stehenblieb.

Gregorio zog den Kopf ein, trat über die Schwelle und schaute sich verblüfft um. Der Boden bestand aus unregelmäßigen Zementplakken. Oben baumelte von einem Haken eine Glühbirne herab, in deren schwachem Licht Gregorio an den grob mit blauer Farbe übergepinselten Adobewänden die Bilder mit dem Leuchtturm am Meer und dem romantischen englischen Dichter erkannte und in den Regalen, wie in einer Ausstellung dargeboten, die Reliquien seiner imaginären Vergangenheit. Er sah das Fernrohr, den Kardinalshut, den Pokal des europäischen Literaturpreisträgers, Marilyns Baskenmütze und einen Turm aus gleichen Büchern, die abwechselnd die Möwen der Umschlagvorderseite und das Studiofoto der Rückseite zeigten. Die Augen voll staunender Verblüffung, schaute er schließlich in die von Gil, und eine Weile starrten sich die beiden Männer mit offenen Mündern entgeistert an.

»Dann bist du . . .«, murmelte Gregorio.

»Ja«, sagte Gil, eilfertig nickend. »Ich bin Gil. Dacio Gil Monroy. Und Sie sind, lassen Sie mich raten, Sie sind . . .«, er vollführte eine unbestimmte Bewegung mit der Hand.

»Gregorio Olías«, sagte Gregorio langsam, als träume er die Worte.

»Gregorio Olías!« rief Gil aufgeregt. »Dann hat man Sie aus dem Gefängnis entlassen!«

Gregorio ließ sich in die erste Bankreihe sinken und starrte traurig lächelnd zu Boden.

»Nein, ich bin ausgebrochen«, sagte er nach einer Weile und sammelte sich, um der Situation Herr zu werden. »Ich bin seit zehn Tagen auf der Flucht, immer querfeldein.«

»Ausgebrochen!« rief Gil und ging zur Tür, um sie zu schließen. »Aber, entschuldigen Sie«, sagte er, als er zurückkam, »wie sind Sie hierher gekommen, und warum?«

»Nun«, begann Gregorio, zog sich die Decke enger um die Schultern und unterdrückte sein Gefühl der Ungläubigkeit, hier Gil gegenüberzusitzen, »ich glaubte dich noch in der Stadt und bin hergekommen, um alles belastende Material zu zerstören, das dich verraten könnte«, dabei deutete er in die Runde. »Aber da ich dich hier antreffe«, und er schaute ihm in die Augen, um darin zu lesen, welches Risiko er einging, wenn er die Fiktion aufrechterhielt, »will ich nicht versäumen, dir von allen Grüße auszurichten, ganz besonders natürlich von Faroni.«

Bei Nennung des Namens Faroni senkten beide die Köpfe und schwiegen.

»Was ist eigentlich genau passiert?« fragte Gregorio schließlich. »Warum bist du nicht mehr in der Stadt? Jetzt, da Faroni nicht mehr lebt, hättest du sie doch nicht verlassen müssen.«

»Na ja, Sie können das nicht wissen, weil Sie im Gefängnis gesessen haben. Das war ganz schrecklich«, dabei legte er von beiden Händen die Fingerspitzen zusammen und bewegte sie hin und her, als knete er Brotkügelchen mit ihnen. »Einfach grauenhaft. Da war ein Polizist, Sie werden ihn kennen, den Generalinspektor Requejo, der ließ mich nicht mehr aus den Augen. Und gerade an dem Samstag, an dem ich von Faronis Tod erfuhr, wurde ich vor der Tür zum Café verhaftet. Ich war hingegangen, um die Nachricht weiterzugeben, und mich dem Befehl des Komitees zu unterstellen. Und dann werde ich vor der Tür verhaftet! Alle waren sie da, um mich zu verwirren und zum Reden zu bringen. Alle. Die sich als Professor ausgaben, als Marilyn, alle. Es waren verkleidete Polizisten, das ist mir hinterher klar geworden. Sie beschuldigten mich, Kommunist und ein Komplize Faronis zu sein. Sie wollten mir einreden, Faroni sei ein Dieb und habe eine Frau niedergeschlagen, und behaupteten, ich sei der Liebhaber von Marilyn, stellen Sie sich das nur mal vor. Aber ich, Señor Olías, habe kein Wort gesagt. Sie wollten mich hereinlegen, denn sie warfen Wahres und Unwahres durcheinander, wie zum Beispiel, daß Faroni in Indien sei, aber als einer namens Alvar Osián. Es war entsetzlich. Sie drohten mir, und der Inspektor Requejo hat mich sogar geschlagen. Als sie aber merkten, daß ich nichts sagen würde, ließen sie mich gehen. In der Firma haben sie mich allerdings entlassen, denn der Mann in Schwarz sagte, daß sie niemanden beschäftigen könnten, der des Kommunismus verdächtig und Komplize eines Überfalls sei. Sie haben mich entlassen, aber ich habe immer noch nichts gesagt. Dann bin ich wieder hierher zurückgekommen, und da bin ich nun«, sagte er, und setzte sich auf das Podest. »Ich bin seit zwei Tagen hier und habe während der ganzen Zeit keinen Fuß vor die Tür getan. Ich sitze hier und tue nichts anderes, als an Señor Faroni zu denken und an das, was in der letzten Zeit alles passiert ist. Und dann tauchen Sie plötzlich auf und sind aus dem Gefängnis ausgebrochen. Stellen Sie sich das nur mal vor! Grenzt das nicht an ein Wunder? Das Leben, ist das nicht ein einziges Wunder? Sehen Sie? Dies ist der Raum, den ich hergerichtet hatte, falls er oder Sie kämen, um hier zu sprechen. Es ist ein bescheidener Ort, Ihrer nicht würdig, aber das war alles, was ich auftreiben konnte. Es ist ein Raum auf der Höhe meiner Verdienste, nicht der Ihren.«

Gregorio, der mit gesenktem Kopf zugehört hatte und von der Entwicklung der Dinge nicht minder überrascht war als Gil, sagte:

»Gil, Sie sind ein großer Mann.«

»Danke«, sagte Gil freudig, »das gleiche hat Señor Faroni zu mir gesagt, als ich ihm sagte, daß ich die Stadt verlassen will.«

Seine Augen blickten eindringlich und rechtschaffen unter den dichten Brauen hervor, und sein Gesicht zeigte einen sanften Ausdruck eigenwilliger Nachdenklichkeit. Gregorio dachte absurderweise, daß er das Gesicht eines Nasenbluters hatte.

»Wissen Sie was?« sagte Gil unvermittelt, »Ihre Stimme klingt genau wie die von Señor Faroni.«

Wie zwei Schulkinder saßen sie da unten und schauten sich betreten an.

»Wir sind ja auch Vettern ersten Grades«, scherzte Gregorio. »Außerdem bin ich mehr als nur sein Biograph. Ich bin sein größter Bewunderer und versuche ihm nachzueifern, wo immer ich kann.«

»Ich bin sehr glücklich, daß Sie gekommen sind«, sagte Gil bescheiden und errötete.

»Und ich, dich kennenzulernen. Was hat Faroni mir nicht alles von dir erzählt! Er sagte zu mir: ›Dacio ist ein großer Mann, er selbst weiß es nur nicht.‹«

»Das hat er gesagt?«

»Ja, und vieles mehr, was ich dir später noch erzählen kann.«

»Er war ein so großherziger Mann.« Gil versagte die Stimme.

»Ich würde sagen, gerecht.«

»Und so einfach.«

»Und weitsichtig.«

»Und, wie alle Genies, von seinen Zeitgenossen verkannt. Glauben Sie, daß man eines Tages von Faroni sprechen wird wie heutzutage von Edison?«

»Da bin ich mir sicher.«

»Ich auch. Im Augenblick machen wir schlechte Zeiten durch, meinen Sie nicht?«

»Sehr schlechte Zeiten«, bestätigte Gregorio ohne Zögern.

»Ich glaube, es war die Mißgunst, die Faroni das Leben gekostet hat.«

»Möglich. Aber nun, wir haben das Schicksal nicht in der Hand.«

»Und so jung noch.«

»So ist es«, seufzte Gregorio. »Obwohl, könnte man ihn sich alt vorstellen?«

Wieder starrten sie sich schweigend an.

»Und, wie hat dir die Stadt gefallen?« fragte Gregorio betont munter.

»Nun, wenn Sie mich so fragen, ganz gut, glaube ich. Ich habe zwar nicht die Pyramiden gesehen, und auch nicht die Schiffe, nicht den Fluß, keine Musikkapellen, nicht das Museum des Fortschritts und der Neuen Dinge, und noch nicht einmal im Café bin ich gewesen. Aber was ich erlebt habe, war aufregender als alles andere. Beschattet, verhaftet, gefoltert beinah, und zum Schluß aus der Stadt geworfen, genau wie Faroni selbst. Das ist eine große Sache. Ich fühle in mir eine Art Stolz und Größe, ich weiß nicht, wie ich es Ihnen sagen soll.«

»Das verstehe ich«, sagte Gregorio, »und ich möchte dich dazu beglückwünschen. Wenn Faroni dich hören könnte, wäre er stolz auf dich. Da bin ich mir sicher.«

»Danke«, sagte Gil und wurde wieder rot. »Faroni war ein guter Mensch.«

»Nun ja«, sagte Gregorio, und schlug sich aufs Knie. »Und was gedenkst du jetzt zu tun?«

»Tja, ich habe daran gedacht, mit der Abfindung, die man mir zahlt, und den Ersparnissen, die ich habe, ein Stückchen Land zu kaufen, das ich kenne, und Bauer zu werden. Dazu hat mir Señor Faroni schon vor langer Zeit geraten. Er sagte, das sei ein Leben, wie er es gerne führen würde.«

»Und damit hatte er recht«, bestätigte Gregorio. »Ein einfaches, zurückgezogenes Leben, wie es die alten Gelehrten geführt haben.«

»Nun, so ähnlich stelle ich es mir vor. Ich habe daran gedacht, mir Schafe zu kaufen, ein paar Schweine und Hühner, einen Garten anzulegen und ein bißchen Klee und Getreide anzubauen.«

»Ein beneidenswertes Leben«, sagte Gregorio versonnen. »Das wäre auch ganz nach meinem Geschmack.«

»Na, dann . . . bleiben Sie doch bei mir«, sagte Gil zögernd.

»Ich?« rief Gregorio überrascht. »Um Gottes willen, nein. Ich werde gesucht und könnte dich in Gefahr bringen. Wir alle haben dir schon genug Schaden zugefügt.«

»Schaden? Ach was, überhaupt nicht. Im Gegenteil. Ich bin stolz darauf, den großen Faroni kennengelernt zu haben und von ihm anerkannt worden zu sein. Ich glaube, das ist das einzig Denkwürdige, das mir in meinem Leben zugestoßen ist. Und Sie, was beabsichtigen Sie zu tun, wenn Sie mir die Frage gestatten?«

»Ich weiß es nicht. Ich habe kein festes Ziel. Vielleicht ergebe ich mich.«

»Sich ergeben?« rief Gil empört. »Damit man Sie umbringt? Kein Gedanke! Das hat der Meister nicht verdient, daß seine Anhänger, jetzt, da er tot ist, sich ergeben. Das wäre ja beinah Verrat, entschuldigen Sie, daß ich das sage.«

»Vielleicht hast du recht, aber, um die Wahrheit zu sagen, ich bin es müde, immer auf der Flucht zu sein. Ich habe Fieber, ich bin hungrig, und der Jüngste bin ich auch nicht mehr.«

»Aber, dann bleiben Sie doch bei mir! Sie werden sehen, wie gut Ihnen das bekommt. Wir teilen uns die Landarbeit. Wir wechseln uns ab. Einen Monat ist jeder von uns Schäfer und einen Monat lang Bauer. Wir bauen uns ein Haus und kaufen uns Bücher und ein Motorrad, denn das Land liegt ziemlich abgelegen. Sie schreiben Faronis Biographie zu Ende, und ich verbringe meine freie Zeit mit Lesen und Denken. Sie helfen mir dabei. Wir ermutigen uns gegenseitig. Jeden Tag, wenn die Arbeit beendet ist, setzen wir uns hin und unterhalten uns, schreiben oder lesen. Ich bitte Sie, wenn Sie nicht wissen, wo Sie hingehen sollen, bleiben Sie bei mir«, flehte Gil.

»Das wäre ein schönes Leben«, murmelte Gregorio träumerisch. »Im Morgengrauen aufstehen, pfeifend hinter den Schafen herwandern, im Gras liegen und den Wolken nachschauen, fischen gehen ... Ein schöneres Leben kann man sich kaum vorstellen.«

»Na, dann bleiben Sie doch!«

»Ich kann doch nicht. Ich werde gesucht, und außerdem habe ich eine Frau, weißt du, und ...«

»Aber sie kann doch mit uns kommen«, unterbrach ihn Gil. »Es ist Platz für alle. Ganz klar! Und später, wenn ein bißchen Gras über die Sache gewachsen ist, eröffnen wir den Kulturverein und sprechen über den großen Faroni und über andere Themen der Kunst und Wissenschaft. Wir machen hier einen wöchentlichen Kulturtreff. Sie, oder besser gesagt, gestatten Sie mir, Sie zu duzen, du leitest ihn, und ich bin dein Gehilfe.«

Gregorio breitete untröstlich beide Arme aus.

»Aber ich habe kein Geld, nichts anzuziehen, gar nichts.«

»Und, was macht das?« erboste sich Gil. »Ich habe es, das reicht. Dafür erzählst du mir von Faroni und von all den großen Dingen unseres Jahrhunderts, dabei gewinne ich noch. Kommen Sie, was gibt es da zu überlegen! Bleiben Sie, ich bitte dich! Und wenn es nur mir zuliebe ist!«

Gregorio starrte ihn mit fiebrigen Augen durchdringend an, schlug plötzlich die Hände vors Gesicht und begann haltlos zu weinen. Gil wartete respektvoll und aufmerksam und legte ihm dann eine Hand auf die Schulter.

»Weine nicht um den Meister«, sagte er und hielt ihm ein Taschentuch hin. »Er lebt in unserer Erinnerung weiter und nach uns in der Erinnerung zukünftiger Generationen. Nur Mut. Dieselben Worte hätte er zu uns gesprochen. Im Unglück gilt es, stark zu sein. Komm, hör auf zu weinen, und denke an die Jahre, die du noch vor dir hast!«

»Aber, ich kann doch nirgends hin!« schluchzte Gregorio.

»Natürlich kannst du! Bleiben Sie bei mir! Hier findet man dich nie. Das Grundstück liegt weit vom Dorf entfernt. Wir bleiben da ein oder zwei Jahre, verhalten uns still, und dann kannst du, wenn du willst, deine Frau nachkommen lassen. Außerdem habe ich gehört, daß der General krank sein soll und es nicht mehr lange macht.

Danach wird sowieso alles anders. Denke an Faroni und laß nicht zu, daß dieses Gesindel sein Werk zerstört!«

»Also dann . . . einverstanden!« sagte Gregorio, wischte sich die Tränen ab und versuchte, ein Lächeln zustande zu bringen. »Ich bleibe! Von heute an«, und dabei stand er feierlich auf, »entsage ich der Welt und all ihrem Streben. Ich werde Bauer!«

Gil war ebenfalls aufgestanden, ein Stückchen gewachsen dank der Größe des Augenblicks.

»So gefallen Sie mir schon besser! Und jetzt, soll ich dir das Land zeigen, auf dem wir leben werden?«

»Auf geht's!« rief Gregorio und wies zur Tür.

»Es hat einen kleinen Bach und einen Brunnen und sieben Feigenbäume, die besonders süße Feigen geben.«

Gregorio breitete die Arme aus und lächelte beglückt.

»Und wenn du willst«, fuhr Gil fort, »ändern wir unsere Namen, vor allem du, um die Verfolger zu täuschen. Erlaube mir, daß ich dir einen neuen Namen gebe.«

»Dann los, Dacio! Taufe mich, hier auf der Stelle.«

»Nun, so heiße denn in Zukunft, was hältst du von Lino Uruñuela? Den Namen habe ich mir gerade ausgedacht, und er dürfte einmalig auf der Welt sein.«

»Lino Uruñuela. Einverstanden!« sagte Gregorio, »aber unter einer Bedingung: daß ich unter uns immer nur Gregorio Olías bin.«

Sie besiegelten den Pakt mit einem langen Händedruck.

»Und weißt du was?« sagte Gil, mit einem Fuß schon auf der Schwelle. »Unser Land werden wir *Villa Faroni* nennen. Wie findest du das?«

»Genau so soll es sein.«

»Also dann, genug der Worte! Unterwegs können wir uns überlegen, welchen Namen wir dem Brunnen geben und dem Hund, den ich anzuschaffen gedenke. Und dann mußt du mir noch erzählen, wie du aus dem Gefängnis ausgebrochen bist, und so viele Dinge noch aus dem Leben des großen Faroni, die ich immer schon wissen wollte. Zum Beispiel, was seine Lieblingsspeise war, und ob er Unterhemden trug oder nicht. Gehen wir?«

»Auf geht's!« rief Gregorio, und sie traten beide hinaus auf die Straße.

INHALT

ERSTER TEIL

ZWEITER TEIL

DRITTER TEIL

Fernando Pessoa

Alberto Caeiro / Dichtungen
Ricardo Reis / Oden
Portugiesisch und Deutsch. Band 9132

»Algebra der Geheimnisse«
Ein Lesebuch
Mit Beiträgen von Georg Rudolf Lind,
Octavio Paz, Peter Hamm und Georges Güntert
Mit zahlreichen Abbildungen
Band 9133

Álvaro de Campos
Poesias / Dichtungen
Portugiesisch und Deutsch. Band 10693

Ein anarchistischer Bankier
Band 10306

Esoterische Gedichte /
Mensagem / Englische Gedichte
Portugiesisch, Englisch und Deutsch
Band 12182

Das Buch der Unruhe
des Hilfsbuchhalters Bernardo Soares
Band 9131

Dokumente zur Person und
ausgewählte Briefe
Band 11147

Spanien erzählt

24 Erzählungen

Ausgewählt und mit einer Nachbemerkung
von Christoph Strosetzki
Band 10706

In 24 Geschichten aus den letzten 90 Jahren ergibt sich das faszinierende und eigenartige Bild eines Landes und seiner Menschen, das – im Spannungsfeld von Tradition und europäischer Moderne – einen eigenen Weg ging. Diese Sammlung spiegelt das Zusammenspiel von Tradition und Wandel auf vielfältige Weise. 24 Facetten des spanischen Lebens – aus Geschichte und Gegenwart.

Die Autoren: *Ignacio Aldecoa, Manuel Andújar, Max Aub, Azorín, Arturo Barea, Luis Buñuel, Maria Aurèlia Capmany, Camilo José Cela, Miguel Delibes, Salvador Espriu, Francisco García Pavón, Juan Goytisolo, Juan Ramón Jiménez, Carmen Laforet, Ana María Matute, José Ortega y Gasset, Emilia Pardo Bázan, Ramón Pérez de Ayala, Pío Baroja, Carmen Riera, Ramón José Sender, Miguel de Unamuno, Ramón del Valle-Inclán und Manuel Vázquez Montalbán.*

Fischer Taschenbuch Verlag

fi 2031 / 2